CW00661122

JEAN RENOIR,
UNE VIE EN ŒUVRES

DU MÊME AUTEUR

LE ROMAN DU CINÉMA, tome 1, Fayard, 1984.

LE ROMAN DU CINÉMA, tome 2, Fayard, 1986.

LE ROMAN DE CHARLOT, Fayard, 1987.

FRANÇOIS TRUFFAUT, Seghers, 1988.

JEAN COCTEAU CINÉASTE, Seghers, 1989.

LA DOUCE GRAVITÉ DU DÉSIR, Presses de la Cité, 1994.

LA NUIT BIENFAISANTE, Le Rocher, 1996.

CLAUDE-JEAN PHILIPPE

JEAN RENOIR,
UNE VIE EN ŒUVRES

BERNARD GRASSET
PARIS

Pour Marianne Lamour.

Chapitre premier

« Un amour plus fort que les différences »

*

1894/1914. Enfance, adolescence.
« Pierre-Auguste Renoir mon père » « Geneviève »

Jean Renoir ne se tient jamais là où nous croyons qu'il se trouve. Français autant qu'on peut l'être, héritier de Montaigne, Stendhal, Alexandre Dumas et Octave Mirbeau, contemporain de Giraudoux, Gaston Bachelard, Braque, Bonnard, fils d'Auguste Renoir, parisien dans l'âme, champenois par sa mère, provençal de cœur, il élira néanmoins domicile sur le flanc d'une colline californienne et il y vivra ses quarante dernières années, après avoir acquis – sans l'ombre d'un regret – la nationalité américaine. Considéré avant la Deuxième Guerre mondiale comme le « metteur en scène officiel des gauches », nous le verrons s'écarter du combat politique – sans aucun dilemme apparent – au bénéfice d'une appréhension infiniment plus large de l'histoire et de la civilisation.

Avec lui on n'en finirait pas de dénombrer les couples antagonistes : paresse et travail, désinvolture et gravité, improvisation et maîtrise, bonne et mauvaise foi, cruauté et bienveillance, couardise et noblesse, sensualité innée et désir d'abstraction, amour de la réalité en ce qu'elle a de féerique, goût de l'artifice et souci permanent de la vérité. Précisément, il s'agit de couples et non d'antinomies. Les contraires dans son esprit, l'absolu et le relatif, le vaste et l'intime, le théâtral et le vivant, ne font que se répondre pour mieux se féconder.

La création artistique ne consiste-t-elle pas à se jouer d'une complexité apparente pour faire apparaître une unité profonde ?

« Un amour plus fort que les différences », écrivait-il à propos des tableaux de son père.

Je me dois de citer ici le paragraphe entier, car il nous permet d'entrer aussi bien dans l'univers du peintre que dans celui de son fils, le cinéaste :

« Le monde de Renoir est un tout. Le rouge des coquelicots détermine l'attitude de la jeune femme à l'ombrelle. Le bleu du ciel s'appuie fraternellement sur la peau du jeune berger. Ses tableaux sont une démonstration d'égalité. Les fonds ont autant d'importance que les avant-plans. Ce ne sont pas des fleurs, des visages, des montagnes placés les uns à côté des autres. C'est un ensemble d'éléments qui ne font qu'un, amalgamés par un amour plus fort que leurs différences. »

Il me paraît donc à la fois naturel et essentiel de commencer par là. Premier livre de Jean Renoir, publié en 1962 après une longue maturation, *Pierre-Auguste Renoir, mon père* libère visiblement son auteur de toute obligation de réserve. Ce n'est pas de lui qu'il parle, mais d'un autre artiste, qui se trouve être son propre père. Meilleur moyen sans doute de se dévoiler, de dire le fond de sa pensée sur l'art et sur la vie, en évitant de se « mettre en avant ». Le nom même de Renoir est bien commode. Je ne soupçonne nullement le fils de vouloir influencer notre lecture. Il n'empêche que, bien souvent, c'est « Jean » que nous pourrions lire en lieu et place d'« Auguste ».

Physiquement, ils sont très différents l'un de l'autre. Les traits creusés du peintre jurent avec la mine épanouie du cinéaste. Le jour de la naissance de Jean, le 15 septembre 1894, Auguste remarque : « Quelle bouche ! C'est un four ! Ce sera un goinfre ! » Une toute jeune fille se tient auprès du berceau. Elle a quinze ans et se nomme Gabrielle. Elle est arrivée à Paris quelques semaines auparavant pour aider sa cousine Aline, l'épouse d'Auguste, en prévision de la naissance prochaine. Contredisant l'avis général, elle contemple le gros nourrisson et déclare : « Eh bien moi, je le trouve beau ! » Déclaration d'amour en vérité, dont le bébé tyrannique voudra tirer les conséquences en refusant par la suite, et pour de longs mois, de s'arracher aux bras de Gabrielle. Adoptée par la famille, devenue l'un des modèles préférés de Renoir, elle épousera un peintre américain, ce qui permettra à Jean de la retrouver bien des années plus tard, à Beverly Hills, où elle habitera dans une maison proche de la sienne. Leurs souvenirs conjugués fourniront à Jean la matière de son livre et, bien entendu, il en respectera le désordre.

Le dédain désinvolte qu'il affiche à l'égard de la logique chronologique ne peut être, en effet, que volontaire. Il est certain que la générosité naturelle de Renoir le conduit souvent sur des chemins de traverse, et qu'il se laisse facilement gagner par le charme des digressions. Cela ne suffit pourtant pas à expliquer les allers et retours continuels qui désorganisent son récit, et qui devraient donc nous priver du plaisir lié à la lecture de n'importe quelle biographie, voir défiler « toute une vie » sous nos yeux, depuis la naissance jusqu'à la mort du personnage, en passant par les années d'accomplissement.

Il se trouve pourtant que nous ne sommes privés de rien, et que notre bonheur de lecture tient précisément à ce que, de façon pleine et immédiate, une vie entière est contenue en chacun de ses fragments.

Renoir n'écrit pas une biographie, ni une étude esthétique, ni même un témoignage personnel. On comprend mieux en le lisant pourquoi ses films sont inclassables, et pourquoi il n'y peut rien. L'auteur de *La Règle du jeu*. pour prendre le plus bel exemple, a vu ainsi se déployer un univers où la comédie, le drame, le théâtre, la vie, la mort, s'enchevêtraient jusqu'à se rendre indissociables. Le spectateur, à son tour, n'y peut rien. Pour peu qu'il se prête au jeu, il se sent invité à la complicité, comme si Renoir en personne était assis auprès de lui dans la salle de projection et comme s'ils échangeaient des sourires de connivence. Ayant choisi d'écrire après avoir tant filmé, il retrouve d'autant mieux le ton et la liberté d'une conversation. Pour le cinéaste comme pour l'écrivain, il s'agit avant tout de ne pas se départir d'un désir de découverte.

Pierre-Auguste Renoir, mon père n'est pas non plus un livre « sur ». Jean n'écrit pas sur Auguste, ni même « avec » lui, en cherchant à l'accompagner de sa piété filiale et de son admiration, qui vont trop de soi pour que l'on insiste. Il nous parle « de »...

De l'apparence physique d'Auguste Renoir, de ses façons d'être, de son style de vie, du travail intérieur qui se fait jour sous ses traits émaciés. Il ne hiérarchise pas les remarques, les anecdotes, les bribes de souvenirs, les moments d'émotion. Comme son père, il « amalgame » les éléments les plus divers de manière à produire à son tour une « démonstration d'égalité ».

Pierre-Auguste Renoir, mon père commence en avril 1915 dans un appartement du boulevard Rochechouart qui semble avoir perdu son âme en même temps que son animation. Aline Renoir, née Charigot, épouse d'Auguste, vient de mourir. « Complètement démoli » par cette disparition, le peintre s'est fait transporter de sa propriété de Cagnes-sur-Mer à Paris pour être plus près de ses fils, blessés de guerre l'un et l'autre très grièvement. Pierre a eu le bras fracassé par une balle. Il reprend difficilement son métier d'acteur. Jean a failli perdre une jambe, traversée par une autre balle. Il marche avec des béquilles. C'est la première fois qu'il revoit son père depuis sa blessure. Leur émotion se traduit d'abord par un silence, « rompu par les sanglots de la grand-Louise », la cuisinière. « Elle pleurait en reniflant beaucoup, écrit Jean Renoir, comme le font le font les femmes d'Essoyes, le village de ma mère où la grand-Louise était née. Cela nous fit rire et elle sortit vexée. Ses crises de larmes étaient un sujet de plaisanteries familiales. On leur attribuait les excès de sel dans la soupe. »

L'appartement du boulevard Rochechouart semble abandonné. Les rires des modèles et des servantes se sont tus. Les tableaux ne sont plus là. Ils ont été expédiés à Cagnes. Renoir peint des roses, achetées la veille sur le terre-plein du boulevard, mais il s'interrompt à la tombée du jour car il se méfie de la lumière électrique. « La guerre avait changé les habitudes des Parisiens, écrit Jean, et les visites étaient rares. C'était la première fois que je me trouvais en face de mon père en ayant conscience que j'étais passé de l'état d'enfant à l'état d'homme. Ma blessure me confirmait dans cette sensation d'égalité. Je ne pouvais me déplacer qu'avec des béquilles. Nous étions deux estropiés plus ou moins confinés dans leur fauteuil. »

Le temps ouvre ainsi une de ces parenthèses qui favorisent la réflexion, la confidence et l'activité de la mémoire. « Il faut flâner et rêver, disait Auguste Renoir. C'est quand tu ne fais rien que tu travailles le plus. » Nous revenons donc, aussi lentement que possible, vers les années d'enfance du grand peintre, lorsque le voyage en diligence de Limoges à Paris durait un peu plus de deux semaines. Il avait quatre ans en 1845 quand sa nombreuse famille entreprit de se déplacer pour s'installer dans la capitale. Jean profite de l'occasion pour s'attarder encore un peu plus sur l'architecture intacte d'un relais de diligence qu'il a eu l'occasion de visiter un siècle plus tard : « Chaque fois que je pénètre à l'intérieur, écrit-il, je suis saisi par la beauté de la charpente. Les maîtresses poutres s'élancent vers la pointe du toit dans une sorte d'envolée. Les solives s'entrecroisent comme une dentelle. Je suis transporté à l'intérieur de la quille d'un grand navire que l'on aurait retourné. »

Les sauts chronologiques s'effectuent avec un naturel d'autant plus confondant qu'ils n'entraînent aucune confusion. Fils d'artisan tailleur, puis artisan à son tour lorsqu'il peint sur porcelaine, Auguste Renoir inscrit le filigrane de sa vie sur le fond d'un siècle qui enchaîne révolutions, guerres, découvertes scientifiques, bouleversements technologiques, jusqu'à l'extravagance avérée de 1914.

D'un côté donc l'accélération de l'histoire, et de l'autre le « devenir intérieur », comme dirait André Bazin.

Auguste Renoir avait été fasciné dans son enfance par un étrange personnage. Léonard, son père, recevait à sa table un homme qui avait servi comme aide principal le célèbre bourreau Sanson, celui de la Terreur. Il avait donc participé à l'exécution de Louis XVI et à celle de Marie-Antoinette. Auguste le décrivait ainsi : « Un grand vieillard aux cheveux blancs encore abondants coupés assez longs. Il devait regretter la poudre et le catogan. Il était rasé de près, soigné dans son langage comme dans sa personne. Il s'entendait très bien avec Léonard Renoir. C'étaient deux bons ouvriers : l'un taillait dans le drap, l'autre avait tranché les têtes avec la même conscience. »

L'aide-bourreau désapprouvait l'invention de la guillotine qui avait, disait-il, « ruiné le métier en le rendant trop facile. La facilité ouvre la porte aux amateurs. Avant, pour décoller une tête d'un coup de hache, il fallait du métier, sans parler des dons naturels : le coup d'œil et une main qui ne tremble pas. Quel mérite y a-t-il à actionner une mécanique qui se charge entièrement de l'ouvrage ? » Léonard Renoir partageait son opinion, lui qui redoutait la généralisation du vêtement de série, déjà à l'œuvre en Angleterre. Quant à Auguste et Jean, nous ne tarderons pas à connaître leurs préventions à l'égard du progrès technique et leur goût du travail fait à la main. La nostalgie du bourreau leur semble donc amplement justifiée.

Ils ont été les témoins, l'un après l'autre, d'un coup d'accélérateur dont l'histoire n'avait donné jusqu'alors aucun exemple. Ils inclinent d'autant plus à valoriser le temps présent. C'est le leitmotiv du livre, que Jean reprend sans cesse comme le faisait son père, au risque de la répétition : « Mon père ne vivait pas sur les souvenirs. Il était bien trop occupé à saisir le présent et à lui donner valeur d'éternité. » Vingt-cinq pages plus loin, je lis : « Le Renoir âgé revenait constamment sur cette faculté des femmes de ne vivre que le moment présent. » Cent pages encore et nous voyons l'amour de l'enfance se joindre au culte de la féminité : « Renoir découvrait et redécouvrait le monde, à chaque minute de son existence, à chaque aspiration d'air frais par ses poumons... La plupart des adultes ne découvrent plus le monde... De là cette plaie des sociétés modernes, l'ennui. Les enfants, eux, vivent d'étonnements renouvelés... C'est parce qu'il partageait avec les enfants cette curiosité passionnée que Renoir les aimait tant... »

Pierre-Auguste Renoir, mon père est l'histoire d'un homme qui ne s'est jamais ennuyé, racontée par un fils que l'ennui terrifie et qui passera sa vie à l'exorciser.

Evoquant les yeux d'Auguste (marron clair tirant sur le jaune), Jean passe très vite à leur expression : « Figurez-vous un mélange d'ironie et de tendresse, de blague et de volupté. Ils avaient toujours l'air de rire, de percevoir d'abord le côté cocasse. Mais ce rire était un rire tendre, un rire d'amour. Peut-être était-il aussi un masque. Car Renoir était extrêmement pudique et n'aimait pas révéler l'émotion qui le bouleversait tandis qu'il regardait les fleurs, les femmes, les nuages du ciel comme d'autres hommes touchent ou caressent. »

Retenu par sa propre pudeur, Jean n'aurait jamais osé en dire autant sur son propre regard d'homme et de cinéaste, que ces quelques lignes définissent pourtant à merveille.

Auguste Renoir est embrigadé en 1870 dans un régiment de cuirassiers. « Il se trouva que Renoir, écrit Jean, était très doué pour l'équitation. En quelques mois il devint un cavalier accompli. Le capitaine lui réservait les chevaux les plus nerveux : " Renoir s'en tire très bien avec eux. Il leur laisse faire ce qu'ils veulent. Et finalement ce sont eux qui font ce qu'il veut. " Le jeune cavalier appliquait à ses bêtes la même indulgente méthode qu'à ses modèles. » Méthode que le metteur en scène reprendra entièrement à son compte lorsqu'il dirigera des comédiennes et des comédiens.

Si j'insiste sur la dette du fils envers le père, c'est que les lignes de force qui structurent secrètement l'œuvre du cinéaste se lisent ici noir sur blanc. En voici une qui se dégage comme une clef de voûte : « La position d'observateur de l'humanité paraissait à Renoir prétentieuse et stérile. Il pensait que ce désir de l'artiste de boire aux sources mêmes de la vie doit rester inconscient. Pour lui, le problème n'était pas tellement de comprendre les hommes, mais de s'y mêler, de faire partie de la foule comme l'arbre fait partie de la forêt. »

A travers des différences qui ne seront plus que de surface dans *La Grande Illusion*, dans *Le Fleuve*, dans *La Règle du jeu* aussi bien que dans *Le Carrosse d'or*, *Le Crime de Monsieur Lange*, *L'Homme du Sud*, Jean Renoir nous fera éprouver la vertu de ce bain d'humanité au sein duquel son père avait trouvé son équilibre. La découverte de paysages renouvelait pour lui une inspiration qui se nourrissait par ailleurs du hasard des rencontres. Chaque fois que les Renoir se déplaçaient vers un nouveau domicile, les hauteurs de Montmartre, la maison d'Essoyes, Cagnes-sur-Mer, des personnages apparaissaient auxquels on n'ose croire tant ils sont colorés, drôles, vivants. Jean et Gabrielle les ont-ils inventés – ou, au moins, embellis – en explorant leurs souvenirs ? Je ne suis pas éloigné de penser que les caractères les mieux affirmés engendrent autour d'eux un univers qui se conforme à leurs visions personnelles sans cesser pour autant d'appartenir au monde réel.

Aux alentours de 1896, par exemple, Auguste Renoir traverse le « maquis » quatre fois par jour. Ce vaste terrain, fortement escarpé, envahi par des buissons d'aubépines, sépare son atelier de la rue de Tourlaque du « Château des Brouillards », où la famille s'est installée dans une maison dont les fenêtres dominent de haut l'étendue du paysage parisien. La jeune Gabrielle, qui porte le petit Jean dans ses bras, n'a pas tardé à lier connaissance avec les gens de l'endroit. Soixante ans plus tard, elle se souviendra encore avec précision du vieux monsieur à la redingote élimée qui préparait depuis vingt ans un numéro pour une baraque foraine, « consistant en une course de chars dont les chevaux étaient des rats et les cochers des souris ». Mais le diable, nous dit Jean Renoir, « lui avait soufflé la manie de la perfection ». Si bien que le numéro ne fut jamais au point. Un peu plus loin habitait Joséphine, la marchande de poissons, dans une sorte de ferme passablement délabrée. Cette forte femme avait deux filles promptes à la dispute. La première, danseuse à l'Opéra, était entretenue par un chirurgien célèbre. La seconde, courtisane de haut vol, arrivait chez sa mère dans une victoria à deux chevaux conduite par un cocher en livrée. « Les deux sœurs s'évitaient, écrit Renoir, mais parfois le hasard faisait coïncider leurs visites. Très vite la conversation devenait aigre-douce. Celle à l'équipage insistait sur une malheureuse erreur du chirurgien qui avait oublié ses lunettes dans le ventre d'une opérée. La danseuse répliquait par des allusions à des paillassons sur lesquels tout Paris venait se rouler. » Ne se croirait-on pas dans un film de notre auteur, où nous verrions Joséphine intervenir, une badine à la main, pour faire cesser la querelle entre les « petites » ? « Cela se terminait, écrit-il, par des larmes et des embrassades. L'hétaïre offrait à la danseuse de la ramener chez elle. Le cocher, cérémonieusement, ouvrait aux deux filles la porte de la victoria. »

Autre figure du « marais », Bibi la Purée, poète famélique, qui venait réciter ses œuvres à Mme Renoir, laquelle ne manquait jamais de lui proposer une tranche de viande froide accompagnée de cornichons. Auguste le croisa un jour sur son chemin :

— Bonjour monsieur Renoir, lui dit le personnage. Je suis Bibi la Purée, le poète. La patronne me connaît bien.

— C'est vous qui videz mes bocaux de cornichons ?

— Oui, et je profite de l'occasion pour vous présenter une requête. Vous devriez dire à Mme Renoir qu'ils sont trop salés. Moi je n'ose pas. Ça pourrait vexer son amour-propre d'auteur.

— Je n'y manquerai pas.

« Puisque art il y a, affirmait Auguste Renoir, je dis moi qu'il n'y a pas d'art sans la vie. Et si on tue la vie... »

Le livre entier s'organise autour de cette pensée. Il plonge ses racines dans le terreau de la mémoire, et il se laisse inspirer par le hasard, sans cesser de répondre à sa nécessité interne.

Jean Renoir retiendra tout au long de sa propre existence une autre leçon reçue de son père. C'est la fameuse théorie du bouchon au fil de l'eau :

— J'ai horreur de prendre des décisions, lui disait Auguste Renoir... Le bouchon, tu sais... Tu suis le courant. Ceux qui veulent le remonter sont des fous ou des orgueilleux, ou pire des destructeurs. De temps en temps, tu donnes un coup de barre à gauche ou à droite, mais toujours dans le sens du courant...

En 1961, dans un entretien avec Jacques Rivette enregistré pour la télévision, Jean s'appuie à son tour sur la théorie du bouchon pour affirmer :

« Je crois à la réalité des faits, et je crois qu'il faut s'incliner devant les faits. Je crois qu'on ne fabrique pas la vie, que c'est la vie qui nous fabrique... La direction générale, ce sont les événements, c'est le courant qui nous la donne... »

Dans son autobiographie, publiée en 1974 (*Ma vie et mes films*), il raconte un souvenir d'enfance, plus révélateur encore par sa conclusion. Durant ses vacances à Essoyes il avait un ami, fils d'ouvrier agricole, qui se nommait Godefer. Aucun cadenas ne résistait à l'habileté manuelle de ce garçon, qui l'invitait donc à se glisser au fond d'une barque volée, à baisser prudemment la tête pour ne pas être vu, et à se laisser dériver ainsi au fil de la rivière et à la grâce du temps.

Et voilà tout à coup que ce récit lui suggère un aveu essentiel :

« Je ne conçois pas le cinéma sans eau. Il y a dans le mouvement du film un côté inéluctable qui l'apparente au courant des ruisseaux, au déroulement des fleuves. Ça c'est l'explication maladroite d'une sensation. En réalité, les liens qui unissent le cinéma et la rivière sont plus subtils et plus forts, parce que inexplicables. Quand j'étais étendu au fond de la nacelle avec Godefer et que les branches balayaient notre visage, j'éprouvais une émotion très proche de celle que je ressens aujourd'hui lorsque j'assiste à la projection d'un film qui me touche. Je sais que l'on ne peut pas remonter le courant, mais je suis libre de ressentir à ma façon la caresse du feuillage sur le bout de mon nez. »

N'est-il pas merveilleux que l'expression la plus simple et la plus rude du sentiment tragique de l'existence (« On ne peut pas remonter le courant ») se trouve ainsi mêlée à un souvenir radieux ? En cela Renoir est unique. « Les Renoir », devrais-je dire...

Evoquant le martyre vécu par son père depuis une chute de bicyclette en 1897 jusqu'à sa mort en 1919, Jean raconte avec précision le combat quotidien de l'artiste contre le rhumatisme déformant qui gagne chacune de ses articulations. Pour maintenir, ou recouvrer un tant soit peu, la souplesse de sa main et de son poignet, il s'impose des exercices de jonglerie et il joue au bilboquet. « Comme Henri III dans Alexandre Dumas ! » dit-il en riant. Nous ne pouvons rien ignorer de sa souffrance, mais lui-même n'aurait pas toléré que son fils s'appesantisse dessus. Jean ne perd donc pas de vue la vie environnante, les gens d'Essoyes pour qui Auguste s'est pris de sympathie, la famille, les amis en visite... une certaine escapade aux Riceys, le pays du vin rosé, et l'arrêt dans une auberge très ancienne. « Il faisait très chaud, écrit-il. Renoir avait faim. Le chapiteau sculpté d'une maison voisine l'avait mis en verve. Il se régala de poulet en cocotte et de pois mange-tout avec des grêlons, autrement dit sautés au lard. Il but plus d'une bouteille de pinot rosé. Le retour fut accompagné de chansons... » La scène se déroule en 1902, alors que le mal s'installe et empire de façon irrémédiable.

Quelque soixante-dix ans plus tard, Jean se verra condamné lui aussi à l'épreuve de la chaise roulante et il devra endurer à son tour des maux de toutes sortes.

« Je suis un parfait couard, avoue-t-il dans une lettre à François Truffaut (le 19 novembre 1974). J'ai horreur de souffrir, et quand ça me travaille j'aime pouvoir crier. Or, il me semble que notre civilisation n'approuve pas les cris, elle approuve le bruit surtout si ce bruit est mécanique. » Le 23 septembre 1976, il écrit au même Truffaut cette phrase que son père n'aurait pas désavouée : « Je continue à être monté sur roues. On s'y fait très bien. » Un an plus tard, dans une lettre à son grand ami Georges Simenon, je note cette autre phrase : « J'ai découvert l'idole dont la religion est encore plus tyrannique que la littérature et le cinéma. C'est de raconter des histoires. »

La dernière qu'il ait écrite, ou plutôt dictée à un jeune homme qui lui rendait visite chaque jour, s'intitule *Geneviève*. Il mourra le 12 février 1979, au lendemain du jour où il venait de l'achever.

Ce petit livre de quatre-vingt-quinze pages, qui se lit en l'espace d'une matinée, ne revêt pas l'importance de *Pierre-Auguste Renoir, mon père*, mais il en est, à mes yeux, l'indispensable complément, le contrechamp en quelque sorte. A l'intimité familière du grand peintre se substitue à présent, sous couvert de fiction, un autoportrait de l'artiste en jeune homme.

Avant d'entrer en salle de projection et de m'absorber dans l'étude des films de Jean Renoir, je ne puis que me réjouir du cadeau qu'il nous a fait en jouant sur un clavier, nouveau pour lui, celui de la page blanche, l'ensemble des thèmes qui n'ont jamais cessé de l'habiter et de l'animer. Je vois pour ma part dans ces deux livres le meilleur moyen de faire apparaître, une première fois, clairement, son amour du présent, son goût des contrastes, sa méditation de bouchon au fil de l'eau, et son désir de se fondre au sein de la communauté humaine.

Voici donc *Geneviève,* qui ne se prévaut d'aucune ambition proprement littéraire. Renoir le dit nettement à Simenon : il ne s'agit que d'une « histoire ».

Geneviève ne fait rien, en effet, pour ressembler à un chef-d'œuvre. Dans l'esprit d'un artiste qui s'est toujours méfié de la perfection, dans l'esprit d'un vieil homme qui sent décliner en lui la toute-puissance de la vie même, se maintient le désir de poursuivre une conversation inépuisable avec les amis que lui ont valus quelque trente-cinq films en l'espace de quarante ans.

« A mon avis, dit Renoir dans son entretien avec Rivette, ou bien un artiste a de l'intérêt, ou il n'en a pas. Pardon, je dis mal... Je devrais dire : ou bien je l'aime ou je ne l'aime pas, ou bien il est mon ami ou il ne l'est pas. Alors, s'il est mon ami, si je l'aime, il peut dire n'importe quoi... N'importe quoi de la part d'un ami, c'est beaucoup plus intéressant que des vérités profondes de la part d'un indifférent. »

Geneviève est donc émaillé des mille et un « n'importe quoi » qui surviennent entre les propos d'un ami de longue date. On oublie très vite l'âge de Renoir – 85 ans en 1979 – car le narrateur du roman ne fait pas la moindre allusion à sa situation présente. Lui aussi doit être octogénaire, mais peu importe : nous sommes en 1913, et nous accompagnons un garçon de la grande bourgeoisie expédié par son père sur la Côte d'Azur dans une pension pour apprentis bacheliers tenue par Monsieur Enclin. Ce latiniste fervent et réputé n'est pas peu fier de sa barbe, qui soutient la comparaison par son abondance et sa forme rectangulaire avec celle du roi des Belges, Léopold II.

Bien que le roman soit écrit au passé, Renoir s'arrange pour que nous le vivions au présent. Au lieu de nous préparer à la tragédie qui couve dans l'enceinte de la pension, il prête sa voix à son très jeune héros pour flâner avec lui au gré de ses curiosités et de ses minuscules découvertes. Le garçon confie au passage sa passion pour « les véhicules propulsés par des moteurs à combustion interne ». Il admire dans la cour de la gare ces « champions d'élégance » que sont la Rolls-Royce anglaise et l'Hispano-Suiza française. Dans l'autocar qui le conduit à l'hôtel Arate, un « Delaunay-Belleville à radiateur rond », il écoute les gloussements admiratifs de deux vieilles Anglaises lorsque s'ouvre à leurs yeux le paysage de la Croisette, et il s'interroge : « Je me suis toujours demandé pourquoi les femmes des pays latins ont une voix grave et les Nordiques une voix qui les fait ressembler à des oiseaux. C'est peut-être la nourriture... » Je me devais de citer un exemple de « n'importe quoi ». Il me semble que c'est fait.

Nous apprenons que Jules Arate, le propriétaire de l'hôtel, est un ami des parents du jeune homme. Il le reçoit donc à sa table du restaurant et il lui fait servir une quenelle de brochet. Une seule, car – nous le saurons par la suite – il est passionnément avare. Mais nous découvrirons aussi – plus tard encore – que l'amour qu'il porte à sa fille Geneviève est la grande affaire de sa vie. La jeune fille a dix-huit ans. Elle a été malade et elle l'est encore puisque Jules Arate la fait suivre par le professeur Lescalier, qui se déplace tous les mois à grands frais, venant de Paris spécialement pour elle. Peu importe la dépense lorsqu'il s'agit de Geneviève. Il minimise néanmoins la gravité du mal, évoquant ses crises de paralysie et parlant à mots couverts de sa sensibilité excessive. « Elle est un peu nerveuse, dit Jules Arate. Elle craint les surprises. Mais tu la verras toi-même. C'est d'ailleurs une fille extraordinaire. Elle est en train de préparer son baccalauréat de latin-sciences. »

Renoir ne fait aucun sort à cette conversation. Le jeune homme y apprend que Geneviève reçoit elle aussi l'enseignement de Monsieur Enclin, dont la pension se situe non loin de la grande maison où elle vit. Il sait donc qu'il la rencontrera un jour ou l'autre, ce qui n'éveille en lui – tout d'abord – qu'une simple curiosité.

On pourrait croire que le cinéaste devenu romancier utilise en la circonstance un vieux procédé de retardement. L'apparition de Geneviève revêtirait ainsi d'autant plus de relief que nous l'aurions attendue plus longtemps. Ce serait vrai si Renoir procédait de façon lente et continue, à la manière d'un travelling bien huilé. Mais non, il avance et se déplace selon sa cadence personnelle, heurtée, abrupte, presque maladroite. Il multiplie les notations et brosse au passage un nombre impressionnant de portraits. Clémence Arate, la mère de Jules, habite une ferme surnommée « La Mesquine », non loin de la grande maison et de la pension Enclin. Elle s'y est retirée par haine de la « mécanique » et de la vie moderne, depuis qu'elle a perdu son mari dans un accident de chemin de fer. Renoir ne le dit pas, mais on sent qu'il la considère avec respect. Alexandre Arate, son petit-fils, se vante d'avoir été chassé de plusieurs établissements en Suisse, en Angleterre et en France. C'est un garnement, à la fois brillant, indiscipliné, avide de cocktails américains particulièrement « tueurs » et amateur de sombres farces. La pension Enclin représente sa dernière chance de réussir au baccalauréat. Il est donc le condisciple et sera bientôt l'ami du narrateur, en même temps que Laurent Durbise, féru de psychanalyse, et Adrien Belmont qui se berce, en bégayant, de vers latins.

Je pourrais allonger la liste des croquis. Renoir n'en finit pas, à quelques semaines de sa propre fin, d'évoquer des visages, des attitudes, des bizarreries, des travers, des singularités et des destins de toutes sortes. On oublierait presque, tant les traits sont vifs, aigus, féroces, réjouissants, généreux, qu'il fait ainsi ses adieux à l'humanité.

On oublierait même que Geneviève ne pourra manquer d'intervenir au premier plan du récit. Lorsque, à la page 23, elle en prend l'initiative, nous sommes pris de court autant que le jeune homme. C'est la première fois qu'elle entreprend de franchir l'espace séparant la grande maison de la pension. Jusque-là elle a reçu chez elle l'enseignement de Monsieur Enclin. Renoir ignore – semble-t-il – la raison – ou le caprice – qui l'a convaincue de sortir de sa réclusion, mais il a besoin de nous faire sentir combien, parfois, elle peut se montrer déterminée.

« Ce fut quand même un choc, avoue le narrateur. Geneviève était beaucoup plus laide que sa réputation ne me l'avait fait craindre. Tout un côté de son corps était paralysé. »

La jeune fille n'est pas décontenancée pour autant. Elle affirme que le mal ne l'atteint pas toujours aussi violemment, et qu'il lui arrive de connaître des rémissions où elle peut écrire sans trembler. Ce qu'elle appréhende ce sont les précautions exagérées à son égard : « Le parler bébé... comme s'il était plus compréhensible. »

A ce moment précis nous sommes à mille lieues d'imaginer qu'un sentiment amoureux puisse naître dans l'esprit du garçon. Il ne peut voir encore qu'une infirme, terriblement disgraciée.

Renoir éprouve alors le désir de se tourner plus loin vers le passé et de se plonger dans la généalogie de la famille Arate. Il ne lui suffit pas d'avoir conçu son premier chapitre comme un bain révélateur où l'image de Geneviève s'est formée progressivement à la faveur de différents ouï-dire, jusqu'à l'effroi de son apparition. Elle ne s'édulcore d'aucune façon au cours du deuxième chapitre, mais elle se modifie grâce aux regards de ceux qui se sont pris pour le bébé, puis pour la petite fille, d'un véritable amour.

Mais nous n'en sommes pas là. Il faut d'abord en passer par l'épouvante, qui n'épargne personne. Avant la naissance de Geneviève, sa mère, Isabelle Arate, née Schneider, était « une femme obèse avec une tête trop grosse pour son corps », que son esprit puéril plongeait dans des fous rires tellement prolongés qu'ils en devenaient douloureux. Jules Arate l'avait épousée pour des raisons strictement commerciales. Il lui fallait sceller l'alliance entre son propre empire hôtelier et celui des Schneider qui rayonnait en Europe à partir de Zurich. Il lui fallait aussi assurer l'avenir de son nom à travers une progéniture.

« Entre deux fous rires », Isabelle tomba enceinte une première fois pour donner naissance à Alexandre, mais la seconde fois elle fut atteinte de la rubéole et accoucha d'une petite fille à la maigreur effrayante. Le professeur Lescalier ne prit pas de gants pour annoncer au père : « Il est dommage que cet insecte noirâtre n'y soit pas resté. »

Je n'ai donc pas exagéré en parlant d'épouvante. Guère plus que le professeur Lescalier Renoir ne ménage son lecteur lorsqu'il dépeint Isabelle Arate se consolant dans l'absorption continue de marrons glacés et de liqueurs sucrées. « Elle devint une boule de graisse, écrit-il, et mourut d'une crise de foie en 1901, sans avoir jamais revu son avorton de fille. »

Il ne faut pas attendre de lui un mot de compassion pour la malheureuse idiote. Ce n'est pas la première fois, même si c'est la dernière, que Renoir se montre aussi cruellement lapidaire à l'égard d'un personnage.

Il ne faut pas attendre de lui qu'il renonce à travailler la pâte humaine avec autant d'appétit que de brutalité. Qu'il n'y aille pas « de main morte », c'est évident. Mais pourquoi se soucierait-il de nuancer ? Il admire et envie les potiers étrusques qui « pour la décoration de leurs vases ne connaissaient que deux couleurs ». Nous le voyons dès lors prendre plaisir à se saisir d'un caractère en se limitant à deux ou trois traits, ce qui le rend, à nos yeux, saisissant.

Il nous invite à regarder autour de nous, et il nous conjure, implicitement, de nous observer nous-mêmes sans complaisance dans le miroir qu'il nous tend. Ne s'est-il pas mis lui-même à l'épreuve de sa propre caméra, dans *Partie de campagne*, *La Bête humaine*, *La Règle du jeu*, où il incarne des personnages tout d'une pièce ? Ne pense-t-il pas, en secret, que la complexité psychologique dont nous sommes si fiers peut se réduire à quelques éléments simples. Si je voulais me gargariser de mots, j'écrirais que Renoir « va droit à l'essentiel ». Mais non, c'est l'élémentaire, pour ne pas dire le rudimentaire et le puéril, de nos pensées et de nos sentiments, qui se dégage à ses yeux et qui le passionne au-delà de toute mesure en éveillant sa formidable gaieté, sans l'incliner le moins du monde à la misanthropie.

En même temps, il sait bien qu'une surprise est toujours possible, et que Jules Arate se trompe lorsqu'il accuse saint Basile – souvenir des jours anciens où la famille Arate était grecque orthodoxe – de lui avoir donné deux enfants dont « l'un est un voyou et l'autre un monstre ».

Geneviève a quatre ans lorsque son père découvre que sa bouche est bien ourlée et qu'elle a des yeux superbes. Il ne lui en faut pas plus pour tomber en admiration, et bientôt en adoration. Antoinette, la servante au cœur simple, ne l'a pas attendu pour la trouver belle, et l'on voit reparaître ici l'image de la protectrice, sur les seins de laquelle on peut appuyer sa tête d'enfant avec une volupté sans pareille.

Elle a surgi une première fois, dès les premiers jours de la vie de Jean Renoir, sous la forme de Gabrielle. Le héros des *Cahiers du capitaine Georges*, le roman qu'il publiera en 1966, se souvient lui aussi de Nancy, sa nurse anglaise, qui l'éleva et l'aima en lui passant tous ses caprices. « Mon évocation de Nancy, écrit-il, ne prend pas une forme humaine, pas même une forme définie. C'est comme une mousse très douce et cependant très ferme qui m'envelopperait. Ce n'est pas de la soie, ni du sable, ni du foin, ni un nuage. Cette matière est vivante. Quelle que soit la position que je donne à mes membres ankylosés, elle les enveloppe et les soutient délicieusement. » Comme Renoir, à propos de Gabrielle, Geneviève pourrait dire d'Antoinette qu'elle est la seule personne au monde capable de lui procurer un sentiment de sécurité.

Jules Arate oublie son avarice pour manifester sa reconnaissance envers la servante ; mais, quand il lui propose de la conduire chez un dentiste pour remplacer ses chicots noirs, Antoinette refuse sèchement : « Qu'est-ce qu'elles ont mes dents ? Ceux à qui ça ne plaît pas ont qu'à pas regarder... J'aurais l'air d'une roulure !... »

« Cette scène, écrit Renoir, fut accompagnée des hurlements de Geneviève qui comprenait qu'on voulait changer quelque chose à sa chère Antoinette. Cela la mit dans un état de rage frénétique. Son visage était tordu, ses yeux révulsés. »

Vers la fin de ce deuxième chapitre, l'image de Geneviève est désormais précise : monstrueuse aux yeux des gamins qui se moquent d'elle lors de ses rares sorties en chaise roulante ; merveilleuse au regard d'Antoinette et de son père, qu'elle a définitivement séduit en lui disant : « Je me fous pas mal d'être une demoiselle. Ce que je veux, c'est qu'on reste ensemble. » Quand elle était encore petite fille, elle avait décrété : « Jules, c'est mon amant ».

On se doute que le mouvement intérieur qui a libéré de ses préventions le père de Geneviève préfigure celui qui conduira le garçon, dont nous avons fait la connaissance au premier chapitre, à aimer la jeune infirme. Il est temps de remarquer que Renoir ne nomme à aucun moment son protagoniste ; mais n'est-ce pas de lui, tout bonnement, qu'il s'agit ? N'a-t-il pas vécu lui aussi, à la même époque et au même âge, sur la Côte d'Azur, à Magagnosc d'abord, près de Grasse, puis dans la ferme des Collettes à Cagnes-sur-Mer, que son père acheta en 1907 ? N'est-ce pas de lui qu'il parle, évoquant avec ironie les aspirations de sa dix-neuvième année : « Dans mon esprit j'établissais la hiérarchie que voici : tout en haut de la pyramide trônait la femme. Au deuxième rang se mettait l'automobile... L'idéal de mes rêves était une femme dans une automobile. »

Il va jusqu'à prêter au narrateur ses propres traits physiques : « Mes yeux gris me semblaient beaux... Franchement, je les trouvais sensibles, intelligents, voire émouvants, surtout dans l'expression de chien battu... » Mais il en veut beaucoup à son nez trop petit et à sa bouche trop grande, qui lui donne un « air poupin, enfantin ». Raison pour laquelle Rosalie, la fille du boucher, lui a préféré Alexandre Arate, beaucoup plus classiquement romantique, avec sa chevelure de jais et sa barbe abondante.

Romantique, précisément, ce héros d'un roman d'apprentissage écrit à quatre-vingt-cinq ans, ne l'est d'aucune façon, et son auteur ne le pare d'aucune vertu particulière. Nous nous orientons droit vers la tragédie, mais sans le moindre écart du côté d'une sentimentalité que Renoir, fidèle en cela aux leçons de son père, abhorre par-dessus tout. Voilà pourquoi *Geneviève* se présente à nos yeux comme une tragédie désinvolte, ce qui ne devrait pas surprendre les admirateurs de *La Règle du jeu*. Renoir avait déjà pris le risque au printemps 1939 de nous faire assister à un « drame gai ».

Le narrateur de *Geneviève* ne cède à aucune sorte d'épanchement. Il se trouve que l'infirme a décidé un beau jour de prendre ses repas à la table de la pension Enclin, et que le jeune homme a pris l'habitude de la raccompagner chez elle, ce dont le brave Monsieur Enclin le félicite : « Tu fais là une bonne action. *Sol lucet omnibus*. » Mais le narrateur corrige aussitôt : « Pour moi ce n'était pas de la bonté. J'étais sincère. »

Il n'en dit pas davantage, faute de pouvoir en dire moins.

Etonnant Renoir quand même, qui ne ménage pas plus ses transitions que ses nuances. Nous en étions restés à la laideur de la jeune fille et à la violence de ses crises nerveuses. Page 68 nous lisons encore : « Geneviève traversait la vie avec sa voix qui faisait penser à un gazouillis d'oiseau et brusquement émettait d'effroyables hurlements. » Ce qui n'empêche pas le narrateur de nous révéler deux phrases plus loin et sans donner d'explication : « Geneviève commençait à m'intéresser. » Il enchaîne aussitôt et souligne l'agressivité de la jeune fille qui réserve ses premières « attaques » de la journée à son père et à Antoinette : « Geneviève était terrifiante, surtout dans les notes aiguës qui pénétraient les oreilles à la façon d'une vrille. »

Compte tenu de ces remarques, on ne voit toujours pas comment une idylle pourrait se nouer entre les deux jeunes gens. Que Geneviève prenne la main du garçon durant un cours de Monsieur Enclin, passe encore... Mais que la réciprocité aille de soi dans l'esprit du narrateur, revenu en pensée soixante-cinq ans plus tôt, voilà qui nous renverse, sans que Renoir cherche le moins du monde à nous « épater » (pour reprendre son propre vocabulaire).

Le garçon ne tient pas à expliquer ce qui lui arrive. L'introspection n'est pas son fort. Tout autre romancier nous aurait préparé à cette métamorphose de l'image de Geneviève dans le regard du jeune homme, « normalement » attiré jusque-là par les formes arrondies, la bouche minuscule et « les yeux d'odalisque » de Rosalie, la fille du boucher.

Il ne faut pas attendre de Renoir qu'il s'attarde en cheminements psychologiques. D'autres romanciers et d'autres cinéastes, à commencer par Eric Rohmer, l'un de ses plus fervents admirateurs, s'y sont employés et s'y emploieront. Mais lui, Renoir, en tient obstinément pour une rudesse d'approche qui lui permet d'atteindre, comme par effraction, la vérité intérieure de ses personnages.

Ecartons-nous un instant du côté des laques et des porcelaines extrême-orientales montrées à Paris au retour d'une mission mi-diplomatique mi-commerciale, dans les années d'expansion du Second Empire. Auguste Renoir, très jeune encore, visite l'exposition en compagnie de son frère Henri. Bien des années plus tard, dans ses conversations avec Jean, il se souviendra de l'impression que produisirent en lui les différentes pièces. Il admira d'abord poliment ces objets « représentant la décadence d'une immense civilisation », et puis il tomba en arrêt : « Soudain, dit-il, je découvris dans un coin de merveilleuses poteries, des formes si simples que j'en étais tout ému, et là-dessus de larges touches d'oxyde de cuivre, ce vert qui fait penser à des vagues, enfin de la porcelaine traitée sans respect, de la porcelaine épaisse et que l'on peut tripoter sans risquer la casse... »

Toute la psychologie de Jean Renoir est peut-être contenue dans cette simple formule : « enfin de la porcelaine traitée sans respect ».

Geneviève en apporte la démonstration. Le conteur a traité sans respect la porcelaine d'un récit à haut risque. Il n'a rien caché du corps torturé de son héroïne, ni de son caractère entier, ni de la violence de ses crises, proches de la démence. Il s'engage pourtant, aussi résolument que son narrateur, et sans craindre « la casse », vers le moment où tout basculera.

Nous savons que l'aspirant bachelier est en quête de l'amour et qu'il est parfaitement novice en ce domaine. Nous apprenons à présent qu'il a été séduit par l'esprit de Geneviève. Des goûts littéraires les rapprochent. Pour Stendhal en particulier, leur auteur préféré : « Le cynisme chaleureux du comte Mosca et de la Sanseverina nous paraissaient un modèle de conduite pour civilisés », et c'est Renoir qui parle ici en leur nom.

Très vite ils prennent l'habitude de fumer ensemble des cigarettes Abdullah dans la lumière du soleil couchant, en se laissant caresser par la brise marine. Un soir, Geneviève dit au garçon : « Pourquoi jouer à cache-cache, tu as envie de m'embrasser... »

« Je jetai ma cigarette, écrit le narrateur. Geneviève était exquise... Toutes les réflexions que je m'étais faites sur la beauté disparaissaient comme chassées par un vent d'allégresse, un vent inexistant pour les gens soi-disant logiques, un vent qui enveloppait deux amants pour qui l'hiver avait disparu... »

Renoir ne nous dissimule pas les difficultés matérielles de ces premiers échanges amoureux, qui n'iront pas – bien sûr – jusqu'à leur terme. Le fauteuil roulant, l'armature d'acier du corset de Geneviève s'y opposent. « Je la voyais telle qu'elle était, écrit le narrateur, et je l'aimais telle qu'elle était. Ce qui était de l'amour curiosité était devenu de l'amour vrai. »

Je ne sais si *Geneviève* est un grand livre. Je suis trop marqué par plus de cinquante ans où je n'ai pas cessé de voir et de revoir les films de Renoir, mais n'est-ce pas un plaisir en soi que de le retrouver égal à lui-même dans le sixième et avant-dernier chapitre où Geneviève propose à son amoureux de rendre visite à sa grand-mère Clémence ? La vieille dame les reçoit sous le tilleul de sa petite ferme demeurée hors de l'agitation du siècle, à l'image de ceux qui l'habitent.

C'est un moment de plénitude heureuse, où le passé acquiert la force du présent. La simplicité de Clémence a quelque chose de royal. Lorsque le garçon lui baise la main, elle ne marque aucune surprise. Non loin de là, Jean, le vieux serviteur, dort sous un olivier. Il revit en rêve le temps où l'on récoltait les olives en frappant les arbres avec de longues perches. Il se souvient des recommandations du meunier : « Ne pas mélanger la première huile – on disait la fleur – avec des huiles moins délicates. » Il revoit les fillettes versant le contenu de leurs paniers sous la grosse meule de granite. « Plus la journée avançait, écrit Renoir, plus l'huile devenait épaisse... Le meunier allumait son four et les femmes faisaient griller de larges tranches de pain bis, sur lequel elles versaient un peu de cette huile précieuse et un peu de sel. On avait pour dîner le régal des régals. »

Impossible de distinguer en cet instant les souvenirs du vieux Jean et ceux de Jean Renoir lui-même, en instance l'un et l'autre de disparition.

Nous n'échapperons pas, cependant, au septième et dernier chapitre où survient une certaine Denise, qui a choisi la pension Enclin comme lieu de repos et de villégiature. Connaissant Renoir comme je le connais, je n'ai pas de mal à imaginer cette jeune femme rieuse et provocante, dont chacune des attitudes suggère la volupté. On devine sans difficulté qu'elle opère une sorte de révolution au sein de l'établissement. Les apprentis bacheliers fondent sous les baisers qu'elle distribue, par jeu, avec une grande libéralité. Monsieur Enclin en personne accepte de se laisser faire lorsque Denise entreprend de lui tresser la barbe en forme de natte.

« Malgré moi, avoue le narrateur, Denise m'intéressait. »

A aucun moment il ne reniera la ferveur de son amour pour Geneviève, mais le désir est en lui, latent, que Denise s'ingénie à attiser.

Le soir de Noël, Jules Arate donne une réception dans la grande maison pour fêter la « guérison » de sa fille, dont les crises nerveuses se sont estompées au point de faire croire à leur disparition totale. Souhaitant honorer ses invités anglais, il a fait suspendre une touffe de gui au lustre du salon. Une tradition britannique commande en effet aux couples qui passent sous le gui d'échanger un baiser.

On devine la suite, qui se présente après tout sous les apparences de la comédie, mais nous savons que, chez Renoir, la tragédie entretient une prédilection toute particulière pour les moments de rire et d'insouciance.

Denise a été placée à la table du dîner auprès du garçon dont le livre nous raconte l'histoire. Ils se lèvent ensemble et poursuivent leur conversation, sans voir qu'ils sont passés sous le gui. Alexandre le leur fait remarquer. Ils doivent donc s'embrasser sous les rires de l'assistance.

« C'est alors, écrit Renoir, que je m'aperçus que Geneviève me regardait avec des larmes dans les yeux. »

Il n'en faut pas plus à la tragédie pour tenir enserrée une proie idéale : forte autant que fragile, fière autant qu'éperdue. Aucune protestation d'amour, aussi sincère soit-elle, ne persuadera Geneviève de revenir sur sa décision d'en finir avec la vie.

« Je veux quitter ce monde où je n'ai pas de place, dit-elle, ce monde où il n'y a pas de place pour une infirme. »

Quelques instants plus tard, elle actionne à la main son fauteuil roulant et se jette du haut d'un escalier.

En épilogue du roman, le narrateur évoque le hasard qui le mit en présence d'Alexandre Arate dans un bar de Saint-Tropez, bien des années plus tard. Après qu'ils eurent échangé les banalités d'usage, Alexandre demanda :

— Tu penses quelquefois à Geneviève ?

Renoir avoue alors :

« Je ne pensais jamais à Geneviève, mais eus honte de renier ce grand amour de ma jeunesse. Je répondis :

— De temps en temps. »

Chapitre deuxième

« *Toute sa vie, Jean a eu des muses...* »

*

1917/1928. Les années Catherine Hessling. « La Fille de l'eau » « Nana »

Après le dernier livre de Jean Renoir, une démarche logique aurait dû me conduire vers son premier film, *La Fille de l'eau* (1924), mais le courage me manque devant les séquences dépareillées de ce mélodrame champêtre qui sacrifie aux clichés de l'époque : orpheline en détresse, méchant persécuteur, péripéties en cascade, dans la plus plate tradition du feuilleton à bon marché. Franchement, si l'on m'avait montré *La Fille de l'eau* sans générique, j'aurais été bien incapable de l'attribuer à l'auteur de *Partie de campagne*. Sachant que le film est de lui, je puis y déceler une belle ardeur de débutant, tenté par des effets de montage rapide et par l'usage onirique de la surimpression, en même temps que certaines promesses d'images et de scènes à venir : le fil de la rivière, la joliesse d'une sauvageonne qui tire la langue à ceux qui se moquent d'elle, l'œil dilaté de l'oncle au moment où le désir lui vient de violer sa nièce, le sentiment éprouvé par un jeune homme distingué pour une fille des bois. Oui, mais c'est après coup seulement, connaissant *Boudu sauvé des eaux*, *Toni*, *Les Cahiers du capitaine Georges* et la pièce *Orvet*, que je devine les premiers tressaillements d'une inspiration qui n'a pas encore trouvé son expression.

Jean Renoir est loin d'appartenir à la lignée des cinéastes qui font de leur coup d'essai un coup de maître : *Un chien andalou* pour Buñuel, *Le Sang d'un poète* pour Jean Cocteau, *Zéro de conduite* pour Jean Vigo, *Citizen Kane* pour Orson Welles...

Plutôt que de parler cinéma, je préfère imaginer le Renoir de trente ans, qui ne sait pas encore très bien où il va. Les photographies de l'époque nous montrent un grand jeune homme assez beau, séduisant même, mais une grave blessure de guerre le condamne à une claudication permanente. Il en parlera toujours avec légèreté, et comme incidemment : « Je devais boiter toute ma vie, mais, paradoxalement, je considère ça comme un avantage : un boiteux ne voit pas la vie sous le même angle que quelqu'un qui ne boite pas. » Chaque fois qu'il évoque un souvenir de guerre, il adopte le même ton ; en racontant par exemple à son père, que cette histoire amusait beaucoup, comment il fut enrôlé dans la cavalerie au début du conflit, et comment il lui fallut faire face, au milieu de sa patrouille de dragons, à une demi-douzaine de uhlans qui chevauchaient dans la campagne non loin d'Arras. D'un côté comme de l'autre la tradition de l'arme commandait la charge, avec alignement des chevaux, ajustement des lances, départ au pas, puis au trot, puis au galop, jusqu'à l'instant du choc frontal, où chaque cavalier, apercevant sous le casque le visage de l'adversaire, se devait de l'embrocher dans les règles de l'art. Mais les chevaux, ce jour-là, ne l'entendirent pas de cette oreille. « Malgré le mors et l'éperon, écrit Renoir, ils s'écartèrent hors de portée des lances. Les deux patrouilles se croisèrent en un galop furieux, offrant à quelques moutons qui paissaient une démonstration cavalière brillante, mais inoffensive. »

Il n'en demeure pas moins qu'il a vu la mort de très près, en cette circonstance et en d'autres, lorsque, affecté dans l'aviation en 1916, après son opération de la jambe, il fut blessé à nouveau dans un accident d'atterrissage. On devine alors sans peine que la vie représente à ses yeux, une fois la paix revenue, quelque chose d'étourdissant. Grâce à son héritage, il n'a pas de soucis matériels. C'est un jeune homme des « années folles », qui s'initie au jazz, qui adore les films de Charlie Chaplin et ceux de David W. Griffith, et qui voue un culte à l'amitié. « Féru de mécanique » comme le narrateur de *Geneviève*, il roule au volant de sa Napier vers sa maison de Marlotte, sur les routes encore libres qui longent la forêt de Fontainebleau, et il se montre ouvert à la féminité sous toutes ses formes. « Méfie-toi de ceux qui ne sont pas émus par une jolie poitrine », lui conseillait son père.

Le grand peintre avait été ému, lors des trois dernières années de sa vie, par le visage mobile, la démarche dansante et la gaieté sans trêve d'une jeune fille de seize ans qui se nommait Andrée Heuschling. Elle possédait une peau qui enchantait Renoir parce que, selon son expression, « elle ne repoussait pas la lumière ». Jean, de son côté, ne demeura pas insensible à la beauté de Dédée. Il en tomba amoureux le plus naturellement du monde mais, dans son livre sur son père comme dans *Ma vie et mes films*, il témoigne surtout de sa reconnaissance envers celle qui dispensa à Renoir, au moment où son corps était noué par d'intolérables douleurs, « les effluves vivifiants de sa jeunesse épanouie ». « Avec les roses qui poussaient presque sauvages aux Collettes, écrit-il dans *Pierre-Auguste Renoir, mon père,* et les grands oliviers aux reflets d'argent, Andrée est l'un des éléments vivants qui aidèrent Renoir à fixer sur la toile le prodigieux cri d'amour de la fin de sa vie. »

Pour sa part, dans *Ma vie et mes films*, il se résume en deux phrases : « Après la mort de mon père, j'épousai Dédée. Notre passion commune pour le cinéma joua un grand rôle dans notre décision d'associer nos deux existences. » Impressionné par le génie de l'homme qu'il a vu peindre tous les jours, il se refuse à l'idée d'envisager pour lui-même un destin artistique. C'est la raison pour laquelle, bien avant 1914, il s'est mis en tête de faire carrière dans la cavalerie, comme le héros des *Cahiers du capitaine Georges*, qu'il est très loin encore d'imaginer. Revenu auprès de son père en 1917, après ses blessures, il entreprend sur ses conseils de créer un atelier de céramique. En compagnie du peintre Albert André, de sa femme Maleck, et de Dédée, bien sûr, il s'en va récolter de l'argile dans les champs, il la mélange à du sable, il tourne ses pièces, il les dispose dans le four à bois, qui brûle durant une dizaine d'heures, et il se fabrique des souvenirs :

« Plus tard, écrit-il, je devais bien souvent penser avec nostalgie au calme de la vie aux Collettes sous les grands oliviers, et à la bonne odeur du feu de bois qui accompagnait nos travaux. Dédée, serrée contre moi, regardait les étoiles. Ensemble nous nous laissions aller à la griserie des ciels immaculés. »

En modelant ses pièces et en les décorant, Renoir ne peut se dissimuler qu'il est en train de jouer avec des formes et avec des couleurs. Sous couvert de l'artisanat pointe la tentation de l'art, qui continue selon son propre terme à l'« épouvanter ». Quand il devient cinéaste en 1924, c'est d'abord uniquement pour le plaisir – il le répétera souvent – de voir évoluer Dédée, devenue Catherine Hessling, devant l'objectif d'une caméra. Or, c'est un plaisir extrêmement coûteux. Il a commandité son premier film, *Catherine ou une vie sans joie*, dont il a confié la réalisation à Albert Dieudonné, puis il a produit lui-même *La Fille de l'eau*, qui ne sera pas distribué, et il investira dans la production de *Nana* en 1926 le million de francs obtenu grâce à la vente de nombreux tableaux reçus en héritage. On mesure facilement le crève-cœur de ces séparations. Dans sa maison de Marlotte il n'a conservé que des cadres vides, dont il doit affronter chaque jour le reproche. « Jamais, dit-il, je ne m'étais senti aussi lié à la mémoire de mon père. »

Je lis et relis les écrits et les entretiens de Renoir au long des années. Je constate alors qu'il en dit trop ou pas assez sur les pulsions, plus que les raisons, qui l'ont entraîné à consentir de tels sacrifices. Son amour pour Catherine Hessling était-il si ardent ? Croyait-il vraiment en son génie d'actrice ? A quel moment précis « le démon de la mise en scène », dont il parle dans son autobiographie, s'est-il emparé de lui, au point de lui faire oublier son « épouvante » et son refus, tant de fois réitéré, de se considérer comme un artiste ?

Les réponses à ces questions sont, peut-être, contenues dans *Nana*.

Chaque fois que je revois ce film, j'éprouve la même sorte d'effroi.

Première indication : le titre, dont les lettres brûlent sur un fond noir sans parvenir à l'éclairer. Sommes-nous donc entrés dans un enfer où rien, pas même le feu, ne réussira à dissiper les pénombres intimes ? Mon sentiment se confirme lorsque j'observe la succession des plans. Les vues d'ensemble, qui laissent encore apparaître des pans de décor, font place aussitôt à des plans rapprochés qui concentrent notre attention sur les visages tendus ou crispés, arrachés par la lumière, mais d'une façon que l'on devine provisoire, à la nuit qui les entoure.

Deuxième indication, plus surprenante encore : *Nana* est le seul film de Renoir, à ma connaissance, où la nature ne joue aucun rôle. Nous demeurons confinés, au début, dans la salle et les coulisses du Théâtre des Variétés, puis dans les différentes pièces de l'hôtel particulier que le comte Muffat a offert à sa maîtresse. La caméra s'installe dans des salons vastes et luxueux, mais dont le climat se révèle – bizarrement – irrespirable. La séquence de l'hippodrome elle-même ne nous offre aucune échappée vers le monde extérieur. C'est à peine si nous découvrons les arbres derrière les groupes de parieurs et de demi-mondaines. Tout se passe comme si Renoir avait érigé en principe de ne rien filmer qui ne soit recréé. Lui qui adore l'imprévisible de la campagne et de la rue parisienne s'y refuse – pour une fois – avec une obstination qui confine à l'entêtement.

En fonction de ces remarques, j'imagine le film qu'il a rêvé, sans l'avoir « réalisé » : une jeune garce au regard trop clair, dont aucun trait ni aucun membre ne sait demeurer en repos, attise une dramaturgie de cauchemar. Elle hypnotise l'un après l'autre, et sans coup férir, ces dignitaires qui appartiennent à l'aristocratie décadente du Second Empire, le comte Muffat, chambellan de l'impératrice, le comte de Vandeuvres et son neveu, le jeune Georges Hugon.

L'extrême agitation de Nana, jointe à l'immobilité de ses amants, paralysés par ses provocations et ses sarcasmes, aurait dû instaurer un climat onirique, dont Renoir a certainement pressenti la lumière tremblante et la sourde anxiété, mais dont quelques scènes seulement nous donnent l'idée. Je pense à ce moment incroyable où Nana vérifie l'emprise qu'elle exerce sur Muffat, par jeu d'abord, puis avec rage et véhémence. Elle le traite comme un chien de salon, elle lui ordonne de « faire le beau », de se hausser sur ses jambes pour quêter une sucrerie, et enfin de se coucher à ses pieds. Ce à quoi il consent avec une lâcheté bouleversante. Il s'effondre, il marche à quatre pattes, avant de s'étaler sur le ventre. La scène est d'autant plus poignante qu'elle nous interdit la compassion autant que le mépris. Si le film entier avait été conduit avec une pareille force, il eût été digne de *Folies de femmes*, que Renoir admirait au point de l'avoir vu une dizaine de fois au moment de sa sortie en 1922, mais nous sommes loin, avec *Nana*, de la grande rêverie féroce, empreinte à la fois de somptuosité et de trivialité, dont Erich von Stroheim s'était pénétré avant d'en matérialiser les images sur l'écran mondial, aux limites de l'extravagance.

Renoir se cherche, il s'applique. Il ne parvient pas à nous faire sentir – ou même seulement comprendre – comment le désir s'est emparé de Muffat à la vision de Nana gesticulant sur la scène. Mais comment le pourrait-il ? Il s'est mis en tête des idées parfaitement étranges. Puisque le cinéma dépend des saccades de la croix de Malte, tirant la pellicule dans le couloir de l'appareil de prise de vues et du projecteur, il faut – selon lui – « jouer saccadé ». D'autre part, puisque le noir et blanc est encore la règle, on se doit d'accentuer les contrastes et de limiter le maquillage de Catherine Hessling à un fond de teint blanc, où les yeux et la bouche seront marqués d'un noir absolu. « Nous avions devant nous, écrit-il, une espèce de pantin, un pantin de génie je dois dire, entièrement noir et blanc. »

« Pantin de génie » ? Voilà qui ne résiste pas à la projection du film aujourd'hui, ni même sans doute à l'époque.

Engagé comme décorateur du film, Claude Autant-Lara doit dissimuler sa stupéfaction lorsqu'il est mis en présence de Catherine Hessling. Voici ce qu'il en dit dans son autobiographie intitulée *La Rage au cœur* :

> « Et ça allait être ça, Nana ?
> C'était pas vrai...
> Nana, cette petite crevette maigrichonne, plate comme une limande qui relève de couches ?...
> Nana, cette ablette pâlichonne ?...
> Et, en plus, assez agaçante... »

Dans tout ce qu'affirme Autant-Lara il faut retrancher la part de la véhémence et celle de la mauvaise foi. Cependant, pour le coup, je le crois volontiers quand il dépeint une Catherine Hessling ne tenant pas en place, minaudant, tourbillonnant, donnant son avis sur tout, et ne jurant que par son modèle hollywoodien, Gloria Swanson. Doué lui-même, comme chacun sait, d'un heureux caractère, le futur metteur en scène du *Diable au corps* rêve de flanquer un coup sur la tête de la jeune actrice afin de la stopper net et de « l'immobiliser enfin », ce personnage « croupionnant » (sic), cet « ectoplasme frétillant aux limites de l'insupportable ».

Or, je dois avouer que la personne ainsi décriée correspond à une description assez exacte du personnage sur l'écran; ce qui justifie mon effroi, à moins qu'il ne s'explique par une parfaite incompréhension de ma part. Quarante-huit ans plus tard, Renoir admire encore dans *Ma vie et mes films* la « stylisation » portée à l'extrême du jeu de Catherine Hessling. « Ce n'était plus une femme, écrit-il, mais une marionnette. J'utilise ce terme comme un compliment. Mais, hélas pour nous, le public ne put supporter cette transposition. »

Comment celui qui deviendra le plus intuitif et le plus inventif des directeurs de comédiens aurait-il pu se tromper en donnant libre cours à l'inspiration de son épouse et actrice? De cela, au moins, je suis sûr : c'est Catherine Hessling qui a proposé sa vision personnelle de Nana, et c'est lui, Renoir, qui l'a approuvée; sans que nous sachions si ce fut par amour, ou par conviction artistique.

Il n'en demeure pas moins que la caméra voit la personne derrière le personnage et que cette personne, contrairement à ce qu'affirme Autant-Lara, a longtemps survécu au tournage du film. Il n'hésite pas, en effet, à écrire (aux limites de la diffamation) que « Gloria-Hessling-Swanson sombra rapidement dans, comme on dit, la " débauche " la plus crasseuse et la plus sotte, la drogue enfin » et qu'elle « mourut peu après ».

Or, j'ai sous les yeux un reportage sur Catherine Hessling, publié par *Télé 7 jours* quelques décennies plus tard, lorsque le film fut diffusé à la télévision. Elle y tient des propos que je ne sais comment qualifier, sinon qu'une Nana vieillissante aurait pu les proférer. Naturellement, elle s'y donne le « beau rôle ». C'est elle, à l'en croire, qui « obligea » Auguste Renoir à peindre durant les dernières années de sa vie. Si bien que Pierre Renoir lui aurait confié plus tard : « C'est à toi que nous devons notre fortune. » « Je réchauffais, dit-elle, le cœur du vieux peintre. Il songeait à m'adopter lorsque Jean Renoir, son fils, me demanda en mariage. »

Autrement dit, elle aurait pu fort bien bénéficier d'une part d'héritage. Jamais avare d'une médisance, elle affirme que des amis « sans doute soucieux de lui faire dépenser de l'argent » ont convaincu Jean de se consacrer au cinéma.

« Tant qu'elle tourna, écrit sous sa dictée la journaliste Paulette Durieux, elle fut l'inspiratrice de ses metteurs en scène, mais en même temps elle se mêlait de tout. Elle participait à la mise en scène, elle cousait ses robes, car elle avait plus de plaisir à cela qu'à jouer. »

Elle prétend qu'elle se sépara de Renoir parce qu'il « refusait de lui faire tourner des films drôles », et elle se plaint des journalistes, de Pierre Philippe en particulier, qui – d'après elle – enregistra à son insu des confidences « imprudentes et véhémentes » (*Cinéma 61,* n° 57). Confidences qui sont étrangement reproduites dans l'article de Paulette Durieux, et que je suis bien obligé de transcrire à mon tour, afin de mettre en évidence le « contrechamp » invisible de Nana, c'est-à-dire le jugement de l'actrice sur son metteur en scène.

Elle évoque d'abord méchamment les doutes d'Auguste Renoir à propos de l'avenir de son fils : « Pauvre Auguste, ah ! Il n'était pas confiant, lui. Il avait si peur que Jean ne soit qu'un raté... »

Puis elle ajoute : « Du plus loin que je me rappelle, c'est la peur de Jean Renoir qui me frappe, et son instabilité. La céramique cela ne l'a jamais intéressé, il fallait de la patience n'est-ce pas... alors. Alors, le cinéma... Mais il fallait engager de l'argent, alors la peur... Savez-vous ce qu'est un homme de un mètre quatre-vingt-deux qui tremble de peur panique ? Ce n'est pas joli à voir, je vous assure. »

Il faut faire ici la part de la rancœur, liée à la rancune ; car ce n'est pas Catherine Hessling qui a quitté Jean Renoir, mais lui qui ne lui a plus confié de rôle après 1928. On reconnaît pourtant, dans les propos et le ton de la vieille dame, les moues atrocement dédaigneuses et les gestes de défi haineux dont la jeune actrice émaillait son jeu.

Jean Renoir et Claude Autant-Lara sont au moins d'accord sur un point avec Catherine Hessling : elle s'est mêlée effectivement de tout sur le plateau du film. Dès lors, elle n'a pu manquer de distiller un fiel particulièrement corrosif. D'une certaine façon, Catherine Hessling prend à la création de *Nana,* et pas seulement de son personnage, une part telle que son point de vue se substitue à celui de Renoir, en le contaminant secrètement.

Je suis donc doublement, et même triplement, gêné à la vision de la scène où Nana humilie Muffat. Gêné par le regard que Catherine Hessling porte sur Werner Krauss, qui interprète le rôle de l'aristocrate. Gêné par l'expression de « chien battu » qu'il adopte, et qui évoque tout à coup l'autoportrait du narrateur de *Geneviève*. Gêné par l'épreuve que Renoir s'impose en dirigeant une scène qui a bien dû lui révéler, sous couvert de la fiction, le vrai visage de la femme en faveur de laquelle il a consenti de si grands sacrifices. Et voilà, sans doute, ce qui confère à ce moment un climat extraordinaire de mauvais rêve...

Au dénouement du film, Nana moribonde, le visage dévoré par la petite vérole, abandonnée par ses amis, trouvera encore Muffat à son chevet. Il s'est entêté à l'aimer jusqu'au bout.

Au tournant de sa carrière, en 1928, Renoir confiera à Catherine Hessling le rôle pathétique de *La Petite Marchande d'allumettes*. Il la verra donc mourir à nouveau, poétiquement, sous des flocons de neige, mais ce sera son dernier film avec elle.

La question pourtant demeure entière : Que s'est-il passé entre eux, exactement, depuis l'instant de leur première rencontre jusqu'aux jours de leur rupture ? Renoir a-t-il été animé, ou aveuglé, par une passion dont il aurait été possédé au point de s'émerveiller de chacune des fantaisies, et de se satisfaire de chacun des caprices de sa très jeune épouse ? Posée autrement la question serait : Le cinéaste débutant s'est-il identifié, de près ou de loin, au comte Muffat de son film ? Je suis tenté parfois de le croire, sans autre preuve que les images de *Nana*, qui nous racontent – après tout – l'histoire d'un ensorcellement, réduisant les trois hommes qui en sont victimes au même degré d'aveuglement et à la même passivité, rigoureusement incompréhensibles si l'on s'en tient à la seule réalité visible du visage, des formes et des attitudes de Catherine Hessling.

Autre hypothèse, plus risquée encore : Renoir a-t-il réalisé *Nana*, consciemment ou non, afin d'exorciser sa propre servitude, et de se délivrer, par Muffat interposé, de sa propre faiblesse ?

Je ne ressens rien de tel à la lecture de *Ma vie et mes films*, où il se retranche continuellement derrière le récit d'une association entre deux êtres, saisis au même degré par l'amour du cinéma et par le désir d'en faire leur métier. Le seul échec de leurs entreprises aurait mis fin à leur union.

Il est vrai qu'il ne faut pas attendre de Renoir, tellement disert sur tous les autres registres, qu'il se livre à un quelconque épanchement dès lors qu'il s'agit de ses propres amours et des femmes qu'il a connues. Il hérite en cela, sans l'ombre d'un écart, de la vieille tradition française qui préserve jalousement la sphère de l'intime. En posant la question de sa vie sentimentale durant cette période, j'ai conscience de commettre une indiscrétion. Ma seule excuse est de chercher à savoir qui il est vraiment dans ce laps de temps qui va de sa trentième à sa trente-cinquième année. Le narrateur de *Geneviève* avait placé la femme au premier rang de ses aspirations, et l'automobile au second. Ce qui se résumait dans la formule : « Une femme dans une automobile ». Si l'on en croit Pierre Braunberger, qui dirigea la production de *Nana*, il faudrait dire à présent : « Une femme dans un film ». « Toute sa vie, Jean a eu des muses qui ont toujours été, peu ou prou, à l'origine de ses projets, confie-t-il à Jacques Gerber dans leur livre d'entretiens (*Cinémamémoire*). Il n'était pas ce qu'on appelle un " homme à femmes " comme il y en a tant dans ce milieu. Comment aurait-il pu l'être, lui dont l'originalité était de ne penser qu'au cinéma ? Je crois que c'était un amoureux profond mais pas un séducteur. »

Oublions donc le comte Muffat et les tableaux du père évanouis hors de leurs cadres. Renoir a payé lourdement pour découvrir que son épouvante au seuil d'une vie d'artiste n'était pas justifiée. Catherine Hessling l'a aidé à franchir le pas. Il ne lui reste plus, en 1927, qu'à s'émanciper.

Cette année-là, il accepte et exécute la commande de *Marquitta* en raison d'un salaire, affirme-t-il, qui l'aidera à sortir d'une situation matérielle difficile ; mais un cri du cœur lui échappe dans son livre, qui me semble beaucoup plus convaincant : « C'était le premier film que je tournais sans Catherine. » Le point d'exclamation manque. Libre à nous de le sous-entendre, même s'il est compensé par un remords, qui s'exprime alors sous la forme d'une question : « Peut-on réussir sans trahir ? » Question à laquelle il ne répond pas.

Imaginons un instant ce qui se serait passé dans l'éventualité inverse, tout à fait plausible dans un mélodrame de l'époque : Après la faillite financière de *Nana* et le dernier essai infructueux de *La Petite Marchande d'allumettes*, Jean et Catherine auraient, d'un commun accord, renoncé au cinéma, mais leur amour serait sorti fortifié de l'épreuve. Ils seraient revenus aux Collettes et à leur four à bois sous les oliviers, ou bien ils se seraient occupés de la galerie d'art que Jean avait ouverte en 1925 dans le quartier de la Madeleine. Ils auraient élevé ensemble leur fils Alain, qui venait d'avoir sept ans, et qui aurait été très heureux de retrouver des parents enfin disponibles.

Qui, dans cette hypothèse, se souviendrait d'eux aujourd'hui ? Sinon quelques chercheurs en histoire du cinéma, qui nous auraient présenté comme des « curiosités » fascinantes les films de leur association.

Heureusement pour nous, en 1928, Jean Renoir est devenu cet homme qui ne pense plus qu'au cinéma et qui profite de toutes les occasions (*Marquitta*, *Le Bled*, *Le Tournoi dans la cité*) pour apprendre son métier, comme son père a appris le sien en décorant des assiettes. D'après ce que nous savons, il est capable de « parler cinéma » pendant des heures, traversant Paris la nuit en compagnie de Pierre Braunberger, ou bien dialoguant sans fin avec Claude Autant-Lara, qui reconnaît malgré son peu d'estime pour le réalisateur de *Nana* la sincérité de cette passion :

> « Je lui sais gré, écrit-il, de cet amour-là.
> Qui, toute sa vie, ne s'est pas démenti.
> Notre seul point commun. »

Le « démon du cinéma » s'est donc insinué de façon définitive dans son esprit. L'amour et l'amitié viennent en second, à moins que l'amitié ne l'ait emporté sur l'amour. Je suis frappé, en relisant *Ma vie et mes films*, par la place accordée aux souvenirs de complicité active et de plaisir partagé entre compagnons. Rien ne pourra jamais l'empêcher de s'attarder avec bonheur sur ce que la nature humaine peut offrir en matière de singularités surprenantes, attachantes ou désarmantes.

Nous voyons ainsi apparaître Pierre Champagne (« l'innocent entêté »), personnage longiligne au profil de don Quichotte, dont la simplicité d'âme (« pas si simple que ça ») enchante Renoir. Il est capable de demander à un père réticent la main de sa fille en enjambant la fenêtre d'un cinquième étage si on ne la lui accorde pas. Il est passionné d'automobile au point de transformer la salle à manger de sa maison en atelier de mécanique. Grand ami des chiens par ailleurs, il désigne la personne des maîtres en fonction de leurs bêtes. Par exemple, il ne dit pas : Madame untel ou Monsieur X, mais « la maîtresse de Mirza ou le maître de Macaron », et il ne se trompe jamais sur leur compte. Pierre Champagne a été un assistant à tout faire, éperdument dévoué, et un acteur d'occasion dans *La Fille de l'eau*, *Nana* et *Marquitta*, mais il s'est avéré incapable de jouer, c'est-à-dire de sortir de sa personnalité propre pour entrer dans celle d'un autre. « Son rôle principal, écrit Renoir, était pour moi d'être lui-même. »

Pierre Lestringuez, non plus, ne peut échapper à son personnage solide et souriant. Fils d'un haut fonctionnaire, qui fut en son temps un chaud partisan de l'impressionnisme et l'un des familiers d'Auguste Renoir, il est donc l'ami d'enfance de Jean. Ecrivain, dramaturge, acteur, dans le sillage de Cocteau, Giraudoux et Jouvet, il écrit pour Renoir et joue dans ses films (sous le pseudonyme de Pierre Philippe). C'est lui qui prête sa présence et son singulier relief à l'oncle violeur de *La Fille de l'eau* et au directeur de théâtre peu scrupuleux de *Nana*. Dans la vie, il se promène « couronné d'une auréole invisible », celle des hommes à femmes selon Renoir, qui admire et – sans doute – envie ses succès. « Je l'imaginais, écrit-il, vêtu d'une peau d'animal, poursuivant des nymphes à l'ombre d'un temple abandonné. »

Et que dire du troisième Pierre, Braunberger en l'occurrence, caractère à facettes s'il en fut, dont Renoir a retenu les traits qui lui plaisaient dans *Ma vie et mes films* :

« Cet être pourri d'imagination, dévoré de projets, ce nerveux sautillant sans arrêt d'un pied sur un autre, mastiquant le buvard de son bureau pour calmer son impatience (il lui est arrivé de manger un chèque), brûlait d'une passion violente pour le cinéma. Je l'imaginais très bien se laissant dévorer par les lions plutôt que de renier son idole. »

Je rêve d'un film qui nous ferait revivre la bohème ardente de ces années-là. On y verrait Renoir rejoignant Pierre Champagne dans sa petite maison au bord de la Garonne pour pêcher l'alose à la belle saison. On y assisterait aux dimanches de La Nicotière à Marlotte, chez Paul (le fils du peintre) et Renée Cézanne, où les Renoir venaient donc en voisins, et où Jean rencontra le très jeune Jacques Becker, ce qui marqua pour eux le début d'une très longue amitié. « Les fins de journée chez les Cézanne, écrit-il, étaient placées sous le signe d'une infinie liberté. Dans mon souvenir, elles représentent des sortes de fêtes galantes à l'usage d'une bourgeoisie cultivée. »

Et l'on rirait aussi, pourquoi pas, de l'extravagant canular auquel participèrent Jean Giraudoux, Louis Jouvet, Pierre Lestringuez, Pierre et Jean Renoir, ainsi que Pierre Braunberger, lors de l'arrivée de Werner Krauss à Paris. L'acteur allemand, alors en pleine gloire, fut conduit dans une maison close dont la cuisine était, paraît-il, réputée. « Il était d'usage dans cet endroit de se déculotter, raconte Braunberger, les filles passant sous la table durant le repas. Nous avons fait part à Werner Krauss d'une autre tradition : celui qui ne parvenait pas à se maîtriser devait payer l'addition. Naturellement, les filles étant nos complices ne se sont occupées que de lui, et Werner Krauss a dû régler le repas. » Seul Erich von Stroheim aurait pu concevoir une pareille scène !

La vie est donc infiniment plus folle que les films de Renoir durant cette période des années 20. Il n'y manque même pas le serrement de cœur de la tragédie, qui frappe au moment le plus inattendu ; ce dont Renoir, bien sûr, se souviendra. Un jour de 1927, Pierre Champagne vient enfin de réaliser son rêve. Il possède une Bugatti du type « Brescia ». Naturellement, il propose à son ami de l'essayer aussitôt. Abordant une côte qui coupe la forêt de Fontainebleau, la voiture dérape sur une tache d'huile, devient incontrôlable et verse ses deux occupants dans le fossé. Pierre Champagne est tué sur le coup. Renoir évanoui se réveille dans une camionnette conduite par des braconniers, qui le déposent à l'hôpital. Un beau geste en vérité, car ils risquent de se faire prendre.

Oui, la vie est plus forte que les films. Raison pour laquelle j'ai préféré, suivant Renoir en cela, parler de la vie plutôt que des films. Une exception toutefois, celle de *Tire au flanc*, réalisé en 1928, qui ouvrira mon prochain chapitre.

CHAPITRE TROISIÈME

« *Je commençais à savoir où j'allais...* »

*

1928. « Tire au flanc »

Un jour du printemps 1928, Jean Renoir entre dans le bureau de Pierre Braunberger et lui dit :

— Pierre, je m'ennuie. J'aimerai tourner quelque chose.

— Je ne vais tout de même pas te proposer *Tire au flanc*, lui répond le producteur.

Le vaudeville militaire de Mouëzy-Eon, créé en 1924, a toujours été un grand succès populaire. Braunberger informe Renoir sur l'état du projet. Il est en train de « monter l'affaire » grâce aux 600 000 francs consentis par un discret commanditaire, qui « protège » une jeune actrice nommée Fridette Fatton, laquelle est déjà distribuée dans le rôle de Georgette, la petite bonne.

— Je veux voir la fille, et si elle me plaît, je réalise le film, dit Renoir.

« Il la rencontre et c'est le choc, nous révèle Pierre Braunberger. Renoir a eu beau dire plus tard que c'était en raison de son admiration pour le danseur Pomiès qu'il avait fait

Tire au flanc, je crois pouvoir dire que Fridette y était pour beaucoup plus. »

Braunberger enchaîne alors, à propos de ladite Fridette, sur une anecdote savoureuse, que Renoir raconte lui aussi dans *Ma vie et mes films*, mais sans nommer la jeune femme. Il se contente d'évoquer une « délicieuse actrice », luxueusement entretenue par plusieurs amants, qui arborait souvent de nouveaux bijoux. Naturellement, on lui en faisait compliment et on lui demandait : « Qui te l'a donné ? » Ce à quoi elle répondait invariablement : « C'est Arthur. » Un jour, le concierge du studio voulut en savoir plus. « Mais enfin, insista-t-il, peux-tu me dire qui est cet Arthur ? — Arthur, mais c'est mon cul », répondit-elle.

Catherine Hessling fait encore partie de la distribution de *Tire au flanc*, mais pour une silhouette d'institutrice aperçue de très loin dans la campagne, et bousculée sans ménagement par la débandade des soldats en manœuvre.

Nous voici donc, à l'exact opposé de *Nana*, saisis dès le premier plan par le mouvement endiablé que Renoir imprime à son film. La caméra s'intéresse d'abord à un tableau, dans le goût du XVIIIe siècle, qui représente un amoureux aux pieds de sa belle, mais elle recule et revient à nous en un clin d'œil pour se situer au XXe siècle, dans la salle à manger d'un appartement bourgeois où Georgette (Fridette Fatton) et Joseph (Michel Simon, déjà impayable) déploient une nappe au-dessus de la table en échangeant un baiser toutes les cinq secondes. Nouveau passage par le tableau ; mais nouveau recul aussitôt, pour découvrir cette fois un autre couple de fiancés : Jean Dubois d'Ombelles (Georges Pomiès) et Solange Blandin (Jeanne Helbling), entre lesquels nous devinons très vite que l'amour ne va pas de soi. Mais la caméra s'en moque. Elle ne tient pas plus en place que Joseph et Georgette s'affairant à leurs tâches de préparation du dîner. Elle s'empresse de cadrer, comme elle peut, les nouveaux arrivants : Madame Blandin et sa fille Lili, le colonel Brochard et le lieutenant Daumel. Ne voulant sacrifier aucun personnage, elle se dépense en panoramiques, de la gauche vers la droite et retour, certains trop rapides, et l'un carrément filé. C'est à croire qu'elle rivalise avec les mouvements des acteurs de manière à créer un sentiment de désordre euphorique, qui ne tarde pas à nous submerger.

Renoir a-t-il demandé à Jean Bachelet, son chef opérateur, de se placer ici ou là et de poser un rail de travelling en travers du décor ? Non, vraisemblablement, car il ne regarde pas la scène dans l'œilleton de la caméra, ce qui n'a pas manqué d'effarer Claude Autant-Lara au moment du tournage de *Nana*. Jean Bachelet, qui fut mon professeur de prise de vues à l'IDHEC en 1956, m'a confirmé que Renoir lui laissait une grande liberté en matière de cadre et de lumière. Rien ne comptait plus aux yeux du metteur en scène que le jeu des comédiens ; et si les caprices de l'inspiration leur intimaient le désir de se mouvoir dans telle ou telle direction, la caméra devait s'adapter à leurs déplacements, quitte à être prise parfois de vitesse. Voilà pourquoi François Truffaut a pu parler, à propos de *Tire au flanc*, de « mouvements d'appareil hallucinants d'héroïsme ».

Renoir vient sans doute de s'avouer à lui-même un projet de cinéma qui tient en peu de mots : transformer le verre neutre de l'objectif, que le jargon des opérateurs désigne sous le nom de « caillou », en un regard vivant. Il n'a pas besoin de coller son œil à l'œilleton pour que ce regard devienne le sien, et pour faire en sorte que l'appareillage technique s'organise – ou se désorganise – selon ses propres intuitions, qui ne correspondent plus dans *Tire au flanc*, contrairement à *Nana*, à des intentions trop claires. Je suppose qu'il se fait comprendre à demi-mot, réfléchissant à haute voix, approuvant ou pas les propositions qu'on lui fait, sans l'aide d'un découpage ; et qu'il se laisse guider, de façon plus instinctive que consciente, par l'esprit du film qui s'invente sous ses yeux.

Grâce au magnétoscope, je viens de revoir *Tire au flanc* plus de trois fois en une semaine, et je découvre seulement aujourd'hui que le film entier, qui m'avait enchanté autrefois par sa bonne humeur, son foisonnement et les coqs-à-l'âne de son déroulement hasardeux, est soutenu de bout en bout, jusqu'à l'apothéose finale, par une vraie logique. Là où je n'avais vu que jubilation et désinvolture, je savoure à présent la singularité d'un rire lié à un sentiment qui ne quittera plus Renoir, celui de l'enchevêtrement.

Il reviendra souvent par la suite sur la présence simultanée des maîtres et des serviteurs, mais toutes les occasions lui sont bonnes pour mettre en valeur les « bains d'humanité » que j'ai déjà évoqués, avec ce qu'ils impliquent sur les registres divers de la promiscuité, de la gêne, de l'affolement, de l'effroi et du rire.

Un exemple, au passage : Joseph, le serviteur maladroit, verse de la sauce sur la manche du colonel. Au lieu de se retirer discrètement, il tente d'effacer la tache avec un bout de serviette. Naturellement, le colonel s'en aperçoit et le foudroie du regard. Le gag en soi n'a rien d'original, mais Renoir ne s'en contente pas. Il amplifie les conséquences de l'incident. Une nouvelle coulée de sauce macule l'uniforme du colonel. Georgette se précipite pour aller chercher de la benzine. Le colonel se lève, entouré de ses hôtesses. On pourrait même dire qu'elles l'assiègent et qu'elles le persécutent de leur bonne volonté. On le jette dans un fauteuil, on lui soulève la jambe, on s'acharne sur son pantalon pour faire disparaître la tache. Trois plans se succèdent alors, parfaitement hallucinants en effet, dans la mesure où ils sont indescriptibles. Trois plans serrés, qui ne sauraient enfermer leur contenu en passe d'exploser. Je pourrais écrire qu'on aperçoit des visages, des nuques, le corps massif du colonel effondré, ses joues gonflées, son regard plus éperdu que furieux. Mais non, aucun compte rendu, si scrupuleux soit-il, ne parviendrait à distinguer les éléments d'une inextricable confusion.

Renoir a voulu ce gag de la saucière trop pleine pour nous conduire à ces gros plans, qui ne cadrent pas des visages mais des fragments de personnages entremêlés. Il se situe ainsi dans une tradition qu'il admire, celle de la comédie burlesque, dont il expérimente les ressorts à sa manière, et dont il découvre qu'ils relèvent de la biologie autant que de la mécanique. Pratiquée par lui, la logique déréglée des chocs, des chutes sur le derrière, des affrontements brutaux, des poursuites échevelées, s'apparente au désordre organique, vibrionnant, infatigable, fait d'attirances et de répulsions, que le biologiste observe au microscope. Autrement dit, il ne s'agit plus de la « fameuse mécanique plaquée sur du vivant », mais de la vie elle-même prise en flagrant délit d'effervescence incontrôlée et cependant nécessaire.

L'esprit – si j'ose dire ! – du vaudeville militaire accentue encore cette vision mouvementée, fourmillante, et si facilement désopilante, d'une humanité réduite à ses plus simples expressions par les rites de la caserne.

Ainsi la scène de l'initiation des recrues en tenue civile à leur nouvelle condition uniformisée procure-t-elle à Renoir l'occasion d'éprouver, et de démontrer, sa jeune maîtrise. Je ne sais comment il s'y est pris pour persuader Jean Bachelet de la tourner en un seul plan. Toujours est-il que le résultat est splendide. La caméra cadre d'abord l'embrasure de la fenêtre, d'où les anciens observent l'arrivée des bleus dans la cour de la caserne. Le redoutable Muflot, tout en mufle en effet et en muscles, apparaît alors de dos, bousculant les uns et les autres pour prendre sa place, la meilleure, derrière les carreaux de la fenêtre. Il ne reste plus qu'à faire entrer les bleus ; mais, au lieu de s'avancer à leur rencontre, l'appareil recule, découvrant l'ensemble de la chambrée. Les jeunes gens entrent donc par la droite, au fond de l'image. Vus ainsi, de loin, raides et empruntés au cœur du charivari, ils sont les corps étrangers sur lesquels les anticorps chevronnés se précipitent pour effacer en eux le souvenir de la vie civile et pour faciliter de ce fait leur « incorporation ».

Si la séquence avait été traitée « normalement », selon un découpage ménageant une alternance des angles de prise de vues, elle n'aurait pas été plus lisible, et elle ne se serait pas avérée aussi efficace. Renoir a d'abord réglé avec une grande précision, c'est évident, les apparitions successives des nouveaux arrivants : le gros déjà chauve, le grand maigre à casquette, le timide à lunettes, le tout petit homme enfin, que Muflot soulève comme un enfant au-dessus de sa tête. Il a répété avec minutie les allées et venues de tout un chacun aux quatre coins du décor et il a indiqué leur jeu à une bonne vingtaine d'acteurs pris séparément. Si bien que la solution du plan-séquence a dû s'imposer d'elle-même, et que le rail du travelling s'est installé de façon naturelle dans l'axe de la chambrée.

Renoir a besoin de voir ses personnages se côtoyer et se frotter les uns aux autres. Il réunit, il confronte, il enchevêtre, et il distingue à l'occasion, pour saluer l'émergence de singularités qui le ravissent.

L'une des séquences les plus drôles à cet égard est celle où l'on décide d'habituer les bleus au port du masque à gaz, et où on leur ordonne de s'égailler à travers la campagne, malgré la difficulté de voir à travers les lunettes de l'engin. Le résultat ne se fait pas attendre. Aveuglés et craintifs, les soldats débutants trébuchent, s'agrippent les uns aux autres, ou se relient entre eux par les canons de leurs fusils. Les pièges du terrain vallonné ajoutent à l'improbable de ces grappes humaines déboussolées, traversant des nappes de lumière striées par les ombres et se cognant aux arbres, avant de dévaler, de se déverser sur la pente d'un talus, et de renverser comme des quilles les petites filles en promenade conduites par leur institutrice (Catherine Hessling). Je me souviens d'une séance à la Cinémathèque française où, durant toute la scène, la salle fut emportée dans un fou rire difficile à éteindre.

Nous rions d'autant plus que Michel Simon contredit la règle en manifestant, pour la première fois dans l'œuvre de Renoir, son exception fabuleuse. Alors que les autres soldats avancent agglutinés, lui se déplace souverainement, bien qu'à l'aveuglette, avec une aisance infaillible. On ne le reconnaît pas sous son masque, mais sa démarche péremptoire, ses bras en balanciers, sa « dégaine » quasi désarticulée, et le miracle même de cet aveugle évitant les obstacles sans coup férir, l'identifient sans erreur possible. Protégé par les dieux multiples de son panthéon personnel, assuré des privilèges surnaturels qui lui sont consentis – le plus naturellement du monde –, il va son chemin.

Le voilà enfin, ce « pantin de génie » dont Renoir avait rêvé. Privé, en ces dernières années du cinéma muet, de la voix extraordinaire que nous entendrons bientôt dans *On purge Bébé*, *La Chienne*, *Boudu sauvé des eaux*, Michel Simon parvient cependant à l'expression intégrale et immédiate de lui-même, autant que du personnage qu'on lui demande d'incarner. Nul doute que cet homme-là pourrait se faire entendre, avec ou sans paroles, jusque dans la jungle de Papouasie ! Les traits lourds de son visage s'animent aussitôt qu'une pensée les traverse et les modèle à sa guise, avec cette même incroyable exactitude qu'il imprime à sa gestuelle. Il faut avoir vu *Tire au flanc* ne serait-ce que pour ce moment où Michel Simon monte la garde dans un couloir de la petite prison militaire. Seul, livré à lui-même, il oscille sur une jambe, se rattrape sur l'autre, tente un tour complet et manque de s'écrouler. Ici encore, je ne vois pas comment il réussit à traduire, dans sa chorégraphie balbutiante, le cours d'une nonchalance inspirée et d'une pensée à la dérive, qui laissent le spectateur interdit, partagés que nous sommes entre le rire aux larmes et la stupeur admirative.

Premier spectateur en la circonstance, Jean Renoir doit se frotter les mains pour s'empêcher d'applaudir.

Vingt-six ans plus tard, au printemps 1954, il répond aux questions que lui posent les très jeunes François Truffaut et Jacques Rivette pour les *Cahiers du cinéma.* Passant en revue l'ensemble de ses films, il dit à propos de *Tire au flanc* : « Je commençais à savoir où j'allais... Je commençais à comprendre que je pouvais me laisser aller à certains côtés de mon caractère... à l'amour des contrastes... à ne pas me croire obligé d'avoir des liaisons élégantes et harmonieuses tout le temps... », puis il ajoute : « Une autre grande raison en faveur de *Tire au flanc* était mon admiration pour un danseur qui s'appelait Pomiès. C'était non seulement un danseur intéressant, c'était un homme très bien, presque un ascète dans la vie, un véritable altruiste. »

Georges Pomiès possède le regard étonnamment clair du poète qu'il est censé incarner. On pourrait dire qu'il représente la légèreté et la grâce face à la pesanteur du redoutable Muflot, lequel s'est mis en tête de le persécuter ; mais Renoir préfère le lester tout d'abord d'un certain ridicule. N'oublions pas qu'il se nomme Jean Dubois d'Ombelles et qu'il donne du « cher ami » au lieutenant Daumel, en croyant faire jouer une complicité mondaine qui n'a plus cours sitôt franchis les murs de la caserne. Il n'entend rien à la hiérarchie militaire, pas plus qu'aux mœurs de la chambrée et au maniement des baïonnettes. On rit de lui, alors que Joseph, valet de chambre de sa mère dans la vie civile, s'est arrangé depuis le premier jour de leur incorporation pour que l'on rie avec lui. Il faudra donc que les circonstances le contraignent à produire un effort, qui n'est pas loin de ressembler à celui que Renoir s'impose à lui-même en réalisant le film : il doit réussir à nous épater, pour devenir épatant à son tour.

Lui aussi, le personnage, apprend à « se laisser aller » selon les pulsions du vrai, de l'authentique lyrisme, qui l'habitait à son insu. Abattu par un coup de poing de Muflot, Pomiès s'abîme sur le sol avec une élégance qui doit beaucoup à son talent de danseur. Encore inconscient, il se relève et traverse l'indescriptible mêlée des soldats, rendus hystériques par les péripéties du combat, pour frapper Muflot au menton, et recevoir en échange un direct du droit qui l'étend à nouveau pour le compte. C'est un moment comique autant que poignant, où Renoir et Pomiès se rendent complices l'un de l'autre pour exprimer un sentiment de vaillance éperdue et de lâcher-prise inaugural.

Je crois en effet que *Tire au flanc* peut être considéré comme le premier film de Jean Renoir, le premier qui porte sa griffe, le premier où nous le sentons présent et pressé de traduire les émotions qui le traversent. Le premier où il nous fait partager non pas son goût du « réalisme » – grands dieux ! – mais son appétit du réel. Tandis que Jean Dubois d'Ombelles découvre que le monde est à la fois une scène et un ring de boxe où l'on doit s'imposer à force de fantaisie et d'adresse, il s'attable pour sa part au banquet de la vie... Pour ne pas dire le « banquet de la vue ».

Tire au flanc lui enseigne en effet que la prise de vues se suffit à elle-même, dès lors qu'elle procure au regard l'occasion de festoyer. Son père Auguste ne lui a-t-il pas confié : « Crois-moi, tout se peint. Bien sûr il vaut mieux peindre une jolie fille ou un paysage agréable, mais tout se peint. » Jean en est tellement persuadé qu'il ne se résout pas à l'idée de découper un rectangle arbitraire dans le spectacle du monde. Il a besoin de voir à la fois de près et de loin, d'un côté comme de l'autre, et de ne pas sacrifier les arrière-plans aux avant-plans. Jean Bachelet l'écoute et le comprend. Parfois, sa caméra taille gaillardement au plus vif de la mêlée pour s'en extraire avec aisance jusqu'à des plans larges, où la profondeur de champ nous donne toujours quelque chose à voir, là-bas, très loin, sans rapport direct avec l'action, mais contribuant à l'enrichir et à l'authentifier. A d'autres moments, elle part d'un plan serré, le caporal nettoyant son fusil par exemple, et elle s'y tient au long d'un travelling latéral qui traverse la chambrée, parcourt l'enfilade des lits et nous montre furtivement les soldats vaquant à leurs occupations du soir. Elle pourrait parfaitement s'arrêter au bout de la rangée, mais non, elle pivote – héroïquement – sur elle-même, avant de s'immobiliser sur un plan d'ensemble. Naturellement, elle subit au passage plusieurs à-coups, que d'autres cinéastes auraient supprimés au montage, mais que Renoir conserve parce qu'ils portent la trace d'une main humaine, comme ces objets artisanaux que son père affectionnait.

Jean et Joseph, devenus compères, ont été choisis pour danser un ballet mythologique, en couronnement du spectacle que le régiment propose à ses invités lors de sa fête annuelle. Pomiès déguisé en faune, couvert d'une peau de bête (une obsession personnelle de Renoir), et Michel Simon en sylphide – mais oui ! –, vêtu de mousseline par-dessus son pantalon militaire, s'en donnent à cœur joie. Mais le spectacle est aussi – déjà – dans la salle, comme il le sera si souvent plus tard, lorsque Renoir filmera les numéros de music-hall interprétés par les prisonniers de *La Grande Illusion*, ou par les bourgeois en transe de *La Règle du jeu*, sans oublier, bien sûr, *Le Carrosse d'or* où il posera enfin de façon explicite la question qui éclaire rétrospectivement l'ensemble de son œuvre : « Où finit donc le théâtre ? Où commence la vie ? » Vraie question à ses yeux, si l'on en juge par l'insistance avec laquelle il cherchera à faire la part du feu, autrement dit de la sincérité des émotions exprimées par ses personnages, en même temps que la part de sacrifice consentis par eux, de bonne ou de mauvaise foi, aux multiples conventions de la vie sociale. Il sait, par expérience personnelle à coup sûr, que le dilemme est à peu près impossible à trancher, ce qui l'incite d'autant plus à y chercher – comme nous le verrons par la suite – une source majeure de son inspiration.

Pour l'heure, et pour en rester à *Tire au flanc*, nous voyons que la caméra s'efforce de contenir – c'est le mot ! – le mouvement tournoyant des acteurs sur la scène en même temps que les réactions des spectateurs. Si bien que les élans de la comédie burlesque auxquels se livrent les deux danseurs improvisés nous parviennent par éclats, réverbérés en quelque sorte par les yeux du public. Il n'est donc pas question pour Renoir de respecter la frontière de pure convention entre l'ébriété théâtrale et la participation de l'assistance. Il se sert alors d'un Muflot vindicatif, comme il se servira d'un Schumacher ivre de jalousie dans *La Règle du jeu,* pour délivrer la comédie de ses entraves et ouvrir la digue au-delà de laquelle tous et chacun seront mis en danger.

Muflot n'a pas supporté les insolences de Jean Dubois d'Ombelles. Il décide de lui nuire en allumant, pendant son numéro, un feu d'artifice au fond de la petite scène. Bonne occasion pour Renoir de prendre alors un gros plan de Pomiès auréolé par le crépitement des étincelles, ce qui le pare soudain d'un vrai charme poétique et – pourquoi pas ? – mythologique. Les flammes sont pourtant bien réelles. Des brandons jaillissent dans la salle et provoquent l'affolement, puis la débandade. Pomiès se saisit d'une lance à incendie et ajoute à la confusion en arrosant tous ceux qui passent à sa portée. Muflot le poursuit de sa hargne mais, cette fois, le jeune homme évite avec élégance les coups de boutoir de la brute épaisse. A plusieurs reprises, il se faufile entre le colonel et ses invitées (Madame Blandin et ses filles) dans la pièce où elles ont trouvé refuge. On croirait assister déjà aux esquives de Marceau poursuivi par Schumacher dans *La Règle du jeu*. Lorsque le lieutenant Daumel intervient en déclarant : « Mon colonel, il est urgent de faire cesser ce scandale ! », on croirait entendre le marquis de la Cheyniest ordonnant à son majordome : « Corneille, faites cesser cette comédie ! » et s'attirant la fameuse réplique : « Laquelle, monsieur le marquis ? »

Laquelle, en effet ? Puisque la vie rivalise désormais avec le théâtre et ne demeure pas en reste sur tous les registres de l'effervescence, de l'excès, du lyrisme souverain et du comique achevé. Jean Dubois d'Ombelles découvre en lui-même les moyens de prendre sur Muflot l'ascendant que la grâce devrait toujours exercer sur la pesanteur. Il lui saute sur les épaules, le chevauche un moment, se hisse dans les cintres pour lui échapper et lui ôter ce qui lui reste de lucidité, avant de le crétiniser définitivement et de le terrasser, à la surprise générale. Tous les plans de cette poursuite ont quelque chose de fulgurant et de glorieux. On les croirait volés, arrachés au désordre et à la nuit. Ils portent déjà la marque d'un grand cinéaste.

Je ne sais si Renoir a tourné en dernier le plan final, celui de l'épilogue et du dénouement heureux. Nous assistons à deux repas de noce dans deux pièces contiguës. Hiérarchie sociale oblige, Joseph et Georgette fêtent leur union en compagnie de leurs amis, tandis que dans la salle à manger voisine Madame Blandin marie ses filles, Solange avec le lieutenant Daumel et Lili avec Jean Dubois d'Ombelles. Jean Renoir s'arrange alors pour concevoir un plan-séquence d'anthologie qui relie les deux décors grâce au passage de Joseph de l'un dans l'autre. Au-delà de la virtuosité technique à laquelle il s'emploie, nous devinons son vrai désir de nous faire sentir, plus que jamais, la proximité chaleureuse, pressante et joyeusement enfiévrée de ses personnages. Il n'est plus question dès lors de hiérarchie sociale, ou morale, d'aucune sorte. La caméra accompagne ou précède chaque phase du mouvement. L'exactitude avec laquelle elle se place à tout instant lui permet de n'oublier personne, ni l'homme qui s'est glissé sous la table pour voler la jarretière de Georgette, ni la réaction de la jeune mariée, ni celle de Joseph embarrassé au passage par une explosion d'amitié de ses camarades, qui poussent Georgette dans ses bras. Loin d'effacer les uns au profit des autres, le mouvement les réunit au contraire en « embrassant » la scène entière dans sa courbe enveloppante. Il s'arrête en fin de course sur le couple Solange-Daumel, puis sur Jean et Lili, mais il porte la trace vivante de tous et de chacun, qui sont apparus tour à tour au long de son périple.

Voici donc accomplie la « démonstration d'égalité » dont Jean nous parle lorsqu'il contemple les tableaux d'Auguste.

Est-il vraiment incongru de saluer ici Fridette Fatton, si elle a vraiment éveillé en Renoir le désir... de réaliser *Tire au flanc* ? Remercions-la d'autant plus que le jeune cinéaste ne lui réserve sur l'écran aucune place particulière. Il n'a plus besoin d'inspiratrice pour exorciser son épouvante face au démon de l'expression artistique. Quant à sa nostalgie du four à céramique sous les oliviers, on peut penser qu'elle se dissipe de jour en jour, à chaque projection des prises de vues de la veille, qui lui procurent de si considérables surprises.

On peut aussi croire, avec lui, qu'il ne s'est pas tellement éloigné de sa première vocation. J'ai retrouvé à ce propos deux entretiens publiés au début des années 30 par le magazine *Pour Vous*.

Dans le premier, Jean Giraudoux confiait à une journaliste : « J'aime le cinéma parce qu'il comprend une part d'imprévu, d'informulé, de mystère, qui me plaît. A l'exemple de la faïence de Bernard Palissy. Lorsqu'on commence la création d'un film, on ne sait pas ce qu'il en sortira. Pas plus que Palissy ne savait ce qui sortirait des flammes. Il l'espérait, imaginant à l'avance ses prodiges colorés. Le cinéaste lui aussi espère dans la flamme des sunlights. C'est dans cet instant d'incertitude que gît le merveilleux du cinéma. Et c'est là, dans l'alchimie des images et des sons, qu'il faudrait des artistes et des poètes et non des fabricants... »

Je devine sans peine que ces remarques ont été suggérées à l'auteur d'*Intermezzo* par Renoir lui-même au cours d'une conversation en compagnie, par exemple, de son frère Pierre et de Louis Jouvet. Renoir, qui s'explique quelques numéros plus loin dans la collection de *Pour Vous*, au moment où il vient de terminer *La Chienne* et où il songe déjà à *La Nuit du carrefour* :

« Je suis venu au cinéma, dit-il, de la manière la plus naturelle : je faisais de la céramique (la peinture ne m'a jamais tenté). Or la céramique est de tous les arts celui qui se rapproche le plus du cinéma. Vous riez ? Ecoutez plutôt : le céramiste imagine un vase, le fabrique, le peint, le met à cuire ; et après plusieurs heures il sort du four quelque chose d'inattendu, de très différent de ce qu'il a voulu faire... Comme le cinéma, n'est-ce pas ? Car le céramiste aussi trouve, dans ce qui passe pour être son œuvre, des détails biscornus dont il n'est pas l'auteur... »

Le paradoxe veut, en effet, que la création s'enorgueillisse précisément de ce qui lui échappe.

CHAPITRE QUATRIÈME

« Ce sont de pauvres hommes, comme moi, comme vous... »

*

1930/1931. « On purge Bébé » « La Chienne »

Au début des années 30, Jean Renoir passe encore aux yeux de nombreux professionnels (ces « professionnels de la profession » dont parle Jean-Luc Godard) pour un dilettante dispendieux, qui a investi sa fortune personnelle dans l'aventure catastrophique de *Nana*, et qui ne s'est pas montré plus économe en réalisant les scènes à grande figuration de ses films de commande (*Le Bled*, *Le Tournoi dans la cité*). Personne ne sait d'autre part s'il est capable de se soumettre à la nouvelle discipline exigeante du cinéma sonore. Il lui faut donc passer une sorte d'examen, en démontrant qu'il peut respecter un budget, mais aussi diriger des acteurs sur un plateau de cinéma parlant. L'épreuve se présente à lui sous la forme d'une adaptation de Feydeau. Les Etablissements Braunberger-Richebé lui confient la réalisation de *On purge Bébé*, dont le tournage devra être bouclé en six jours au studio de Billancourt. Il respecte sans mot dire le délai imparti et se contente d'une semaine pour assurer le montage du film. Nous sommes alors en avril-mars 1931. Un mois plus tard, le film est projeté dans une salle, où il connaît un succès tel que le budget de production est rapidement couvert par les entrées. Trois mois auront donc suffi pour faire apparaître de confortables bénéfices, et placer Renoir en posture favorable, quoique momentanée, de metteur en scène « commercial ».

Les spectateurs de ce théâtre gaillardement filmé applaudissent des comédiens de boulevard (Louvigny, Marguerite Pierry) rompus à l'exercice du vaudeville. Ils cèdent – comme nous encore, aujourd'hui – à la jubilation intense que leur procure Michel Simon, confit en solennité pathétique dans le rôle de Chouilloux, représentant du ministère de la Guerre chargé de l'achat de pots de chambre – de préférence incassables – pour l'ensemble des armées. Les mêmes spectateurs rient, selon une recette éprouvée, de l'évocation de nos misères intestinales, mais – surtout – ils se déclarent enchantés par la scène où Chouilloux, ayant absorbé malgré lui une dose de purgatif, se précipite aux cabinets. Renoir conclut la scène d'une manière qui lui paraît logique en se servant du micro pour faire entendre, hors champ, le bruit d'une chasse d'eau. Nous sommes, ne l'oublions pas, en 1931, où l'intérêt pour le cinéma « 100 % sonore et parlant » ne se dément pas. Si bien que la chasse d'eau véridique enregistrée par Renoir résonne de façon proprement inouïe aux oreilles du public et des professionnels concernés.

« Ce fut une espèce de révolution, raconte Renoir dans son article en forme de bilan publié dans *Le Point* en 1938, qui fit plus pour ma réputation que la tournaison d'une douzaine de scènes réussies. Les personnalités artistiques et scientifiques les plus considérables des grandes sociétés sonores déclarèrent que c'était une " audacieuse innovation ". Après un pareil coup de maître, on ne pouvait plus me refuser ce que je réclamais depuis un an : la possibilité de tourner *La Chienne.* »

Sur le conseil de Pierre Braunberger, il a lu en effet le roman de Georges de la Fouchardière et il a vu très vite le parti qu'il pourrait en tirer. Il est passionnant, à cet égard, de revenir au texte de l'écrivain pour observer comment le cinéaste s'en est emparé. Son adaptation se montre fidèle dans la mesure où il adopte la plupart des situations, les scènes principales, ainsi que les nombreux dialogues venus sous la plume du romancier ; mais il écarte un redoutable fatras, il efface les considérations morales ou psychologiques, et ne retient que le meilleur, autrement dit le plus frappant, le plus ramassé, le moins complaisant. L'autorité avec laquelle il se soustrait au bavardage, et la sûreté de jugement avec laquelle il met au jour la charpente rude et simple de son propre scénario, ont quelque chose de saisissant.

Je m'en tiendrai à un seul exemple : dans son introduction à un récit qui se trouvera pris en charge tour à tour par chacun des trois protagonistes, La Fouchardière se sent dans l'obligation de brosser leurs portraits en de très longs paragraphes. L'idée vient alors à Renoir d'un prologue qui sera joué par des personnages de guignol.

Le cadre de scène s'inscrit donc à l'intérieur du cadre de l'écran. Une première marionnette apparaît pour nous annoncer :

— Mesdames et messieurs, nous allons avoir l'honneur de représenter devant vous un grand drame social. Ce spectacle vous prouvera que le vice est toujours puni.

Mais le gendarme surgit à ses côtés pour dire tout autre chose :

— Mesdames et messieurs, nous allons avoir l'honneur de représenter devant vous une comédie à tendance morale...

Guignol les réconcilie en les bastonnant l'un et l'autre, et en déclarant pour sa part :

— Mesdames et messieurs, n'écoutez pas ces braves gens. La pièce que nous allons vous montrer n'est ni un drame, ni une comédie. Elle ne comporte aucune intention morale et elle ne vous prouvera rien du tout. Les personnages n'en sont ni des héros, ni de sombres traîtres. Ce sont de pauvres hommes, comme moi, comme vous.

Dans la mesure où c'est Guignol qui parle, nous sommes en droit de retourner la proposition, et de comprendre : « Ce sont de pauvres marionnettes, comme moi, comme vous. »

Renoir a trente-cinq ans lorsqu'il trouve cette formule où se condense l'essentiel de son « cynisme chaleureux ». Guignol, en son nom, peut emprunter dès lors à l'auteur de *La Chienne* une peinture en quelques traits, brefs, incisifs, saillants, de chacun des personnages :

« Lui, c'est un brave type, timide, pas tout jeune, extraordinairement naïf. Il s'est fait une culture intellectuelle et sentimentale très au-dessus du milieu où il évolue, de telle sorte que, dans ce milieu, il a exactement l'air d'un imbécile. »

« Elle, c'est une petite femme qui a son charme à elle et sa vulgarité très personnelle. Elle est toujours sincère, elle ment tout le temps. »

« L'autre, c'est le môme Dédé et rien de plus. »

Par le seul effet du resserrement, Renoir obtient ce qu'il cherche : une sécheresse de ton, une ironie sans détour, une entrée en matière abrupte, qui nous met en présence de « Lui, d'Elle et de L'autre » sans aucun des ménagements pauvrement psychologiques, ni des afféteries de style, ni des mesquineries naturalistes, qui embourbent la prose de M. de la Fouchardière. Les personnages de *Nana* appartenaient encore au royaume des ombres projetées, ou plutôt des projections obsessionnelles. Ceux de *La Chienne*, en revanche, seront doués de chair et de vie, mais sans échapper à leur condition, « humaine » à ses yeux, de marionnettes animées. Le point de vue de Guignol est parfaitement net, à cet égard : en dépit de ce qu'ils croient penser par eux-mêmes, et de ce que La Fouchardière leur fait dire, Maurice Legrand (Lui), employé effacé d'une entreprise de bonneterie, Lucienne Pelletier (Elle), prostituée, et le môme Dédé (L'autre) son souteneur, sont reliés par des fils à un manipulateur invisible, qui leur souffle leurs paroles et dicte leur conduite.

Renoir ne veut à aucun prix se situer à cette place de maître des destinées. Tels qu'ils sont, les personnages de *La Chienne* lui conviennent. Prévisibles, certes, mais capables en même temps de le désarçonner et de le mettre en situation de témoin désarmé, qui sera celle d'Octave dans *La Règle du jeu*, ils ne peuvent « remonter le courant » qui les emporte. Maurice Legrand nourrit une passion aveugle pour Lulu, laquelle vit dans une dévotion absolue à l'égard de son Dédé, qui se caricature lui-même, sans le savoir, en stéréotype du maquereau. Renoir se garde bien de les juger. Il les adopte pour ce qu'ils sont, pour ce qu'ils font et disent, sans fouiller le moins du monde du côté de leur vie intérieure. Ecrivant son adaptation, il ne songe qu'à les peindre du dehors, avec une exactitude que le gros trait saisissant renforce au lieu de l'estomper. Il espère ainsi les rendre présents – présents à en mourir – lorsque viendra le moment de les filmer.

Une vraie conviction l'habite alors, qui le porte au-devant des obstacles et l'aide à les franchir. Bouchon peut-être, mais sacrément résolu... Dans son article de 1938, il affirme qu'il s'est montré « impitoyable » à chaque étape de sa nouvelle entreprise :

« J'ai fait ce film comme je l'entendais, sans tenir compte des desiderata du producteur. » Affirmation corrigée dans *Ma vie et mes films*, où il admet que le rôle de Lulu aurait « convenu superbement » à Catherine Hessling. « Mais, écrit-il, l'actrice Janie Marèze était sous contrat avec les Studios de Billancourt et il était normal qu'ils lui donnent la priorité. De plus, Catherine était exactement le genre d'actrice pouvant déplaire à Richebé. » Je présume néanmoins qu'il s'est laissé convaincre assez facilement. Dans leurs livres de souvenirs respectifs – et souvent contradictoires – Pierre Braunberger et Roger Richebé, les coresponsables des Studios de Billancourt, n'évoquent aucun conflit sur la distribution des rôles. Selon Braunberger, Renoir aurait un peu hésité. Après avoir chassé Catherine Hessling de son esprit, et de sa vie par la même occasion, car elle n'admit jamais cette trahison, il aurait proposé Florelle en Lulu et Harry Baur en Maurice Legrand, avant d'estimer que le couple Janie Marèze-Michel Simon lui convenait parfaitement... Après, cependant, une certaine « mise en condition » de l'actrice, que Pierre Braunberger rapporte dans *Cinémamémoire*. Il m'avait raconté cette histoire de vive voix au cours d'un déjeuner en 1978. En la retrouvant noir sur blanc, j'ai toujours du mal à y croire. La voici néanmoins :

Préparant la « tournaison » du film (pour reprendre son vocabulaire), Renoir rencontre Janie Marèze, et se déclare embarrassé. « Tu comprends, dit-il à Braunberger, cette fille-là n'a jamais joui. Ça se voit. Il faut absolument qu'on sente le contraire en la regardant. L'histoire repose entièrement sur son attachement charnel, presque animal au personnage du maquereau. Il faut qu'il la tienne par là, par le plaisir. »

Braunberger réfléchit au problème et propose une solution. Si Georges Flamant a été choisi pour incarner Dédé, le souteneur de *La Chienne*, c'est en raison de ses manières avantageuses acquises dans la fréquentation réelle du « milieu ». Il n'est pas acteur pour un sou, mais il se vante de posséder un ascendant infaillible sur les femmes. N'est-il pas tout désigné pour initier la jeune femme à des réjouissances dont elle ignore encore – semble-t-il – le dénouement libérateur ?

Une rencontre est alors organisée entre les deux partenaires, « pour la bonne cause du film », dans la maison de Renoir à Marlotte. « Tout se passa comme nous l'avions prévu, raconte Braunberger. Au-delà de nos espérances même, puisque nos deux comédiens tombèrent très vite amoureux l'un de l'autre. »

Dans *Ma vie et mes films*, Renoir ne mentionne pas le complot auquel il se serait prêté, mais il s'attarde volontiers sur les confidences de Georges Flamant, qui lui exposa alors, avec une compétence quasi professionnelle, la méthode employée pour s'assurer une emprise totale sur Janie Marèze. Il lui demandait, par exemple, de se déshabiller, de se coucher nue sur un sofa et d'attendre ainsi son bon vouloir. « Tu comprends, mon pote, expliquait-il à Renoir – de metteur en scène à metteur en scène, en somme –, je fais que la regarder... Je la regarde avec dévotion, mais je ne la touche pas. Au bout d'une heure, je peux en faire ce que je veux... Sans la toucher, c'est ça l'important... »

« La vie réelle rejoint parfois la fiction, dit Pierre Braunberger. Il y eut, à propos de *La Chienne*, une telle série de coïncidences entre la vie et le cinéma que cela en est devenu, à proprement parler, fantastique... »

Coïncidence majeure : Michel Simon est tombé follement amoureux, à son tour, de Janie Marèze. Sur le plateau, il assiste donc impuissant au triomphe de son rival. Il souffre comme un damné et ne doute pas un instant de sa propre sincérité. Si bien que, « à la ville » comme sur l'écran, la vérité s'affole, et l'emporte sur une fiction qui ne va pas tarder à lui rendre les armes. L'immense comédien, sous le masque de Maurice Legrand, est tellement travaillé intérieurement qu'il n'a guère besoin d'interpréter son personnage et de traduire ses tourments, dont nous éprouvons au premier regard la violence muette.

Michel Simon semble déjà ailleurs. Il obéit facilement à Renoir qui lui a demandé de ne pas élever la voix dans les situations extrêmes. Il prononce d'un ton égal les répliques les plus terribles : « Tu n'es pas une femme. Tu es une chienne. » Lulu-Janie Marèze ne lui cache rien, en ce moment crucial, de son propre mépris. Elle piétine ses illusions. Elle lui révèle l'étendue du mensonge dans lequel il a vécu jusque-là. Craignant sa réaction, elle cache alors son visage avec son coude, comme une enfant qui a peur d'être giflée.

Maurice Legrand ne songe pas à la battre. Il préfère s'agripper à un lambeau de logique. Il tente même de se rassurer en se persuadant d'une évidence : l'attachement de Lulu à son Dédé, qui la brutalise, qui lui prend son argent, est une malédiction trop absurde. Il veut l'aider à en sortir.

— Alors quoi, dit-il, tu veux rester avec lui ?... Voyons... C'est pas possible... Voyons... J'ai tout sacrifié pour toi. Voyons, Lucienne, je veux que tu saches... Si tu savais, tu comprendrais peut-être... Ecoute, voyons, Lucienne, je t'ai tout donné. Ce n'est pas possible que tu aimes ce type-là, qui n'a pas de cœur, pas de délicatesse, qui n'a pas d'éducation... Lucienne, voyons, ma petite Lucienne... Alors, tu ne m'aimes plus ? Lucienne !...

Il écarte le coude de Janie Marèze pour voir son visage, et découvre qu'elle rit... Oui, elle rit à sa façon, vulgaire et spontanée. Terrifiante aussi, pour peu que l'on s'identifie à un Maurice Legrand frappé de stupeur... Elle aussi, Lulu, attise – comme Nana quelques années plus tôt – une dramaturgie de cauchemar. Le moment est venu, dans la fiction du film, de conjurer le vertige en découvrant le seul exutoire possible, la pulsion du meurtre.

Michel Simon, lui, sur le plateau, est pris de court. Pendant une à deux secondes, il rit avec Janie Marèze, nerveusement, mécaniquement. Ce moment de torpeur mimétique a quelque chose d'inouï. Jean Renoir, derrière la caméra, observe l'acteur. Il admire son génie, et en même temps craint le pire. Lorsque Michel Simon agenouillé sur le lit secoue Janie Marèze et supplie en vain : « Ne ris pas, Lucienne... Ne ris pas ! », tout devient possible, y compris le passage à l'acte. Renoir ne filmera pas le geste meurtrier. Par prudence, probablement. Il se contentera d'insérer au montage un plan de coupe-papier à la pointe acérée.

La tragédie ne se tient pas quitte pour autant. Aussitôt après la fin des prises de vues, Georges Flamant, grisé par son nouveau personnage de vedette de cinéma, offre à Janie Marèze un grand voyage vers le Midi. Il sait à peine conduire la voiture de sport qu'ils ont achetée pour l'occasion. L'accident qui survient sur la route de Sainte-Maxime tue la jeune femme et épargne le conducteur.

« Michel Simon ressentit le coup si douloureusement, raconte Renoir, qu'il s'évanouit au cours de l'enterrement. Il fallut le soutenir pendant les quelques pas qu'il fit autour de la tombe. »

Pierre Braunberger, de son côté, ajoute une scène à la tragédie, dont il affirme avoir été le témoin direct. Quelques jours après la mort de Janie Marèze, Michel Simon serait entré dans son bureau, où se trouvait déjà Jean Renoir. Le comédien aurait sorti un revolver de sa poche et dit à son metteur en scène :

— Ce qui est arrivé, c'est de ta faute. Je vais te tuer.

— Tue-moi si ça t'amuse, lui aurait répondu Renoir. Moi, j'ai fait le film.

Cette réponse aurait donc suffi à calmer Michel Simon. Nous savons, d'autre part, que les deux hommes se retrouveront quelques mois plus tard sur le plateau de *Boudu sauvé des eaux,* plus complices que jamais.

« Moi, j'ai fait le film », dit Renoir... Cette seule réplique, je l'avoue, me fait croire au récit insensé de Braunberger, car elle indique le degré de nécessité intérieure ressentie par un cinéaste qui a été la proie de sa création, au moins autant que Michel Simon a été la proie de son amour. Dans son article de 1938, il insiste beaucoup sur l'intransigeance dont il fit preuve à l'égard de ses producteurs : « Je n'ai jamais montré un seul bout de mon découpage, pas plus que la moindre bribe de mon dialogue, et je me suis arrangé pour que le résultat des prises de vues reste à peu près invisible jusqu'à la fin de l'exécution du film. A ce moment-là, ce fut un beau scandale. Le producteur s'attendait à un vaudeville ; et il se trouvait devant un drame sombre, désespéré, avec juste comme attraction un meurtre qui n'était pas du tout dans le goût du moment. »

Je me trouve ici devant plusieurs séries de témoignages contradictoires :

Dans son livre de souvenirs (*Au-delà de l'écran*), publié en 1974, Roger Richebé affirme avoir lu *La Chienne*, en avoir négocié les droits avec Georges de la Fouchardière, et avoir accepté – contre l'avis de son entourage – que Renoir en assure la mise en scène. Il prétend n'avoir pas discuté le choix de Michel Simon (réputé acteur comique essentiellement depuis son triomphe en Cloclo de *Jean de la Lune*) pour le rôle de Maurice Legrand. Tout, selon lui, s'est donc fort bien passé durant la période de réalisation proprement dite. Il a vu tourner Renoir « avec un grand plaisir ». Il a assisté aux projections de « rushes » et il s'est « convaincu de l'extrême qualité du film ». Il ne s'attend donc pas, comme le dit Renoir dans son article de 1938, et comme il le répétera dans *Ma vie et mes films*, à ce qu'on lui livre une comédie bouffonne au destin commercial assuré.

Voici pourtant ce qu'il écrit lui-même, corroborant à sa manière le récit du metteur en scène : « Dès que le montage de *La Chienne* est achevé, on me le présente. Je n'en crois pas mes yeux et je suis anéanti... Je n'arrive pas à comprendre comment Renoir a pu rater à ce point son montage. Il doit bien sentir à présent que son intérêt et le mien sont de le revoir. Car il est évident qu'il peut faire beaucoup mieux. »

Les deux témoignages se recoupent alors assez bien. Richebé demande « amicalement » à Renoir d'améliorer son travail et de le parfaire selon ses propres indications, ce qui ne peut manquer de lui attirer une réplique cinglante et – somme toute – plausible :

— Monsieur Richebé, vous vous prenez pour Lubitsch.

Ernst Lubitsch jouit alors d'une réputation mondiale, comme auteur de films, mais aussi comme directeur de la production Paramount dans son ensemble.

Le ton monte entre les deux hommes, que tout sépare hormis une passion commune pour les automobiles Bugatti. Je devine facilement que Renoir déteste en Roger Richebé une assurance vaniteuse, qui se dissimule sous le masque de la bonhomie, et un esprit strictement limité aux frontières du gros bon sens. Quant à Roger Richebé, je ne vois pas comment il aurait pu suivre Renoir dans le mouvement et les dédales d'une pensée rigoureusement hors de sa portée.

Je ne sais si l'altercation s'est déroulée comme Richebé la raconte dans son livre. Toujours est-il que Renoir se voit interdire l'accès au studio et à sa salle de montage. Coupé de son film, inquiet des « améliorations » qu'il aura à subir entre des mains étrangères, il erre dans Paris pendant trois jours et trois nuits ; il s'arrête dans les bars de Montmartre, « décidé à trouver romantiquement l'oubli dans l'alcool », jusqu'au moment où il obtient un rendez-vous avec M. Monteux, principal commanditaire des Etablissements Braunberger-Richebé. « Monteux, écrit-il, me reçut au domicile de sa compagne, la délicieuse Berthe de Longpré, célèbre dans tout Paris pour sa poitrine impeccable. Au récit que je lui fis des malheurs de *La Chienne*, elle s'indigna et exigea de son ami qu'il signifie tout de suite à Richebé l'ordre de me laisser monter le film comme je l'entendais. »

Mais là encore, tous les souvenirs divergent. Richebé raconte qu'il a confié à Paul Fejos, en l'absence de Renoir, le nouveau montage de *La Chienne.* Paul Fejos est un réalisateur américain d'origine hongroise, qui s'est rendu célèbre en 1928 grâce à un très beau film intitulé *Solitude*. Braunberger et Richebé viennent de l'engager en vue d'une nouvelle adaptation de *Fantômas. «* J'ai suivi son travail, écrit le producteur. Les scènes remises à leur vraie place, le film retrouvait son rythme. Et, du même coup, la qualité qui était la sienne. Après la représentation corporative, Jean Paoli me signala que Renoir était venu à la projection avec quelques amis décidés à chahuter. Il n'y eut aucun chahut. Renoir connaissait trop bien son métier pour ne pas admettre que le montage était excellent. »

Pierre Braunberger, de son côté, dément absolument les propos de son associé... et ceux de Renoir. Selon lui, Richebé avait « le film en horreur » et n'avait, du début à la fin, « absolument rien compris au scénario », mais il n'a jamais été question, comme le raconte Renoir, de placer des agents à la porte du studio pour l'empêcher d'y entrer. Il réduit ainsi le conflit entre producteur et metteur en scène à quelques passes d'armes. Il évoque, par exemple, le rôle de Denise Batcheff (qui épousera par la suite Roland Tual), créditée au générique de *La Chienne* comme responsable du montage sonore. Elle reconnaît elle-même dans son livre de souvenirs qu'elle a été « imposée » à Renoir par la production du film. S'est-elle permis (« peut-être sur l'insistance de Richebé », dit Braunberger) de modifier quelques séquences ? Renoir, de retour dans la salle (après l'intervention de M. Monteux ?), l'en a-t-il violemment expulsée (toujours selon Braunberger) et l'a-t-il remplacée par Marguerite, sa monteuse favorite, qui deviendra sa compagne et portera son nom ?

Qui faut-il croire dans cette affaire ? Richebé, parfaitement satisfait du travail de Paul Fejos ? Braunberger, aussi catégorique en sens contraire : « Richebé dit avoir fait travailler Paul Fejos sur le montage du film. Ce n'est pas exact. Il en a peut-être eu l'intention, mais cela ne s'est jamais fait » ? Denise Batcheff-Tual, qui dit de Renoir : « J'aimais tellement son film que je le défendais contre lui-même » ?

Ou bien Renoir en personne, sans doute plus près de la vérité dans son article de 1938, où il témoigne de la confusion générale qui régna durant quelques semaines : « Le producteur, ayant fait effectuer un montage à son idée, s'aperçut que cela ne tenait pas debout et que, perdu pour perdu, il valait peut-être mieux me laisser faire. Je pus revenir dans ma salle de montage et réparer à peu près les dégâts. » A-t-il adopté au passage certaines modifications de détail opérées, soit par Paul Fejos, soit par Denise Batcheff, ce qui expliquerait la satisfaction affichée par Roger Richebé ?... Une certitude, au moins, nous reste : Renoir n'a pas cessé de se dresser comme un beau diable face aux initiatives de ceux qui prétendaient le « défendre contre lui-même ».

Au reste, l'histoire des malheurs de *La Chienne* serait anecdotique si elle ne se focalisait sur un point central : le montage en effet, mais entendu au sens large, comme structure et composition de l'œuvre prise – et vécue par le spectateur – dans son ensemble. Il me semble que la ligne de partage passe exactement là, entre ceux qui ne comprennent rien à l'étrange succession de moments orchestrée par Renoir, et ceux qui céderont – de plus en plus nombreux avec les années – à l'envoûtement singulier d'un film qui n'épouse jamais les heurts de la péripétie, préférant glisser au long des minutes selon son propre tempo d'embarcation soulevée par le flot montant de la tragédie. Renoir avait déjà rêvé pour *Nana* de cette douceur implacable que la malédiction imprime à ses menaces comme à ses arrêts. Il organise donc la continuité de *La Chienne* selon un principe délibéré de latence, jusqu'au moment où la soudaineté, qu'il privilégie toujours comme mode d'appréhension de la vérité, trouve dans la scène du meurtre son plein effet de saisissement.

Pour l'heure, en 1931, Richebé et Denise Batcheff trouvent un allié inattendu en la personne de Jean-Georges Auriol, jeune homme raffiné qui dirige avec passion la rédaction de l'ambitieuse *Revue du cinéma*. Son article (daté du mois d'août 31) me navre, car il témoigne d'une cécité dont il ne fut certainement pas la seule victime à l'époque :

« On pourrait déclarer à la légère, écrit-il, que le montage de *La Chienne* est défectueux ; je crois qu'il était à peu près impossible de monter cette histoire, car elle n'avait pas dû être “ découpée ” en vue d'un montage précis. On pourrait dire que le film manque de rythme. C'est une remarque exacte, mais trop générale. Je crois que Renoir n'a pas pris assez de précautions avec le public en découpant et même en tournant son scénario ; il a surtout cherché à faire ce qu'il aimait et à réaliser quelque chose qu'il aimerait voir. Quelle tristesse que d'être obligé de reprocher ça à un metteur en scène, alors que la plupart rivalisent de bassesse et d'inféconde et inutile servilité. »

Il est vrai que Renoir s'est élu lui-même comme premier spectateur de son film. Il est vrai qu'il se raconte l'histoire en privilégiant certains temps réputés faibles, et en sacrifiant les accentuations dramatiques, c'est-à-dire les temps forts, dont le retour régulier aurait déterminé le rythme tant espéré par Jean-Georges Auriol. Il est vrai surtout qu'il découvre la vocation, sans doute essentielle, du cinéma sonore, qui est de rendre aussi pénétrant que possible le sentiment de la durée. Voilà pourquoi il tient tellement à faire savoir dans ses entretiens que *La Chienne* a été réalisée intégralement en son direct et synchrone. L'image en ressort authentifiée et enrichie, mais pas seulement. Un nouveau degré de poésie onirique se fait jour, très différent de celui que le cinéma muet instaurait par sa seule infirmité, et qui tient ici à des relâchements de tension opérés par la raréfaction des paroles, et par les échos du monde extérieur insinués dans les silences, les repos, les stations subtilement prolongées au-delà du minutage impliqué par la situation en tel ou tel moment précis de l'action.

Je pourrais multiplier les preuves de ce jeu avec le temps, un peu trop mystérieux sans doute au regard de ceux qui l'ont mis tout d'abord au compte de la maladresse, mais je me contenterai d'un seul exemple pris dans la deuxième séquence du film :

Au cœur de la nuit à Paris, un voyou ivre injurie la jeune femme qui l'accompagne. Il lui reproche de « faire la tête » et menace de la punir. Nous les voyons descendre un escalier vers une place déserte, traversant les traits de lumière savamment disposés par Théodore Sparkuhl, l'opérateur allemand du film. Elle dit : « Je te les donnerai demain tes cent francs. » Il répond : « C'est ce soir qu'il me les faut ! » Elle tente de se justifier : « Je ne peux pas aller chez le père Marchal. Il est trop tard. — Ah ! Tu raisonnes ! » C'est la première fois que nous sommes mis en présence de Dédé et de Lulu. Le souteneur gifle la fille, qui perd l'équilibre et se laisse tomber au pied de l'escalier.

C'est alors qu'apparaît Maurice Legrand en haut des marches. Il voit un homme battre une femme. Il intervient.

Compte tenu de l'état de Dédé, il ne lui est pas difficile de l'immobiliser. Renoir se garde bien de faire un sort à l'affrontement physique entre les deux hommes. Il ne l'a filmé – brièvement, de loin – que pour en arriver à ce cadre en plan serré où son regard, épousant celui de Michel Simon, choisit de s'attarder. Le visage de Janie Marèze nous est ainsi révélé pour la première fois, de profil d'abord, penché vers la droite de l'écran, comme si elle sommeillait. En levant les yeux vers l'homme qui lui est venu en aide, elle ne marque ni gratitude, ni surprise, ni curiosité. Je ne saurais dire pourquoi ce plan se détache tout à coup de ceux qui l'ont précédé, ni comment il se pare à nos yeux du pouvoir de l'énigme. Je devine seulement que Renoir a voulu cette transfiguration d'un moment banal, et qu'il a cherché à l'obtenir par le seul effet d'une lenteur calculée et d'un mutisme des protagonistes qui laisse place à la rumeur du monde.

C'est Maurice Legrand qui, de sa voix douce, rompt le silence, sans rompre le charme :

— Je vous demande pardon, je passais...

— Vous lui avez fait mal, dit Lulu.

Elle se penche alors vers son Dédé, assis contre la balustrade, regard éteint, sans expression, fumant une cigarette. Elle lui caresse longuement la joue droite, puis la joue gauche. C'est pour de tels moments, où le temps, et lui seul, accomplit son œuvre dans l'obscurité des consciences, que Renoir a réalisé ce film.

— Je vais vous raccompagner chez vous, dit Maurice Legrand.

— On ne peut pas le laisser comme ça, répond la jeune femme. Il va attraper mal avec ce froid.

Si la petite personne de Lulu nous apparaît aussi – « extraordinairement » – commune, c'est afin de nous priver de toute illusion à son sujet. Son étroitesse de vues, contredite par ses grands yeux clairs, a quelque chose de prodigieux. Si bien que nous voici perdus entre l'émotion de Legrand, tout près de chavirer, et la lucidité de Renoir, cruelle sans doute, mais sans l'ombre d'un mépris, désarmée en même temps, mais sans trace de complaisance.

Dédé a été reconduit chez lui en taxi. Lulu le soutient jusqu'à la porte de l'hôtel. En la quittant, il dit :

— Je commence à en avoir marre de traîner avec moi une gourde comme toi, tu sais... Ah, là, là !... Tâche de te débrouiller avec ce mec-là. Sinon, je te laisse tomber. Tiens, salope !

Il la gifle à nouveau. Lulu répond en se tenant la joue :

— Oui, mon Dédé, je te le promets, puisque ça t'arrange.

Resté dans la voiture, Legrand n'a rien vu. Lulu revient vers lui. Il demande la permission de l'accompagner jusque chez elle. Renoir prend le temps de les voir marcher côte à côte, en plan large, et d'écouter leurs pas. Pour définir le style de *La Chienne*, il prononce dans *Ma vie et mes films* la formule de « réalisme poétique », que l'on accolera par la suite à *Quai des brumes* et *Hôtel du Nord* de Marcel Carné, *Pépé le Moko* de Julien Duvivier, ou bien encore à *Remorques* de Jean Grémillon. La différence est que Renoir se rebelle à l'idée d'une « poétisation » délibérée. Il ne cherche pas à magnifier ses personnages et il refuse de leur prêter sa propre verve comme le feront – avec un talent indéniable – Jacques Prévert et Henri Jeanson. Son vrai travail consiste à dissiper « l'espèce de nuée opaque qu'il y a entre notre œil et la réalité ». « Or, la réalité, moi je l'aime beaucoup, dit-il à Jacques Rivette et François Truffaut en 1954, et je suis heureux de l'aimer parce qu'elle m'apporte des joies infinies. Et puis enfin, la réalité est toujours féerique. Pour arriver à rendre la réalité non féerique, il faut que certains auteurs se donnent beaucoup de mal, et la présentent sous un jour vraiment bizarre. Si on la laisse telle qu'elle est, elle est féerique. »

Il laisse donc aller Maurice Legrand et Lucienne Pelletier sur le trottoir de cette rue de Montmartre à deux heures du matin. La caméra se contente de les accompagner et le micro de capter leur conversation, qui n'a rien d'un dialogue étincelant.

Lulu trouve des excuses à la conduite de Dédé, qui n'est pas un mauvais homme, contrairement aux apparences : « Même qu'il m'a dit que s'il avait des sous, eh ben, il commencerait par me nipper et puis que je serais pas plus mal qu'une autre... Et puis il a du talent, si vous le voyiez, il imite Maurice Chevalier. Il est épatant ! Seulement, il a pas de relations... Alors il faut que je l'aide... »

Renoir n'en est pas à un paradoxe près. Pour que la féerie, telle qu'il l'entend, se dégage, il lui faut surenchérir sur la banalité et l'insignifiance. De sorte que nous pénétrons dans une zone indistincte, analogue à « l'idiotie » ensorcelée de nos rêves.

La conversation se poursuit entre Legrand et Lulu. Elle lui demande s'il est contrôleur dans un théâtre. Il répond qu'il est artiste peintre, ce qui n'est qu'un demi-mensonge puisqu'il peint en effet à ses moments perdus. Lulu ne joue nullement à l'enjôleuse. Legrand est retenu par sa timidité. Il ne s'agit donc pas d'une scène de séduction. Du bout des lèvres, Legrand propose au moment de la quitter :

— Est-ce que je vous reverrai ?

— Eh ben, je vous écrirai.

— Oh, oui !

— Mais où ça ?

— Poste restante. Maurice Legrand avec un « d ». Je suis marié, alors vous comprenez...

— Je veux bien vous écrire, mais à quel bureau ?

— Bureau de la place Vintimille.

— Ah oui... Alors, au revoir monsieur Legrand.

A l'instant de le quitter, Janie Marèze passe ses bras autour du cou de Michel Simon et prononce le mot « chéri ! » d'une façon telle, à la fois codifiée et inattendue, parfaitement mensongère et cependant renversante, que la mécanique de la marionnette apparaît tout à coup. Michel Simon couvre ses joues de baisers, mais elle se retire aussitôt.

L'esprit du film est là, dans la brièveté de ce moment, rapportée à la lenteur de ceux qui l'ont précédé. Nous échappons de ce fait à la chronique naturaliste pour revenir à Guignol, et à la vérité donc, prise de surprise en ce qu'elle a d'élémentaire.

Je ne sais si j'ai bien fait de décrire la séquence avec une telle minutie, et d'en transcrire les dialogues avec une exactitude un peu maniaque, mais je ne voyais aucun autre moyen pour éviter le piège de la dénomination trop facile. Chaque fois, en effet, que je lis un résumé de *La Chienne*, ou un portrait rapide de l'un ou l'autre de ses personnages, je ne reconnais que de très loin ce que j'ai vu réellement sur l'écran, pour ne pas parler de ce que j'ai ressenti minute après minute. Les mots nous renvoient trop vite aux clichés, aux idées reçues, à tout le répertoire du « préconçu », qui constitue précisément cette « nuée opaque » dénoncée par Renoir comme une pollution de notre regard.

Il raconte à ce propos l'une de ses premières conversations avec des menuisiers et des peintres de cinéma. Imaginant le décor d'une salle de ferme dans le Midi, il leur demande de donner aux murs l'aspect irrégulier qu'ils ont lorsqu'ils sont composés de galets et peints à la chaux.

> « Ces gens, se souvient-il, m'écoutaient avec une certaine impatience, parce que ce genre de décor était connu et classé. Ils me disaient tout le temps :
> — Mais, monsieur Renoir, nous savons ce que c'est. C'est le “ rustique ”.
> — Le rustique ?
> — Le rustique a le mur irrégulier et la poutre apparente.
> — Mais justement, je ne voudrais pas de poutre apparente.
> — Ah, pardon ! Dans le rustique, la poutre est apparente. »

Naturellement, le premier effort de Renoir est de nous affranchir des genres et des classifications (le « rustique », la « putain » et son « maquereau », le « pauvre type berné ») pour nous rendre à une appréhension du réel plus cynique, sans doute, de par la précision des notations, et en même temps plus ouverte à ce qui demeure irréductible.

Pourquoi ne pas avouer dès lors que les mots me manquent pour dépeindre les personnages que j'ai vu vivre sur l'écran ? Ils sont simples comme bonjour, mais singuliers tout autant et foncièrement mystérieux.

Guignol a bien de la chance, qui s'en tire par des pirouettes ; mais on ne se débarrasse pas de Lulu aussi aisément (« Elle est toujours sincère. Elle ment tout le temps »). Sa voix gracile, haut perchée, a quelque chose de lancinant. Les gifles et les injures semblent glisser à la surface de son esprit comme la pluie sur le plumage d'un cygne. Elle persévère dans son être avec une rare – et commune ! – obstination. Impossible de savoir comment Renoir s'y est pris pour obtenir de Janie Marèze qu'elle ne franchisse à aucun moment la frontière de son minuscule univers.

Il faut l'avoir vue chavirer lorsque Dédé, chichement, lui accorde un baiser. Il faut l'avoir vue présenter à une amie les commodités de l'appartement où Legrand vient de l'installer. Elle n'est pas peu fière de la salle de bains, avec son lavabo flambant neuf, sa baignoire et son chauffe-eau à gaz automatique. L'amie remarque la présence d'un aspirateur.

— Oh, oui, c'est plus hygiénique, dit Lulu.

Il faut l'avoir vue surtout le soir où Legrand, arrivant à l'improviste, la découvre couchée, en chemise, auprès de son Dédé. Elle se redresse, le toise. C'est la première fois que Renoir les filme ainsi, en plans distincts, face à face. Janie Marèze est étonnante. Son demi-sourire crispé est tellement juste qu'il nous abasourdit. Elle défie Legrand d'une voix à peine tremblante, posée pour une fois, et d'autant plus cruelle.

— Eh ben, oui. C'est mon petit homme qui est là. Et puis quoi ?...

Bref, il faut avoir vu le film pour comprendre que rien ne saurait la faire dévier hors d'une logique qui est la sienne. En la tuant, Legrand ne commet rien d'autre, au fond, qu'un aveu d'impuissance. Il la supplie de ne pas rire, mais comment pourrait-elle abdiquer quoi que ce soit de sa façon d'être ? Renoir s'inquiète assez peu des méandres de la psychologie, mais il sait à quel point il est difficile de détourner un caractère hors de sa fatalité intime.

Dédé n'est pas en mesure, lui non plus, d'échapper à lui-même. Le moins qu'on puisse dire est qu'il ne le souhaite pas. Au bout de son histoire, sous le couteau de la guillotine, il n'offrira aucun autre visage que le sien. Cette fois, Guignol me vient en aide lorsqu'il résume : « C'est le môme Dédé et rien de plus. » Rien de plus, en effet, qu'un répertoire de formules (« C'est régulier »), de gestes (l'index pointé vers l'avant en signe de fermeté), et d'attitudes (le sourcil droit relevé en signe de méfiance), qu'il s'évertue à rendre conformes aux « manières » de son milieu. Renoir observe avec une jubilation secrète l'effort qui le raidit, et le réduit à l'image dans laquelle il voudrait se couler, mais sans y parvenir tout à fait. Il n'a pas choisi Georges Flamant par hasard. La maladresse d'un acteur de second plan interprétant un truand de troisième ordre lui convient à merveille. Car les deux faussetés, celle du comédien et celle du personnage, finissent par se compléter, au bénéfice d'une cohérence inattaquable.

La figure de Dédé, belle gueule d'époque aux traits légèrement bouffis, est celle d'un homme chez qui la conscience de soi est demeurée à l'état embryonnaire. On ne peut parler de lui que par négation ou restriction, jusqu'à découvrir son extravagante nullité. Il illustre à rebours la prévention de Renoir à l'égard des stéréotypes qui nous cachent la vérité en ce qu'elle a de singulier et de surprenant. Dédé les assume avec une telle conviction, ces clichés, que cela en devient, par ricochet, singulier et surprenant, comique et pathétique.

Il faut l'avoir vu, entendu surtout, dans le bureau du magistrat d'instruction où on l'accuse du meurtre de Lulu. Il s'y exprime de telle sorte que chaque mot prononcé se retourne contre lui, et le condamne un peu plus.

L'ironie de la situation fait que son meilleur argument (pourquoi aurait-il assassiné une si belle fille qui lui procurait une vie facile ?) est mis au compte du cynisme.

— Maintenant, monsieur le juge, dit-il avec un sourire qui se voudrait engageant, si vous tenez absolument à ce que j'aie tué Lulu, j'veux pas vous contrarier...

— Alors, vous avouez ?

— Mais non, j'avoue pas. J'dis ça pour rigoler, quoi !...

— Ah oui... Bon... Nous allons examiner un peu votre passé. Les renseignements sur vos antécédents ne sont pas précisément à votre avantage...

— Mes antécédents !... J'ai fait des blagues, quoi... comme tous les jeunes gens de famille. Ah ! Ça se fait dans le meilleur monde, ça !... Oui, ah, j'ai reçu de l'argent des femmes, c'est entendu... Si j'en ai reçu, monsieur le juge, c'est qu'elles voulaient bien m'en donner, hein...

Et il sourit finement...

Le plus étonnant à la réflexion est de ne le voir s'interroger à aucun moment sur l'identité véritable de l'assassin. Il pourrait facilement orienter les soupçons de la police en racontant la scène, qui s'est déroulée la veille du meurtre, où il a été surpris par Maurice Legrand dans le lit de Lulu... Mais non, il n'y pense pas. La marionnette en lui se doit de fonctionner jusqu'au bout. Il est bien trop occupé à jouer son rôle pour imaginer ce qui a pu, ou pourrait se passer, dans la tête de quelqu'un d'autre.

Le jour de son procès aux assises, il coupe la parole à son avocat et prend personnellement sa défense :

— Il n'y a qu'une chose qui compte ici, dit-il, c'est l'accusé. Et j'ai comme une idée que c'est moi l'accusé, hein ! Ecoutez, encore une fois, j'veux rester correct dans le monde, j'veux pas crier ; mais je vous jure, je vous jure que je ne suis pas coupable. Je vous jure que ce n'est pas moi qui ai tué Lulu. C'est pas moi qui l'ai tuée !...

Il n'a jamais été aussi sincère, et il n'a jamais paru aussi faux.

— C'est un suicide, confie son avocat en aparté.

A l'heure du verdict et de la condamnation à mort, Maurice Legrand, présent dans la salle, s'écroule évanoui. Est-ce l'émotion d'avoir assouvi sa vengeance par justice interposée ? Est-ce le remords de voir un innocent condamné à sa place ? Nous ne le saurons jamais, et nous n'avons pas à le savoir.

Au point où j'en suis arrivé, je constate que la boucle est en train de se boucler, et qu'il fallait prendre Guignol au mot lorsqu'il nous annonçait que *La Chienne* ne serait ni une comédie, ni un drame, et que nous ne pourrions en tirer aucun enseignement. Car nous n'avons pas, non plus, à savoir ce qui se joue dans l'esprit de Dédé le matin où on le réveille d'un profond sommeil pour le conduire à la guillotine. Un gros plan nous le montre au moment où une main appuie sur son épaule. Son regard parcourt le groupe des officiels chargés de l'accompagner à son supplice. Renoir s'interdit de les filmer en contrechamp. Il privilégie ainsi le condamné, dont le visage n'exprime aucune terreur, et qui ne dit mot. Pour une fois.

Renoir sacrifie donc ses intentions et ses propres interprétations, au profit d'une attention dévorante entièrement vouée à ses personnages, confondus au plus intime avec les comédiens qui les incarnent. Son intuition lui suggère que leur présence sur l'écran s'exercera en fonction directe de l'intensité, de la simplicité, de l'humilité même avec lesquelles il les verra vivre.

Janie Marèze et Georges Flamant ont éveillé en lui une ironie soucieuse de la plus mordante exactitude, mais il ne peut s'empêcher, en même temps, de les observer avec une incrédulité proche de la stupeur, et au bout du compte de l'admiration. Il ne serait pas auteur s'il n'aimait ses personnages – tous ses personnages – obstinément tendus dans un désir obscur de cohérence, une fatalité intime du caractère qui trouve en elle-même une sorte de grandeur.

Que penser alors de la douceur invraisemblable que Michel Simon va chercher au fond de sa sensibilité, pour animer la personne de Maurice Legrand et pour nous faire entrer dans cette région secrète de l'esprit où l'auteur de *La Chienne* cherche à nous transporter ?

« Ce qui se passe avec les grands acteurs, dit Renoir, et par conséquent avec Michel Simon, c'est que ces grands acteurs vous dévoilent, mettent au jour des rêves que l'on avait eus, mais que l'on n'avait pas formulés.

« En réalité, c'est l'éternel mystère de la création. Il arrive un moment où l'on n'est plus responsable de la création, où elle vous échappe, et le grand acteur est un grand acteur dans la proportion où il vous échappe et où, en vous échappant, il correspond néanmoins au rêve que l'on avait eu avant et vous le fait découvrir. »

Je ne sais plus où j'ai lu que Charlie Chaplin possédait une copie de *La Chienne*, et qu'il la projetait parfois pour des amis en leur disant : « Je vais vous montrer le plus grand acteur du monde. »

CHAPITRE CINQUIÈME

« L'esprit comme dans les rêves »

*

1932. « La Nuit du carrefour »

On connaît la réponse de Pierre-Auguste Renoir au peintre Charles Gleyre, qui vient de le recevoir comme élève dans son atelier. Nous sommes en 1862. Renoir a vingt et un ans. Il se donne beaucoup de peine pour représenter le modèle nu qui pose devant l'assemblée des apprentis. Gleyre s'approche de lui, examine le tableau et remarque sévèrement :

— C'est sans doute pour vous amuser que vous faites de la peinture ?

— Mais certainement, répond Renoir. Si ça ne m'amusait pas, je vous prie de croire que je n'en ferais pas.

En 1932, Jean Renoir s'est donné de la peine, mais beaucoup plus de plaisir encore, pour réaliser *Tire au flanc* et *La Chienne*. Je finis par me demander si le bonheur procuré par ses films à ses plus fervents admirateurs – les cinéastes en particulier, de Truffaut à Orson Welles – n'est pas le sien, essentiellement.

Il est peut-être temps de citer ici un très court article de François Truffaut, publié par le *Journal du Show-business* le 21 mai 1969 : « Ce n'est pas le résultat d'un sondage, écrit-il, mais un sentiment personnel : Jean Renoir est le plus grand cinéaste du monde. » Il enchaîne aussitôt, en se reprenant, comme s'il avait peur de s'en tenir au seul jugement de valeur : « Ce sentiment personnel, la plupart de mes amis cinéastes l'éprouvent également et d'ailleurs, Jean Renoir n'est-il pas le cinéaste des sentiments personnels ? »

Les trois films qui succèdent à *La Chienne*, *La Nuit du carrefour* (avril 32), adaptation d'un roman de Simenon, *Boudu sauvé des eaux* (novembre 32), *Madame Bovary* (janvier 34), illustrent à merveille la formule de Truffaut. J'oublie au passage *Chotard et compagnie* (mars 33) afin de respecter le principe que je me suis fixé : si l'on ne connaissait de Renoir que *La Fille de l'eau*, *Le Bled* et *Chotard et compagnie,* personne – à coup sûr – ne songerait à le désigner comme le plus grand cinéaste du monde, alors qu'une seule vision de *La Chienne* ou de *Boudu sauvé des eaux* devrait suffire à convaincre le moins prévenu des spectateurs, un tant soit peu sensible, qu'il se passe là quelque chose de prodigieux.

J'aimerais pour ma part ne rien savoir de lui, et goûter de plein fouet, comme une gifle de vent, la poésie folle de *La Nuit du carrefour*, dont le premier plan – pour ne parler que de celui-là – nous met dans la confidence d'une inspiration. La caméra, juchée sur je ne sais quel véhicule, se meut et s'émeut le plus simplement du monde. Elle se laisse happer par la fuite des apparences en épousant la ligne droite d'une route nationale bordée de grands arbres et de poteaux télégraphiques, derrière lesquels nous apercevons, sous un ciel bas, un paysage de labours merveilleusement mélancolique. Nous avons entendu, depuis le dernier carton de générique, le moteur d'une motocyclette que nous ne voyons pas pour l'instant. Elle bifurque sur la gauche et nous ouvre à la très large respiration d'un panoramique découvrant le carrefour d'Avrainville. Décor dont nous ne sortirons pas, à l'exception d'une scène, tout au long de la projection.

Georges Simenon isole la scène en question, car il a besoin d'amorcer son histoire policière à partir de la révélation du meurtre commis dans les parages d'Avrainville et du premier interrogatoire mené par le commissaire Maigret. Renoir, lui, préfère amorcer sans tarder l'action de son film. L'idée de débuter par une scène dialoguée lui a probablement déplu, mais il a surtout besoin de montrer au plus tôt les lieux et les gens. La motocyclette, dont nous avons entendu le moteur, tourne donc et s'immobilise sur le terre-plein de la pompe à essence. Le gendarme qui la conduit échange quelques mots avec Monsieur Oscar, patron du garage. La camionnette du boucher s'arrête à son tour. L'homme qui en descend déborde de bonne humeur. Il ne marche pas, il sautille. Mais nous ne perdons de vue à aucun moment les autres personnages. Monsieur Oscar lit un journal. Il commente la rubrique mondaine, les faits divers, et s'inquiète de l'insécurité grandissante. Jojo, le mécano, parle peu, mais son attitude le désigne au premier coup d'œil comme un aimable « loustic ». Madame Oscar passe commande au boucher :

— Rien pour aujourd'hui, dit-elle, mais demain vous me mettrez un morceau...

— Dans la culotte, enchaîne le boucher.

Grand rire du gendarme.

Nous retrouvons le boucher quelques plans plus tard devant le pavillon de Monsieur et Madame Michonnet, qui se situe de l'autre côté de la route.

Renoir filme de loin. Il ne découpe pas la scène. Si bien – ou si mal ! – que nous ne voyons pas qui parle. Peu importe, après tout, puisque la voix glapissante de Madame Michonnet réclamant du mou pour son chat se suffit à elle-même. Les mots se chevauchent. Nous avons peine à distinguer Michonnet, massif et court sur pattes, vantant les mérites de la six-cylindres qu'il vient d'acheter à tempérament. Il tient à la montrer au boucher, ouvre son garage et découvre une 5 CV vieillotte en lieu et place de sa belle voiture. Nous comprenons qu'elle appartient à un certain Andersen. Madame Michonnet crie « Au voleur ! » tandis que son mari se lance dans une diatribe contre les étrangers, que l'on devrait reconduire à la frontière. Il somme le gendarme, convoqué d'urgence, de l'accompagner chez les Andersen afin de perquisitionner dans leur garage. Le groupe entier des personnages – toute la population de l'endroit, en somme – franchit la grille de la grande demeure délabrée, troisième et dernière bâtisse du carrefour, où vivent les deux Danois. « Frère et sœur, qu'ils disent ! », ronchonne Madame Michonnet. C'est Oscar qui pousse la porte du garage, à l'intérieur duquel Michonnet reconnaît effectivement sa six-cylindres. La surprise fait place à la stupeur lorsque s'y révèle la présence d'un corps inanimé, aux yeux grands ouverts, nez anguleux et barbe noire, affalé sur le volant. Nous saurons bientôt qu'il s'agit d'Isaac Goldberg, diamantaire à Anvers.

Bien que traduite visuellement, cette scène d'exposition est moins claire chez Renoir que chez Simenon, où Maigret, dans son bureau du Quai des Orfèvres, se charge de résumer la situation et d'en remarquer le caractère ahurissant. Visionnant le film, je note que, en l'espace de quatre minutes, nous aurons fait la connaissance du gendarme, d'Oscar, du boucher, de Jojo, de Monsieur et Madame Michonnet, et que Renoir répugne à les séparer les uns des autres. Il semble ignorer l'usage du gros plan, ou même du plan rapproché. Il ne fait aucun effort de lisibilité dans la mise en place de ses comédiens et dans le choix des angles de prise de vues. La confusion, de toute évidence, ne le gêne en rien. On peut même penser qu'elle l'amuse, compte tenu d'une histoire qui enchevêtre à plaisir les préoccupations, les manies, les comportements quotidiens et les arrière-pensées inavouables de ses protagonistes.

Renoir et Simenon se retrouvent en accord à peu près total pour mettre en scène le commissaire Maigret dans son bureau, pas encore légendaire mais déjà célèbre, du Quai des Orfèvres. Ils ont choisi ensemble d'attribuer le rôle à Pierre Renoir, ce dont Simenon ne cessera jamais de se féliciter. Le frère aîné de Jean correspond presque exactement au personnage qu'il a imaginé, vêtu comme un fonctionnaire de police, empreint d'une dignité naturelle, investi d'une autorité qui va de soi, avare de paroles et surtout de commentaires à propos de ce qu'il apprend. Le créateur de Maigret ne peut que se reconnaître – lui autant que son personnage – dans le regard un peu fixe de Pierre Renoir, traversé de malice dont il se réserve le secret.

Quant au regard de Jean Renoir sur la vie et sur les gens, Simenon est sans doute l'un des rares à le comprendre, autant dans sa richesse que dans sa simplicité. « Aucune pose chez lui, ni chez le cinéaste, ni chez l'homme, écrit-il dans une lettre à Célia Bertin en mars 1984. Je l'ai toujours vu si naturel que je reprends à son sujet le mot " candide ". Je n'ose pas employer le mot " enfantin " qui me paraît très péjoratif, mais qui, dans mon esprit, explique toute sa vie et son œuvre. »

Les deux hommes se connaissent depuis le milieu des années 20. Renoir et Catherine Hessling appartenaient au petit monde qui se réunissait parfois place des Vosges, dans l'appartement que Simenon avait meublé et décoré dans le goût des Arts déco. Le jeune romancier qui se « faisait la main » dans des collections populaires, à raison de quatre-vingts feuillets quotidiens, et l'apprenti cinéaste se sont appréciés d'instinct. Le temps qui a passé depuis lors n'a pu que les rapprocher. Ils ont mûri parallèlement en découvrant – chacun de son côté et l'un chez l'autre – le trésor d'émotion âpre, entêtante, pénétrante comme une pluie de novembre, que le spectacle – aussi quotidien soit-il – de la vie comme elle va ne demande qu'à dévoiler, pour peu qu'on l'appréhende sans détour.

Simenon a été très impressionné par *La Chienne*. On l'imagine sans difficulté goûtant la saveur poignante de ce moment où un cercle de badauds entoure le chanteur de rue, sous les fenêtres de la maison où Maurice Legrand poignarde Lulu pour l'empêcher de rire.

Renoir, pour sa part, a sauté dans sa Bugatti aussitôt après avoir lu *La Nuit du carrefour*. Il franchit à grande vitesse les kilomètres séparant Paris de la côte normande, où se trouve alors Simenon, pour lui acheter les droits de son livre et lui demander de collaborer à son adaptation. Il n'a pu manquer de « sentir » cette poésie-là, tellement prosaïque de par les moyens mis en œuvre, où le temps qu'il fait et le temps qui passe confondent les cours de leur mélancolie rêveuse sous les fenêtres du bureau de Maigret au Quai des Orfèvres.

« La Seine s'était enveloppée de buée, écrit Simenon. Un dernier remorqueur était passé, avec feux verts et feux rouges, traînant trois péniches. Dernier métro. Le cinéma dont on fermait les grilles après avoir rentré les panneaux-réclames...

« Et le poêle qui semblait ronfler plus fort dans le bureau de Maigret. Sur la table, il y avait des demis vides, des restes de sandwiches. »

Paris s'endort... Nous sommes à la dix-septième heure de l'interrogatoire de Carl Andersen. Lequel refuse de dire, ou bien ne parvient pas lui-même à s'expliquer, comment le cadavre d'Isaac Goldberg a pu être transporté dans le garage de sa maison, à l'intérieur de la six-cylindres appartenant à Emile Michonnet. Chez Simenon comme chez Renoir, Andersen est un personnage sombrement énigmatique. Aristocrate sans fortune, stoïque, résolu, portant monocle noir sur son œil de verre. Au-delà de sa propre fatigue et de son agacement, Maigret ne peut s'empêcher d'éprouver pour lui une certaine sympathie. Renoir aussi le considère avec autant de respect que de curiosité. Il filme Andersen en plan serré au moment où il déclare :

— Je vous donne ma parole d'officier et de gentleman que je n'ai jamais vu ce Juif.

L'accent étranger aidant, on croirait déjà entendre le von Rauffenstein de *La Grande Illusion*.

Cette séquence de la garde à vue donne le ton du film. Renoir s'intéresse, comme Simenon, aux informations susceptibles d'éclairer l'enquête, mais il préfère de beaucoup, avec la complicité de Simenon, mettre l'accent sur le poêle que tisonne Maigret, sur les draps en désordre du lit de camp dans la pièce d'à côté, où Lucas se réveille d'un sommeil trop court pour prendre la place du commissaire en face d'Andersen, sur l'impatience du secrétaire qui griffonne des notes depuis plusieurs heures et qui demande à être remplacé, sur le brouillard de fumée qui envahit progressivement le bureau, sur les allées et venues du garçon de café qui apporte bière et sandwiches, sur le geste de Maigret offrant une cigarette à Andersen avant de le libérer.

Renoir et Simenon ont écrit ensemble le scénario, et n'ont guère eu de mal à s'accorder pour ne tenir aucun compte de la mythologie policière et de ses prestiges trop attendus. Leurs enquêteurs ne sont que des fonctionnaires au travail, un peu plus butés et, certes, un peu plus courageux que la moyenne des agents administratifs. « Français moyens », ils exécutent leur tâche avec une sorte de tranquillité bougonne, lorsqu'elle leur vaut de transir de froid à trente kilomètres de Paris, sur le périmètre offert aux quatre vents du carrefour d'Avrainville. De ma première vision du film j'avais longtemps conservé l'image de Lucas, l'adjoint de Maigret, s'engageant stoïquement sous la pluie au crépuscule, et marchant droit devant lui sur la route, pour aller porter la valise de son patron, trois kilomètres plus loin, vers l'unique auberge de ce coin perdu. Ma mémoire ne m'avait pas trompé. Quelque chose de saugrenu s'ajoute au sentiment d'étrangeté que nous ressentons à la vue de la courte silhouette progressant à pas vifs sur l'asphalte détrempé. Ici encore, la poésie va de soi, sourde et prenante, et l'on comprend mieux de quelle féerie parle Renoir lorsqu'il dit son amour de la réalité.

Georges Simenon n'est pas de ceux qui cherchent à ciseler savamment la clef de leur énigme. La vraie révélation demeure à ses yeux celle des personnages, tels qu'ils se découvrent au fil de l'action. Il ne s'agit pas, pour Maigret, d'élucider l'affaire de façon éclatante. Il procède lentement, pesamment pourrait-on dire, par paliers ou stations successives. Inutile de l'interroger, ses adjoints en savent quelque chose. Qu'il ait plusieurs temps d'avance sur les autres protagonistes n'est que trop évident, mais il préfère n'en rien dire. Pain bénit pour les deux Renoir, Pierre et Jean, qui tirent le meilleur parti de ces silences. C'est tellement vrai, comme nous allons le voir, qu'ils obligent Simenon à risquer de se perdre dans la confusion, voire l'obscurité, de son propre récit. Mais, pour entrer vraiment dans cette histoire, il faut d'abord se pénétrer du climat d'une « tournaison » unique en son genre :

En dehors de Pierre Renoir, la plupart des rôles sont tenus par des amis, le peintre Dignimont (Oscar), le musicologue Jean Gehret (Michonnet), l'auteur dramatique Michel Duran (Jojo), l'historien du cinéma et cinéaste à ses heures Jean Mitry (Arsène). Une maison du carrefour a été louée, où s'organise un campement de fortune. « Quand la nuit était mystérieuse à souhait, écrit Renoir dans *Ma vie et mes films*, nous réveillions les dormeurs et allions tourner. A cinquante kilomètres de Paris, nous menions une vie d'explorateurs dans un pays perdu. Au point de vue mystère, les résultats dépassèrent nos prévisions, augmentés du fait que, deux bobines s'étant perdues, le film devint pour ainsi dire incompréhensible, même à son auteur. »

Il ne peut s'agir, en fait, que de boîtes contenant la pellicule impressionnée lors d'une séance de tournage (des « rushes » en langage de métier) et non de séquences montées. Jean Mitry, qui réalisait alors un court-métrage sur les métiers de Paris, se serait emparé par mégarde de ces bobines et, croyant disposer ainsi d'une pellicule vierge, il les aurait chargées dans son propre appareil. Une surimpression catastrophique aurait donc rendu ces plans inutilisables. Mitry, cité par Claude Gauteur dans son livre *D'après Sime-*

non, reconnaîtra en 1979 : « Craignant quelque scandale, je n'ai rien dit, laissant croire à un vol ou à une perte inexplicable, et n'ai avoué la chose que bien plus tard. » Une question demeure pourtant : comment se fait-il que Renoir, une fois la perte avérée, n'ait pas cru bon de tourner à nouveau les plans manquants ? Était-il trop tard lorsqu'il s'en aperçut ?

Autre version, celle de Pierre Braunberger dans *Cinéma-mémoire*. Il n'est pas, cette fois, le producteur du film, mais il suit avec attention le travail de son ami. De retour d'un voyage en Amérique, il va voir *La Nuit du carrefour* et il est frappé par certaines incohérences. Il croit même que la projection est incomplète et qu'une bobine entière a été oubliée ou sacrifiée par le projectionniste du cinéma où il a vu le film. Il en parle à Renoir, qui lui répond :

— Pierre, il ne manque rien. C'est mon film !

Braunberger, qui a lu le scénario, insiste :

— Mais enfin, Jean, pourquoi as-tu coupé ça et ça ?

Renoir ne veut rien entendre. Il affirme qu'il a tourné et monté le script dans son intégralité. Pour le prouver, il va chercher son exemplaire personnel, celui qui lui a servi durant le tournage, et il découvre alors qu'il est passé sans s'en être aperçu (ce qui est tout de même un peu gros !) de la page 73 à la page 90.

— Merde alors ! dit-il. C'est la script-girl qui a sauté ces pages. Une telle chose ne m'était pas encore arrivée !

« Est-ce la raison de l'échec de *La Nuit du carrefour*, se demande Braunberger. Pour Renoir, seules les scènes comptent. L'intrigue ne l'intéresse pas. »

Dernière version, enfin, celle de Simenon en personne, citée par Claude Gauteur dans son livre, et longtemps tenue secrète. Tant que Renoir a été vivant, il n'a pas voulu en parler :

« Jean, dit-il, était en pleine séparation de sa première femme, l'actrice Catherine Hessling. Il était très déprimé et dès le matin, il se mettait à boire, à boire, et il était pratiquement ivre toute la journée. Il a mis en scène des séquences qu'il a très bien tournées mais il en a oublié d'autres. Aussi, quand nous avons vu l'ensemble, il était trop tard pour changer quoi que ce soit, parce que tout le monde était déjà engagé ailleurs dans un autre film. Il n'y a jamais eu de bobines " perdues ". Elles n'ont simplement jamais été tournées. »

Simenon précise que le producteur lui a proposé 50 000 francs pour paraître à l'écran en tant que narrateur et combler ainsi les « trous » du récit. Ce à quoi il s'est, naturellement, refusé.

Je n'en suis pas certain, mais il me semble que les trois versions font apparaître quelque chose qui ressemble à une ruse de premier ordre. Renoir est sans doute de bonne foi une seule et unique fois lorsqu'il dit à Braunberger : « Il ne manque rien. C'est mon film ! » Je crois qu'il le pense vraiment. Devant Simenon, auteur du roman, et collaborateur au scénario, qui serait en droit de protester, il prend prétexte de son délabrement sentimental (sans doute réel) et de ses crises d'ébriété pour ne pas avoir à justifier ses choix. Compte tenu de l'impossibilité de réunir à nouveau l'équipe technique, il le met ainsi devant le fait accompli d'un film irrémédiablement « terminé ».

Que le producteur ait vu arriver la catastrophe commerciale, en raison des obscurités de la narration, il s'en moque, je crois, éperdument. Du reste, on ne voit pas qui est ce producteur, la société Europa ayant été créée par Renoir lui-même. « L'argent, écrit-il, me venait de sources privées. Rien à voir avec l'industrie cinématographique. » Un peu plus loin il ajoute, ce qui constitue d'une certaine façon un aveu : « *La Nuit du carrefour* reste une expérience complètement folle, à laquelle je ne puis songer sans nostalgie. De nos jours, tout est si bien organisé. On ne pourrait plus travailler comme ça. »

Relisant le roman, me sautent aux yeux des lambeaux de texte qui ont dû provoquer en lui le déclic de l'inspiration.

Celui-ci, par exemple : « La campagne, des deux côtés de la route, avait dans le soir un air monotone, stagnant, et on entendait des bruits très loin, un hennissement, la cloche d'une église située peut-être à une dizaine de kilomètres... » Après les latences de *La Chienne*, voici donc les monotonies et les stagnations (j'aurais presque envie d'écrire : « les stagnances ») de *La Nuit du carrefour*.

Je l'ai déjà remarqué : contrairement à Simenon, Renoir ne sort pas de son espace, à la fois ouvert dans toutes les directions et frappé d'immobilité. Un simple croisement de routes, où trois maisons se dressent, dont les habitants s'observent avec méfiance ou mépris, quand il ne s'agit pas d'une haine patiemment recuite. Il a besoin de cette lancinante unité de lieu. Il a besoin d'y voir passer le temps, à l'image de ces voitures qui filent sans s'arrêter, ou de ces camions qui stationnent quelques instants sur le terre-plein du garage avant de repartir, ou de ces lourds chevaux de labour qui empruntent la route nationale au retour de leur journée. Il a besoin de mêler la notion abstraite de destinée au sentiment, beaucoup plus concret, de destination. C'est ici, entre ailleurs et nulle part, qu'Isaac Goldberg a trouvé la mort ; et qu'il a été rejoint deux jours plus tard par sa veuve, abattue elle aussi d'un coup de fusil, presque sous les yeux de Maigret, dans la nuit du carrefour, alors qu'elle descendait du taxi qui l'avait conduite jusque-là. C'est ici, entre la cour princière de Copenhague et les arbres morts d'un parc à l'abandon, que Carl Andersen et sa sœur Else sont venus s'enterrer, protégeant on ne sait quel secret derrière les murs d'une vaste demeure menaçant ruine, où ils ont ritualisé leur existence, comme le font si souvent les personnages de Simenon.

Dans *La Nuit du carrefour*, le mystère ne s'épaissit pas, il s'approfondit. Renoir se garde de le cultiver pour le plaisir de tenir le spectateur en haleine, mais il l'entretient pour le sien propre de rêveur attentif, dont nous lisons les découvertes, les surprises, et parfois le trouble, à travers les regards – énigmatiques à leur tour – de Maigret. Il se montre en cela parfaitement fidèle à Simenon. La curiosité du commissaire passe par des méandres qui nous éloignent de l'enquête proprement dite et finissent par y retourner, mais il est clair que l'immense romancier poursuit déjà, en 1931, sa quête personnelle. Les personnages qu'il invente ne vivent que de la passion, forcenée et froide en même temps, qui s'empare de lui et le hante à la manière d'un esprit malin lors d'une cérémonie de possession. Il les voit, les habille, les dessine mentalement, reçoit des confidences à lui seul réservées, se pénètre de leurs pensées au point de s'y perdre, et finit par les connaître mieux qu'ils ne se connaîtront jamais eux-mêmes. Peu lui importe qu'ils soient innocents ou coupables. C'est de leur intime humanité – « l'homme nu », comme il dit – qu'il entend se repaître comme de la nourriture la plus riche sous les dehors de la banalité. On sait que, pour accéder à ce niveau d'empathie, il se mettait littéralement en transe devant les pipes rangées et la rame de papier jaune de sa fameuse écritoire.

Tous ne bénéficient pas du même traitement. Les êtres caricaturaux – les Michonnet et consorts – sont un peu trop lisibles à son goût. Il préfère de beaucoup s'attarder, en compagnie de Maigret, dans la maison dite des « Quatre veuves », où vivent Carl et Else Andersen. Ceux-là sont en mesure de lui résister. Même lorsqu'il se sera raconté leur histoire entière, du début à la fin, quelque chose lui échappera encore de leurs contradictions, et en même temps de la logique irréductible qui les meut et les transporte jusqu'à des extrémités inconnues d'eux-mêmes.

Renoir ne pouvait que se laisser tenter à son tour par le couple étrange. Comme Simenon et Maigret, il n'accorde qu'un intérêt anecdotique au trafic de bijoux volés auquel se livrent Oscar et sa bande. Cela ne relève que du fait divers crapuleux, aggravé cependant par le double meurtre d'Isaac Goldberg et de sa femme. Quant au misérable Michonnet, il le dépeint pour ce qu'il est, marionnette grossière entre les mains du garagiste... et de celle sur qui se concentre l'essentiel des regards, des haines et des désirs. Je veux parler d'Else Andersen.

Simenon ne cache pas son émotion lorsqu'il nous fait assister à la première visite de Maigret dans la maison des Quatre veuves. Carl Andersen, vêtu avec goût, accueille le commissaire. Un « glissement dans l'escalier » annonce la venue d'Else :

« Elle s'avançait, les contours indécis dans la demi-obscurité. Elle s'avançait comme la vedette d'un film ou, mieux, comme la femme idéale dans un rêve d'adolescent.

« Sa robe était-elle de velours noir ? Toujours est-il qu'elle était plus sombre que tout le reste, qu'elle faisait une tache profonde, somptueuse. Et le peu de lumière encore éparse dans l'air se concentrait sur ses cheveux blonds et légers, sur le visage mat. »

Le tour de force de Renoir est d'avoir tenu – à la lettre ! – les promesses de cette apparition littéraire. On croirait que le roman s'est inspiré du film, et non l'inverse. A ceci près que Winna Winfried, l'actrice danoise qui joue Else, n'a pas la peau mate. Elle possède au contraire une carnation lumineuse merveilleusement attirante. Un « incarnat léger », comme dit le poète. La délicatesse de ses traits est un défi au peintre qui voudrait la traduire, et plus encore à l'écrivain, qui doit se contenter de pauvres précisions : blondeur des cheveux et des sourcils, hauteur du front, esquisse de la pommette, paupières prononcées jusqu'au faste des cils, cou large et rond – baudelairien de ce fait –, dessin à peu près parfait d'une bouche, dont l'arc privilégie quelque peu la lèvre inférieure, suggérant ainsi le souvenir d'une enfance pas si lointaine, auquel s'allie une qualité rare de féminité charmeuse. Winna Winfried ne joue pas à la femme fatale. A la fois somptueuse et spontanée, elle est si doucement, si étrangement et si obligeamment offerte au désir des hommes que Maigret lui-même, le chaste et incorruptible Maigret, s'y laissera prendre par instants.

Renoir ne veut rien manquer de ces instants-là. Plus je revois *La Nuit du carrefour*, et mieux je découvre que le film entier est organisé autour de ces moments qui mettent en présence Pierre Renoir et Winna Winfried. Une connivence indécise, érotique à coup sûr, mais pas seulement, se fait jour entre eux dès leur première rencontre. Alors que Simenon s'intéresse – quand même ! – au travail du commissaire, aux questions qu'il se pose, aux informations qu'il tente de rassembler, Renoir en prend à son aise ; il s'engage sur des chemins de traverse ; on peut penser qu'il s'amuse. Maigret échange des sourires avec Else Andersen. Il écoute la voix chantante de la jeune actrice danoise, qui lui demande de s'asseoir auprès d'elle. Elle lui propose de boire quelque chose de chaud. Il ne peut pas ne pas remarquer la clarté de ses yeux, empreints d'une malice très proche de la rouerie délicieuse des enfants, nimbés en même temps d'une indéchiffrable rêverie, nourrie – d'après ses propres dires – par des journées entières de paresse et par la consommation-consumation quotidienne de deux paquets de cigarettes Abdulla.

L'enquête ne semble plus d'actualité. Pierre Renoir se lève. Il constate sans mot dire le délabrement de la maison. La pluie coule dans un recoin de la pièce, recueillie dans des bassines. Il actionne le mécanisme d'une boîte à musique, puis il s'approche du phonographe, qu'il met en marche. On entend une mélodie banale, jouée par un orchestre de dancing, mais qui s'avère bouleversante, je dirais presque déchirante, comme si elle recelait l'essence même de la nostalgie, à la manière d'un parfum lourd qui se répandrait dans l'air, émanation d'un bouge portuaire lointain, au nord de l'Europe. Sans que nous puissions nous en douter, Renoir nous raconte ainsi, en quelques instants, la véritable histoire d'Else Andersen. Fleur du pavé de Copenhague, autrefois complice d'une bande de cambrioleurs, mariée à l'un d'entre eux, poursuivie par la police, blessée d'une balle au sein gauche, escaladant le mur d'un parc, derrière lequel se trouvait providentiellement Carl Andersen. Dès cette minute, le gentleman à l'œil de verre l'a prise sous sa protection. Jouant le rôle d'un Pygmalion, à la fois amoureux et pénétré de foi chrétienne, il s'est sacrifié en faveur de son salut. Il a rompu tout lien avec sa famille. Il s'est privé de sa fortune. Il a épousé Else en secret. Pour la tenir à l'écart de ses fréquentations passées, il n'a rien trouvé de mieux que de la faire passer pour sa sœur et de lui offrir une existence recluse, et dangereusement stagnante, dans la maison des Quatre veuves. Oscar ne s'y est pas trompé. Il ne lui a pas été difficile de réveiller la vraie nature de la jeune femme, d'en faire sa maîtresse et de l'intéresser à ses activités clandestines. Il lui a même demandé de séduire Michonnet afin de s'assurer son silence et sa complicité. Tout cela s'est joué dans les nuits du carrefour, durant lesquelles Carl Andersen, drogué par Else au véronal, dormait à poings fermés.

Je regrette d'avoir à simplifier une histoire dont je constate en la racontant qu'elle serait parfaitement compréhensible, après tout, si Renoir s'était avisé de la dérouler sous nos yeux dans sa logique et sa continuité. Mais il préfère procéder par allusions, sous-entendus, questions sans réponses, réponses sans questions, fragments détachés du contexte, et violents éclats pour finir, avec leur contrepartie d'aveuglements. Comme en témoignent – de façon métaphorique – les phares de la Bugatti trouant la nuit lors de la séquence finale. Les policiers poursuivent la voiture des bandits, et nous découvrons avec eux la perspective fuyante des rangées d'arbres et des maisons endormies.

Alors que Simenon sème prudemment des jalons qui permettent au lecteur de se repérer, Renoir se laisse tenter par des embardées, parfois extravagantes. Ainsi, l'intrusion de Michonnet dans la maison des Andersen, alors que des policiers – il ne peut pas l'ignorer – sont postés à tous les étages. Il se glisse dans la chambre d'Else, il la traîne sur le palier, il la jette sur le sol et cherche à l'étrangler. Le cadre choisi par Renoir ajoute à la confusion. Nous voyons mal la tentative de meurtre, car la balustrade de l'escalier nous la cache en grande partie. On peut même s'interroger. S'agit-il vraiment d'un meurtre ou d'un viol désespéré ?

Naturellement, les policiers interviennent.

Comment ne pas comprendre ici les spectateurs de 1932, demeurés interdits devant un comportement aussi inexplicable ? L'imbécillité hargneuse de Michonnet ne fait pas de doute, mais à ce point ?...

On est en droit de croire – je l'ai cru – que la nonchalance, la désinvolture, ou même l'état d'ébriété dont parle Simenon, ont amplifié dans l'esprit de Renoir une répugnance à conduire son récit selon les règles. Il suffit pourtant de revoir le film pour sentir la ligne de tension secrète qui unifie la mise en scène de bout en bout, et pour éprouver sa force. Renoir n'est certainement pas ivre quand il décide, chaque fois qu'il en a l'occasion, que l'apparition d'un personnage se produira au fond, ou parfois même en haut du cadre, de telle sorte que les allées et venues, ainsi que le jeu entre les arrière- et les avant-plans, créent un déséquilibre qui favorise l'indécision et le questionnement.

On serait en droit d'estimer que les raccords (souvent maladroits) entre les plans, et les transitions (hasardeuses) entre les scènes, justifient l'insatisfaction d'un Braunberger, par exemple. On se priverait alors du vrai bonheur éprouvé par Renoir et par les spectateurs qui veulent bien se rendre complices de son intrusion dans un espace, et de sa plongée dans un temps, où le rêve emprunte à la réalité les éléments, aussi triviaux soient-ils (le désir exaspéré de Michonnet, par exemple), de sa transfiguration et de sa féerie.

Renoir n'est pas ivre, mais il doit tomber de sommeil lorsqu'il réveille sa troupe au milieu de la nuit pour se rendre sur un lieu de tournage. Je parie que ses paupières clignotent et que rien ne l'amuse plus que de conformer son film à ces curieuses saccades d'une attention menacée, à tout moment, de naufrage euphorique ou de déperdition burlesque.

Je dois revenir à ce que j'avais décelé en analysant une séquence de *La Chienne*. Une idiotie, oui, pourquoi pas ? Il ne s'en faudrait pas de beaucoup pour que *La Nuit du carrefour* nous apparaisse comme un film « complètement idiot »... Mais il s'agit alors, plus que jamais, de l'idiotie ensorcelée de nos rêves.

On ne peut comprendre autrement les moments où Pierre Renoir et Winna Winfried sont mis en présence. Trois scènes les réunissent en tête à tête, qui correspondent chez Simenon à un jeu serré dont la vérité est l'enjeu, et qui s'enrichissent chez Renoir d'une ombre de question. Maigret rêve-t-il ces rencontres, qui déploient leur séduction au-delà du seuil de vraisemblance ? J'en veux pour preuve les révélations sur les mensonges et les trahisons dont Else s'est rendue coupable, mais qui ne réduisent pas à néant la confiance paradoxale que Maigret lui accorde. Elle s'en montrera digne à sa manière. Nous la verrons répondre à la voix de Carl qui l'appelle depuis sa chambre où il soufre le martyre. Il a été blessé par une balle destinée à le faire taire. C'est l'assassin de Goldberg qui a tiré, et qui se trouve être le premier mari d'Else, autrefois, dans les bas-fonds de Copenhague et de Hambourg. Nous la verrons se placer résolument, au cours de l'explication finale, entre le commissaire et le fusil qui le menace. Elle acceptera avec la même tranquillité le sort qui l'attend. « Deux ans de prison, c'est vite passé », lui dit Maigret.

Que le charme de la jeune femme soit demeuré intact, allié à une insoupçonnable noblesse, malgré tout ce que nous savons d'elle, voilà qui nous transporte dans l'exaltation irraisonnée d'un rêve de cinéma que Georges Simenon n'a jamais renié, en dépit de l'insuccès commercial du film de son ami.

Claude Gauteur a mille fois raison de citer dans son livre le passage de *Cécile est morte* (écrit en 1939) où Maigret utilise la chaleur, celle de son poêle, celle du soleil à la terrasse d'un café, ou – mieux encore – la « chaleur humaine » d'une salle de cinéma, pour « dilater » son être et se soustraire ainsi à un problème trop obsédant.

« Dans cet état d'engourdissement physique, écrit Simenon, l'esprit, comme dans les rêves, saisissait des rapports parfois saugrenus, suivait des chemins que la pure raison n'aurait pas découverts. »

Le film de *La Nuit du carrefour* est entièrement fait de ces relations saugrenues entre les êtres, et de ces chemins – ceux-là mêmes par où passent les créateurs – qui échappent à la conscience claire.

N'est-ce pas Henri Langlois qui, à propos d'un autre metteur en scène (Howard Hawks), définissait le cinéma comme un « art du sommeil » ?

CHAPITRE SIXIÈME

« *L'eau est le regard de la terre* »

*

1932. « Boudu sauvé des eaux »

Les confidences tardives de Simenon sur la période de désarroi sentimental traversée par Renoir avant et pendant sa rupture avec Catherine Hessling pourraient nous incliner à penser qu'il a réalisé *Nana*, *La Chienne* et *La Nuit du carrefour* pour des raisons personnelles. Les trois films sont réunis, en effet, par un thème commun : le comte Muffat s'avoue incapable de lutter contre son asservissement à l'image d'une Nana triomphante. Maurice Legrand couvre encore de baisers les mains de Lulu morte. Carl Andersen, sur son lit de souffrance, n'a qu'un nom à la bouche, celui d'Else, qui l'a trahi autant qu'on peut trahir. A cet égard Simenon va plus loin que Renoir, en racontant à la fin de son roman une rencontre inopinée entre Maigret et Andersen dans l'enceinte de la prison de Saint-Lazare, où Else est enfermée.

— Vous vous obstinez, malgré tout ? demande le commissaire.

— Je m'installe à Paris.

— Pour venir la voir ?

— C'est ma femme...

« Et son œil unique, écrit Simenon, guettait le visage de Maigret avec l'angoisse d'y lire de l'ironie ou de la pitié.

« Le commissaire se contenta de lui serrer la main. »

Il est certain que Renoir, dans la mesure où il ne sort pas indemne, pour sa part, d'un amour malheureux, peut comprendre, lui aussi, la farouche obstination du gentleman danois. Le fait de le savoir enrichit-il pour autant notre vision des trois films ? Oui, car ces rapprochements nous aident à le connaître mieux, mais non, avant tout parce qu'il n'est pas de ceux qui cèdent aux douteuses manies de la complaisance et de la répétition obsessionnelle. Son obstination à lui s'arrête là. Muffat, Legrand et Andersen auraient tort de percevoir dans son regard une ironie ou une pitié qui ne seraient pas de mise. La richesse et la singularité de son point de vue se situent ailleurs et au-delà.

En novembre 1931, au moment de la sortie parisienne de *La Chienne*, il déclare à un journaliste du magazine *Pour Vous* que ses préférences vont au drame : « Parce que je le réussis avec plus de facilité, dit-il. Un drame, j'y travaille vite. J'aime les situations atroces, impossibles, qui font grincer les dents... » Ne croirait-on pas qu'il en parle avec gourmandise ?

Il est vrai que Renoir a réalisé fort peu de comédies proprement dites, mais notre rire intérieur s'éveille aussitôt que nous évoquons des films, *Le Crime de Monsieur Lange*, *Partie de campagne*, *La Règle du jeu*, *Le Journal d'une femme de chambre*, dont nous avons oublié qu'ils sont des tragédies.

En 1932, il sort de l'hiver du carrefour pour entreprendre au printemps et tourner en été *Boudu sauvé des eaux*. Cette fois, il n'est plus question de nous serrer le cœur en nous racontant l'histoire d'un mal-aimé. Renoir est guéri, semble-t-il, de ses tourments. Quant à Michel Simon, il faut croire que le temps a passé vite – moins d'un an – depuis son évanouissement devant la tombe ouverte de Janie Marèze.

Le temps a passé si vite qu'il ne faut pas voir, contrairement à ce qui a été souvent dit, une continuité entre le dénouement de *La Chienne* et le début de *Boudu sauvé des eaux*. Il est vrai que Maurice Legrand survit à son drame en se clochardisant, mais rien, absolument, ne nous laisse entendre que Boudu a pu connaître une vie antérieure comparable à celle de Legrand. Aucune indication ne nous est donnée sur le passé du personnage. Il est même impossible d'imaginer ce que furent ses parents, son enfance, ses amours – s'il en eut jamais – et la raison pour laquelle il a choisi de vivre sans domicile fixe, en dehors de la société.

René Fauchois, qui a écrit la pièce dont s'est inspiré Renoir, n'a pu éviter de se poser la question. Son généreux libraire, Monsieur Lestingois, sauve un clochard de la noyade. Il le ramène à la nage vers une berge de la Seine. Il lui administre la respiration artificielle. Il le persuade de renoncer à son projet de suicide. Il l'interroge :

— Qu'est-ce que vous faisiez dans la vie, ou plutôt qu'est-ce que la vie faisait de vous?

— Rien, répond Boudu.

— Vous avez bien travaillé quelque part?

— Oui!

— A quoi?

— A tout!

— Ah, ah!

— Et puis à rien!

Renoir, lui, supprime d'un trait de plume ces répliques, qui risquent de nous donner des informations – aussi pauvres soient-elles – sur une histoire éventuelle du dénommé Boudu. Il retient au contraire les questions et les réponses qui, contre toute vraisemblance, nous mettent en présence d'un clochard qui préfère l'eau au vin blanc, et d'un faune en puissance – il le prouvera! – qui semble tout ignorer de l'acte d'amour.

Son attitude envers Anne-Marie, la bonne des Lestingois, qui se trouve être en même temps la « bonne amie » du libraire, est à la fois révélatrice et énigmatique. Il lui prodigue des « agaceries », mais qui relèvent plus d'une effronterie joueuse, à la manière des enfants, que d'une grivoiserie caractérisée. Renoir reprend ici, presque mot pour mot, la scène écrite par René Fauchois :

Boudu propose à Anne-Marie de l'embrasser.

— Est-ce que vous sauriez au moins ? plaisante la jeune femme.

— J'en sais rien.

— Ce serait la première fois que vous embrasseriez quelqu'un ?

— Non, avant j'avais un chien.

— Un chien ?

— Oui, il m'embrassait, lui.

— Il vous léchait.

— Oui, il me léchait.

— Et vous, vous l'embrassiez ?

— Oui.

— Et ça vous faisait plaisir ?

— Oui.

Michel Simon est étendu à plat ventre sur la table de cuisine. Il joue avec ses pieds levés vers le plafond. Son aisance a quelque chose de stupéfiant. Elle contredit la maladresse de son entreprise de séduction. Sa voix traîne. On en perçoit le souffle. Chaque mot porte. Il les réinvente en les disant. Sa spontanéité est telle que l'on ne sent aucun effort pour accéder aux cimes de l'extravagance, de la drôlerie, comme aux profondeurs secrètes de l'émotion.

Qu'il soit hallucinant de présence ne doit pas nous surprendre, puisqu'il vit – par une grâce à lui seul consentie – la minute présente, telle que chacun d'entre nous, à commencer par Renoir, aimerait en éprouver la richesse. Pourquoi se soucierait-on, dès lors, de savoir d'où il vient et où il va ?

J'ai glissé, on le voit, de l'interprète au personnage. Mais ne sont-ils pas liés l'un à l'autre de façon définitive ?

La pièce avait été créée au Théâtre des Célestins de Lyon, le 14 juillet 1919. René Fauchois, comédien à l'occasion, s'y était réservé le rôle, à ses yeux principal, du libraire voltairien. Un acteur nommé Berson jouait Boudu. Après une première reprise au Théâtre Albert Ier, le 20 novembre 1920, le spectacle fut remonté au Théâtre des Mathurins le 30 mars 1925, avec Michel Simon dans le rôle de Boudu. Il ne le joua que pendant une courte période (trente représentations), mais il est certain qu'il vit, dès ce moment, le parti à tirer d'un tel personnage.

A la fin de sa vie, dans l'émission *L'Invité du dimanche* qui lui était consacrée, Michel Simon proférait encore : « J'ai voué une haine à la société, qui s'éteindra avec moi. » Que Boudu incarne selon lui l'idéal d'une liberté plénière, à la fois souveraine et anarchique, cela ne fait pas l'ombre d'un doute. « J'apprends de Boudu, dit-il, qu'une des attitudes à prendre vis-à-vis de la société, c'est de la vomir. »

En 1932, il tient tellement à ce que le film se fasse qu'il y investit ses propres deniers. Je ne sais si c'est lui qui a proposé à Renoir de le réaliser, mais la complicité entre les deux hommes nous apparaît tellement évidente avec le recul qu'on ne se pose même pas la question. Ils sont d'accord pour reprendre – avec de nombreuses retouches – le déroulement des deux premiers actes. Boudu loge chez son « bienfaiteur », qui s'est pris pour lui de sympathie, mais il se conduit mal. Il sème le désordre dans la maison, dérange le service d'Anne-Marie, se sert des rideaux pour nettoyer ses chaussures, scandalise Madame Lestingois par ses « mœurs de troglodyte », et crache un peu partout sans même respecter les livres sacro-saints : « Un homme qui a craché dans *La Physiologie du mariage* d'Honoré de Balzac n'est plus rien pour moi », lui annonce un Lestingois qui a fini de rire.

Dans une logique de vraisemblance, Boudu devrait être chassé et la pièce s'arrêter là. Renoir et Simon reprennent alors à leur compte le coup de théâtre imaginé par René Fauchois : Boudu séduit sans coup férir Emma Lestingois au moment même où elle est chargée de lui signifier son congé, ce qui renverse la situation. Il est merveilleux à cet égard d'examiner, pour cette scène en particulier, les différences entre la pièce et le film. Le texte de Fauchois est respecté dans ses grandes lignes. Renoir biffe certaines lourdeurs, lorsque Madame Lestingois, par exemple, éprouve le besoin d'expliquer à l'ignorant ce que signifie l'expression « revenons à nos moutons » (« J'emploie une locution bien connue, dit-elle, pour exprimer le désir que la conversation que nous avons ne dévie pas sans cesse vers des incidents qui n'ont rien à voir avec son but »), mais le dialogue se poursuit comme prévu jusqu'au moment où Boudu, échauffé par la vision d'un grain de beauté placé sur la naissance d'un sein, se saisit de la dame.

— Qu'est-ce qui vous prend ? dit-elle. Pourquoi faites-vous ces grimaces ? Vous me faites peur !

Mais, là où Fauchois fait dire à Boudu un pauvre « N'aie pas peur, Emma », Michel Simon triomphe au contraire à la manière d'un ogre charmeur, aussi impitoyable qu'irrésistible, en disant :

— Ah ! T'as peur, hein, Emma !

Que serait, en effet, le goût de la volupté si son imminence n'était pas relevée par une pointe d'effroi ?

Il n'y a plus dès lors de conciliation possible entre « l'esprit » de René Fauchois et l'humour de Renoir, dont le pouvoir d'affranchissement s'avère, lui aussi, irrésistible. Le cinéaste élimine, avec le dégoût qu'on imagine, la suite d'un échange tristement boulevardier, pour s'en aller droit au but. Sa caméra s'élève au-dessus des acteurs ; elle cadre un tableau qui représente un zouave soufflant dans son clairon, tandis que l'on entend la voix d'Emma Lestingois cédant, avec un ravissement craintif, à l'entreprise souveraine du faune. Le moment est d'autant plus érotique que l'on ne voit rien, et que l'on peut tout soupçonner.

On comprend que René Fauchois n'ait pas reconnu sa pièce, lui qui avait écrit :

> Madame Lestingois :
> — Si on nous voyait, malheureux !

Boudu :
— Venez dans la salle à manger ! On ne nous verra pas.
Madame Lestingois :
— M'y écouterez-vous mieux, vilain brutal !
Boudu :
— Oui, mon grain de beauté au cirage (sic) !

Au lieu des gloussements saluant les mots d'auteur, gloussements et mots qu'il abhorre au moins autant que les épanchements sentimentaux, Jean Renoir nous offre son rire en partage, solaire, salvateur, panique, immense. Le rire même.

Michel Simon lui est d'un grand secours, qu'il admire – et sans doute envie – pour sa désinvolture dévastatrice et la tranquillité avec laquelle il assume une érotomanie sans entraves. « Il n'y a plus qu'une chose sur cette terre qui soit un peu vivante, c'est le clitoris d'une femme », proclame l'immense acteur, et Renoir (qui le cite dans *Ma vie et mes films*) n'est sans doute pas loin de l'approuver.

Le troisième acte de la pièce est exécrable. René Fauchois utilise des ficelles de métier pour conduire son intrigue vers une conclusion boiteuse. Boudu gagne le gros lot de la loterie, ce qui le place en situation – « convenable » socialement – d'épouser Anne-Marie. Les quelques scènes qui précèdent l'événement ne sont que remplissage, quiproquos et variations sur le thème mille fois rebattu du cocuage. Il n'est évidemment pas question que Renoir en conserve la moindre trace. Il garde l'idée du billet gagnant, mais refuse les commodités d'un dénouement qui préserve les conventions de la comédie bourgeoise. Boudu épouse Anne-Marie, mais son chapeau melon et son costume de marié lui vont aussi mal que possible.

Il nous faut alors admirer, une fois de plus, la richesse de vie intérieure que Michel Simon réussit à faire passer à travers un demi-sourire un peu crispé. Le voilà embarqué – au sens propre – dans un canot sur la Marne, où la noce a pris place. Pour la première fois de sa vie, Boudu s'ennuie. Sa pensée ne coïncide plus avec le flot mouvant de la durée, et encore moins avec le génie de l'instant. Monsieur Lestingois prononce un discours en l'honneur de Priape-Boudu et de Chloé-Anne-Marie, laquelle sourit aux anges sur l'épaule solide de son époux.

Une fleur de nénuphar apparaît à la surface de l'eau. Boudu se penche, avec l'intention de la cueillir, mais il y met tant de conviction que l'embarcation chavire. Bonne occasion pour lui de s'esquiver, puis de s'éclipser définitivement.

Tandis qu'Anne-Marie, les Lestingois et leurs invités regagnent la rive, il se laisse aller paresseusement au bonheur du bouchon porté par la rivière. Dans son article intitulé « Renoir français », publié par les *Cahiers du cinéma* en janvier 1952, André Bazin évoque ce moment sublime. Il ne veut pas connaître les raisons de Boudu : nouvelle crise de désespoir, révolte, évasion hors des chaînes du mariage?... Non, décidément, nous n'avons pas à savoir ce que Maurice Legrand, Else Andersen et Boudu ont en tête dans les moments décisifs.

« Le véritable objet de l'image, écrit Bazin, cesse peu à peu d'être les intentions de Boudu pour devenir le spectacle de son plaisir, c'est-à-dire du plaisir que prend Renoir à celui de son héros. L'eau n'est plus " de l'eau ", mais précisément l'eau de la Marne au mois d'août, jaune et glauque. Michel Simon y fait la planche, se retourne et souffle comme un phoque. Il jouit de cette eau dont nous percevons peu à peu la qualité, la profondeur et la tiédeur même... »

C'est à Renoir, et à lui seul, que nous devons ce dénouement. Après s'être baigné, Boudu revient naturellement à son existence antérieure. Il déshabille un épouvantail pour se vêtir de ses hardes, il jette son chapeau melon à la rivière et se met à chanter, comme au début du film, « Sur les bords de la Riviera ». Michel Simon avait rêvé pour sa part d'une autre fin. Boudu enrichi serait devenu intenable. Il aurait redoublé de truculence. Ses provocations lyrico-anarchistes se seraient multipliées. Il aurait organisé, par exemple, des banquets de clochards. L'histoire se serait achevée ainsi, dans une sorte d'apothéose burlesque et monstrueuse, où l'univers du comédien se serait déployé.

Renoir, en 1932, n'est pas loin de partager les convictions libertaires de son interprète. Pierre Prévert a été son assistant sur le plateau de *La Chienne*, où son frère Jacques lui a souvent rendu visite. « C'étaient les beaux jours du groupe Octobre, écrit Renoir dans *Ma vie et mes films*. Le surréalisme brillait de son jeune éclat. Nous rêvions de fonder une société du geste gratuit, dont le but serait de récompenser des gestes strictement inutiles. Par exemple, celui qui mettrait le feu à la maison d'un voisin qui ne lui aurait rien fait serait récompensé. Par contre, celui qui plongerait dans la Seine pour sauver un chien serait puni. »

La prudence n'est donc pas le sentiment qui l'anime lorsqu'il refuse de suivre Michel Simon dans ses débordements. D'accord avec lui pour bouleverser de fond en comble la pièce – et le propos – de René Fauchois, il a découvert qu'un Boudu sans passé ne pouvait, d'aucune façon, se projeter dans un avenir. N'est-il pas l'utopie incarnée d'un présent perpétuel ? Et voué de ce fait à ce que le scintillement, la transparence et la fluidité de l'eau peuvent receler de primordial, ne serait-ce que dans l'expérience immédiate – en deçà des symboles – que nous en avons.

Une formule de Paul Claudel me tombe ici sous les yeux (citée par Pierre Schneider dans son livre sur Matisse) :

« L'eau est le regard de la terre, l'appareil à regarder le temps. »

A regarder le temps, comme Renoir, et à le vivre, comme Boudu, qui s'y ébroue, s'y ébat, s'en exalte, et songe parfois à s'y noyer.

Nous ne disposons d'aucune clef psychologique qui nous permettrait de partager avec Michel Simon cet ensevelissement dans les plis ondoyants de la durée. Il nous faudrait connaître comme lui, d'instinct, la minute exacte à laquelle il convient de caresser son chien, de le repousser ; de partir, en vain, à sa recherche ; de louvoyer, l'épaule basse, parmi les passants d'une journée d'été sur les quais de la Seine ; d'enjamber la balustrade du pont des Arts pour se jeter à l'eau ; de manger une sardine à l'huile avec ses doigts ; de se tenir assis (ne me demandez pas comment !) dans l'embrasure d'une porte à cinquante centimètres du sol ; de faire les pieds au mur ; ou bien encore de saluer d'un geste délicat le visage radieux d'Emma Lestingois, délivrée magiquement par ses soins d'une longue frustration sexuelle.

Je ne vois que les enfants pour épouser ainsi les caprices et les modulations de l'instant pur, de l'instant même.

Au début du film, une dame bien intentionnée donne un billet à sa petite fille en lui désignant Boudu affalé sur un banc.

Il reçoit l'aumône sans comprendre :

— Pourquoi qu'tu me donnes cent sous ?

— C'est pour acheter du pain, dit l'enfant.

Le plan suivant nous montre un monsieur élégant qui arrête sa voiture décapotable dans une allée du bois de Boulogne. Boudu s'approche – un peu machinalement – pour ouvrir la portière et attendre un pourboire. L'homme prend le temps d'allumer une cigarette, puis il cherche une pièce en vain dans ses poches et son gousset. Boudu lui tend le billet qu'il vient de recevoir en disant :

— Tenez, v'là cent sous.

Le monsieur élégant n'en revient pas.

— Mais vous êtes fou, dit-il. Vous vous fichez de moi !

— C'est pour acheter du pain, répond Boudu.

Manifestée par des actes, la vie intérieure du personnage navigue ainsi au gré des circonstances, en échappant aux mots qui prétendent la qualifier. Boudu n'est pas seulement un être à la fois « absolument naturel » et « absolument comédien, puisque la comédie est naturelle », comme l'écrira Eric Rohmer en 1957 : « Un clochard réussi, à l'en croire, l'archétype absolu, après lequel courent quatre-vingt-dix-neuf pour cent des clochards vrais, fous qui se croient clochards. » Il n'est pas non plus, comme le pensera Renoir en 1974, une préfiguration du « hippie » (« Le hippie parfait », écrira-t-il) tel qu'il apparaîtra aux Etats-Unis au cours des années 60. Le clochard, aussi « réussi » soit-il, ainsi que le hippie, rendu désormais à sa mythologie folklorique, correspondent encore à des catégories trop étroites pour enfermer un personnage aussi insaisissable.

Plutôt que d'assigner une seule dimension historique ou sociale à sa destinée sans destination, il me semble plus sûr de le suivre à la trace, comme on le ferait d'un animal ou d'un enfant, en observant ses détours, ses écarts, ses caprices, ses accès de mauvaise humeur ou ses confondantes saillies de sauvage inspiré. Il est impossible de ne pas sourire de ses manies, lorsqu'il préfère son saindoux au beurre de Normandie, ou bien ses vieilles bretelles à celles que lui offre Lestingois. Il est impossible de ne pas s'offusquer, en riant, de ses manières de garnement sournois lorsqu'il crache en cachette dans *La Physiologie du mariage* ; mais il est impossible tout autant de résister à l'extravagance de ses moments d'effusion, lorsqu'il se découvre – par exemple – une amitié soudaine, qui ne doit rien à la gratitude, pour le brave homme de libraire.

— Tu veux bien que je te tutoie ? lui dit-il.

— Si ça te fait plaisir, répond Lestingois.

— Parce que toi, tu me plais !

Il éclate alors d'un rire phénoménal, où il entre de la folie autant que de la gaieté. Un feu intérieur, en tout cas, pas très rassurant, mais qui préserve son secret.

Boudu rampe sur la table. Il esquisse une cabriole. On croirait qu'il s'enroule sur lui-même. Il partage avec Lestingois une minute de chaude complicité, qui sera démentie dès la scène suivante, mais qu'importe... Renoir les filme sans réticence. Lui aussi est sensible à ces « extases d'intimité », dont il parle si souvent à propos de ses amis. Il va même très loin. Jusqu'à la confusion des règnes. Lestingois caresse l'abondante chevelure de Boudu, comme il le ferait d'un chien. Selon notre degré d'ingénuité, nous pouvons rire avec les deux personnages, ou bien ressentir une ombre d'inquiétude...

Je ne chercherai pas à contredire ceux qui décèlent chez Renoir la permanence et l'acuité d'un regard, qui se refuse à affranchir la dignité humaine du mécanisme de la marionnette et de la part d'animalité.

Ne fait-il pas en sorte que la réalité soit vécue par le spectateur de *Boudu sauvé des eaux* à différents étages de conscience ? Ne s'est-il pas offert le luxe, dès le premier plan de son film, d'un « n'importe quoi » ahurissant ? Rien de moins qu'un prologue en forme de ballet-pantomime, qui se déroule sur une scène pauvrement imaginaire, avec son décor de toile peinte et ses colonnes branlantes. Charles Granval, le merveilleux comédien bedonnant que nous verrons incarner Lestingois avec une belle « humanité », est déguisé pour l'occasion en Priape d'opérette. Jambes nues, couvert d'une peau de bête (évidemment !) et soufflant dans des pipeaux, il court – comme il peut ! – derrière Séverine Lerczinska (Anne-Marie), qui saute à la corde et joue à lui échapper. Renoir les filme d'abord en plan large, ce qui atténue le grotesque de la mascarade, et nous la ferait presque admettre malgré son caractère improbable, jusqu'au moment où un plan rapproché des deux personnages enlacés leur restitue la plénitude, tout à coup surprenante et forte, de leur présence charnelle. Nous devrions être gênés par la vision de cette jeune femme se pâmant dans les bras d'un sexagénaire aux joues pendantes, mais le sillage du plan précédent nous permet de baigner encore dans un climat d'irréalité qui incite à l'indulgence.

Je vois bien comment Renoir s'y est pris pour équilibrer ainsi la gêne et le charme, et pour tempérer l'acidité de son ironie par la douceur réelle de l'échange. Il lui a suffi de resserrer le cadre de scène (onirique) sur un cadrage de cinéma (réaliste). Encore fallait-il prendre le risque du ridicule, afin d'insinuer dans notre esprit un sentiment de moindre résistance au glissement des personnages et des situations sur l'échelle entière de la fiction. Une fois de plus, le cinéaste nous fait partager son plaisir, qui tient pour l'essentiel aux oscillations entre le théâtral et le terrestre, entre une mythologie bouffonne et son incarnation avérée, entre le « n'importe quoi » et le « pourquoi pas ? ».

Je n'oublie pas l'air de flûte, délicieux, délicat, qui accompagne la scène et se poursuit au-delà pour compenser la brusquerie du retour à la vie quotidienne. Il nous aide à pénétrer dans l'appartement bourgeois, dont la caméra parcourt à présent le décor. Elle passe devant l'escalier intérieur en colimaçon et la grande baie vitrée qui donne sur la cour, avant de cadrer à nouveau Lestingois et Anne-Marie, enlacés comme tout à l'heure, mais dépouillés pour le coup de leurs déguisements. Renoir retient alors, dans une interminable tirade de René Fauchois, les éléments d'une réplique qui justifie ce que nous venons de voir. Lestingois caresse le sein de la servante et lui dit :

— Anne-Marie, tu es pareille aux nymphes. Comme elles, tu es souple et tu saurais bondir sur la mousse des forêts, boire aux fontaines et, toute nue, les nuits d'été, au clair de lune, Bacchus eût présidé au festin nuptial de Priape-Lestingois et de Chloé-Anne-Marie.

Renoir rit sous cape, c'est évident, et de René Fauchois plus encore que de Lestingois, envers qui il ne peut s'empêcher d'éprouver une certaine tendresse. Le libraire est vu pour ce qu'il est. Son amour des livres n'est pas en question, ni son goût pour les « joies innocentes de la chair », et encore moins sa générosité, mais il demeure bourgeois au fond de l'âme. Il couvre Anne-Marie de compliments fleuris, mais il ne manque pas l'occasion de lui recommander :

— Tu ferais bien d'essuyer le piano. Madame Lestingois va encore dire qu'il y a de la poussière dans l'appartement.

— Pourquoi est-ce que vous avez un piano, demande Anne-Marie, puisque personne ne joue dessus ?

— Personne ne joue dessus, seulement j'ai un piano parce que nous sommes des gens respectables, répond Lestingois.

Ces répliques ne sont pas de René Fauchois. Renoir les a écrites afin d'ajouter une touche à son portrait du personnage, et d'introduire là encore un équilibre oscillant entre compréhension et raillerie.

Nous savons qu'il préfère marquer des contrastes, abrupts au besoin, plutôt que de jouer sur des nuances. La subtilité, à ses yeux, doit demeurer secrète. Si bien que, occupés comme nous le sommes à jouir de la désinvolture tranchée, mordante, et du climat de fantaisie euphorique qui règne tout au long d'une vision de *Boudu sauvé des eaux*, nous finirions par ne pas remarquer le raffinement d'une composition qui se révèle incomparable à la dixième vision.

Je viens personnellement d'en faire l'expérience. *Boudu* est un film que je croyais vraiment connaître par cœur, au point d'en réciter les répliques en imitant – mal – la voix de Michel Simon. Je pensais même ne pas avoir besoin de le revoir pour écrire ce chapitre et – bien sûr – je me trompais lourdement. En y regardant de plus près, j'observe la souplesse et la fluidité d'un parcours dont les digressions ne nous écartent jamais du courant principal, comme si nous naviguions dans la barque de Godefer, affranchis par les rapides de nos entraves raisonneuses, et conduits en même temps – presque à notre insu – vers le calme de l'estuaire.

De l'air de flûte que nous avons entendu lors de la première séquence nous connaîtrons bientôt la source. Dans l'encadrement éclairé d'une fenêtre, la nuit, à Paris, un gros homme apparaît, qui tire de son instrument une musique de rêve. C'est à lui, personnage compact, que reviendra le soin – léger – de faire couler le temps de la vie à travers les transitions qui relient les jours et les soirs, mais aussi les grands moments de l'action séparés par plusieurs semaines d'intervalle. Sans que nous y prenions garde, les musiques dont nous voyons ou découvrons après coup les exécutants (le flûtiste, l'organiste de Barbarie, la fanfare dans l'avenue) ont valeur de commentaire décalé, parfois sarcastique, mais toujours adressé au cœur de notre sensibilité. Grâce à elles, le temps nous porte, nous déporte, ou nous transporte, comme Renoir en a déjà fait l'expérience dans *La Chienne* (le chanteur des rues sous la fenêtre du crime) et dans *La Nuit du carrefour* (le disque de bouge portuaire écouté par Else à longueur de journée). *Boudu sauvé des eaux* lui donne l'occasion de poursuivre plus avant sa recherche. De la même façon qu'il s'est servi de l'air de flûte pour tempérer le burlesque du prologue, il utilise la chanson d'Anne-Marie comme contrepoint des plans où Boudu erre parmi la foule des quais et des bouquinistes, en ruminant le projet de disparaître.

On ne peut pas se souvenir du film sans avoir en tête la fraîcheur de cette mélodie et la naïveté de ces paroles :

Les fleurs du jardin
Chaque soir ont du chagrin
Oui, mais dès l'aurore (re)
Tout leur chagrin s'évapore

Quel est l'enchanteur
Qui guérit tant de douleur ?
Quel est ce magicien ?
C'est le soleil du matin.
L'hiver dans les bois
Les oiseaux meurent de froid,
Leurs nids dans les branches
Sont comme des tombes blanches.

Avril reparaît
Et soudain dans la forêt
Mille voix en même temps
Bénissent le printemps.

J'ai tort de reconstituer le texte de la chanson, qui nous est parvenu en cours de film par fragments, bribes et variations.

Anne-Marie chante le premier refrain. Elle est interrompue par l'entrée de Lestingois dans la pièce. Elle le reprend aussitôt après, en pianotant la mélodie et en fredonnant le couplet. Plusieurs scènes plus tard, Michel Simon s'y emploie à son tour en laissant déraper sa voix au gré de son humeur. Plus loin encore, un Lestingois soucieux chantonne le même refrain, devenu ainsi, comme l'air de flûte, un des leitmotive qui contribuent à la respiration de l'ensemble.

Renoir a senti que la liberté incontrôlable de Boudu menaçait l'unité du film, et qu'il fallait donc ménager au sein du fabuleux désordre des plages de retour apaisant à la pure et simple familiarité quotidienne. Il sait d'autre part que le sujet, tel qu'il l'a conçu, relève plus de la fable que du récit vraisemblable. Il est le premier à reconnaître, en 1932, que « *Boudu* est un film d'une fausseté rigoureuse » et qu'il a dû se mettre « en état de grâce », voire « en état de transe » pour orchestrer le dialogue, les échanges et les échos incessants entre fiction et réalité. Voilà pourquoi le film commence par une scène de ballet mythologique et se poursuit de façon réaliste, mais seulement en apparence, par les images de Boudu paressant sous un arbre. Car le faune véritable, ce n'est pas Lestingois couvert d'une peau de bête, mais le clochard bel et bien, barbu et chevelu, caressant son chien noir au cœur d'un matin ensoleillé.

Il faut vraiment prêter au film l'attention de l'analyste pour découvrir la nécessité de certains moments, anodins à première vue. Je pense en particulier à un plan qui cadre tout d'abord une enfilade de pièces dans l'appartement des Lestingois. Au fond de l'image, nous apercevons la table servie, autour de laquelle Boudu, Lestingois et sa femme sont assis. Anne-Marie passe derrière eux, puis disparaît sur la gauche. La caméra suit néanmoins son parcours, en travelling latéral, pour la retrouver dans sa cuisine. Elle va à la fenêtre pour appeler Rose, une femme imposante vêtue de noir, que nous avons déjà aperçue au début du film derrière la baie vitrée du rez-de-chaussée. Anne-Marie demande une boîte d'allumettes, que Rose lui lance... Rien de plus, on le voit, qu'une simple notation de vie quotidienne, mais précieuse aux yeux de Renoir ; comme le démontre le soin qu'il porte alors à sa mise en scène. Elle alimente, avec beaucoup d'autres, le flot continu – le « gré des circonstances », si j'ose dire – qui soutient et, d'une certaine manière, authentifie la dérive et les saccades d'une action discontinue.

On ne sent pas de calcul – et c'est là sans doute le plus beau ! – dans une distribution aussi exacte des durées, entre le jaillissement fantasque des « initiatives » de Boudu et l'écoulement rituel des journées à l'intérieur de cette maison de la rive gauche, dont les fenêtres donnent sur la Seine.

« Au fond qu'appelle-t-on " être original " ? se demande Renoir en septembre 1932 : Donner au public ce qu'il n'attend pas. Mais il y a plusieurs façons de le faire. Ou bien se lancer sur un terrain très dangereux, parsemé d'embûches, ou bien résoudre le problème avec... comment dirai-je ?... presque de l'ingénuité. La solution est tellement naturelle qu'on ne l'attend plus. Ceci semble assez confus sans image à l'appui, mais vous verrez l'application de cette théorie dans *Boudu*... »

Oui, nous avons vu que l'ingénuité confinait dans ce cas au génie, et que *Boudu*, d'une projection l'autre, et jusque dans l'intervalle entre les visions, ne cessait d'habiter notre esprit à la façon d'un souvenir ensoleillé, ou d'une chanson des rues.

Sur les bords de la Riviera
Où murmure une brise embaumée...

CHAPITRE SEPTIÈME

« C'est assommant les gens sincères... »

*

1933. « Madame Bovary »

Il me faut revenir à l'article publié par *Le Point* en décembre 1938, où Renoir évoque la réputation de « mauvais coucheur » que lui avait value son attitude pendant la réalisation de *La Chienne* : « Après ce film, écrit-il, j'eus beaucoup de mal à trouver du travail. Je passais pour un type impossible, capable de se livrer aux pires violences sur les personnes des producteurs qui n'étaient pas de mon avis. Je vécus comme je pus, en faisant de rares et pauvres films, jusqu'au moment où Marcel Pagnol me permit de tourner *Toni.* »

Parmi ces « rares et pauvres films », il range donc – à l'époque – non seulement *Chotard et compagnie*, mais aussi *La Nuit du carrefour, Boudu sauvé des eaux* et *Madame Bovary*, ce qui paraît – aujourd'hui – pour le moins surprenant. Pierre Billard, dans son livre intitulé *L'Age classique du cinéma français*, me suggère les raisons d'un reniement aussi rude. Il énumère les difficultés rencontrées par Renoir durant toute cette période : remontage de *La Chienne* par Paul Fejos, bobines (supposées) perdues de *La Nuit du carrefour*, quart d'heure retranché de *Boudu sauvé des eaux* par Jean Devaivre (qui était monteur à l'époque) ; et il écrit : « A ces incidents étrangement cumulés et bizarrement identiques, Renoir fournit toujours la même explication : la bêtise, l'interventionnisme barbare, ou borné, des producteurs. Explication évidemment recevable, mais insuffisante... Renoir a sans doute sa part de responsabilité dans ces difficultés à imposer le montage final. Ces années sont pour lui les années de conquête de la maîtrise. Il tente des expériences, teste son instrument, explore telle ou telle voie annexe du scénario... Le matériel ainsi rassemblé pose des problèmes de montage que réalisateur et producteur n'abordent sans doute pas de la même manière. »

Pierre Billard nous laisse donc entendre que Renoir, en 1933, n'a pas encore dépassé son « ultime phase de maturation ». Une fois ce dépassement acquis, à partir de *Toni* et du *Crime de Monsieur Lange*, il lui reviendra « d'écrire (je cite encore Pierre Billard) la page peut-être la plus glorieuse du cinéma français ».

La curiosité de Renoir le porte souvent, en effet, à tenter des expériences, comme en témoignent les truquages de *La Fille de l'eau* et de *La Petite Marchande d'allumettes*, le son synchrone intégral de *La Chienne*, le recours à des acteurs non professionnels pour *La Nuit du carrefour*. Pierre Billard m'accordera volontiers cependant que le Renoir de la maturité persistera tout autant à « chercher la difficulté ». *Toni* (nous le verrons) lui vaudra de nouveaux ennuis avec les distributeurs et les exploitants, offusqués par la séquence où un cadavre, dissimulé dans un charreton, est suivi à travers la campagne par des charbonniers corses, qui plaisantent et qui chantent sur son passage. En 1936, il engagera Pierre Braunberger dans la réalisation de *Partie de campagne*, en sachant parfaitement que le format de moyen métrage, auquel il s'est arrêté sans oser l'avouer clairement, rendra le film pratiquement inexploitable. Il lui faudra affronter, en 1939, comme au temps de *La Chienne*, l'incompréhension d'un distributeur, Jean Jay de la société Gaumont, qui détestera son interprétation d'Octave dans *La Règle du jeu*.

Dans la mesure où il ne cessera jamais de rechercher des voies nouvelles, et d'apparaître – bien malgré lui, le plus souvent – comme un personnage inclassable, il est donc un peu trop simple de considérer les années 31-33 comme la période des essais préparant celle des réussites. Il expérimente, c'est vrai, et il « teste son instrument », mais sans jamais dévier du chemin où il s'est engagé, et où je tente de le suivre depuis que j'ai entrepris la rédaction de ce livre.

Il me semble, de plus en plus nettement à présent, qu'il éprouve le besoin, depuis *Nana*, de confronter et de tenir en égal questionnement le conventionnel et le vécu, le cérémoniel et le ressenti, l'artificiel et le spontané, la reconstitution en studio et le décor naturel, le personnage en représentation et la personne dite « sincère », le supposé faux en somme et l'apparemment vrai. Il se sert de tous ces contrastes pour en accentuer la virulence et pour faire jaillir l'éclat – comme entre les charbons écartés d'une lampe à arc – d'une vérité neuve. « Aveuglante » à première vue, cette vérité-là ne peut s'appréhender que dans le mouvement du film. Elle n'est pas le produit d'une synthèse, ni d'un compromis, et elle ne nous « apprend rien du tout », comme nous l'a promis le Guignol de *La Chienne*. Meilleure façon pour Renoir de nous conduire jusqu'aux frontières de l'inconnu.

J'ai noté déjà que les feux de la rampe ne constituent pas chez lui une barrière infranchissable. Les personnages de *Nana* et de *Tire au flanc* passent aisément d'un côté comme de l'autre. Quant aux prologues de *La Chienne* et de *Boudu*, leur fonction métaphorique est évidente. En inscrivant le cadre de scène à l'intérieur de ses cadrages, le cinéaste ne se contente pas de broder sur l'un de ses thèmes favoris. Il s'interroge vraiment, personnellement. La sincérité de Muffat aux pieds de Nana, celle de Maurice Legrand suppliant

Lulu, et celle encore de Carl Andersen protégeant Else contre ses démons, ne laissent place à aucun doute. On peut comprendre la puissance de leurs désirs. Georges Simenon, ainsi que les deux Renoir, ne dissimulent rien de l'attrait sensuel que Winna Winfried exerce sur eux. Mais comment se peut-il que des hommes sensés en viennent à de tels excès, au point de se jouer à eux-mêmes des comédies aussi humiliantes ? J'ai l'air ici d'enfoncer une porte ouverte, en ignorant les études savantes dont la passion malheureuse a fait l'objet, de Stendhal à Cesare Pavese et de Marcel Proust à Roland Barthes. Oui, sans doute, mais le propos de Renoir est ailleurs, qui tient tout entier dans le mot « comédie ».

Dans ses moments d'humeur (devant Jacques Rivette et François Truffaut en 1954, par exemple), il se montre particulièrement mordant : « La réalité des aventures sentimentales, leur dit-il, est absolument tordue, déformée, comme vue dans une glace de Luna Park. Je crois même que la réalité dans les aventures sentimentales est celle qui est la plus trahie... C'est insensé combien les amoureux qui se disputent peuvent brusquement voir les faits et le monde à travers un verre déformant, et perdre tout sens de la réalité. C'est la tradition romantique. Nous avons à payer cent cinquante ans de tradition romantique. »

Il est tenté alors de démontrer que la sincérité extrême conduit à l'échec, de façon à peu près inexorable. La détresse de Maurice Legrand est tellement vraie, elle est exprimée par Michel Simon avec une telle ferveur, qu'elle suscite le rire de Janie Marèze. Renoir est le premier, bien sûr, à ressentir la cruauté de cette réaction, mais il ne serait pas lui-même s'il n'éprouvait en même temps cette sorte de jubilation rageuse qui lui fait dire : « J'aime les situations atroces, impossibles, qui font grincer les dents... »

Je pense ici à une réplique de *La Règle du jeu*, prononcée par Christine à propos d'André Jurieux, qui a risqué sa vie dans un raid aérien pour lui prouver son amour. Elle ne rit pas de lui, mais elle remarque, plus cruellement encore :

— C'est assommant les gens sincères !

Phrase qui pourrait être placée en exergue à *Madame Bovary*. Je ne sais si Flaubert l'eût adoptée pour son roman, mais je crois que Renoir y pense lorsque Gaston Gallimard lui propose d'en réaliser une adaptation cinématographique. Le grand éditeur a décidé de produire un film destiné à faire valoir le talent de Valentine Tessier. Selon Pierre Braunberger, Jacques Feyder aurait d'abord été pressenti, mais il préféra s'abstenir devant la difficulté. Il est vrai que Valentine Tessier a quarante et un ans en 1933. Sa séduction n'est pas en cause. Elle est rehaussée au contraire par l'éclat d'une maturité épanouie, guère plausible toutefois pour la première partie du film, où Emma est encore très jeune.

Renoir, à l'inverse, trouve dans cette distribution imposée du premier rôle une occasion de jouer un peu plus nettement encore avec une convention théâtrale qui le fascine. A côté de Valentine Tessier, il choisit donc d'attribuer les bottes, la redingote et le manteau de Charles Bovary à son frère Pierre. La comédienne d'apparat et le comédien résolument intègre se connaissent bien. Ils ont créé ensemble, en 1928 et 1929, sur la scène de la Comédie des Champs-Elysées, *Siegfried* et *Amphitryon 38* de Jean Giraudoux. Romain Bouquet (Maître Guillaumin) et Robert Le Vigan (Lheureux) appartiennent comme eux à la troupe de Louis Jouvet. Max Dearly prête au personnage de Homais son organe caverneux, que l'on croirait râpé de surcroît par un roulement de rocaille. Renoir le tient pour un « acteur passionnant », et il ne résiste pas au plaisir de raconter son histoire : « Il avait eu, dit-il, une éducation d'acteur absolument bizarre. Il avait commencé à Marseille en jouant des féeries dans un petit théâtre qui se trouvait derrière la Canebière, et en général il jouait la fée Carabosse. Alors il la jouait avec une très grande robe, à genoux, et au bout des genoux il mettait de grandes chaussures pointues, qui dépassaient le devant de la robe, et la traîne cachait ses pieds. Il marchait à genoux et il avait l'air d'une fée naine. Un monsieur qui a joué les fées naines est tout de même un monsieur qui peut jouer le pharmacien Homais, et il le faisait très bien. »

Je n'ai pas résisté, moi non plus, au plaisir de suivre Renoir dans l'une de ses fameuses digressions, et de remarquer comment il nous « embarque », à mi-chemin d'un ébahissement enjoué et d'une logique qui se donne l'apparence de la rigueur pour mieux rire d'elle-même.

La petite histoire révèle en même temps la curiosité qui l'anime à l'égard du théâtre de tradition, celui des féeries comme celui de l'opéra et du mélodrame, tels qu'on les jouait encore à la fin du XIXe siècle. Pour la séquence où Emma et Charles Bovary assistent à une représentation de *Lucie de Lammermoor*, il se dit heureux d'avoir confié la mise en place du spectacle à un vieux metteur en scène d'opéra, qui a disposé les chanteurs selon les règles anciennes, au premier plan, face au public, évitant de se regarder.

De là découle son parti pris personnel, strictement arrêté lorsqu'il entreprend le film. Les répliques du dialogue, empruntées à Flaubert pour la plupart, seront prononcées dans un style qui évoque la tradition théâtrale, avec ce qu'elle peut entraîner de conventionnel et d'apparemment faux.

Lorsque, vingt-huit ans plus tard, en 1961, Renoir présentera *Madame Bovary* à la télévision, il dira avec une grande netteté : « C'est une entreprise dans laquelle j'ai essayé de marier le fond réel et le jeu le plus stylisé qui soit possible. » Il affirmera très haut alors sa défiance à l'égard du dialogue et du jeu réputés « naturels ». « Le texte de *Madame Bovary* n'est pas naturel, dira-t-il, il est bon. Il est bon puisque ce n'est pas moi qui l'ai fait, c'est Flaubert. Alors il fallait dire ces mots et les dire devant de vraies fermes, avec de vrais toits en chaume, et autour de ces vraies fermes, il y avait de vraies vaches, de vraies oies, de vraies poules... Lorsqu'on ouvrait une vraie porte, elle était lourde, elle pesait. Les accessoires étaient de vrais accessoires. Je faisais très attention à tout cela. Je tenais à ce réalisme absolu du fond, de l'entourage, et je tenais au contraire à la composition absolument poussée du premier plan. »

Valentine Tessier joue donc, comme au théâtre, un personnage qui se joue à lui-même une sorte de mélodrame perpétuel, nourri par ses lectures de Walter Scott et Eugène Sue, de Balzac et George Sand, où elle a cherché, comme l'écrit Flaubert, « des assouvissements imaginaires pour ses convoitises personnelles ». Qu'elle se pâme ou qu'elle s'attriste, qu'elle rayonne – entre deux amours – de ferveur mystique ou qu'elle exhale la rancœur de ses désillusions, on ne peut douter de sa sincérité. Elle est même la sincérité incarnée, ce qui la rend ennuyeuse à un degré rare, fabuleux, mythique, romanesque sans doute, mais en négatif dirait-on, à l'opposé exact, symétrique, des héroïnes qui l'ont fait rêver.

Comme l'écrit Eric Rohmer en 1957, « Madame Bovary est vraie dans le plus grand artifice, artificielle dans chacune de ses minutes de vérité. Tout est composé, compassé chez elle, sauf ce qui de nature ignore la composition, étant lui-même un élément simple : la qualité de la chair et du regard avec lesquels on ne saurait tricher – du moins devant la caméra. Avec une sûreté admirable, le jeu de Valentine Tessier n'exhibe que des " trucs " dont il puisse attribuer la paternité au personnage. »

Elle n'en demeure pas moins ennuyeuse – extraordinairement ! – sous le double regard de Flaubert et de Renoir, qui ne cherchent jamais à attirer sur elle notre sympathie, et encore moins notre compassion. On ne peut rêver de « mise à distance » aussi calme et aussi résolue. Raison pour laquelle, sans doute, le film plaira tant à Bertolt Brecht, qui aura la chance, parmi de rares privilégiés, de le voir dans sa version complète (plus de trois heures à l'origine).

Emma Bovary s'ingénie donc à inventorier la gamme entière des émois imaginaires et des convoitises réelles, nourrissant ainsi le plus formidable procès que l'on ait jamais intenté à la complaisance.

Il n'y aurait donc au monde que Charles Bovary pour l'aimer ! Maladroitement, pesamment, et bêtement bien sûr, tant il est vrai que bêtise et simplicité sont parfois synonymes.

Une fois de plus, après Maigret et avant le Louis XVI de *La Marseillaise,* Pierre Renoir met au service de son personnage une exemplaire probité. L'occasion nous est ici donnée de lui rendre sa juste place au premier rang de ceux qui ont ennobli le métier de comédien. Fils aîné d'Auguste Renoir, il n'a connu aucune des hésitations qui ont retenu parfois son frère cadet. Sa vocation s'est affirmée très tôt, dès l'enfance. Il a choisi en 1928 de rejoindre la troupe de Louis Jouvet, dont il est devenu le compagnon et le complice privilégié. Comme lui, il pourrait écrire : « Il me semble que c'est au théâtre, par le théâtre, que se stabilise, se fixe en moi tout ce que la vie m'a fait connaître et éprouver, mieux que la lecture ou la contemplation des œuvres d'art, d'une façon plus permanente. » Mais il préfère dire à sa manière, dans le style de la famille Renoir : « La vraie joie que peut donner ce métier, c'est d'exprimer aussi bien que possible le type irremplaçable que l'on est. C'est d'ailleurs une satisfaction que de savoir qu'il n'y a eu, qu'il n'y aura jamais un second soi. Mais fichons le camp, nous allons philosopher... »

Pierre Renoir n'est pourtant pas de ces acteurs qui se « mettent en avant ». Son jeu, comme le cinéma de son frère, se situe à l'opposé de l'affectation. Le « type irremplaçable » qui se révèle en lui dans l'acte d'interpréter – car c'est un acte – fait preuve avant tout d'une farouche exactitude, qu'il met au service des rôles et des textes les plus variés. Je ne sais malheureusement pas comment il a campé, durant cette période, les héros de Giraudoux, Siegfried, le Jupiter d'*Amphitryon 38*, le spectre d'*Intermezzo*, mais je trouve déjà saisissant qu'il puisse passer avec la même aisance – et avec le même calme – de Jules Maigret à Charles Bovary. On le voit donc – d'un film à l'autre – abdiquer tout prestige, et se servir de sa propre intelligence pour borner l'horizon mental du médecin de campagne, puis l'engoncer dans une épaisseur humaine, où il se sent au chaud après tout, sans pressentir le moins du monde les malheurs qui l'attendent. Il faut sans doute être doué de finesse et d'humour à un degré rare pour faire apparaître ainsi le labeur auquel se livre Charles Bovary chaque fois qu'il est mis en demeure de penser quelque chose.

Un exemple parmi d'autres : la scène de la loge à l'opéra de Rouen, où Emma se laisse envahir par les émois de Lucie de Lammermoor, en vibrant « de tout son être comme si les archets des violons se fussent promenés sur ses nerfs » (Flaubert). Charles, de son côté, ne parvient pas à identifier les personnages du drame, ni à se rendre intelligibles les enjeux de l'action. Il interroge sa femme, qui lui ordonne de se taire.

Pierre Renoir se contente alors de fermer son visage et il trouve, entre stupeur inquiète et stupidité sans recours, l'expression qui nous désarme au moment où nous allons éclater de rire. Flaubert aurait certainement été enchanté de l'entendre dire avec une sourde conviction :

— C'est que j'aime à me rendre compte... Cette histoire me paraît un peu embrouillée... Ce qui fait que je ne comprends pas très bien, c'est la musique, qui gêne les paroles.

En regardant le film de près, on observe que le contraste voulu par Jean Renoir entre jeu théâtral et décor authentique vaut essentiellement pour les personnages en représentation : Homais par exemple, Emma Bovary surtout. Pierre Renoir n'a donc pas besoin de styliser son jeu. Il mise d'abord sur la vérité du personnage. Une vérité aussi prégnante que celle des cours de ferme et des toits de chaume, aussi pesante que celle des portes qui s'ouvrent et se referment sur le destin d'Emma Bovary, aussi pénétrante que celle des paysages de Normandie, dépeints par Flaubert en de longs paragraphes et filmés par Renoir en un seul regard.

Il joue vrai, en somme, un personnage qui ne joue pas du tout. Rapportée aux sincérités évanescentes d'Emma, la bonne foi rustique de Charles devrait nous émouvoir, si elle ne trouvait sa limite dans une capacité d'aveuglement que Pierre Renoir traduit en chacune de ses attitudes de façon à la fois plausible et renversante.

Le seul moment où nous le verrons se départir de l'économie de moyens qui est sa règle se situe au dénouement, lorsque Emma souffre – réellement – le martyre après avoir absorbé une dose mortelle d'arsenic.

Ciselant avec un art qu'il veut suprême son morceau de bravoure romanesque, Gustave Flaubert ne se préoccupe guère alors de son malheureux héros. Il le dépeint, plus piteux que pitoyable, abandonné sans réserve ni pudeur à la puissance de sa douleur. Charles Bovary sanglote dans son coin, tandis qu'Emma requiert l'attention entière du romancier. Flaubert ne nous épargne aucun symptôme de l'agonie, la sueur, les membres crispés, le corps couvert de taches brunes. Il accorde cependant à son héroïne un ultime et bref moment de grâce : « Elle ne haïssait personne, maintenant ; une confusion de crépuscule s'abattait en sa pensée, et de tous les bruits de la terre Emma n'entendait plus que l'intermittente lamentation de ce pauvre cœur, douce et indistincte, comme le dernier écho d'une symphonie qui s'éloigne. »

Renoir respecte scrupuleusement le déroulement de la scène, avec ses minutes atroces et ses instants de rémission, mais il ne peut s'empêcher de la voir – précisément – comme une scène, où Valentine Tessier rivalise avec Emma plus encore qu'elle ne l'interprète. La comédienne et le personnage mesurent leurs effets. Elles distribuent savamment leurs regards de terreur et leurs élans de tendresse ; elles laissent couler leurs larmes ou vibrer leurs cris de révolte. Elles cèdent enfin à un grand rire nerveux, comme si la réalité même de la mort leur offrait l'occasion d'une dernière représentation sur les tréteaux d'une fiction à laquelle elles se sont vouées, l'une et l'autre, corps et âme.

Renoir se veut fidèle à Flaubert, à un écart près. Charles Bovary, dans le roman, s'effondre sur le tapis, et pose sa tête contre le bord du lit où meurt sa femme, sans cesser de gémir et de sangloter. Pierre Renoir, dans le film, se penche sur Valentine Tessier qu'il domine alors, ne serait-ce que par la masse de ses épaules ; et le dialogue qui suit, bien que repris de Flaubert, prend tout à coup un accent différent :

— Ne pleure pas, dit-elle. Bientôt, je ne te tourmenterai plus.

— Pourquoi ? Qui t'a forcée ? demande Pierre Renoir.

La voix du comédien s'éraille. Il ne s'éloigne pas du personnage défini par le romancier, mais il témoigne de sa douleur avec une telle force, une conviction si flagrante, qu'il lui confère à nos yeux une irrécusable grandeur. Charles Bovary est vaincu par le chagrin ; en ces instants cruciaux, il n'a jamais paru aussi faible, et l'on ne voit pas comment il pourrait sortir de sa cécité morale. Mais il entre dans ce « Pourquoi ? » prononcé par Pierre Renoir une intensité qui ne correspond pas seulement au cri de la bête blessée. On y perçoit une exigence, une vraie question qui excède de beaucoup toutes les réponses possibles. Même si la révélation se faisait jour des passions désastreuses d'Emma et des folies dépensières qui l'ont conduite au suicide, le sentiment de révolte impuissante ne parviendrait pas à desserrer son étreinte. Tant il est clair – et mystérieux en même temps – que les vraies questions sont celles qui portent au fond d'elles-mêmes le deuil d'une réponse vraie.

Grâce à Pierre Renoir, le personnage que Flaubert maintient méchamment en état de détresse puérile acquiert donc une dimension tragique. On mesure alors le chemin parcouru entre le « C'est que j'aime à me rendre compte » de l'opéra et ce « Pourquoi ? », qui fait écho – c'est indéniable – aux regards éperdus de Werner Krauss dans *Nana* et au « Ne ris pas, Lucienne ! » de Michel Simon dans *La Chienne*.

D'une certaine façon, Renoir pourrait dire comme Flaubert : « Charles Bovary, c'est moi ! » Je ne prétends pas qu'il s'identifie au malheureux, mais je crois qu'il s'interroge, avec lui, au plus profond. Profondeur accusée, paradoxalement, par le manque de moyens dont souffre le personnage, et par la virtuosité – en regard – de Valentine-Emma, qui agonise dans les règles de l'art, avec la complicité de Flaubert, savourant lui aussi le grand moment de somptuosité morbide. Il faut avoir vu la comédienne invoquer « le calme du tombeau » en se pénétrant voluptueusement de la formule ; ou bien donner au crucifix que lui tend le prêtre un baiser d'amante enfiévrée.

Je me demande si Renoir n'a pas conçu le film entier en pensant à ce rapprochement final entre la convention théâtrale, religieusement observée par Emma Bovary, et l'humble vérité balbutiante incarnée par Charles Bovary. Ne s'est-il pas ingénié à juxtaposer le faux et le vrai, mais de façon tellement nette, tranchée, que l'affectation extrême et la bonne foi la plus rudimentaire finissent par entrer en résonance ? Le plus beau de la scène n'est-il pas de voir Emma et Charles communier dans le même halètement et la même souffrance ? Lui, « plus agonisant qu'elle », comme l'écrit Flaubert, et elle, Emma, enfin réduite à l'humaine condition, ses pauvres mains traînant sur les draps, « avec ce geste hideux et doux des agonisants qui semblent vouloir déjà se recouvrir du suaire ».

Je me demande, en même temps, si Renoir n'a pas couru un trop grand risque en jouant à ce point sur les contrastes. La scène finale est magnifique, mais on le sent tellement plus à l'aise, au cours du film, dans l'appréhension directe de la réalité que dans la volonté – pourtant sincère – de contredire les clichés du naturel au profit de ce qu'il appelle une « stylisation ». Les scènes, par exemple, qui mettent en présence Emma et Rodolphe, son premier amant, puis Emma et Léon, témoignent de sa fidélité à Flaubert, mais le respect de la lettre ne l'aide pas à en traduire l'esprit.

« Le drap de sa robe s'accrochait au velours de l'habit, écrit Flaubert, elle renversa son cou blanc, qui se gonflait d'un soupir ; et, défaillante, tout en pleurs, avec un long frémissement et se cachant la figure, elle s'abandonna. »

Nul mieux que Jean Renoir ne semblait en mesure de traduire le vertige de ce moment. Il le prouvera trois ans plus tard dans la scène cruciale de *Partie de campagne*. Que se passe-t-il donc pour qu'il nous apparaisse aussi faiblement inspiré par un texte qui vibre au diapason de sa sensibilité ?

Il me semble impossible de répondre à cette question. D'autant que nous n'avons pas vu *Madame Bovary* tel que

Renoir l'avait conçu dans une version originale qui durait plus de trois heures, et qui n'a jamais été montrée publiquement. « C'était très long, et c'était bien meilleur », dit-il dans son entretien avec Truffaut et Rivette de 1954, où il raconte comment il a dû, sur l'injonction des distributeurs de l'époque, retrancher une heure, soit le tiers du métrage. « Vous savez, reconnaît-il, le film tel qu'il est maintenant, je le trouve un peu ennuyeux. Eh bien, quand il durait trois heures, il n'était pas ennuyeux du tout. »

L'affaire de ces coupes sombres est racontée de façon un peu différente par Pierre Braunberger, qui était alors responsable des Studios de Billancourt et du laboratoire où le négatif du film était entreposé. Selon ses confidences dans *Cinémamémoire*, un commanditaire qu'il ne nomme pas (est-ce Gaston Gallimard ?) aurait financé *Madame Bovary* par amour pour Valentine Tessier, mais la comédienne aurait eu la malencontreuse idée de s'éprendre d'un autre homme dans les semaines qui suivirent le tournage. C'est alors que le commanditaire « fou de rage », selon Braunberger, voulut détruire le négatif. « Je prévins immédiatement Jean Renoir, dit-il, et nous nous sommes mis d'accord sur ce qui pouvait être détruit sans causer trop de dommage. Dans le fond, Renoir était indifférent, il s'en moquait... Il est vrai que les distributeurs trouvaient le film trop long... Ce qui a nécessité d'autres coupes. »

Renoir indifférent au sort d'un film qui lui a demandé de très grands efforts ?... Voilà qui semble difficile à croire. Nous sommes loin, en tout cas, du cinéaste de *La Chienne* si fortement arc-bouté sur ses convictions. Relisant *Ma vie et mes films*, je le sens gagné durant cette période par une sorte d'ironie, proche du découragement, ou au moins du haussement d'épaules face aux absurdités humiliantes que doit affronter un auteur de films. N'oublions pas que le dilettantisme est l'une de ses pentes naturelles.

Ce n'est pas un hasard s'il place alors, au tournant de son récit, l'anecdote du producteur d'origine allemande – et de corpulence pachydermique – qui le reçoit un jour pour l'entendre exposer un projet de film. Renoir s'assied devant lui, rassemble ses idées et commence à parler, mais le producteur l'interrompt aussitôt pour lui signifier :

— Vous avez la réputation de vouloir faire des films pour intellectuels. Cette clientèle ne paie pas. Si nous voulons faire de l'argent, il faut plaire aux midinettes... Allez-y, je vous écoute...

L'énorme personnage cale ses bourrelets de chair entre les bras de son fauteuil, puis il adresse à Renoir un sourire qui se veut complice, en disant :

— Moi, midinette...

L'histoire ne dit pas ce que devint le projet en question.

Donc, après avoir consacré un chapitre entier à *La Chienne*, Renoir se contente de trois courtes pages pour évoquer les aventures de *Boudu sauvé des eaux*, de *La Nuit du carrefour*, et de *Madame Bovary*. Il ne dit pas, comme en 1938, que ce sont là de « rares et pauvres films » précédant le moment fort de *Toni*, mais il n'éprouve aucun besoin de s'attarder sur eux.

C'est tout juste s'il mentionne, à propos de *Madame Bovary*, la chaleur des échanges et des rires à la table du dîner, lors des soirs de tournage dans la petite ville normande de Lyons-la-Forêt. Valentine Tessier, Gaston Gallimard, Pierre Renoir, Jacques Becker et Robert Le Vigan partageaient ainsi ces fameuses « extases d'intimité », qui ont toujours tenu une si grande place dans sa vie. Mais du film lui-même et des questions posées par sa mise en œuvre, il ne dit strictement rien.

On peut deviner néanmoins qu'un long travail s'est effectué dans son esprit. Nous savons aujourd'hui que son désir de stylisation le conduira un jour vers l'éblouissement du *Carrosse d'or*, mais le don qu'il possède pour l'appréhension de la réalité demande à s'exprimer de façon plus urgente dans la France des années 30, promise à de si grands bouleversements.

CHAPITRE HUITIÈME

« Le grain de la peau des êtres »

*

1934. « Toni »

L'action de *Toni* est menée à vive allure. Ce n'est pourtant pas le souvenir qui nous reste d'un film où le temps va son train, faussement débonnaire, apparemment paisible et secrètement tendu, méditerranéen en somme, et fataliste, à l'image de Fernand, l'ami intime et confident du personnage principal. Avec ses joues creuses, ses traits anguleux, son regard de bonté et d'humilité inaltérables, le comédien Delmont, qui incarne Fernand, joue chez Renoir le rôle qu'il a tenu et tiendra longtemps encore dans les films de Pagnol. Sans jamais prendre place au premier rang du drame ou de la tragédie, il nous apparaît comme l'émanation du paysage, dont son visage traduit l'âpreté et son accent la douceur. C'est donc à sa présence que nous devons le souvenir d'un temps qui aurait dû s'écouler sans heurt, à l'intérieur de maisons et de fermes, au long des chemins entre les vignes, ou bien encore – la nuit venue – autour du feu de camp où les charbonniers corses égrènent leurs chants d'amour.

D'un côté, donc, la mémoire est fidèle, qui a laissé un tel sillage dans notre esprit, mais de l'autre, une « re-vision » du film en temps réel, au présent, nous prend un peu au dépourvu.

Que voit-on, en effet, si l'on oublie les parenthèses, dont nous verrons bientôt l'importance ? Toni (Charles Blavette), travailleur immigré italien, débarque de son train à la gare des Martigues. Il nous suffit d'un plan pour apprendre qu'il cherche et trouve à se loger dans la pension pour ouvriers tenue par Marie (Jenny Hélia), il nous suffit d'un fondu au noir, suivi d'une seule scène, pour apprendre que trois ans ont passé, qu'un amour est né entre Toni et Marie, et que leur couple est menacé à présent de rupture, car Toni pense intensément à une certaine Joséfa (Celia Montalvan), qui vit dans une petite ferme sur la colline en compagnie de son oncle Sebastian et de son cousin Gaby. Il nous suffit d'une altercation entre Toni et Albert (Dalban), contremaître de la carrière où il travaille, pour comprendre que les deux hommes sont rivaux, et qu'ils souhaitent l'un comme l'autre épouser Joséfa. Toni, parce qu'il l'aime, et Albert, parce qu'il convoite à la fois la chair de la jeune fille et la ferme de Sebastian.

Un autre cinéaste, un autre dramaturge, se serait attardé sur un tel enjeu, et l'on verrait facilement se dessiner le synopsis d'un film entier, que Marcel Pagnol aurait pu écrire, et qui se déroulerait ainsi :

Marie « tient » passionnément à Toni, qui n'éprouve plus pour elle que tendresse et gratitude. Il est amoureux de son côté, follement, de la jeune Joséfa, qui se montre un peu trop coquette. Les sentiments de Toni la flattent et l'émeuvent, mais elle cède imprudemment au désir d'Albert, personnage brutal autant que vulgaire, cynique autant que cupide.

Renoir nous raconte bien cette histoire, mais nous n'en sommes qu'à la trentième minute du film. De nombreuses péripéties nous attendent encore : naissance de l'enfant de Joséfa, mort de Sebastian qui a fait promettre à Toni de veiller sur sa nièce en cas de malheur, disputes entre Toni et Marie à propos de Joséfa, suicide manqué de Marie, et sa rupture franche avec Toni, lequel s'enfuit et s'installe en haut de la colline afin de surveiller la ferme d'Albert et Joséfa, en espérant reconquérir la jeune femme.

Il désigne à Fernand, venu le rejoindre, un petit sentier près de la maison, et lui dit :

— Un jour, fatalement, elle passera par là. Soit pour aller ramasser des pommes de pin, ou bien de la sauge ou du romarin pour la cuisine. Demain... peut-être la semaine prochaine... peut-être plus tard... Ça fait rien. J'ai le temps...

Chacun de ces événements, chacune de ces situations offrait de bonnes occasions au cinéaste qui aurait voulu créer des tensions et ménager des courbes de progression dramatique, en fonction de l'attente – supposée – du spectateur. Renoir n'en tient pourtant aucun compte. Au risque de paraître maladroit ou désinvolte, il coupe, le plus souvent, au plus court. Le suicide de Marie, par exemple, est filmé en un seul plan. Nous voyons une barque au loin, à l'horizontale de l'écran, traverser l'étang de Berre. Le tempo est lent, certes, mais Renoir n'en tire aucun parti pour accentuer le suspense. Il se prive des possibilités du découpage et il n'utilise aucune note de musique. Nous constatons seulement que Marie a cessé de ramer, qu'elle se lève, et que sa silhouette – un simple trait noir – se dresse au-dessus de l'eau. Quelques instants plus tard, un autre plan large – d'un seul tenant, lui aussi – nous apprend que son corps inerte a été repêché. Toni la prend dans ses bras et la porte jusqu'à la rive. Trois plans encore et la voici revenue à la vie. L'ensemble de la séquence n'a guère duré plus de deux minutes. On peut comprendre alors ce que veut dire Renoir lorsqu'il parle d'un film « dans lequel le drame ne serait pas dramatique et arriverait tout naturellement comme un épisode de la vie quotidienne ».

Il s'est inspiré jusqu'alors, dans la plupart des cas, de textes préexistants, romans ou pièces de théâtre. Entreprenant *Toni*, et ce pour la première fois depuis *La Fille de l'eau*, il écrit lui-même le scénario, avec la collaboration de son ami Carl Einstein, d'après le récit d'un fait divers que lui a rapporté un autre ami, Jacques Mortier (Jacques Levert au générique), qui était commissaire aux Martigues. Mais la nature de son travail ne change pas pour autant. D'un côté, il resserre l'action, il cherche la densité, tandis que de l'autre il se réserve de grandes plages ouvertes à la familiarité, chaleureuse ou railleuse, tendre ou cruelle, que ses personnages entretiennent entre eux, et qu'il entretient, lui, avec ses personnages.

Voilà pourquoi on est conduit à penser que le fléau de la balance s'incline dans ses films en faveur de cette intimité-là, qui lui inspire tant de moments savoureux ou poignants. Voilà pourquoi on est tenté parfois de croire qu'il privilégie la scène et son autonomie par rapport à la ligne générale du récit.

« Pour Renoir, dit Pierre Braunberger, seules les scènes comptent. L'intrigue ne l'intéresse pas. »

Lui-même n'en disconvient pas :

« Oui, dit-il à Truffaut et Rivette. Arriver à bâtir avec des petits touts bien entiers, c'est ce qui m'attire le plus. Seulement, souvent, ça me joue des tours à cause d'une autre manie que j'ai : celle de négliger un peu l'action générale. J'ai la manie de considérer qu'en réalité l'histoire n'a pas tellement d'importance. »

Il faudrait pouvoir s'entendre à ce propos. Que l'histoire, réduite à l'anecdote, n'ait aucune importance, cela est vrai de tous les films, et particulièrement des siens. Relisant le résumé de *Toni*, rédigé pourtant par François Truffaut (dans les *Cahiers du cinéma* en 1957), j'en acquiers la certitude. Le voici, in extenso, pour les besoins de la démonstration :

« Toni, ouvrier étranger, arrive aux Martigues et devient bientôt l'amant de sa jeune logeuse, Marie. Quelques mois plus tard, il tombe amoureux d'une belle Espagnole, qui vit avec son oncle Sebastian et son cousin Gaby.

« Le contremaître de la carrière où travaille Toni, Albert, un Belge cupide, aviné, brutal et jouisseur, viole Joséfa dans un fossé au moment même où Toni venait d'obtenir sa main auprès du vieux Sebastian. C'est donc lui qui épouse Joséfa et lui fait un enfant, dont Toni devient le parrain. Après la mort de Sebastian, Toni quitte Marie avec l'espoir de convaincre Joséfa qu'ils doivent partir refaire leur vie ailleurs. Mais Joséfa, surprise par son mari tandis qu'elle vole – sous l'inspiration de Gaby – tout l'argent de la ferme, tue Albert. Toni, surpris par un gendarme au moment où il enterrait le cadavre, se laisse accuser, s'enfuit, est abattu par un bourgeois, tandis que Joséfa va se dénoncer à la police. »

Au vu de ce texte, je défie qui que ce soit de se représenter le film tel qu'il se déroule sur l'écran, et tel surtout qu'il éveille en nous la plus pénétrante des rêveries. Renoir l'a tourné sans négliger aucune des péripéties indiquées, mais il s'est ingénié à les filmer de telle sorte qu'elles ne relèvent à aucun moment de l'anecdote. Une transformation s'opère sous nos yeux, qui ne doit rien pourtant à un désir de transfiguration lyrique. Désir auquel il aurait pu facilement céder, compte tenu de ses souvenirs d'enfance et de son goût prononcé pour le paysage provençal, mais nous savons déjà qu'il est trop spontanément poète pour se complaire dans une « poétisation » arbitraire. Dans le même article de 1957, Truffaut remarque que la mise en scène de *Toni*, « complètement " inventée ", particulièrement déroutante, est très primitive, si on la compare à celle de *La Chienne*, par exemple ». « On devine, dit-il, un tournage absolument improvisé et même échevelé. »

« Primitive », en effet, cette mise en scène se prive – de façon, sans doute, délibérée – des luxes de l'esthétique, comme si Renoir souhaitait se placer à la hauteur de ses protagonistes (Toni, Marie, Joséfa, Fernand), en épousant la simplicité de leur condition, en s'imprégnant de leur rudesse, et en partageant quelque chose de leur fierté. Ecoutant ce que lui dit son ami le commissaire de police sur les circonstances du drame qui s'est déroulé quelques années plus tôt dans le même village, il refuse – plus que jamais – le confort d'une observation extérieure. Son attitude se situe donc à l'exact opposé de la stupeur incrédule manifestée par le marquis de la Cheyniest, dans *La Règle du jeu*, au moment où il vient d'échanger quelques coups de poing avec André Jurieux :

— Savez-vous, dit-il, à quoi me fait penser notre petite exhibition de... pancrace ?... De temps en temps, je lis dans les journaux que, dans une banlieue lointaine, un terrassier italien a voulu enlever la femme d'un manœuvre polonais, et que ça s'est terminé par des coups de couteau. Je ne croyais pas ces choses possibles ! Et elles le sont, mon cher, elles le sont !

Evoquant *Toni* bien des années plus tard, au moment de sa réédition en 1956, Renoir situera le film en son temps, comme une réaction au théâtre filmé qui régnait alors sur le cinéma français. Je n'oublie pas cependant qu'il a choisi lui-même dans *Madame Bovary* de confier ses dialogues repris de Flaubert à des acteurs de théâtre, et qu'il y a pris, de son propre aveu, un « grand plaisir ». Réalisant *Toni*, il réagit donc, aussi, contre son film précédent, et il se livre, sans la moindre réserve cette fois, à l'une de ses « crises de réalisme aigu »... « Un de ces moments, dit-il, où l'on se figure que la seule façon de faire du cinématographe, c'est d'enregistrer avec une exactitude photographique tout ce qu'on voit, y compris le grain de la peau des êtres que l'on met devant la caméra... Je suis parti aux Martigues, j'ai vécu avec les gens des Martigues, j'ai amené une caméra. Cette caméra, je l'ai d'ailleurs confiée à mon neveu Claude. Ça a été un de ses premiers films importants. Et voilà, nous avons tourné comme ça, avec les gens du pays et en respirant l'air du pays, en mangeant la nourriture du pays et en vivant absolument la vie de ces ouvriers. »

Le choix de Charles Blavette pour incarner Toni a dû s'imposer à lui dans le même esprit et avec la même évidence. Ce comédien ne possède ni l'ascendant ni la stature d'un « grand premier rôle ». Dans ses films, Marcel Pagnol lui confie le plus souvent des personnages de rencontre, méridionaux dans l'âme, doués de solide bon sens et de franc-parler, mais proches en même temps de l'anonymat. Avec ses joues rondes et sa silhouette de « bonhomme » sans mystère, Toni apparaît, à première vue, comme un ouvrier parmi les autres ouvriers, farouche et volontiers rebelle à l'égard d'une autorité injuste, mais vite emprunté lorsqu'il lui faut exprimer un sentiment ou un désir.

C'est un garçon simple et de caractère entier, dont le regard est empreint parfois d'une sourde mélancolie. En l'interprétant, Blavette ne se départ à aucun moment de son naturel inné. Il n'en acquiert pas moins, progressivement mais sûrement, au fil inéluctable de la projection, une dimension singulière. Le véritable récit, le véritable mouvement du film, la véritable histoire qui nous est contée, celle dont Renoir n'a pu se désintéresser, ne tient plus dès lors qu'à cette lente révélation d'un travail intérieur. Je pourrais la raconter comme une suite de plans rapprochés, obstinément centrés sur le visage de Blavette, lui-même requis et absorbé par le flot de ses sentiments au point d'ignorer tout le reste.

Du début à la fin, il ne pense qu'à Joséfa. Nous le surprenons au réveil, lors de la première scène, préoccupé, maussade, déjà douloureux. Quelques minutes plus tard, il croise la jeune fille sur son chemin. Elle se plaint d'avoir à tirer son charreton de linge. N'ayant rien à lui refuser, il s'attelle au brancard. Quand elle lui demande de voler une grappe de raisin dans la vigne du vieux Dominique, il proteste un peu, mais la fine mouche a vite fait d'assurer son emprise.

Elle le met au défi :

— Tu dis tout le temps que tu ferais n'importe quoi pour moi. Et puis, pour une malheureuse grappe de raisin que je te demande, tu as l'air de faire la tête.

Toni lui apporte la grappe et dit :

— Mais non, je te fais pas la tête. Tu sais que je ferais tout pour te faire plaisir... Tiens... Y a encore un peu de sulfate. Essuie-la pour pas qu'elle te fasse mal.

Renoir ne lustre pas ses dialogues, comme Pagnol sait si bien le faire, de trouvailles savoureuses. Il s'attache au concret, à ce qui se dit vraiment dans la vie : au sulfate sur le raisin, au trajet de la guêpe qui s'est introduite à travers l'échancrure du corsage de Joséfa et qui la pique dans le dos.

Elle gémit :

— Ça fait mal ! Ça fait mal ! Le piquant est resté dedans. Je vais enfler. Je vais être affreuse !

Toni propose :

— Il faudrait que je te fasse une petite incision avec mon couteau.

— Mais tu es fou ! Jamais de la vie !

— Alors tu vas enfler !

— Toni, fais ce que tu voudras... Mais, au moins, il est propre ton couteau ?

— Oui, tiens... assieds-toi là.

Nous ne verrons pas l'incision, ni le coin de peau sur lequel Toni applique ses lèvres pour aspirer le venin. Passé un instant, on devine que cette pression ressemble à un baiser.

— Ça fait moins mal, ça, dit Joséfa. Fais-le encore, Toni. Peut-être que j'ai encore du venin, tu sais... un poquito... Eh Toni ! Toni ! Assez, tu profites !...

La caméra filme les deux acteurs de profil. Celia Montalvan, au premier plan, nous cache un peu le visage de Blavette. On ne peut pas mettre en scène de façon plus simple, ni plus pudique en la circonstance, mais nous avons senti poindre de seconde en seconde un trouble érotique difficilement exprimable, sinon à partir des sensations évoquées : le suc du raisin, l'échancrure du corsage entrouverte, le petit point noir de la piqure, le goût du venin...

Toni s'est laissé prendre à l'ivresse du moment.

— Je ne sais plus ce que je fais, dit-il à Joséfa.

Trois scènes plus tard, il aura perdu ses illusions, mais – là encore – nous ne verrons pratiquement rien de ce qu'il a découvert à l'issue de sa course joyeuse à travers champs. Albert et Joséfa sont enlacés au fond d'un taillis. Renoir ne nous les montre pas. Il préfère s'attacher au visage de Blavette, après lui avoir conseillé, probablement, de ne marquer aucune réaction violente, ce qui ne peut manquer de rendre bouleversante – mais de façon telle que notre souffle est retenu – l'étendue de sa déception.

— C'est comme ça, Toni... C'est comme ça, lui dit Joséfa lorsqu'elle revient à lui.

Paradoxalement, les traits de la jeune femme sont empreints d'une dignité que nous ne lui connaissions pas.

Blavette adopte à son tour le ton de l'abnégation et de la nostalgie :

— Joséfa, tu me fais mal... Quand je pense que tu t'es donnée à ce saligaud dans le fossé, après m'avoir si gentiment embrassé ce matin que je croyais que c'était vrai, que nous avions la vie devant nous...

Renoir fait tout, en effet, pour que le drame ne nous apparaisse pas « dramatique ». Toni ne peut que s'incliner. Les mœurs de cette époque, surtout dans un milieu aussi simple, impliquent que la fille séduite épouse son séducteur. Ce qui rejette Toni sous la protection vigilante de Marie.

Tout l'esprit du film est peut-être contenu dans le mouvement de ce plan où la caméra cadre d'abord un ouvrier italien assis sur un petit mur qui surplombe le paysage. Il joue sur sa guitare et il chante l'une de ces innombrables complaintes où la beauté de la bien-aimée « blesse le cœur » de son soupirant. Puis l'appareil glisse sur la gauche et s'attarde un instant sur la silhouette de Fernand, plus pensif encore qu'à l'ordinaire, avant de découvrir au passage le pensionnaire noir de la maison, qui cire ses chaussures, et de s'ouvrir à la beauté des pentes inclinées vers l'horizon marin ; mais il n'est pas question pour Renoir d'interrompre le cours impérieux du temps, que son travelling matérialise. La caméra pivote encore et cadre le mur éclatant de blancheur, avant de se fixer sur l'embrasure d'une fenêtre, à travers laquelle nous apercevons Toni étendu sur le lit, silencieux, livré tout entier à sa tristesse, et Marie lui tenant la main.

Le chant d'amour blessé n'a pas cessé au long de ce parcours. Il dure encore lorsque Marie s'adresse à Toni au plan suivant, pour lui dire, de façon aussi douce que cruelle :

— Tu vois, Toni, pour ne pas vexer Joséfa, et comme on sait qu'on est bons voisins, on fera les deux mariages ensemble... Comme ça, on fera des économies... Tu veux ?...

C'est ici, sans attendre la réponse de Toni, que Renoir clôt la séquence.

Le lent et long mouvement latéral, purement descriptif en apparence, nous aura donc inspiré un sentiment de paix inquiète, avant de recentrer notre attention sur le visage douloureux de Toni. Guidé par son instinct plus que par un calcul, Renoir se prive alors d'un gros plan sur Blavette, qui nous aurait éclairé un peu trop nettement sur ses intentions. Avec des moyens très différents de ceux employés dans *La Chienne,* il maintient la menace tragique en état de latence. Il la dépouille même de ce qui pourrait nous inciter à la reconnaître comme telle et à la classer, paresseusement, dans une catégorie répertoriée. Il nous la rend, en quelque sorte, familière, insidieuse, plus navrante qu'impressionnante, ravalée en somme à sa dimension essentielle d'absurdité, et de logique dans l'absurdité.

Je ne peux plus croire désormais qu'il a « bâti » son film comme une juxtaposition de « petits touts bien entiers ». Mais n'est-ce pas lui-même qui parle de « bâtir », donc de construire et d'architecturer ? Il a trop vu son père attaché à la composition de ses tableaux pour négliger une vue d'ensemble, une continuité dans son cas, comme dans celle des compositeurs de musique, laquelle implique une grande rigueur, aussi dissimulée soit-elle, mise au service de l'unité, quasi organique, de ce qu'il faut bien appeler une œuvre.

Comme il est beau de remarquer que ce film, conçu dans « une crise de réalisme aigu », ne cède jamais à la tentation de la « chose vue » pour elle-même, parce qu'elle est vraie, et parce qu'elle apporte une touche d'authenticité supplémentaire ! Je l'ai assez dit, la familiarité est présente à chaque instant. Renoir ne se départ pas plus de la prise sur le vif que Blavette, ou Delmont, de leur naturel méridional.

Dès la première scène, nous pouvons croire à ce lit en désordre où Toni se réveille transpirant, au café que Fernand verse dans la tasse de Marie, avant de mordre dans une cuisse du lapin coriace que Toni a ramené la veille d'une visite à la ferme de Sebastian.

— Encore un peu, dit-il, je me cassais une dent... eh... Il doit avoir fait les poids et haltères.

Primo, l'ouvrier italien, met alors les pieds dans le plat en s'adressant à Toni, devant Marie qui écoute :

— Oh, pour être dur, il est dur, tu sais. Tu me feras pas croire que c'est pour une vieille carcasse comme ça que tu passes ton temps à la ferme ! Si Sebastian n'était pas l'oncle d'un petit poulet bien tendre, il te verrait pas souvent, va...

On voit donc que ces notations concrètes, extérieures, qui pourraient passer pour seulement pittoresques, contribuent dès l'abord à lever le voile sur l'intimité des sentiments. Le mauvais réveil de Toni nous apprend qu'il est préoccupé. Le café, préparé par Fernand et servi à Marie, laisse entendre qu'il nourrit à son égard un amour secret. Quant au lapin, il nous renseigne sur les vraies raisons des allées et venues de Toni, ainsi que sur la jalousie – justifiée – de Marie.

Le « réalisme aigu » n'est pas dans *Toni* une fin en soi, mais un moyen pour atteindre la vérité des êtres. Elle seule guide Renoir dans sa composition, en lui permettant de tirer et de tresser les lignes de son récit en un tissu rude, mais parfaitement cohérent et uni.

J'en veux pour preuve la silhouette de Dominique, personnage secondaire, aussi ridicule qu'anodin, que l'on croise fortuitement, mais à intervalles réguliers, au cours du film. Renoir le filme de loin. Il n'est pas question de faire un sort à l'une ou l'autre de ses apparitions. Il les rend même à peu près insignifiantes...

Nous voyons Dominique pour la première fois au début du film. Il est armé d'un fusil de chasse et il cherche un voleur de poulets. La deuxième fois, juste après la scène de la guêpe, il demande à Joséfa : « Tu n'as pas vu mes enfants par là ? » La seule caractéristique du personnage est qu'il a toujours perdu quelqu'un ou quelque chose.

La troisième fois, lors du banquet de noce, un convive s'adresse à lui et remarque :

— C'est pas mal un beau mariage. C'est presque aussi beau qu'un bel enterrement... Vous ne me reconnaissez pas ?... Guéru, directeur des pompes funèbres. A votre service...

Il apparaît une quatrième fois après la tentative de suicide de Marie, au milieu d'un groupe qui commente l'événement. Renoir fait donc en sorte qu'il soit présent chaque fois que le drame se noue de façon un peu plus serrée.

Il est là encore, lors de la nuit sur la colline où Toni confie à Fernand son projet d'enlever Joséfa et de partir avec elle en Amérique du Sud. Dominique surgit de l'ombre. Il brandit un bâton et accuse les deux amis, contre toute évidence, d'avoir « débauché » sa fille Alinda. Fernand le chasse en le menaçant d'un coup de pied au derrière.

La sixième rencontre sera la dernière. Dominique a été chargé par un gendarme de surveiller la sortie du viaduc par laquelle Toni, en fuite, pourrait s'échapper. Il est armé, comme à son habitude, de son fusil de chasse. Lorsque Toni apparaît, il lance :

— Arrête-toi, Toni. Arrête-toi, ou je te tire dessus !

Toni passe outre. Il ne peut imaginer qu'un voisin, un familier de la colline, veuille le tuer de cette façon-là, aussi bête. Nous ne pouvions imaginer, non plus, que le destin allait s'incarner sous une apparence aussi grotesque. Nous l'avions pourtant vu arriver de loin, ce misérable crétin !...

En mars 1935, au moment de la sortie du film, Renoir ne fait pas mystère de son inspiration. Evoquant ses personnages, il écrit : « Chez ces déracinés, les passions sont vives et les hommes qui me servirent de modèles pour *Toni* m'ont semblé traîner derrière eux cette atmosphère lourde, signe du destin fatal des héros de tragédie. »

Renoir a rarement parlé de la mort. Cette phrase qui lui échappe dans une lettre adressée à Claude Beylie vers la fin de sa vie n'en est que plus précieuse :

« La mort est un malentendu. La connerie ne saurait triompher de l'intelligence. »

Voilà donc pourquoi il a filmé comme d'affolantes conneries les morts violentes de ses films, celles de Lulu, de Dédé, d'Emma Bovary et celle de Toni, en attendant le « malentendu », en forme de quiproquo insoutenable, qui placera André Jurieux, à la fin de *La Règle du jeu*, dans la ligne de mire du fusil de Schumacher. Le spectateur attentif aura remarqué que Toni et Jurieux meurent de la même façon, abattus en pleine course par le coup de feu d'un imbécile.

Pour parfaire sa composition, Renoir ajoute au leitmotiv des apparitions de Dominique celui des ouvriers italiens et des charbonniers corses, qui émaillent le film de leurs chants traditionnels. Sans que nous y prenions garde, car ils relèvent avant tout du propos initial (« respirer l'air du pays, manger la nourriture du pays, vivre absolument la vie de ces ouvriers »), ces chanteurs prennent la place du chœur au sein d'une tragédie, dont ils suggèrent l'âpreté tout en l'atténuant. La mélancolie sereine qui émane de leurs litanies fournit au cinéaste l'écho et la correspondance qu'il recherche avec la détresse de Toni, dont nous savons combien elle est intime, inguérissable et stoïque en même temps.

Je ne voudrais pas alourdir ma démonstration en dénombrant et situant les moments où les chanteurs interviennent, mais il est certain que Renoir se sert très consciemment de la couleur émotionnelle qu'ils lui apportent. Vingt ans plus tard, il regrettera encore, devant Rivette et Truffaut, la coupe qui fut décidée à son insu par les distributeurs du film. La séquence qui manque (numéro 35) se plaçait à la suite du plan où Toni propose à Joséfa de dissimuler le corps d'Albert (qu'elle vient de tuer en état de légitime défense) sous un tas de linge et de le transporter en charreton.

— On fera comme si on allait au lavoir, dit-il. Ça n'étonnera personne. On nous a déjà vus ensemble sur le chemin. Tu te rappelles le jour de la guêpe ?

— Oui, Toni, je me rappelle.

— En passant par le petit bois, je tirerai le corps dans un buisson et je lui laisserai le revolver à côté. Comme il a des dettes, on dira que c'est lui qui s'est tué. Et toi, tu continueras toute seule.

Malheureusement, les plans où l'on voyait Toni et Joséfa tirer le charreton, tandis que les charbonniers corses plaisantaient et chantaient en les accompagnant, ont été perdus à jamais. « C'était une bonne scène, je crois, dit Renoir. Elle a disparu dans les coupes. Oui, c'est assez dommage. »

Bonne scène, sans doute, mais certainement aussi maillon nécessaire à l'équilibre et au tissage de l'ensemble. D'une part, elle devait rimer avec la séquence de la guêpe, en nous rappelant que l'histoire de Toni et Joséfa aurait pu être heureuse ; elle offrait, d'autre part, l'occasion d'un nouveau contrepoint, à la fois mélodique et cruellement ironique, rapporté à une situation très tendue. Ce « petit tout bien entier » nous manque, car il nous prive d'une cadence dans la respiration générale du film, à laquelle Renoir tenait certainement très fort. « C'était, écrira-t-il en 1956, la scène qui nous avait le plus excités, et que nous nous étions efforcés de reproduire telle qu'elle s'était passée dans le vrai drame de la vraie vie. »

Rédigeant un article qui sera publié en novembre 1934 dans *Les Cahiers du film* (une revue fondée par Marcel Pagnol), il compare le travail auquel il s'est livré sur le scénario de *Toni* (« simple transposition de la réalité ») à son adaptation de *Madame Bovary*, qui lui a proposé une « réalité absorbée et digérée une première fois par un homme de génie », ce qui lui a « simplifié la tâche », mais en « fournissant à la malignité publique l'occasion d'un parallèle désobligeant entre une grande ombre unanimement respectée et un contemporain minuscule ».

« Pour ces motifs, écrit-il, je m'estime particulièrement heureux, en ce qui concerne mon nouveau scénario, d'avoir rencontré une réalité si dépouillée et tellement stylisée qu'elle me fournit, sans courir le risque de comparaisons toujours fâcheuses, des personnages taillés dans la matière même qu'eût affectionnée un grand écrivain comme Flaubert. »

Il ne peut imaginer alors que, dix ans plus tard, les cinéastes italiens du néo-réalisme reprendront à leur compte les contraintes qu'il s'est données, ainsi que les libertés qu'il s'est offertes : tournage en extérieurs et intérieurs réels, fictions inspirées de la chronique des temps traversés, acteurs (professionnels ou non) invités à vivre sans artifices des situations de la vie quotidienne. Le Marcel Pagnol de *Jofroi* et d'*Angèle* sera considéré lui aussi, pour les mêmes raisons, comme un précurseur.

En 1934, les deux hommes s'entendent fort bien. « Nous échangions des services en nature, raconte Renoir dans *Ma vie et mes films*, moi lui dirigeant à l'occasion une scène, lui m'aidant dans quelque problème de dialogue. »

Toni ne se situe pourtant pas dans la ligne des merveilleux mélodrames réalisés par Marcel Pagnol. L'auteur d'*Angèle* connaît admirablement son public et sait lui donner ce qu'il attend, sur le double registre du rire et de l'émotion. Aucune démagogie en cela, puisqu'il se place, le plus naturellement du monde, à la hauteur de ceux qu'il captive et réjouit par sa merveilleuse faconde. Il ne craint pas de jouer sur des conventions, qu'il considère comme des pactes passés tacitement et convenus – c'est le mot – avec l'ensemble des spectateurs.

Renoir, lui, est bien trop animé par son esprit de contradiction, et par son désir de mettre la vérité à nu, pour se conformer à des règles qui restreignent le jeu entre le prévisible et l'inattendu. Si l'on compare la scène de la séduction d'Angèle par un voyou à celle de Joséfa par Albert, on voit apparaître une différence majeure. Un certain nombre de mots suffisent à qualifier et à cerner les personnages de Pagnol : Angèle est une jeune fille de la campagne, innocente et sage, qui se laisse prendre, après un moment de résistance, à l'entregent d'un proxénète habile et beau garçon venu de la ville. Chez Renoir, au contraire, tout est à la fois plus simple et plus compliqué. Joséfa n'est pas seulement une « petite allumeuse excitante et irrésistible », comme l'écrit Truffaut dans son article de 1957. Elle joue de sa féminité, c'est certain, aussi bien avec Toni qu'avec Albert, mais on la sent réellement indécise, à la fois provocante et attirée sensuellement, souriante et grave, imprudente et consciente, en son for intérieur, des conséquences à venir. Ne rêve-t-elle pas à sa façon, comme Christine dans *La Règle du jeu*, d'une amitié problématique entre hommes et femmes :

— Ecoutez, monsieur Albert, dit-elle, ce n'est pas bien ce que vous faites là. Il me semble que l'on peut s'amuser et parler gentiment, sans pour cela...

Ce à quoi la brute répond :

— C'est ça, la sauce sans le rôti ! Eh ben, très peu pour moi, mon petit ! Moi j'adore les hors-d'œuvre, mais j'ai l'habitude des repas complets.

Albert est un « beau salaud », dans toute l'acception de la formule. Pas un instant il ne dévie de sa jactance, de son caractère tyrannique, de sa cupidité, de son égoïsme. Pis encore, nous le verrons se comporter finalement comme un parfait couard. Renoir le simplifie – ou le « stylise », comme on voudra – avec cette férocité jubilatoire, plus vengeresse que proprement satirique, dont nous le savons capable lorsqu'il se trouve confronté à la vulgarité ou à la malfaisance. Je trouve étonnant qu'il réussisse à juxtaposer ainsi des personnages dessinés dans des styles aussi différents : le croquis au vitriol d'Albert et le portrait en creux de Toni. Mais la vie elle-même, pour peu qu'on la considère sans les retenues que nous nous imposons, ne nous propose-t-elle pas des écarts aussi prononcés entre l'abjection observée avec une sorte de terreur incrédule chez celui-là, et le charme, ou la profondeur d'humanité, qui se dégage de telle autre présence. Albert est aussi vrai à sa manière que Toni, Joséfa, Marie ou Fernand.

La nuance, chez Renoir, n'est pas un gage d'exactitude ou de probité de l'auteur à l'égard de ses personnages ; elle est un privilège qu'il accorde à certains êtres. Truffaut remarque, dans son article de 1957, l'évolution de Joséfa au cours du film. La petite allumeuse « devient, telle Marie, une victime, une pauvre femme comme les autres ». C'est vrai, mais il faut ajouter que le personnage grandit sous nos yeux à l'approche du dénouement. Elle est encore victime du stratagème de Gaby qui la persuade de voler, pendant son sommeil, l'argent qu'Albert conserve dans une pochette pendue à son cou. Un argent qui leur appartient après tout, puisqu'ils sont les héritiers de Sebastian. Albert la surprend et la punit sauvagement à coups de ceinturon, mais il a eu la maladresse de laisser traîner son revolver. Joséfa s'en saisit. Le regard de Celia Montalvan n'est plus alors celui d'une victime. Renoir la filme en travelling avant, jusqu'au très gros plan, au moment où elle tire. Il entre de la noblesse dans la noirceur sans mélange de ses yeux. Noblesse confirmée par son attitude finale, lorsqu'elle se rend d'elle-même aux gendarmes :

— Je ne veux pas que Toni paie pour le crime que j'ai commis, dit-elle. Je me suis dénoncée.

Toni pourrait se raconter aussi comme l'histoire de Joséfa, perdue-éperdue entre l'ignominie conquérante d'Albert, la veulerie retorse de Gaby et la protection impuissante de Toni.

Plus j'avance dans l'étude de ce film, et mieux je découvre sa richesse en même temps que son unité. Si bien que je le situe désormais bien au-delà de l'expérience « néo-réaliste » qu'il a représenté, et de l'air de famille qui le relie aux histoires de Pagnol. Je comprends à présent la fierté de Renoir lorsqu'il parle de personnages « taillés dans la matière même qu'eût affectionnée un grand romancier ».

Je ne voudrais pourtant pas clore ce chapitre sans relever une remarque de François Truffaut à la fin de son article de 1957 : « Derrière chaque geste de Dalban dans le rôle d'Albert, il est aisé de reconnaître Renoir, un Renoir qui se caricature en dirigeant un sosie dodelinant. » La ressemblance physique entre les deux hommes est frappante, en effet, et elle n'a pu échapper à Renoir. Moralement, de surcroît, on sent que le cinéaste n'a laissé à personne le soin de faire dire à Albert courtisant Joséfa :

— Si vous avez envie de voir un type sincère, vous n'avez qu'à me regarder.

Les métaphores culinaires (« la sauce sans le rôti, les hors-d'œuvre et le repas complet ») sont aussi, à coup sûr, de la main de Renoir. Il connaît Dalban depuis longtemps et il l'a déjà employé souvent : conscrit dans *Tire au flanc*, grossièrement flagorneur à l'égard du directeur de la bonneterie dans *La Chienne*, guère plus subtil dans *Boudu*, où il se dérobe en un clin d'œil quand Lestingois propose à ses voisins de se cotiser pour venir en aide au clochard désespéré.

Chaque fois, et plus encore avec le personnage d'Albert, le jeu de Dalban nous renvoie au théâtre de Guignol, qui a tenu une si grande place dans l'enfance de Renoir, en lui révélant le degré zéro de la psychologie, lorsque les sentiments, les émotions et les actes sont ravalés à leur état rudimentaire, mécanique. Autrement dit, c'est une marionnette humaine qui parle et agit sous nos yeux. J'en veux pour preuve le visage défait, lamentable, de Dalban, qui fait place à son expression triomphante, dans l'instant même où Joséfa braque sur lui son revolver.

On comprend alors ce qui s'est passé. Ayant à désigner un acteur pour incarner Albert, et sachant que son regard allait se porter sur lui avec violence, Renoir a choisi quelqu'un qui lui ressemblait. Pour ne pas avoir à prendre à son égard une distance condescendante. Pour que sa colère ne se teinte pas de mépris. Par honnêteté, par modestie.

Autrement, son regard sur Toni mourant à la fin du film n'aurait pas été chargé, à ses yeux du moins, de la même intégrale tendresse.

CHAPITRE NEUVIÈME

« Sur son chariot triomphal... »

*

1935. « Le Crime de Monsieur Lange »

Le Crime de Monsieur Lange marque une césure. Au Renoir « confidentiel » de *La Nuit du carrefour*, de *Boudu* et de *Toni*, qui se heurte à l'incompréhension des professionnels et du grand public, succède à présent le Renoir de la maturité conquérante, qui recevra le prix Louis Delluc pour *Les Bas-Fonds* en 1936, le prix du « meilleur ensemble artistique » à la Biennale de Venise de 1937, ainsi que le prix du meilleur film étranger au Festival de New York de 1938, pour *La Grande Illusion*. Ne nous leurrons pas pour autant. Malgré certaines critiques favorables, compensant les critiques désastreuses, citées les unes et les autres par Claude Gauteur et Roger Viry-Babel dans leurs livres respectifs (*Jean Renoir, la double méprise* ; Jean Renoir, le jeu et la règle), malgré le climat de fraternité chaleureuse qui l'entoure durant la période du Front populaire, le Renoir des années 30 est un homme seul, bien trop singulier pour être reconnu et situé à sa vraie place d'auteur de films, sinon par des amis proches, comme Henri Cartier-Bresson, Jacques B. Brunius et Jacques Becker. Ils sont peu nombreux encore, ceux qui ont ressenti une émotion comparable à celle manifestée par Pierre Renoir après la première projection de *La Chienne* au Palais Rochechouart. Il s'est avancé vers son frère et il lui a répété d'une voix tremblante : « C'est très beau, Jean. C'est très beau. »

Il faudra attendre l'après-guerre pour que se répande une adhésion du même ordre, où il entrera – chez les meilleurs esprits, car ceux-là seuls, au fond, nous importent – autant de gratitude que d'admiration.

Roger Leenhardt a été l'un des premiers avant la guerre, dans sa chronique de la revue *Esprit*, à tenir Renoir en très haute estime, mais il a émis alors (à propos de *Toni*, des *Bas-Fonds*, de *La Marseillaise*) des réserves que l'on ne retrouve plus dans le texte qu'il publie en juillet 1946 dans le numéro 1 d'*Intermède* :

« Cette santé, cette sève puissante, ce goût de la vie qui éclatent dans l'œuvre de Renoir – et sont bien dans la tradition française – portent en eux un germe tragique, une source d'inquiétude, la pointe de subversion sans laquelle il n'est point d'art... Chez lui, un double ferment dramatise l'univers, fait lever la pâte humaine : la poésie et l'humour.

« Mais humour est un vocable doué de trop de résonances britanniques pour définir le comique inquiétant de *Boudu*, la moquerie terrible de *La Règle du jeu*... Le sourire de Voltaire et l'ironie de René Clair n'épuisent pas le génie comique national. Celui de Jean Renoir a sa place en France entre le rire de Rabelais et le sarcasme de Jarry. »

J'ai cité déjà le nom de Jacques B. Brunius. Acteur dans *Le Crime de Monsieur Lange*, protagoniste et collaborateur au scénario de *Partie de campagne*, écrivain et réalisateur lui-même dans la lignée surréaliste, il publie un petit livre en septembre 1947, qui s'intitule *En marge du cinéma français*. Lui aussi réserve à Renoir une place privilégiée dans une histoire du cinéma qu'il entend évaluer pour son propre compte :

« C’est le seul metteur en scène français, écrit-il, je dis bien le seul, auquel on peut appliquer, sans réserves ni compléments de sens, le terme *artiste* dans son acception la moins péjorative. »

Il note ensuite avec une grande pertinence :

« Il y a un style René Clair, qui ressemble très exactement à l’auteur. Il y a même un style Carné, combinaison de Prévert, de Trauner, et du chef opérateur du moment. Il n’y a pas de style Renoir, ou plutôt il y en a un pour chaque film, car cet homme sans style fait des films qui ne manquent jamais de style. Renoir est toujours présent avec ses idiosyncrasies, ses prédilections, ses amours, sa sensibilité, ses recherches personnelles. »

Dans un article de 1946, Alexandre Astruc se montre encore relativement réservé : « On a bien vu les limites d’un Renoir, qui est pourtant la nature la plus forte de notre cinéma, quand, dans *La Règle du jeu*, il a voulu faire lui-même le scénario. » Deux ans plus tard, en novembre 1948, il donne libre cours à un enthousiasme que les jeunes gens nés entre 1928 et 1935 (Jacques Rivette, Jean-Luc Godard, François Truffaut) ne vont pas tarder à partager :

« L’aisance d’un Renoir, écrit-il, la virtuosité avec laquelle il résout les problèmes les plus abstraits, sont chez lui les signes d’une âme pure. La technique n’existe chez lui que parce qu’elle n’existe plus pour lui (comme problème et obstacle). »

Astruc compare ensuite le « style analytique et descriptif français » tel que Marcel Carné, par exemple, le pratique, à la mise en scène en profondeur de Renoir, qui lui inspire tout à coup une éclatante embardée lyrique. Je me dois de citer longuement ce texte, car il m’éclaire sur mes propres émotions lorsque j’ai vu pour la première fois, entre seize et vingt ans, *Partie de campagne* et *La Règle du jeu* :

« Renoir pénètre, entre, avance dans son univers sur un chariot triomphal. Il s’y ébat, s’y ébroue, s’en éclabousse, s’installe comme un vieux roi nègre dans sa création. Happant de ses cadrages les personnages de son esprit, il ne se contente pas d'analyser, il crée. Il fait parler l'univers en le découpant dans le sens de la profondeur, il travaille avec un chasse-neige, écrasant les figurants contre le bord de sa caméra, filant droit au but vers Sylvia Bataille qui roule dans l'herbe, s'attardant au contraire avec nonchalance sur un coin de paysage, tirant la nappe sous le gros museau de l'objectif, sortant les petites cuillères, débouchant le gros rouge, s'attachant la serviette autour du cou. Le cadrage chez Renoir est une recréation perpétuelle. Le dépoli, c'est vraiment le miroir dans lequel on fait lever un monde : ce n'est déjà plus le miroir promené le long d'une route de Stendhal, c'est le monde qui naît dans un miroir... »

Cette entrée en fanfare me convient idéalement comme entrée en matière de ce neuvième chapitre. Car je n'aurai garde d'oublier, pour ma part, la plate-forme du travelling, chariot triomphal en effet, que l'on croirait conduit par une figure dionysiaque – ivre d'intelligence – à l'intérieur du décor conçu par Jean Castanyer (ainsi orthographié au générique) en fonction de l'histoire qu'il a lui-même imaginée.

Biographe de Jean Renoir, Célia Bertin nous dit que Jacques Becker fut d'abord pressenti (par Castanyer) pour réaliser *Le Crime de Monsieur Lange*, et qu'il conçut de l'amertume lorsque son grand ami s'empara du projet à l'invitation du producteur André Halley des Fontaines. Voilà pourquoi, pour une fois, il ne fut pas de l'aventure.

Castanyer entraîne avec lui le groupe Octobre, constitué en 1932 autour de Jacques Prévert et de Lou Tchimoukov afin de renouveler et de bouleverser les formes d'intervention (des chœurs parlés, le plus souvent) pratiquées jusqu'alors par les militants du Théâtre Ouvrier. Si j'en crois Marcel Duhamel, rencontré longuement au début des années 70, il régnait au sein du groupe un esprit de subversion lyrique et radicale, où l'influence trotskiste se faisait sentir plus nettement que l'orthodoxie stalinienne. En 1935, Renoir accueille et adopte avec enthousiasme ses nouveaux amis

(Maurice Baquet, Fabien Loris, Guy Decomble, Marcel Duhamel), qui mettent leurs diableries humoristiques au service de leur espérance révolutionnaire. Ils s'agrègent donc à sa propre « bande » et ils entrent tout naturellement dans la distribution du *Crime de Monsieur Lange*.

Le réalisateur de *Toni* avait demandé parfois l'aide de Marcel Pagnol, mais il éprouve un besoin beaucoup plus grand, pour *Lange,* de se pénétrer d'un humour et d'une insolence accordés à l'humeur des temps traversés. Renoir juge donc indispensable la présence de Jacques Prévert à ses côtés. Dans toutes ses déclarations ultérieures, il reconnaîtra volontiers sa dette envers lui : « J'ai demandé à Prévert, dit-il, de bien vouloir rester avec moi sur le plateau tous les jours. Prévert a été très gentil, il a accepté. Il n'aime pas beaucoup se lever tôt, mais néanmoins il venait et il a assisté avec moi à toutes les phases de la prise de vues. Et beaucoup des mots du film, dont quelques-uns sont extrêmement brillants, ont été trouvés grâce à cette collaboration et grâce à cette improvisation... Le film s'est donc déroulé dans cette atmosphère de collaboration amusée et goguenarde. Nous étions une bande de copains ; alors, s'il y a un film de copains, c'est bien celui-là. »

« L'ambiance est excellente, confirme Marcel Duhamel dans son livre de souvenirs (*Raconte pas ta vie*). Renoir est un ami pour tout le monde, même s'il attend souvent la dernière minute pour demander à Jacques des changements dans le dialogue, ou même – quand il arrive le matin au studio – d'écrire une nouvelle scène à tourner deux heures plus tard. L'étonnant, c'est que le film ait gardé une telle unité. »

Il est vrai que Renoir veille au grain. Il a éprouvé dans *Toni* la solidité d'une construction où les dernières images renvoient aux premières. C'est le même train, empruntant le même viaduc métallique, que nous voyons s'arrêter à la gare des Martigues au début et à la fin du film ; ce sont les mêmes travailleurs venus d'Italie qui en descendent, chantant la même chanson. Dans *Le Crime de Monsieur Lange*, il adopte un principe équivalent de prologue et d'épilogue, jouant l'un par rapport à l'autre et enserrant le corps du film.

Lange (René Lefèvre) et Valentine (Florelle) sont déposés à la porte d'un café-hôtel, tout près de la frontière belge, par leur ami Meunier (Henri Guisol). Nous ne tardons pas à apprendre qu'ils sont en fuite et que Lange est recherché par la police pour le meurtre d'un certain Batala. Le fils de l'aubergiste, un demi-crétin, rêve tout haut à la prime que lui vaudrait la dénonciation du fuyard. Valentine intervient alors. Elle s'adresse aux clients du café, dont elle a surpris la conversation, et leur dit à propos de Lange :

— Il a tué. C'est bien lui qu'on recherche... Je vais vous dire comment ça s'est passé... Et si vous trouvez qu'il faut le livrer, eh bien, vous le livrerez... Sinon...

Toute l'histoire nous sera donc contée en retour en flash-back. Jusqu'au dénouement, où nous retrouverons Valentine, ayant obtenu des clients du café – donc, des spectateurs du film – la grâce d'Amédée Lange. Les deux amants vont pouvoir s'enfuir, par le chemin de la plage, au-delà de la frontière.

Dans *Toni*, Renoir avait dissimulé l'architecture de son film, qui se distribuait en trois parties égales, suffisamment distinctes pour qu'on puisse les intituler :

1/La main de Joséfa.

2/Le feu couve dans la colline.

3/L'enchaînement tragique.

Ayant vérifié l'équilibre d'une telle structure, il compose de la même façon *Le Crime de Monsieur Lange* en trois mouvements identifiables, ou en trois actes, comme on voudra :

1/Batala dans ses œuvres.

2/L'espoir de la coopérative.

3/Le retour de Batala.

Jacques B. Brunius a raison de remarquer que Renoir n'impose pas à ses films un style qui serait prédéterminé, mais il est certain qu'il accumule de l'expérience et que

– d'une « tournaison » l'autre – il se sert de ce qu'il a appris. Le prologue, à l'intérieur de la salle de café, fait penser, par exemple, aux scènes du garage dans *La Nuit du carrefour,* avec des personnages allant et venant d'un bord à l'autre du cadre, tandis que quelqu'un occupe le premier plan, que quelqu'un d'autre s'éloigne dans la profondeur de champ, que se croisent à la fois des propos décousus et des conversations centrées sur le crime commis bien loin de là, dans la cour d'un immeuble parisien.

Renoir ne compte pas seulement créer l'illusion de la vie en donnant du mouvement. Il veut l'éprouver, cette vie, dans l'instant où elle surgit, aléatoire, imprévue, et réglée en même temps par des rites qui ordonnent les activités, les trajets des uns et des autres, et leur mise en présence. La caméra ne fait rien d'autre, au fond, que de prendre place parmi les gens et de s'attabler avec eux, en regrettant parfois de sacrifier les personnages dits secondaires au profit des protagonistes de l'histoire.

Renoir se refuse à l'idée de hiérarchie. Dans *Ma vie et mes films*, je relève ces deux phrases sur Auguste, qui me paraissent essentielles si l'on veut comprendre son fils :

« Quand il se promenait dans les champs, Renoir se livrait à une étrange danse à la seule fin de ne pas écraser une touffe de pissenlits. Il considérait qu'en détruisant une fourmi, on détruit peut-être l'équilibre d'un grand empire. »

C'est le même esprit qui anime Jean lorsqu'il confie à André S. Labarthe (dans l'émission *Cinéastes de notre temps* qui lui fut consacrée en 1966) : « J'ai une manie, lorsque je tourne des films, c'est d'essayer de faire penser aux spectateurs que les personnages principaux que je montre sur l'écran ne sont pas tout seuls dans la vie, qu'il y a d'autres personnes qui vivent aussi, qui aiment, qui souffrent, qui se soûlent la figure et qui ont des joies et des peines... »

Il prend alors un exemple dans *La Chienne*. Un simple détail, que personne n'a vu en dehors de lui. Un rideau, rien qu'un rideau de boutique, qui se soulève derrière Maurice Legrand et l'ex-adjudant Godard, lorsqu'ils se rencontrent dans la rue, sous la pluie, à la fin du film. Renoir ne pouvait disposer que d'un décor restreint, car ses moyens de faire de la pluie étaient limités. « Alors, dit-il, j'ai eu l'idée dont je suis tellement heureux... c'est le rideau qui se soulève. Je me suis dit : va faire bouger ça, ça va donner le fond ; on va peut-être imaginer qu'il y a un boutiquier de l'autre côté, qui vit, qui a des histoires lui aussi... »

Cette révolte de Renoir contre ce qu'il appelle « l'isolement des personnages principaux », et son souci de ne sacrifier personne, animent de bout en bout *Le Crime de Monsieur Lange*. On pourrait presque en raconter l'histoire comme celle d'un film qui expulserait son personnage principal, Batala, parce qu'il a capté indûment le centre des regards.

Lui aussi est un beau, un fabuleux salaud. Durant toute la première partie, nous voyons converger vers lui les questions, les appels. Batala est un patron de presse menacé de faillite ; ses ouvriers imprimeurs ne sont plus payés ; les créanciers demandent à être reçus, et le sont en effet par un homme qui a réponse à tout, un jongleur de mots sidérant de virtuosité.

Jules Berry « défend » son personnage beaucoup plus qu'il ne l'incarne. Il lui prête son extravagante désinvolture de joueur à fonds perdus, son œil de rapace, ses mains de prestidigitateur, sa voix de gorge profonde et grasse, que l'on croirait huilée par une nourriture de grand luxe. La légende veut qu'il ne soit jamais parvenu à mémoriser un texte tel qu'il était écrit, mais il n'en souffre guère pour sa part. Que ses partenaires du *Crime de Monsieur Lange* éprouvent le plus grand mal à lui donner la réplique ne le gêne en rien. Ne fait-il pas en sorte que les propos de son personnage demeurent « sans réplique » ? Bien des années plus tard, Sylvia Bataille racontera à Pierre Philippe : « Berry n'a pas du tout joué le personnage qu'on lui demandait. C'est lui qui a ajouté toute la sauce cynique, les sourires, le charme... Il me disait : " Tu vas voir ce que je vais leur faire ! ", et il partait... » Renoir, on peut en être certain, se réjouit de le voir « partir » ainsi dans des improvisations, où les ruptures de ton, les phrases interrompues en plein vol, les virevoltes du geste à la place des mots, les points de suspension, relèvent du lyrisme autant que du naturel. Le metteur en scène fournit à Jules Berry les éléments de la situation, ainsi que certaines phrases clefs, puis il le laisse libre de forger son personnage à la seule lumière de l'inspiration.

A force d'admirer Jules Berry, nous finirions par trouver sympathique l'ignoble Batala. Il ne faut pourtant pas s'y tromper. C'est le privilège des grands acteurs (Michel Simon, Charles Laughton, Michel Serrault) que de nous « montrer » ainsi leurs personnages en les jouant ; nous rendant complices, par là même, de leur interprétation, et du plaisir qu'ils y prennent. Nous ne pouvons pas être – entièrement – contre Batala, puisque nous sommes avec Jules Berry.

Je ne sais qui, de Renoir, de Prévert ou de Castanyer, a eu l'idée de prêter à Batala, en plus de son talent d'escroc, un pouvoir aussi mystérieux qu'irrésistible sur les femmes. Personnellement, je pencherais du côté de Renoir, car il y a un point commun entre Albert de *Toni* (Dalban), Henri de *Partie de campagne* (Georges Darnoux), Boudu d'une certaine façon, et Batala. Aucun de ces acteurs ne correspond à la figure répertoriée du séducteur. J'ai déjà remarqué que Renoir ne prêtait guère attention aux amants d'Emma Bovary, et encore moins aux comédiens qui les incarnent. Fernand Fabre (Rodolphe) et Daniel Lecourtois (Léon) relèvent de la convention en ce qu'elle a de plus terne. Sa curiosité est vive, en revanche, pour les « hommes à femmes » qu'il a rencontrés dans la vie, Pierre Lestringuez et Georges Flamant, sur lesquels il prend modèle en vue de ses personnages. Ceux-là possèdent un ascendant difficilement explicable par ce qu'il est convenu d'appeler un « physique avantageux ». Au-delà même de leur assurance et de leur bagout, on devine que leur désir se manifeste en ce qu'il a d'implacable. De « souverain », dirait Georges Bataille. Il procède par l'effroi autant que par la promesse de plaisir. Il me semble inutile de nier chez Renoir un érotisme de la proie, de la victime consentante, qui rend plausibles l'abandon de Madame Lestingois sur le registre de la comédie, celui de Joséfa sur celui du drame, aussi bien que les « succès » de l'infâme Batala.

Je pense à la scène, en particulier, où il s'enferme en compagnie de la jeune Estelle, qui s'est refusée jusque-là à Charles (Maurice Baquet), dont elle est amoureuse, et à Lange qui l'a courtisée. On voit alors Jules Berry pratiquer sur la personne de Nadia Sibirskaïa une sorte d'envoûtement. Il avance vers elle, il sourit ; il se laisse emplir d'une tendresse atroce, doucereuse. Il ne doute pas un instant de sa conquête.

— Vous avez des yeux, dit-il... des yeux d'enfant...

Le gros plan de Nadia Sibirskaïa que nous venons de voir ne saurait le démentir. La crainte agrandit encore ses yeux d'enfant.

En cet instant où Batala se penche sur Estelle comme un ogre de cauchemar, la révolte du spectateur – masculin, je le précise – est d'autant plus forte qu'elle se défend contre un trouble inavouable.

La compassion de Renoir à l'égard des victimes féminines de Batala ne fait pourtant pas l'ombre d'un doute. C'est pourquoi, parmi tous les personnages de cette première partie, qui apparaissent, disparaissent, se croisent et s'interpellent dans le décor de l'immeuble, entre la cour, l'escalier, la blanchisserie et l'atelier d'imprimerie, je ne voudrais pas oublier Edith, la dactylo, que nous voyons circuler avec une apparente désinvolture. Elle est l'héroïne – s'il en fut – d'un cinéma qui semble avoir été inventé pour nous persuader que les formes émouvantes de Sylvia Bataille ne sont pas le produit de notre imagination. Non plus que les traits de son visage, et son regard surtout, qui trahissent un frémissement d'une rare intensité.

Aussi inexplicable que cela paraisse, et en dépit même de ses allures désabusées, Edith est amoureuse de Batala. Amoureuse comme Lulu a pu l'être de Dédé et Toni de Joséfa. Amoureuse comme on l'était dans les chansons de l'époque. Il n'y a rien qu'elle ne consente à faire pour rendre service à un amant qui la traite aussi mal que possible. Non, je n'aurai garde d'oublier le moment, nullement anecdotique, où elle accepte de se rendre chez un homme riche et d'en rapporter une somme d'argent, en échange de ses faveurs, probablement. Menacé de poursuites judiciaires, Batala s'en servira pour fuir égoïstement, abandonnant Edith à sa solitude sur un quai de gare.

Comment décrire alors le plan pris de l'intérieur du train, où Jules Berry cherche son compartiment, et où Sylvia Bataille s'adresse à lui depuis le quai ? La mise en scène en profondeur trouve là son plein effet, d'autant que l'émotion s'approfondit, elle aussi, au fil des secondes. Bien que la comédienne soit tenue à distance par un double cadrage – la fenêtre du train s'interposant dans le cadre de l'écran – et en raison même de cet éloignement, nous percevons l'intensité de sa détresse et nous sentons monter ses larmes. Elle ne dit rien que de très banal :

— Je t'aime bien, tu sais, je t'aime bien...

Mais la seule vibration de cette voix est étonnante. Renoir a trouvé en Sylvia Bataille une interprète incomparable, j'allais dire de sa pensée, alors que le sentiment seul est en jeu, délivré – je ne sais comment – de la dernière trace de sentimentalité. C'est à la comédienne autant qu'au cinéaste que nous devons ces instants de tendresse éperdue, déchirée, déchirante, empreints de l'accent le plus rare, celui de la sincérité lorsqu'elle accède à un tel niveau d'épure et de simplicité.

Pour *Le Crime de Monsieur Lange*, Renoir retrouve Jean Bachelet, son chef opérateur de *Madame Bovary* et de *Tire au flanc*. Il sait qu'il peut tout attendre, quel que soit la difficulté, de cet homme imperturbable. Le décor du film, où se déroule la plus grande partie de l'action, a été construit en studio, mais il offre, comme dit Renoir, « tous les merveilleux inconvénients d'un décor réel ». Je ne peux croire tout à fait qu'il a recommandé à son décorateur (Jean Castanyer, en l'occurrence) de multiplier les gênes rencontrées lorsque l'on tourne dans une vraie cage d'escalier et dans de vrais bureaux. Jean Bachelet aurait certainement souhaité parfois une disposition des lieux un peu moins exiguë. Mais, bon, le décor était tel, nous dit encore Renoir, qu'il « était très difficile d'y placer une caméra. Il y avait des petits recoins, des endroits où l'on ne pouvait pas tourner », ce qui, paradoxalement, l'a stimulé : « Je crois que ce qui est nécessaire techniquement, ce qui est nécessaire spirituellement, ce qui est nécessaire pour faire un film, c'est d'avoir une petite lutte contre quelque chose. Ce peut être contre un décor, contre la technique, contre le caractère d'un acteur... »

Toujours est-il que, dans de telles conditions, l'équipe de prises de vues est condamnée à la prouesse permanente. Nous retrouvons dans *Lange* le goût de l'enchevêtrement qui avait régné sur le plateau de *Tire au flanc*. Tout s'enchaîne ici, les rencontres entre les familiers de l'immeuble, les plaisanteries qu'ils échangent, les soucis ou les conflits qui se révèlent au passage, la déambulation des uns amorçant la course des autres à travers la cour, les escaliers, les bureaux, la blanchisserie au rez-de-chaussée, l'atelier d'imprimerie au premier étage. Les paroles se chevauchent. Le second plan vit autant que le premier. Personne n'est oublié, même pas la jeune blanchisseuse au visage ingrat, qui se définit en un clin d'œil par la protection jalouse qu'elle exerce sur Estelle.

La caméra s'ingénie à ne rien perdre de l'ensemble ni du détail. Elle rivalise avec les acteurs qu'elle accompagne sur le double registre de la vivacité et du naturel, ce qui – bien sûr – ne va pas de soi. « Croyez-moi, dit Renoir, Bachelet et les cameramen ont eu du mal. C'était comme de véritables serpents entourés autour du tripode tenant la caméra, et cette caméra allait se promener dans tous les sens, allait chercher les acteurs, les suivait, montait, descendait... »

Je me souviens qu'un critique avait dit à propos de Roberto Rossellini : « C'est un virtuose, sans la virtuosité. » La formule convient aussi bien au Renoir de *Monsieur Lange*, qui réussit à faire oublier continuellement sa diabolique adresse. Par exemple, contrairement à ce que l'on pourrait croire, certaines scènes (celle du viol-séduction d'Estelle par Batala, en particulier) ne constituent des « touts bien entiers » que de notre mémoire. Nous n'avons vu, en réalité, que des actions fragmentées se déroulant dans des décors différents au même moment. Elles alternent au montage de telle sorte que nous n'en perdons rien, que nous n'avons pas le temps de nous sentir frustrés, et que nous sommes envahis par une sensation de simultanéité pressante, à laquelle ont déjà contribué les mouvements combinés de la caméra et des personnages.

Renoir anime des groupes (le « chœur » des blanchisseuses et celui des ouvriers imprimeurs), tout en se réservant le plaisir de dessiner au vol des croquis savoureux ou saisissants. En dressant leur liste, on découvre leur nombre impressionnant, et l'on ne peut qu'admirer une continuité qui réserve sa place à chacun et nous montre celui-ci ou celle-là à l'instant même où nous ressentions – inconsciemment – le désir de les retrouver. En tête de liste j'ai déjà évoqué la présence insistante de Batala et sa férocité endiablée. Lange, en regard, est une proie désignée. Ce jeune homme candide est tellement absorbé par l'écriture de ses romans d'aventures qu'il ne voit pas passer ses nuits. Il signe sans réfléchir les contrats en blanc que l'éditeur lui soumet, « pour la forme ». Valentine, la blanchisseuse, a été autrefois la maîtresse (et victime) de Batala. Elle sait à quoi s'en tenir sur son compte. Amoureuse de Lange, elle tente de lui ouvrir les yeux. Mais la liste est longue encore, sans laquelle le film ne nous entraînerait pas comme il le fait dans une farandole de rires et d'émotions : Beznard (Marcel Levesque), le concierge gâteux et réactionnaire, rescapé de lointaines expéditions coloniales, traverse la cour en soliloquant : « Je me parle à moi-même, dit-il, parce que je m'estime... à ma juste valeur. » Charles, son fils (Maurice Baquet), sillonne à vélo le Paris de 1935 en rêvant aux yeux d'Estelle. Baigneur (Jacques B. Brunius), le représentant gourmé des pilules Ranimax, prononce le nom de sa chienne, Daisy, avec un accent teinté d'anglais et une voix traînante, proprement irrésistibles. Et que dire encore de l'inspecteur Juliani (Sylvain Itkine), retraité précoce de la police nationale pour des raisons obscures, et probablement inavouables ? Son air d'humilité s'inscrit dans le tableau d'ensemble, entretenant à sa manière le feu roulant de notre rire.

Je ne sais si Renoir y a pensé, mais ces acteurs venus d'horizons très divers rassemblent, en se réunissant, un échantillon d'humanité modeste, affairée, turbulente, parisienne pour tout dire, telle que la voit le cinéma français de l'époque. Le plus vieux, Marcel Levesque, égayait de ses facéties, aux alentours de 1915, les feuilletons de Louis Feuillade. René Lefèvre sort tout droit du *Million* de René Clair. Dans le rôle de Lange, il fait croire sans difficulté à la simplicité de ses origines et à la naïveté de ses escapades imaginaires. Elevé à la campagne, il est devenu un employé consciencieux, qui échappe à la monotonie du quotidien en inventant les exploits d'un héros de western, Arizona Jim. Nadia Sibirskaïa a déjà été une femme-enfant malheureuse dans *La Petite Lise* de Jean Grémillon. Florelle nous attache à la personne de Valentine par la belle humeur, le franc-parler et la sensualité rieuse qui lui ont valu la faveur populaire au cinéma et sur la scène du music-hall.

Nous sommes, ne l'oublions pas, à quelques mois de la victoire des partis de gauche aux élections de 1936. La deuxième partie du film se ressent donc du climat qui régnait sur le plateau et dans la rue parisienne. Sans être divorcé de

Catherine Hessling, Renoir vit durant cette période avec Marguerite Houillé, qui a monté ses films depuis *La Chienne* et qui appartient, nous dit Célia Bertin, à une famille de militants. Or, nous savons qu'il n'est pas homme à se soustraire à des influences, pour peu qu'elles lui apparaissent généreuses ou enrichissantes. Il ne le dit pas, mais sa personnalité est suffisamment forte pour « absorber » et « digérer » – je reprends son vocabulaire – ce qui lui vient du dehors, et parfois de très loin. Pierre Braunberger, Roger Leenhardt, Pierre Billard et Célia Bertin s'accordent à considérer que son éducation et sa nature profonde ne le portent d'aucune façon au combat révolutionnaire. Claude Gauteur, au contraire, ne doute pas de la sincérité de son engagement :

« S'il fallait en croire, écrit-il, la plupart de ses vieux camarades des années 36, qui ne lui ont jamais pardonné d'avoir évolué, Renoir aurait perdu tout talent du jour où ils n'auraient plus fait partie de son état-major. De même, à suivre certains de ses jeunes admirateurs des années 60, on finirait par oublier que Renoir a, deux ans durant, défendu et illustré, par le stylo et la caméra, les idées et les idéaux – les grandes illusions ? – du Front populaire. »

Engagement que Renoir ne reniera nullement pour sa part lorsqu'il écrira *Ma vie et mes films* : « Je croyais et je crois toujours à la classe ouvrière. Je voyais dans son arrivée au pouvoir l'antidote possible de notre égoïsme destructeur... Le Front populaire fut un moment où les Français crurent vraiment qu'ils allaient s'aimer les uns les autres. On se sentait porté par une vague de générosité. »

Tout est là, me semble-t-il, dans ce sentiment de la commune présence — encore une fois – chaleureuse, enchevêtrée, et minée en même temps par l'égoïsme destructeur. Sentiment qui remonte loin dans la chronologie de ses films, et qui n'a pas fini de l'obséder, si l'on songe à la chambrée de *Tire au flanc*, au garage de *La Nuit du carrefour*, à la pension pour ouvriers immigrés de *Toni*, puis à l'asile de nuit des *Bas-Fonds*, aux baraques de prisonniers de

La Grande Illusion, au château de la Colinière de *La Règle du jeu*, mais aussi à la grande famille du *Fleuve*, à la communauté théâtrale du *Carrosse d'or* et à celle de *French Cancan*.

Dans *Le Crime de Monsieur Lange,* on voit l'égoïsme céder tout à coup sous la seule pression de l'enthousiasme collectif. Batala a disparu comme par enchantement, donné pour mort à la suite d'un accident de chemin de fer. L'inspecteur Juliani, son seul héritier – mais de ses dettes, en vérité –, accepte facilement le principe d'une coopérative ouvrière, pour peu qu'on lui réserve un petit emploi. Quant au créancier principal, le fils de « Monsieur Meunier, de Lille », grand bourgeois, possédant une magnifique automobile et rebelle essentiellement au port du nœud papillon, c'est un hurluberlu sympathique, ouvert à tout pourvu que ce soit drôle. La lutte des classes est donc vite gagnée, mais elle n'a pas eu vraiment besoin de s'engager... Renoir et Prévert ont pris le parti de l'utopie, en ce qu'elle a d'insolent et d'euphorique.

La coopérative fonctionne donc à merveille. Les aventures d'Arizona Jim sont publiées avec un grand succès. Les amours elles-mêmes trouvent leur pente la plus douce. Valentine chante pour Amédée – et pour Renoir autant que pour nous – une délicieuse chanson mise en musique par Joseph Kosma : « Au jour le jour... A la nuit la nuit ». Estelle avoue à Charles qu'elle est enceinte de Batala, ce qui n'empêche pas le garçon de continuer à l'aimer. Quelques mois plus tard, lorsque Valentine annonce au groupe d'amis que la jeune femme vient d'accoucher d'un enfant mort-né, ils font silence un moment... C'est alors que l'inspecteur Juliani se croit obligé d'exhaler un soupir :

— Hélas, dit-il, c'était tout de même un parent...

Sa mine contrite fait merveille. Tout le monde éclate de rire, à commencer par Renoir et Prévert qui esquivent ainsi la facilité de l'émotion par le jeu d'une rupture de ton.

On n'imagine pas cependant que le film puisse se terminer de cette façon. Ce serait trop beau, et ce serait faux. Ce ne serait pas faux parce que ce serait beau, mais Renoir ne sait pas s'engager dans une direction sans entrevoir aussitôt la direction opposée. Dans *Le Crime de Monsieur Lange*, son « bouchon au fil de l'eau », porté par les rapides, n'a jamais couru aussi vite. Il ne s'est jamais enivré à ce point d'innocence et de vitalité. Il devra donc affronter la malfaisance et le crime, en raison inverse de son insouciance. Renoir sait-il déjà que la ferveur du Front populaire est porteuse d'une « grande illusion » ?

Batala s'est arrangé pour fausser compagnie aux huissiers qui le menaçaient. Il a profité de l'accident de chemin de fer pour « disparaître » en empruntant la soutane d'un prêtre, réellement défunt. Le succès de la coopérative ne peut que l'inciter à ressusciter et à reprendre sa place à la tête de « son » entreprise, c'est-à-dire au centre des regards.

On se représente facilement la consternation de Lange lorsqu'il se retrouve en sa présence, dans son bureau. Batala (encore déguisé en curé) ne s'est jamais montré aussi odieux, ni Jules Berry aussi génial.

— Vous n'avez fait que des saloperies ici, lui dit Lange. C'est depuis que vous êtes parti que ça marche. Vous voulez revenir pour tout foutre par terre.

— C'est bien dommage que je ne sois pas mort, hein ? lui répond Batala.

Puis il suggère d'une voix calme, sans mesurer le poids de sa provocation :

— Tu devrais me tuer...

— Oui. Qui vous regretterait ?

— Mais les femmes, mon vieux !...

Renoir et Prévert ont eu l'idée de cette réplique sur le plateau, juste avant de tourner la scène. Jules Berry trouve pour la lancer une manière d'inspiration triomphale, éhontée. D'une certaine façon, elle parachève le personnage... Il ne reste plus donc qu'à « achever » le misérable Batala.

L'analyse par André Bazin de la scène du crime possède une telle autorité, elle est tellement pertinente et précise que je me dois de la reprendre. Bazin définit d'abord le point de vue de la caméra comme « une manière de voir, libre de toute contingence et qui conserve pourtant les servitudes et les qualités concrètes d'un regard ».

« Ainsi, écrit-il, quand Monsieur Lange se décide à tuer, la caméra reste dans la cour où se trouve Jules Berry ; elle regarde à travers les fenêtres de l'escalier René Lefèvre descendre de plus en plus vite les étages ; le voici qui débouche dans la cour. La caméra se trouve alors entre les deux protagonistes et tournant le dos à Berry, mais au lieu de panoramiquer vers la droite pour suivre Lange, elle tourne délibérément de 180 degrés vers la gauche, balayant le décor vide pour recadrer sur Berry, prenant ainsi de vitesse René Lefèvre qui rentre dans le champ... »

Je voudrais cependant compléter cette description en remarquant que Renoir nous a longuement préparés à ce vagabondage tournoyant de l'image, et qu'il a déjà fortement installé dans notre mémoire visuelle le panorama de la cour. Lors de la scène précédente, nous avons vu sortir le concierge de la salle du rez-de-chaussée, où se déroule le banquet de la coopérative. Le personnage, fortement éméché, s'est d'abord retiré du champ par la droite, puis il y est revenu en traînant une poubelle. L'appareil a suivi sa démarche incertaine vers la gauche, préfigurant ainsi, et justifiant à l'avance, le large mouvement circulaire dont parle André Bazin. Renoir laisse donc entendre que le regard de la caméra, durant toute la séquence, n'est pas seulement libre, mais qu'il est aussi un peu ivre, et d'autant plus humain.

Lange a dit plusieurs fois au cours du film qu'il lui arrivait d'être trahi par son imagination, au point de ne plus distinguer le vrai du faux. Parvenue à l'heure du dénouement, la mise en scène peut s'affranchir, à son tour, de la fermeté des perceptions. Puisque le vrai Batala est vêtu d'une soutane, puisque le faux revenant est appelé à vivre une agonie bien réelle, puisque le drame se noue au moment où le vieux concierge s'égosille en refrains burlesques, tandis que nous parviennent les rumeurs du banquet, autant faire en sorte que nous soyons conduits, nous aussi, sur une frontière indécise, où la vision objective doit bien s'accommoder des effluves de l'alcool. Ce mouvement contrarié de la caméra, vers la gauche au lieu de la droite, n'était-il pas le meilleur moyen de traduire le tumulte intérieur, et le sentiment d'égarement, qui a saisi Lange lorsqu'il a pris le revolver, dévalé l'escalier, et couru vers la silhouette de Batala pour la faire disparaître et la rendre à l'obscurité d'où elle a surgi ?

Jules Berry s'écroule et se tord de douleur. Le coup de feu, pour une fois, ne lui a pas laissé le temps de répliquer. Mais Jacques Prévert est là qui veille, et ne se tient pas pour quitte. Batala aura donc le dernier mot, mais au lieu d'une saillie péremptoire, c'est un râle misérable, théâtral et sincère aussi – pourquoi pas ? – qui lui échappe :

— Un prêtre... dit-il au concierge, qui n'a toujours pas dessoûlé, va me chercher un prêtre...

Personne n'est plus là pour rire, excepté Renoir, Prévert, et l'ensemble des spectateurs dans la salle de cinéma, dont ils ont su gagner la complicité.

« *Monsieur Lange*, écrit Truffaut dans son article de 1957, est de tous les films de Renoir le plus spontané, le plus dense en " miracles " de jeu et de caméra, le plus chargé de vérité et de beauté pures, un film que nous dirions touché par la grâce. »

CHAPITRE DIXIÈME

« Pour l'amour de Dieu, ne faisons rien !... »

*

1936. « La vie est à nous » « Partie de campagne » « Les Bas-Fonds »

Cherchant à reconstituer l'emploi du temps de Jean Renoir pendant ces années 1936-1937, je découvre qu'il me faudra sans doute accélérer la cadence de ce chapitre pour tenter de le suivre dans une activité qui ne connaît pas de trêve, et qui ne doit guère lui laisser l'esprit en repos.

Il a tourné *Le Crime de Monsieur Lange* en vingt-huit jours, durant les mois de septembre et octobre 1935. Rapidement monté, le film est projeté pour la première fois en public à l'Aubert Palace le 24 janvier 1936. Mais le bouchon, dès lors, ne contrôle plus sa course. A peine Renoir est-il revenu d'un voyage éreintant en URSS, où il n'a rien vu, sinon des films en quantité impressionnante, et où il a montré *Toni* devant un public pour le moins perplexe (les bobines ayant été interverties en cabine de projection !), que le voici déjà lancé, à la demande de Louis Aragon, dans l'aventure de *La vie est à nous*.

Le scénario de ce moyen métrage, produit par souscription pour le compte du Parti communiste français, « suit fidèlement », si l'on en croit Jacques Duclos, « le rapport de Maurice Thorez au congrès de Villeurbanne ». Jean Renoir et ses « camarades techniciens », auxquels se sont joints ses complices habituels (Jacques Becker, Brunius, Henri Cartier-Bresson), s'empressent de le réaliser de manière à ce qu'il soit projeté lors des meetings qui auront lieu au mois d'avril, précédant les élections du 3 mai.

Film de pure propagande selon les uns, en raison de son caractère systématique et trop facilement manichéen, « film-essai » selon les autres (Pierre Bost), *La vie est à nous* nous touche et nous ébranle, aujourd'hui encore, par la chaleur de son éloquence. C'est un pamphlet doublé d'un appel à rejoindre les rangs du Parti, mais les images en sont nourries d'une conviction tellement farouche, et si généreuse au fond dans son emportement, qu'elles ne peuvent manquer de rencontrer et de soutenir la ferveur des militants auxquels le film est destiné. La réalité sociale de l'époque y est appréhendée à bras-le-corps, avec ses chômeurs affamés, ses paysans spoliés, et ces administrateurs de sociétés qui tiennent alors, en raison de la fameuse « crise de surproduction », un discours aberrant, mais pas si éloigné – après tout – de celui qu'ils professent dans le secret de leurs bureaux :

— Vous ne savez que trop, messieurs, dit le directeur général, merveilleusement caricaturé par Brunius, que la crise actuelle, en rétrécissant considérablement la surface du marché, impose des restrictions parallèles dans la production. Elle exige même la destruction de certains stocks... Je ne vous apprendrai rien en vous rappelant que dans divers pays on s'est vu contraint de se débarrasser de denrées alimentaires, de produits de première nécessité. Ces opérations ont déjà donné d'excellents résultats, qui ont contribué à l'assainissement du marché mondial. Aux Etats-Unis on jette du lait; ailleurs on brûle le blé, on jette le café à la mer. Nous n'avons rien négligé pour réduire les sacrifices que cette période d'attente impose à nos actionnaires. Des économies nous ont été imposées, particulièrement pénibles, certes, messieurs, puisqu'elles comportent de nombreux licenciements...

Je ne sais quelle fut la part exacte prise par Renoir à la mise en œuvre de *La vie est à nous*. Dans *Ma vie et mes films*, il se souvient surtout d'avoir accepté avec joie la proposition du Parti communiste, et il admire encore, en 1974, « les êtres possédés d'un amour sincère de la classe ouvrière » que le film lui a permis de connaître et de comprendre. « *La vie est à nous,* que je supervisai, indique-t-il, fut en grande partie tournée par mes jeunes assistants et techniciens. J'en dirigeai certains passages et n'en assurai pas le montage. »

On peut penser toutefois que le film lui doit beaucoup. Il a certainement insisté pour que le propos général soit illustré par des histoires particulières, constituant des « petits touts bien entiers » : l'histoire du vieil ouvrier menacé de licenciement, l'histoire du paysan dont tous les biens sont saisis pour cause de dette, et celle du chômeur, pourtant diplômé d'une école d'électricité, qui a tellement faim qu'il s'écroule d'inanition en pleine rue. Chacun de ces malheureux se verra aidé, comme il se doit, par les militants du Parti communiste, qui interviennent à point nommé, procurent un soulagement momentané, et promettent un avenir meilleur.

« Il y a dans *La vie est à nous,* écrit Pierre Billard dans son *Age classique du cinéma français*, un contraste évident entre le caractère simpliste et mécanique de l'expression du message politique et le naturel, le sentiment d'authenticité, la vérité humaine des sketches joués. Ces qualités sont trop évidemment celles de Jean Renoir pour qu'on n'y reconnaisse pas sa marque. »

Renoir adhère-t-il vraiment, personnellement, au « message » de son film ? Non, bien sûr, si l'on songe à la répulsion instinctive qui l'a toujours éloigné, et qui l'éloignera plus encore dans l'avenir, de tout ce qui pourrait ressembler à un discours fermé, univoque. Oui, en même temps, car *La vie est à nous*, ainsi que *La Marseillaise* deux ans plus tard, lui aura donné l'occasion d'exprimer l'un de ses amours les plus forts, celui qu'il éprouve – et qui l'inspire – pour la France et les Français.

Pour l'heure, en 1936, il prend sa part de la liesse populaire ; il se lie d'amitié avec Maurice Thorez ; il se félicite de la limitation des heures de travail dans les studios, en application des nouvelles lois sociales, ce qui ne l'empêche nullement de se livrer lui-même à une débordante activité.

Il échafaude de nombreux projets durant cette période, dont certains ne verront pas le jour. *La Séquestrée de Poitiers*, par exemple, d'après un récit d'André Gide, qui lui a révélé les personnages d'un effrayant fait divers :

Des bourgeois de province, les Bastian, veulent marier leur fille Mélanie, disgraciée, malade, et d'autant plus fragile qu'elle possède un cœur désarmant d'innocence. Un soir, elle se donne à Fernand, un soldat de la garnison locale, qui s'est proposé – par jeu – de la séduire, et qui quittera bientôt la région. Déflorée, enceinte, atteinte d'épilepsie, Mélanie accouche. Sa mère lui retire son enfant et l'enferme dans un réduit infâme de la grande maison, où elle va demeurer ainsi, privée de lumière, de soins, perdant la raison, hurlant des cris indistincts pendant sept longues années... La justice interviendra trop tard, sur l'insistance de Fernand revenu dans la ville. Mélanie, conduite à l'hôpital, s'est réfugiée dans sa folie. Les parents monstrueux ne seront pas condamnés. Ils seront libérés, au contraire, avec des excuses. On comprend que Renoir se soit intéressé à une telle histoire. Compte tenu de son état d'esprit d'alors, elle lui offrait l'occasion d'une charge, dont les dernières lignes de son synopsis nous indiquent le ton :

« Chez les Bastian, un thé réunit les officiers, un évêque, le général commandant la garnison, le préfet et quelques représentants des grandes familles de la ville. Il s'agit d'une réparation officielle du tort causé à cette vénérable vieille dame et à cette honorable famille... Madame Bastian, tout en servant le thé, fait remarquer avec une douceur résignée qu'on a bien du mal à élever les enfants. »

Le projet de *La Séquestrée de Poitiers* n'aboutira pas. Celui de *La Grande Illusion,* auquel Renoir travaille depuis quelques mois avec Charles Spaak, intéresse Alexandre Kamenka, mais ce producteur intelligent n'en trouve pas, pour l'instant, le financement. Il propose néanmoins à Renoir de porter à l'écran *Les Bas-Fonds* de Maxime Gorki. Charles Spaak, qui en est le scénariste, nous a laissé (dans le journal *Paris Cinéma* en 1945) ce magnifique portrait du metteur en scène :

« Renoir a hérité d'un sang royal, liquide épais et chaud qui le met en affinité avec l'homme et l'animal, l'arbre et la plante traversés d'une sève analogue ; il est d'abord un être vivant, qui a chaud au soleil, froid sous la neige, qui est mouillé sous la pluie ; dans ce domaine du cinéma où tout est feint, maquillé, truqué, un homme aussi naturellement sain représente une force extraordinaire, qui inspire confiance, appelle l'amitié, force l'admiration. »

Charles Spaak nous renseigne aussi – précieusement, bien que forçant le trait – sur ce qui meut Renoir en profondeur lorsqu'il s'engage, politiquement par exemple :

« Les idées des hommes, écrit-il, l'intéressent beaucoup moins que leurs instincts, leurs appétits. Imaginez Renoir en présence de tel champion des idées de gauche, il se prendra d'amitié pour lui, non pour son idéal ou ses points de vue, mais pour une certaine manière qu'il aura eue de lui parler, en connaisseur inspiré, du tabac ou du cheval. Il se trouvera aussi bien avec un théoricien des idées de droite pour la façon dont celui-ci aura su l'entretenir des fromages ou des courants marins. »

Durant le printemps 36, Renoir travaille donc avec Spaak au scénario des *Bas-Fonds,* qui bouleverse – nous le verrons – de façon considérable le déroulement de la pièce, et il prépare le tournage de *Partie de campagne* d'après une nouvelle de Maupassant, dont l'adaptation, au contraire, semble aller de soi. Entouré de ses complices (Brunius, Cartier-Bresson), le cinéaste se fie au texte, dont il admire et entend respecter dès le départ la qualité essentielle : une concision sans recours.

Pierre Braunberger produit le film pour une raison qu'il avoue tranquillement dans *Cinémamémoire* : il est follement amoureux de Sylvia Bataille et il ne doit pas être loin de croire – comme nous ! – que Maupassant, décrivant en 1881 le personnage d'Henriette dressée sur son escarpolette, se représentait déjà la jeune actrice de 1936 :

« C'était une belle fille de dix-huit à vingt ans ; une de ces femmes dont la rencontre dans la rue vous fouette d'un désir subit, et vous laisse jusqu'à la nuit une inquiétude vague et un soulèvement des sens. Grande, mince de taille et large de hanches, elle avait la peau très brune, les yeux très grands, les cheveux très noirs. Sa robe dessinait nettement les plénitudes fermes de la chair, qu'accentuaient encore les efforts des reins qu'elle faisait pour s'enlever. Ses bras tendus tenaient les cordes au-dessus de sa tête, de sorte que sa poitrine se dressait, sans une secousse, à chaque impulsion qu'elle donnait. »

Braunberger produit donc le film, mais il obtient des techniciens et des comédiens qu'ils participent aux risques comme aux bénéfices éventuels de l'entreprise. Brunius, par exemple, reçoit 1 500 francs, auxquels devraient s'ajouter 1 000 autres francs perçus sur les « premières rentrées » du film.

En juillet 1936, Renoir s'installe avec son équipe à quelques kilomètres de Marlotte, sur les bords du Loing, qui furent déjà le décor de *La Fille de l'eau*, douze ans auparavant. Compte tenu de la saison et du texte de Maupassant, où la chaleur joue un si grand rôle, il a imaginé des plans « ruisselants de soleil », mais la météorologie de cet été-là se montre détestable. Il pleut tout le temps. Claude Renoir et son cadreur Jean-Serge Bourgoin réussissent à voler, entre deux nuages, des images baignées de lumière, mais l'impression générale est celle d'un travail qui n'avance pas, dont on ne viendra jamais à bout. Dans *Ma vie et mes films*, Renoir prétend avoir modifié son scénario en raison des circonstances. « Et cela s'avéra pour le bien du film, écrit-il. Cette menace d'orage apporte une dimension au drame. » Il n'en demeure pas moins que les scènes essentielles ont été tournées dans l'esprit initial, celui d'un splendide après-midi d'été, et que le prémontage du film donnera entière satisfaction à Braunberger comme à Renoir.

Le sentiment d'échec vient d'ailleurs. Il est certain que les longues journées d'attente ont pesé sur les esprits, et que la relation personnelle de Sylvia Bataille avec son partenaire (Georges Darnoux), « ivre dès le matin », n'a pas facilité les choses. Dans son entretien avec Pierre Philippe pour *Cinéma 61*, la merveilleuse actrice raconte : « Ah, ça n'a pas été joli, je vous assure, les derniers jours... Plus personne ne pouvait se voir, l'atmosphère était haineuse... Un jour, Renoir arrive et nous apprend qu'il lâche tout, qu'il vient de signer *Les Bas-Fonds*... Alors je ne me suis plus retenue et je l'ai injurié comme il le méritait... Nous étions tous certains que le film ne sortirait jamais, que c'était fini... » C'en est fini en même temps de la deuxième partie du cachet forfaitaire que chacun devait percevoir, et la gêne matérielle s'ajoute, on le devine sans peine, à la déception d'une « belle équipe » qui s'était constituée en coopérative, comme dans *Le Crime de Monsieur Lange*.

Dans *Cinémamémoire*, Pierre Braunberger affirme qu'il a pris lui-même – fièrement – la décision d'interrompre le tournage en raison de la pluie persistante et du climat d'orage qui régnait sur le plateau. « Mais, quinze jours plus tard, dit-il, je me demandais comment j'allais récupérer le million et demi que m'avait déjà coûté le film. Un mois après, j'étais désespéré. J'ai alors demandé à Renoir de reprendre le film qui, à l'origine, devait être un moyen métrage. »

Une question se pose ici, à laquelle je ne trouve pas de réponse nette. On connaît la difficulté, aujourd'hui encore, de rentabiliser un court, ou même un moyen métrage. Si vraiment *Partie de campagne* est né du désir éprouvé par Braunberger et Renoir, comme l'écrit Pierre Billard, « d'offrir à Sylvia Bataille un film qui la lancera comme vedette » et, ajoute-t-il, « de leur désir tout court », sous quelle forme et dans quel format pensaient-ils pouvoir l'exploiter ? Braunberger a sans doute estimé pour sa part, dès l'origine du projet, qu'il suffirait de quelques ajouts pour parvenir à une durée normale de long métrage. Il se peut aussi que l'ensemble de l'équipe, Sylvia Bataille en tête, en ait été persuadé.

On se retrouve au fond dans le cas de figure de *La Nuit du carrefour*. Renoir est probablement le seul à penser que « son » film est terminé, et que les quelques trous dans la narration n'ont aucune importance. A Braunberger qui lui propose de poursuivre son travail, qui engage même Jacques Prévert pour écrire des scènes supplémentaires, il oppose des réponses dilatoires. Les deux hommes sont trop liés d'amitié pour entrer en conflit ouvert. Le film va donc dormir dans ses boîtes durant de longs mois, puis des années.

Un jour, pendant la guerre, Pierre Braunberger se baigne dans une rivière de la région du Lot, où il mène une vie de clandestin. Soudain, il voit passer au loin la division Das Reich. « Pris de peur, je plonge, dit-il, et je me réfugie une journée entière dans une petite île. J'ai pensé alors à *Partie de campagne* et je me suis projeté le film mentalement. Je me suis rendu compte que ce qui avait été tourné était suffisant pour faire comprendre l'histoire et qu'il ne manquait plus qu'un ou deux intertitres pour que le film existe. »

En l'absence de Renoir, retenu en Amérique, Jacques Becker et Marguerite se chargeront de monter le film à partir des éléments négatifs, conservés et protégés durant toute la durée de la guerre par Henri Langlois. Joseph Kosma en composera la musique. On devine que le temps passé entre le printemps 1936 et l'automne 1945 lui a inspiré ce ton de mélancolie rêveuse, à fleur d'émotion, que Renoir aurait certainement approuvé de tout cœur.

Il a donc fait en sorte, sans intervenir le moins du monde, que le film corresponde, dans son état d'inachèvement définitif, à son intention première. Je suis très étonné cependant de lire dans *Lettres d'Amérique* (le très précieux recueil de correspondance publié en 1984) les lignes suivantes, adressées à son frère Claude (Claude senior, troisième fils d'Auguste) le 14 mai 1946 :

« Mon cher Claude,

« Dans ta lettre du 22 avril tu me parlais de la *Partie de campagne*... Je ne pense pas que la sortie de ce film inachevé puisse me faire aucun bien. Pour le compléter, Pierre Braunberger sera bien obligé de faire appel à des expédients. D'un autre côté, je serais désolé de lui enlever cet espoir de retrouver un peu de l'argent qu'il a mis là-dedans. Le pauvre garçon a dû en voir de dures et je le plains de tout mon cœur... »

Pour des raisons personnelles, et probablement anecdotiques (sa brouille avec Sylvia Bataille), Jean Renoir n'a donc pas conservé un bon souvenir de *Partie de campagne*. Il nous faut tenir compte aussi d'une vie bouleversée de fond en comble en l'espace de quatre ans, par la guerre, la défaite, l'exil, la découverte de l'Amérique et les multiples soucis d'une nouvelle carrière. Le Renoir de 1946 est sans doute trop éloigné du Renoir de 1936 pour mesurer la place que tiendront dans son œuvre les quarante minutes de *Partie de campagne*. Il devrait être le premier, et il sera donc le dernier à savoir que ce film, au même titre que *La Règle du jeu*, le dépeint tout entier. Cinéaste « de sang royal » en effet, ivre de vie en même temps que rivé à l'équilibre mouvant de tous ses contrastes, il réussit à nous faire partager ses émotions au plus près de leur source. Tout se passe alors comme s'il nous conviait, sans l'ombre d'une cérémonie, à la fête qu'il se donne ; comme si le rire, la sensualité, la tendresse, le déchirement retrouvaient sous ses yeux une intensité et une lumière miraculeusement neuves.

Au début du film, il se rend à demi complice des deux jeunes hommes, Henri et Rodolphe (Georges Darnoux et Jacques B. Brunius), qui vivent à demeure – semble-t-il – dans l'auberge au bord de la rivière tenue par Monsieur Poulain. Nous ne savons rien de leurs activités, ni de leurs sources de revenus. Ce sont visiblement des privilégiés à la mode de 1860, jouissant en connaisseurs des charmes de l'endroit, facilement blasés cependant, et naturellement railleurs à l'égard de cette famille de laitiers parisiens arrivant dans leur carriole depuis la butte Montmartre pour se retrouver, comme dit l'intertitre, « face à face avec la nature ».

Renoir en personne interprète le père Poulain. La façon qu'il a de proférer avec une belle humeur « Je vous ai fait une omelette à l'estragon » donne le ton d'un dialogue, d'une « partition dialoguée » pourrait-on dire, où les mots et les phrases sont retenus avant tout pour des sonorités qui en accentuent la drôlerie. Les acteurs en bénéficient, qui trouvent à leur tour des phrasés savoureux. *Partie de campagne* est un film que l'on aime revoir, ne serait-ce que pour entendre Gabriello (Monsieur Dufour) prononcer :

— Dites donc, mais ce sont des yoles, Anatole !

Ou bien Paul Temps (Anatole), d'une voix plaintive :

— Et dire qu'on n'a pas de cannes à pêche...

Ou bien encore Jane Marken (Madame Dufour) s'adressant, entre deux fous rires, à Rodolphe qui lui fait la cour :

— Avec votre petit maillot, vous avez l'air tout nu !

L'ironie de Maupassant à l'égard des petits-bourgeois endimanchés s'aiguise et s'amplifie chez Renoir avant de rendre les armes lorsque nous découvrons un peu mieux, avec lui, la grâce d'Henriette Dufour. Dans un premier temps il ne l'a pas épargnée, elle non plus. D'une voix haut perchée, presque agaçante, la jeune fille tient sa partie dans le concert de petits cris exaltés saluant la découverte de la campagne : « Il y a des balançoires, on va s'amuser !... Dis, papa, on déjeunera sur l'herbe ?... Maman, regarde la petite chenille toute dorée... » Il n'y a rien à espérer d'elle jusqu'au moment où le regard de Renoir s'éveille à d'autres sentiments. Il sait que Sylvia Bataille ne joue pas vraiment juste, qu'elle « chante » un peu ses répliques, mais il est ému par ce que cette maladresse peut entraîner de troublant. Henriette ne change pas pour autant sous nos yeux. Elle ne dévoile pas une richesse que nous n'aurions pas soupçonnée. Renoir se contente de laisser vibrer la comédienne à l'unisson de l'été, de sa griserie, de ses orages en formation, bien au-delà du seul avènement du désir dans l'esprit et la chair d'une jeune fille, que Maupassant avait placé, lui, au cœur de son récit.

Renoir a lu très attentivement la nouvelle. Ce passage en particulier, qui se situe au moment où Henriette, bercée par le mouvement de la yole, se sent « prise d'un renoncement de pensées, d'une quiétude de ses membres, d'un abandonnement d'elle-même, comme envahie d'une ivresse multiple ». « Un besoin vague de jouissance, écrit Maupassant, une fermentation du sang parcouraient sa chair excitée par les ardeurs de ce jour. »

La jeune fille de Renoir n'est pas différente, mais il imprime autre chose au jeu de Sylvia Bataille, qui n'appartient qu'à lui. Je pense à cet instant où Henriette se penche sur l'épaule de sa mère et confie d'une voix douce, délicieusement chantante pour le coup :

— Dis, maman, quand tu étais jeune... enfin, quand tu avais mon âge... est-ce que tu te sentais toute drôle, comme moi aujourd'hui ?... Est-ce que tu sentais une espèce de tendresse pour tout, pour l'herbe, pour l'eau, pour les arbres ?... Une espèce de désir vague, n'est-ce pas ? Ça prend ici, ça monte, ça vous donne presque envie de pleurer...

Ainsi Renoir se débusque-t-il. Nous savons déjà qu'il ne force aucun accès, ni à la poésie, ni à la profondeur ; qu'il ne cherche pas, mais trouve ; qu'il se borne ici à lire sur les lèvres, dans les regards et les attitudes de Sylvia Bataille, la naissance d'un trouble infini. Rien n'interdit – il en conviendrait lui-même facilement – d'en limiter la portée. Madame Dufour partage en cela le point de vue de Maupassant. Lorsque Henriette lui demande :

— Dis, maman, tu as senti ça quand tu étais jeune ?

Elle répond d'un air entendu :

— Mais, ma petite fille, je le sens encore... Seulement je suis plus raisonnable.

Renoir nous laisse donc libres d'en rester là, au premier émoi sensuel d'une jeune fille ; mais il a fait en sorte – sans se départir de son propre naturel – que la gravité du moment s'avère autrement poignante.

Cette « espèce de tendresse pour tout » le rapproche de son père, qui lui a transmis l'esprit d'une célébration mystérieuse suggérée par le grand air, le fourmillement des êtres vivants, la tiédeur du jour, le faste des frondaisons et le luxe de la lumière.

Mais les Renoir ne renoncent pas à rire pour autant. Jean ne vient-il pas de filmer Monsieur Dufour fasciné par un « trou d'ombre » au fond de la rivière, où se cache peut-être un redoutable brochet ?

— Une bête comme ça, dit le bonhomme, ça vous dévore une fois son poids de fretin tous les jours ! Sa voracité bien connue l'a fait surnommer le requin d'eau douce. Et avec ça, difficile à attraper. D'un seul coup de dent, ça vous cisaille un triple crin de première qualité !

Devant l'ébahissement d'Anatole, Monsieur Dufour ajoute :

— Allez ! La nature n'a pas encore livré à l'homme tous ses secrets !

Renoir se moque, mais les précisions qu'il apporte sur les dents du brochet sont bien dans sa manière. Lui aussi ménage ses « trous d'ombre » sous la transparence de l'idylle. Qu'il se sente proche d'Henri et de Rodolphe, les deux garçons séduisants et drôles, ne l'empêche pas de les voir en même temps comme des prédateurs guettant leurs proies. La célébration dont j'ai parlé n'est mystérieuse que dans la mesure où elle implique la cruauté autant que la douceur. « L'acceptation totale de la condition humaine, écrit-il à propos de son père, lui faisait considérer la vie comme un tout, le monde entier comme un seul objet. »

Sachant qu'il réalise un film où se retrouvent les personnages de *La Balançoire* (1876) ou du *Déjeuner au bord de la rivière* (1879), l'idée nous vient aussitôt qu'il s'inspire de ces tableaux pour composer ses propres cadres. Je le crois volontiers cependant lorsqu'il affirme en 1954 devant Rivette et Truffaut :

« Je suis convaincu que notre métier c'est de la photographie. Si l'on se met devant une scène en se disant : “ Je vais être Rubens ou Matisse ”, je suis sûr que l'on se met le doigt dans l'œil. Non, c'est de la photographie, ni plus, ni moins. Je crois que les préoccupations plastiques n'ont rien à voir avec notre métier. »

Il est vrai que nul n'est plus éloigné que lui du culte de la « belle image » et que la vie seule requiert son attention. La vie du film autant que celle des personnages. Si l'on examine attentivement la mise en scène de *Partie de campagne*, on découvre que l'invention visuelle se relie subtilement à l'intense jubilation créatrice qui anime le dialogue et le jeu. Au début du film, nous voyons arriver la carriole des Dufour en vue de l'auberge. Comme dans *La Nuit du carrefour*, mais avec beaucoup plus de sûreté, Renoir n'isole pas tel ou tel membre de la famille. Une réplique d'Henri dans sa première conversation avec Rodolphe justifie son choix :

— Tu sais, ces gens-là c'est comme les harengs : ça voyage en groupe et c'est inséparable !

Nous voyons donc s'arrêter la carriole dans un plan général fixe. Les paroles qui fusent aux quatre coins de l'image suffisent à identifier le solennel Monsieur Dufour et sa plantureuse épouse, le plaintif Anatole, la jeune fille exaltée et la grand-mère sourde. Par la suite, Renoir s'en tient aux vues d'ensemble, comme s'il lui fallait retarder le moment où le visage et le buste de Sylvia Bataille, emportés par le mouvement de la balançoire, se détacheront sur fond de ciel et de hautes branches. Il est vrai que l'envolée poétique ne revêtirait pas un tel éclat si elle ne tranchait, de façon aérienne, sur le « terre à terre » des plans précédents.

Renoir a donc conduit notre regard, sans que nous y prenions garde, jusqu'à ces instants où Henriette se distingue de ce qui l'entoure. Elle est une personne vraie, sensible – « distinguée », c'est le mot –, alors que les autres Dufour demeurent des personnages comiquement, et tristement, plausibles. Henri lui-même ne s'y est pas trompé, qui a confié à Rodolphe :

— Ecoute, vieux, la petite là-bas, pour une fille de boutiquier elle se tient rudement bien. Tout à l'heure, elle t'a parlé avec une aisance qui m'a surpris.

C'est ainsi que Renoir se sépare de Maupassant, et que le naturalisme s'estompe pour faire place à ce « divin naturel » que le cinéaste, en bon stendhalien, privilégie en toutes circonstances.

Je relis le texte de la nouvelle, et j'écoute le son du film. Henri a entraîné Henriette dans une promenade en yole. Maupassant considère alors son héroïne d'un peu haut, comme une « fillette attendrie ». « Elle était devenue rouge, écrit-il, avec une respiration courte. Les étourdissements du vin, développés par la chaleur torrentielle qui ruisselait autour d'elle, faisaient saluer sur son passage tous les arbres de la berge. » La griserie de Sylvia Bataille, chez Renoir, ne doit rien aux vapeurs de l'alcool. Elle est seulement pénétrée par l'émotion, et elle prononce des paroles qui s'accordent à la splendeur du moment :

— C'est peut-être la façon dont vous ramez, remarque-t-elle. On se sent réellement glisser. C'est tellement calme, ici. Il semble que ce serait mal de faire du bruit, de troubler ce silence...

— Le silence ? répond Henri. Ecoutez, les oiseaux font un vacarme...

— Leur chant fait partie du silence, dit Henriette, qui reste lucide et sait parfaitement ce qui l'attend si elle ne rompt pas l'enchantement.

Maupassant ne tire aucun parti du parallélisme entre les deux couples d'amants éphémères : Rodolphe séduisant Madame Dufour au cœur d'une prairie ensoleillée, tandis qu'Henri et Henriette glissent vers leur destin. Renoir, au contraire, se sert de la situation comme d'un contrepoint qu'il affine et enrichit, avec ce don qui le caractérise d'entremêler les tons. Il accentue – d'un côté – la désinvolture pour mieux nous faire sentir – de l'autre – le silence d'une tension, et il parvient à nous serrer le cœur au moment même où, à quelques dizaines de mètres de là, la comédie se donne libre cours. La joyeuseté sensuelle, pour ne pas dire sexuelle, de Jacques B. Brunius, reprenant après Monsieur Lestingois le rôle du faune soufflant dans des pipeaux imaginaires, fait valoir par contraste la douceur de Georges Darnoux, à la fois inquiète et inquiétante, courtoise et obstinée. Quant aux fous rires de Jane Marken, ils sont aussi éloignés que possible de l'attitude merveilleusement réservée de Sylvia Bataille lorsqu'elle accepte d'accoster et de se hasarder vers le rivage, où Georges Darnoux la conduit vers une langue de terre étroite, entièrement cernée par une haute végétation. Cet asile est connu de lui seul. Il l'appelle son « cabinet particulier ».

— Comme c'est beau ! dit Henriette. Je n'ai jamais rien vu d'aussi beau. Et puis, c'est tout fermé, comme une maison...

Renoir respecte alors, presque scrupuleusement, le texte de Maupassant. Le garçon et la jeune fille se taisent. Ils écoutent le chant d'un rossignol perché au-dessus d'eux. Elle ne cherche plus à écarter la main d'Henri qui s'est posée sur sa taille.

« La tête d'Henri était sur son épaule, écrit Maupassant ; et, pour l'éviter, elle se rejeta sur le dos. Mais il s'abattit sur elle, la couvrant de tout son corps. Il poursuivit longtemps cette bouche qui le fuyait, puis, la joignant, y attacha la sienne. Alors, affolée par un désir formidable, elle lui rendit son baiser en l'étreignant sur sa poitrine, et toute sa résistance tomba comme écrasée par un poids trop lourd. »

« Formidable » chez Maupassant, le désir d'Henriette s'approfondit sous nos yeux de plusieurs degrés. Renoir ne craint pas de s'approcher. Il choisit un cadre très serré pour filmer le visage de Sylvia Bataille au moment où ses lèvres se joignent à celles de Georges Darnoux. Une telle accentuation trahit autant qu'elle traduit son trouble personnel, et le jeu en lui des émotions qui se combattent. L'abandon d'Henriette n'est-il pas d'autant plus poignant, dans l'ordre érotique, qu'il est porté par une sorte d'élan héroïque, et qu'il se résout en douceur sacrificielle ?

Dans mon souvenir, un mouvement d'appareil imaginaire nous faisait passer des lèvres de Sylvia Bataille à ses yeux baignés de larmes. Il n'en est rien en réalité. La caméra reste fixe, et c'est le visage de l'actrice, soutenu par la main de Georges Darnoux, qui se tourne vers nous et nous regarde, de telle sorte que nous sommes pris, à notre tour, en flagrant délit d'émotion.

La vérité chemine ainsi, du latent au manifeste, de l'encore indécis à l'inéluctable consenti. Renoir nous laisse entendre, comme son héroïne : « On se sent réellement glisser... Il semble que ce serait mal de troubler ce silence... »

Je dois donc me taire. Observer durant quelques secondes la gêne qui s'est emparée d'Henri et d'Henriette une fois leur étreinte accomplie ; puis contempler les plans, sans nulle présence humaine, de rivière sous la pluie. Tout se déroule alors comme si l'orage s'acharnait à dissiper les dernières traces d'un moment sacré.

Un sous-titre apparaît au bas de l'image :

« Des années ont passé avec des dimanches tristes comme des lundis.

« Anatole a épousé Henriette et un certain dimanche que voici... »

Maupassant, dans sa nouvelle, avait eu l'idée d'un bref passage d'Henri rue des Martyrs. Il avisait la boutique et il entrait. Madame Dufour était là, qui « s'arrondissait au comptoir ». C'est par elle qu'il apprenait le mariage d'Henriette avec Anatole. Renoir avait sans doute prévu de tourner la scène, qui ne manque pourtant nullement quand on voit le film.

Son absence renforce au contraire la densité du dénouement voulue par Maupassant, et assumée intégralement par Renoir lorsqu'il réalise, livre en main, la séquence finale :

Henri est revenu seul dans son asile au bord de la rivière.

> « Il fut stupéfait en entrant, écrit Maupassant. Elle était là, assise sur l'herbe, l'air triste, tandis qu'à son côté, toujours en manches de chemise, son mari, le jeune homme aux cheveux jaunes, dormait consciencieusement comme une brute.
>
> Elle devint si pâle en voyant Henri qu'il crut qu'elle allait défaillir...
>
> ... Comme il lui racontait qu'il aimait beaucoup cet endroit et qu'il venait souvent se reposer, le dimanche, en songeant à bien des souvenirs, elle le regarda longuement dans les yeux.
>
> — Moi, j'y pense tous les soirs, dit-elle... »

Tous ceux qui ont vu, une fois dans leur vie, *Partie de campagne* ne peuvent avoir oublié le menton levé de Sylvia Bataille, le frémissement contenu de son être, le mouvement de ses lèvres, le son de sa voix qui nous parvient dans un souffle, la brièveté de son aveu.

Comme l'écrit André Bazin, « les plus beaux moments d'interprétation sont chez Renoir d'une beauté presque indécente. La trace qu'ils laissent dans la mémoire n'est guère que celle de leur éclat, d'un éblouissement qui force à baisser les yeux. »

Georges Darnoux baisse les yeux, en effet. Il ne peut soutenir le regard à la fois implorant et accusateur de Sylvia Bataille au moment de leur dernière séparation. Je me demande même – en exagérant – si Renoir n'a pas éprouvé un sentiment semblable, et s'il ne s'est pas dérobé, comme un voleur, au regard de la jeune fille. Autrement, se serait-il détaché de son film comme il l'a fait, aussi brutalement, du jour au lendemain et pour très longtemps, quitte à subir – précisément – les injures de Sylvia Bataille ?

Il n'en demeure pas moins que les circonstances ont joué, une fois de plus, le rôle décisif. Renoir s'est engagé auprès d'Alexandre Kamenka et de Charles Spaak à réaliser *Les Bas-Fonds* dans un délai tel qu'il puisse permettre le tournage des scènes d'extérieurs en plein été. Le retard pris par *Partie de campagne* l'a donc obligé à couper court. Nul ne sait ce qu'il en sera du ciel après le 25 août. Il ne dispose plus alors que de quinze jours pour remanier le scénario, en espérant que le mois de septembre lui sera favorable. « Heureusement, dira-t-il à Rivette et Truffaut, l'arrière-saison a été bonne et l'on a pu avoir quelques extérieurs sans trop de malheurs ! Il semble que toute la pluie se soit concentrée sur *Partie de campagne.* »

Le scénario des *Bas-Fonds* n'en est pas à son premier remaniement, ni à un remaniement près. Spaak et Renoir ont travaillé d'abord à partir d'une adaptation conçue par Jacques Companeez et Eugène Zamiatine et – semble-t-il – approuvée par Gorki en personne ; mais je pense que l'on peut créditer Spaak et Renoir des bouleversements considérables subis par la pièce. Ils se sont éloignés très vite du décor permanent de l'asile de nuit. Ils ont inventé des relations différentes entre les personnages en valorisant, par exemple, le rôle du baron et en le rendant bien plus sympathique sur l'écran qu'il n'est apparu à la scène. Son amitié avec Pepel, le voleur, est devenue un élément essentiel de l'action. Quant au dénouement, il change du tout au tout. Le suicide du personnage de l'acteur conclut la pièce de Gorki, où il interrompt un chœur d'ivrognes : « Ah ! Il nous a gâché notre chanson, le crétin ! » Renoir et Spaak prolongent leur film au-delà de cette scène. Ils permettent à Pepel et Natacha de fuir ensemble le cloaque de l'asile et de vivre leur histoire d'amour, dans un hommage explicite à la scène finale des

Temps modernes, où Charlot et Paulette Goddard s'éloignent sur la grand-route.

Maxime Gorki meurt en juin 1936. Il n'a donc pas eu l'occasion de lire la nouvelle version du scénario. S'il avait pu voir le film terminé, il n'aurait certainement pas reconnu sa pièce. Jean Gabin, pressenti pour sa part dès l'origine du projet, a émis des réserves de bon sens. Il fait confiance à Renoir, dont il a vu et aimé les films depuis *La Chienne*, mais, dira-t-il à son biographe et ami André Brunelin : « Je n'étais pas chaud pour interpréter un personnage russe parce que je ne m'y sentais ni crédible, ni vraisemblable. » Renoir lui avoue alors qu'il est bien de son avis, et qu'il va modifier le scénario en conséquence.

« Un peu avant le tournage, raconte Gabin, ils m'ont fait lire une histoire qui s'inspirait de la pièce de Gorki, mais qui se situait dans la banlieue parisienne : je m'appelais Jean et j'étais amoureux d'une certaine Marie. Tout était français là-dedans. Au moment où on a tourné, je m'appelais à nouveau Pepel, on disait " kopecks " et " roubles " pour parler d'argent et il y avait des samovars partout. Je n'y comprenais plus rien... » Il ajoute néanmoins : « Même si le film avec son air bizarre de crème franco-russe n'a pas connu le succès qu'on espérait, j'ai pas regretté. »

Dans sa série d'articles de 1945, Charles Spaak nous donne l'explication de cet étrange revirement. « Un membre influent du Parti communiste, écrit-il, inquiet de nos audaces, était intervenu auprès de Renoir pour lui conseiller de suivre à la lettre l'œuvre de Gorki. » Le lendemain de cette intervention, le scénariste voit arriver son réalisateur, mystérieux, horriblement gêné, qui prétend avoir réfléchi pendant la nuit, et s'être décidé à rapatrier l'action du film en Russie.

— Ne m'accablez pas, lui dit Renoir. C'est contraire à ce que je vous ai toujours dit. Je conviens si volontiers de mes torts que je vous laisse le choix entre deux solutions : ou nous corrigeons le scénario ensemble, ou vous vous y opposez. Dans ce cas, je déclare à l'instant que je souffre d'une appendicite et je me fais transporter dans une clinique.

Complètement dépassé par l'événement, n'y comprenant rien – car il n'a pas connaissance de l'intervention du Parti – Spaak commence par se laisser intimider.

« J'ai répondu que je me rangeais à son avis, écrit-il, et nous entrâmes ensemble dans le bureau de Kamenka pour l'informer de notre décision commune. Armé d'un crayon rouge, Renoir se mit à biffer toutes les séquences de notre invention. Plus il rayait, plus je devenais pâle... Soudain, il tourne les yeux vers moi et s'aperçoit que je pleure... Confus, il laisse son crayon, se lève, et sort du bureau en silence... Je suis naturellement calme, je le jure, et d'un flegme absolu quoi qu'il arrive dans l'exercice de mon métier. Cette fois-là, j'ai gueulé ! Kamenka tenta en vain de m'apaiser. Je suis sorti du bureau en hurlant comme un homme qui vient de recevoir un coup de couteau. »

Dans son livre sur Renoir, Roger Viry-Babel s'autorise d'une conversation personnelle avec Charles Spaak en 1971 pour raconter une version inverse de l'histoire. Louis Aragon, au nom des communistes, aurait demandé à Renoir de dérussifier le film, de manière à ce que les images de pauvreté extrême et de désespérance, bien que situées dans les dernières années de la Russie tsariste, ne viennent pas renforcer, dans l'esprit des spectateurs français de 1936, les informations répandues alors sur le délabrement de la Russie soviétique. La misère étant internationale, il convenait donc de transporter en France l'action du film. « Quelques jours avant le tournage, écrit Viry-Babel, Renoir cède devant ces arguments et demande à Spaak de gommer systématiquement ce qui fait directement référence à la Russie. Spaak se fâche, puis obtempère. » Le témoignage de Gabin – et la vision du film ! – démentent absolument cette thèse. Si j'en fais état, c'est parce qu'elle nous renseigne sur la grande confusion qui régna durant l'écriture des *Bas-Fonds*. Il est certain que Renoir et Spaak ne sont guère inspirés par la pièce telle qu'elle est écrite, et qu'ils se prévalent d'une lettre de Gorki les encourageant dans leur projet d'« adaptation libre ». Renoir mentionne cette lettre dans *Ma vie et mes films*. On peut imaginer, d'autre part, la perplexité des « lecteurs » du Parti communiste lorsqu'ils prennent connaissance, après la mort de Gorki, des audaces de la transposition. Tout se passe dans l'urgence, à quelques jours du tournage. Il n'est plus question alors de défaire l'armature dramatique du scénario. Renoir a-t-il voulu calmer ses interlocuteurs politiques en rapatriant en Russie l'action du film, et en rendant leurs noms aux personnages de la pièce ? J'en suis réduit à le supposer.

Roger Leenhardt, dans sa chronique d'*Esprit* en février 1937, se montrera sévère envers *Les Bas-Fonds*. « Je crois, écrit-il, qu'il est à peu près impossible d'atteindre l'authenticité en conservant des dialogues français (avec un accent de Belleville) entre des protagonistes russes. Déjà Chenal dans *Crime et châtiment*... Le fait est qu'aucun personnage ne nous touche à fond. »

Renoir a eu conscience de la difficulté, et il pense l'avoir résolue. « Le problème pour moi, dira-t-il en 1961, était de ne pas faire russe, car je savais que si l'on essayait de faire russe, ce serait faux. On ne peut pas faire russe au bord de la Marne ! Si on veut faire russe, il faut tourner en russe, en langue russe et à Moscou... Alors le problème pour moi était de garder l'esprit de Gorki pur, de le garder même de façon intransigeante, mais de le transposer et de rendre normaux les extérieurs, les costumes et les êtres humains français qui devaient animer cet esprit. »

Je viens de revoir *Les Bas-Fonds* et ne puis lui donner entièrement raison, parce que la « crème franco-russe » charrie des grumeaux de toute évidence, et parce que la distribution, à l'inverse de ses films précédents, manque d'homogénéité. Vladimir Sokoloff incarne avec frénésie l'infâme Kostylev, tenancier de l'asile, qui mène la vie dure aux misérables, qui traite sa femme de chienne et de mendiante, qui recèle sans vergogne les objets volés par Pepel, ce qui ne l'empêche nullement de jouer au saint homme et d'invoquer le ciel en toute circonstance. Il est vraiment russe d'origine et il ne dissimule pas son accent. Pas plus que Gabin ne dissimule le sien, inaltérablement parisien.

Un autre écart me semble plus problématique encore, qui tient à l'inégalité des talents, et de ces dons poétiques auxquels Renoir est tellement attaché. A côté de Gabin, de Jouvet et de Robert Le Vigan, qui sont extraordinaires, les autres acteurs – les actrices surtout, car avec elles c'est beaucoup plus net – n'appartiennent pas vraiment à son univers. Il tente d'« animer » le jeu de Suzy Prim ou de Jany Holt, mais la tâche s'avère, pour une fois, impossible. De l'inoubliable Sylvia Bataille à l'inconsistante Junie Astor (Natacha), la chute d'inspiration est manifeste. J'ai envie d'exagérer encore un peu, et de considérer le choix de cette actrice comme une trahison. Gabin ne pouvait pas sauver à lui tout seul les scènes d'amour entre Pepel et Natacha !

Je parierais volontiers que Renoir le sait, et qu'il ne conçoit plus le film que par morceaux détachés de l'ensemble. Moments qu'il privilégie pour son propre « conte », où il nous fait part de ses surprises et de son bonheur lorsqu'il couve du regard l'un ou l'autre de ces grands comédiens que la chance a placés sur son chemin.

En imaginant, parmi la faune de l'asile, son personnage d'acteur rongé par la maladie, Maxime Gorki lui a fourni une occasion rêvée. Robert Le Vigan était déjà apparu dans *Madame Bovary,* où il avait dessiné le caractère de l'usurier tentateur avec une justesse, une acuité, une sûreté d'élocution quasi infaillibles, alliées de surcroît à une sorte de frayeur, de tremblement intime grâce auquel il parvenait à créer l'effroi autant que la répulsion. Dans *Les Bas-Fonds*, sa voix et son regard font à nouveau merveille. Regard traversé de hantises lointaines, et voix libre tout à coup, puisqu'il joue un acteur, d'éprouver l'amplitude et la profondeur de ses inflexions. Il faut avoir entendu Le Vigan prononcer de façon hypnotique la phrase qui le condamne :

— Mon organisme est entièrement intoxiqué par l'alcool !

Dans l'ordre de la profération lyrique, nous atteignons une cime, une chaîne de sommets devrais-je dire, puisque Le Vigan répète la phrase à l'infini en variant les tons, de manière à se pénétrer d'une certitude à la fois intolérable et glorieuse. Renoir en est parfaitement conscient, lui qui écrira dans *L'Avant-Scène* en 1978 : « Le Vigan n'était pas un acteur, c'était un poète. J'ai travaillé deux fois avec lui, dans *Madame Bovary* et dans *Les Bas-Fonds*. C'est dans ce second film qu'il brille d'un éclat incomparable. Le public était ravi : Shakespeare et Gorki dans le même rêve, je devrais dire hallucination, un festin dans un ciel étoilé. »

Renoir admïre Le Vigan, mais il se réjouit tout autant d'une complicité personnelle de longue date avec Louis Jouvet, qui prête à son personnage d'aristocrate déchu, victime de la passion du jeu, le meilleur de son humour, de sa désinvolture altière, et de sa mélancolie secrète. L'entrée en matière du récit lui fait une place considérable, à commencer par ce plan magnifique, le premier du film : la caméra se meut à droite et à gauche, figurant la démarche d'un interlocuteur invisible, et elle demeure braquée sur Jouvet qui se contente d'écouter les reproches qu'on lui fait. Son expression mi-contrite, mi-détachée et parfaitement ironique est un vrai régal. D'autres scènes suivront, qui sont du grand Jouvet ainsi que du Renoir de belle venue : le baron au cercle de jeu ; le baron sortant de la salle où il vient de perdre le restant de sa fortune (encore un plan magnifique où Jouvet impassible ne parvient pas à allumer une cigarette de sa main tremblante) ; le baron faisant ses adieux à sa maîtresse (« C'est drôle, j'ai l'impression tout à coup que nous nous sommes beaucoup aimés ») ; le baron et son domestique, joué par Léon Larive, petit homme aux joues rondes, indispensable comédien de second plan, que nous retrouverons dans son plus beau rôle, celui du chef cuisinier de *La Règle du jeu*.

— Mon bon Félix, je ne reviendrai plus jamais ici, dit le baron en quittant l'hôtel particulier qui ne lui appartient plus.

— Monsieur le baron, j'ai les larmes bien près des yeux, répond Félix, exactement à mi-chemin de la déférence professionnelle et de l'émotion sincère.

— Nous savons que tu es parfaitement stylé, reconnaît Jouvet, qui scande légèrement son texte... Dis-moi, Félix, je te dois beaucoup de gages, mais ce que tu m'as volé ne compense-t-il pas cela ?

— Que Monsieur le baron soit sans inquiétude.

— Parfait. Ne me reconduis pas. Je connais le chemin... Adieu Félix...

On se représente aisément le plaisir pris par Renoir à la mise en scène de tels moments. On devine mieux encore la joie intense que lui procure la confrontation entre Jouvet et Gabin dans les deux plus belles scènes du film, celle du cambriolage, où le baron invite son voleur à dîner, et celle du bord de Marne, où les deux hommes étendus dans l'herbe se racontent leurs vies. Dans les deux cas, l'enjeu dramatique se résorbe très vite grâce à l'enjouement d'une situation paradoxale. C'est du Renoir à l'état pur ! Pepel braque un revolver vers le baron, qui vient de le surprendre, et qui s'apprêtait lui-même, très probablement, à en finir avec son existence. Au lieu du cambriolage, du meurtre ou du suicide attendus, c'est à un souper entre amis que nous assisterons, avec poulet au menu, tutoiement sollicité par le baron, partie de cartes jusqu'au matin et partage de la dernière cigarette. Il entre de la noblesse dans ces échanges. Renoir ne pouvait plus nous dissimuler l'estime dans laquelle il tient – au même degré – l'aristocratie populaire incarnée par Gabin et la civilisation aristocratique sur le déclin, que le baron assume sans amertume, préfigurant ainsi le capitaine de Boïeldieu de *La Grande Illusion* et le marquis de la Cheyniest de *La Règle du jeu*.

Du dialogue entre les deux hommes au bord du fleuve, on retiendrait seulement des confidences désabusées si Jouvet ne s'était avisé d'observer le parcours d'un escargot sur le dos de sa main, puis sur son poignet. La réminiscence creuse son chemin dans les esprits, tandis que l'escargot instille dans les regards des protagonistes un sentiment de la durée présente, à laquelle Renoir revient toujours comme un navire vers son havre.

— Autrefois tu m'as expliqué, dit le baron à Pepel, que c'était très agréable de dormir dans l'herbe. J'en doutais un peu. Maintenant j'en suis tout à fait convaincu.

On peut comprendre que le Renoir surmené de ces années-là se fasse une si haute idée de l'oisiveté. Le 4 mars 1937, il consacre sa première chronique du journal *Ce Soir* à un « Plaidoyer pour la paresse ». Il y prend à partie les activistes du dimanche après-midi, qui demandent aussitôt après le repas : « Alors, qu'est-ce qu'on fait ? » Ce à quoi il répond résolument : « Mais rien ! »

« Pour l'amour de Dieu, écrit-il, ne faisons rien... Ça ne suffit donc pas d'être avec de bons amis, de jouer à sentir cet invisible courant qui, dans le silence, règle les cœurs à la même cadence, de regarder le jour décroître sur les toits, sur la rivière, ou plus simplement sur un coin de trottoir ?... »

Les joies de la contemplation rêveuse ont, pour lui, « un rapport étroit avec une certaine tendresse, un certain amour pour les gens et pour les choses ». Puis il ajoute :

« L'activité exagérée détruit la tendresse. L'homme qui travaille trop n'a pas le temps d'aimer. Et, sans amour, pas de civilisation. »

Nous sommes, je le rappelle, en 1937, au moment où le Front populaire vient d'instituer un ministère des Loisirs, et où la chanson « Quand on s'promène au bord de l'eau » chantée par Gabin dans *La Belle Equipe* est appelée à survivre dans nos mémoires, à peu près de la même façon que la scène de l'escargot dans *Les Bas-Fonds*. Scénariste des deux films, Charles Spaak confirmera dans un entretien avec André Brunelin en 1947 que Renoir aurait voulu réaliser *La Belle Equipe* et qu'il avait même envisagé un échange avec Julien Duvivier : le scénario de *La Belle Equipe* contre celui de *La Grande Illusion*. Proposition que le réalisateur de *La Bandera*, et bientôt de *Pépé le Moko,* écartera fermement.

La Belle Equipe, *Les Bas-Fonds*, *La Grande Illusion*, *Pépé le Moko*... La présence de Jean Gabin au générique de ces films ne tient pas seulement à son statut de grand acteur populaire. Renoir contribue différemment, mais au même titre que Spaak, Duvivier, Carné, Grémillon, à la création d'une figure historique. On ne peut pas vraiment parler d'intentions à cet égard. Les auteurs vivent au jour le jour des bouleversements politiques dont ils ignorent l'issue. Gabin, pour sa part, fonctionne à l'instinct. Il n'est pas engagé politiquement. Renoir l'entraînera bien dans quelques meetings ; il signera en 1938 le « Manifeste des intellectuels antifascistes », mais c'est vraiment tout. Durant cette période, il aime ou il n'aime pas les histoires qu'on lui propose. Il se prend de sympathie, ou non, pour les réalisateurs qui le sollicitent. On ne peut qu'admirer – avec le recul – la sûreté de ses « affinités électives ». Elles vont le conduire à magnifier par son jeu – ou par sa seule façon d'être – les aspirations, les révoltes, les accès de gaieté et les irruptions de colère sacrée qui révèlent ou traduisent, mieux qu'aucun discours, la montée de l'angoisse au long de ces années.

Plutôt que de me livrer à une nouvelle analyse du « mythe Gabin », je préfère citer l'hommage que lui rendit Jacques Prévert, sous forme de poème, en 1954 :

Le regard toujours bleu et encore enfantin
sourit
Les lèvres minces accusent
les blessures de la vie

On ne meurt qu'une fois
dit un dit-on
On meurt souvent
On meurt tout le temps
répond Jean Gabin sur l'écran

Jean Gabin
acteur tragique de Paris

gentleman du cinéma élisabéthain
dans la périphérie du film quotidien

Oui, nous sommes bien en 1936, c'est-à-dire au moment où l'espoir tente de conjurer les déceptions prévisibles. Au moment où les compagnons de *La Belle Equipe* voient leur grande fraternité se transformer en haine. Au moment où la révolte des misérables contre Kostylev, dans *Les Bas-Fonds*, atteint un degré de violence qui évoque en effet la frénésie élisabéthaine.

Spaak et Renoir ont mis en place les éléments d'une tragédie à laquelle Gorki n'avait pas songé. Kostylev persécute Natacha, sa jeune belle-sœur. Il veut la jeter dans les bras d'un policier corrompu, dont il attend en échange qu'il ferme les yeux sur son commerce d'objets volés. Comme la jeune fille refuse, il la bat et s'acharne contre elle. Les cris de Natacha retentissent dans l'asile. C'est alors que Pepel intervient. Il renverse les portes, il libère Natacha, il se penche sur elle, convulsivement. Vladimir Sokoloff gémit, Suzy Prim glapit. Renoir trouve alors des cadrages que je dirais « incertains », troués de pénombre, travaillés par l'impatience, qui reflètent – à l'éclat de sensation près – l'état mental des protagonistes. Kostylev tente de fuir. Il se heurte à un enchevêtrement de dos, de nuques, d'épaules et de bras, qui se referment sur lui. Seul son visage émerge au sein de la confusion. Il n'a jamais été aussi hideux. Un cri de Gabin couvre le vacarme. Il répète à neuf reprises la même injonction, chaque fois plus véhémente :

— Laissez-le-moi !... Laissez-le-moi !

Il traverse à son tour la mêlée des corps...

Le silence qui suit est prodigieux. Il se suffit à lui-même, puisque nous n'avons rien vu du meurtre. Le baron, qui a fendu la foule, découvre la dépouille inanimée de Kostylev. Sa tête a donné contre une enclume. Elle est cadrée dans une tache de lumière. Il est presque beau. La caméra s'élève et s'arrête sur Gabin, à demi caché par une ligne d'ombre. On peut tout lire sur son visage : le calme revenu, une question sans réponse, un consentement à l'irréversible, qui ne va pas sans une étrange douceur.

Il n'y avait que Renoir pour nous faire sentir en même temps la folle beauté de la colère justicière et le poids de sa cruauté.

On sait que *Les Bas-Fonds* pas plus que *La Belle Equipe*, ne furent en leur temps de grands succès populaires. En révélant, sous les formidables espérances de cette année-là, une dimension d'aveuglement, Spaak, Duvivier et Renoir prenaient le risque de l'échec, tandis que se préparait, face au scepticisme général et déclaré des bailleurs de fond, le triomphe international de *La Grande Illusion*.

CHAPITRE ONZIÈME

« Cette poursuite du sujet par la caméra... »

*

1937. « La Grande Illusion »

Jean Renoir est entré à l'âge de dix-neuf ans dans la Première Guerre mondiale.

« Si, dans quelques centaines d'années, écrira-t-il, il existe encore des historiens, ils pourront diviser le récit de notre histoire en deux parties : avant 1914 et après. »

Je me demande dans quelles conditions il a pu fêter, le 15 septembre 1914, son vingtième anniversaire. Au camp de Lagny, sans doute, où son père lui a rendu visite dès les premières semaines du conflit, et où le maréchal des logis qu'il était encore a pu observer de près les officiers de cavalerie qui serviront de modèles au capitaine Stanislas de Boïeldieu de *La Grande Illusion*.

Célia Bertin nous dit qu'il fut versé ensuite sur sa demande – par besoin d'activité – au 6e bataillon de chasseurs alpins. Ce qui lui fit connaître la boue des tranchées. « En ce qui me concerne, écrit-il dans *Ma vie et mes films*, cette guerre m'initia au culte de l'homme pour lui-même, de l'homme tout nu, dépouillé de sa panoplie romantique. A l'école de l'inconfort absolu, des pieds dans l'eau, de la soupe froide et du sommeil rare, on s'aperçoit que nos valeurs sociales ont bien peu de valeur. »

En avril 1915, le sous-lieutenant Renoir est gravement blessé à la jambe alors qu'il patrouillait entre les lignes. Condamné à boiter pour le restant de son existence, il refusera pourtant d'être réformé et se verra muté à nouveau dans l'aviation, où il tiendra d'abord le rôle d'observateur au-dessus des lignes ennemies, avant de piloter son propre avion, un Caudron à moteur rotatif, entièrement en bois, pour lequel il se prendra d'une grande affection.

De cette guerre, on peut vraiment dire qu'il l'a vue de près, et sous tous les angles !

« Un certain matin, écrit-il, je fus appelé au bureau du capitaine, qui me présenta un type de l'état-major chargé d'une mission sur la nature de laquelle il ne daigna pas s'expliquer. C'était un capitaine de hussards et, de toute sa personne, émanait ce " je ne sais quoi " qui faisait de ces messieurs de la cavalerie des êtres à part. »

La toute première scène de *La Grande Illusion* est donc déjà là, inscrite dans la mémoire de Renoir, devenu le lieutenant Maréchal pour les besoins du scénario. Afin de marquer plus nettement encore le récit de son empreinte, il demandera à Jean Gabin de revêtir sa propre tenue de pilote, conservée intacte après vingt ans.

Cela n'a été que peu remarqué, sans doute parce que c'était évident, mais tout de même : *La Grande Illusion* est le premier film où Renoir évoque une situation dans laquelle il s'est trouvé impliqué personnellement. L'avion où a pris place derrière lui le capitaine de hussards, vérificateur pointilleux de taches indistinctes sur une carte d'état-major, est abattu, dans le film, par un as de la chasse allemande. Or cet avion aurait pu être le sien, dans la réalité, si l'adjudant Pinsard n'avait surgi en plein ciel, aux commandes de son « Spad Hispano-Suiza du dernier modèle », pour mitrailler le

Fokker allemand qui « se mit en vrille et s'en alla exploser sur le flanc d'une petite colline surmontée d'une chapelle ». « Je tiens beaucoup au détail de la chapelle, dit Renoir, car je ne pouvais m'empêcher d'attribuer à l'intervention de quelque saint l'arrivée providentielle de notre sauveteur. »

L'apparition de l'adjudant Pinsard dans le ciel et dans la vie de Jean Renoir s'avéra doublement providentielle puisque le récit de ses aventures, de ses atterrissages forcés en territoire ennemi et de ses multiples évasions, suggéra au cinéaste, lorsque les deux hommes se revirent en 1934, le premier synopsis de *La Grande Illusion.*

André Bazin avait connaissance de cette ébauche, puisqu'on la trouve publiée dans le livre dont Janine Bazin et François Truffaut réunirent les éléments en 1971. Il faut lire ce texte avec attention car il porte manifestement la griffe de Renoir. Charles Spaak a peut-être contribué à sa rédaction, en construisant comme il sait le faire une histoire qui se tient, mais Renoir y impose un certain ton de franchise et d'âpreté qui n'appartient qu'à lui. Je pense à certaines notations qui ont disparu du scénario définitif. Celle-ci, en particulier :

Les prisonniers français sont relégués dans l'aile d'un bâtiment. La seconde aile est si rigoureusement séparée de la première que l'on ne peut savoir ce qui s'y passe. Des ouvrières allemandes y travaillent. Les prisonniers ne voient d'elles, à travers un soupirail, que leurs jambes allant et venant. « Deux fois par jour, lit-on dans le synopsis, à l'ouverture et à la fermeture des ateliers voisins, une femme qu'aucun n'a jamais vue vient poser son pied sur un des barreaux du soupirail. Elle rattache sa jarretelle avec une impudeur provocante, montrant aux prisonniers deux jambes qui sont fort belles. »

De jour en jour, cependant, le manège répété devient sujet d'exaspération. On ne plaisante plus. La frustration sexuelle fait naître des disputes entre les hommes. Ils décident de « punir la garce » en la retenant par la cheville. « Ils guettent. La voici. Son manège habituel. Elle est prise. Et tous se ruent sur cette jambe sur laquelle ils tirent. Aux cris de la femme, ses amies l'ont saisie par les épaules et tirent en sens contraire. Ils la déchaussent, arrachent le bas. Ils veulent toucher à cette peau éclatante et fraîche. Et Maréchal, cruellement, la mord. La femme pousse un cri. Les hommes reculent et les copines ramènent la mordue... »

Il est difficile de savoir d'où vient l'idée de cette scène. Des récits de Pinsard, probablement, mais l'on devine sans difficulté le regard que Renoir aurait porté sur cette ruée de désir aveugle, et sur ce mollet mordu, s'il les avait filmés. Dans son œil, tellement chaleureux, nous savons que s'allument aussi parfois des lueurs ardentes, dont il ne cherche pas à mesurer le feu.

Il n'a pas filmé non plus l'avant-dernière séquence du film telle qu'il l'avait imaginée initialement : Ces deux évadés, Maréchal et Dolette (qui deviendra ensuite Rosenthal), se sont réfugiés dans une étable. Ils sont épuisés, affamés. La fermière allemande qui les surprend les tient à sa merci, mais au lieu d'appeler à l'aide, elle regarde Maréchal, dénoue son châle, souffle la lampe, et se « couche à son côté dans la paille tiède ».

« L'homme, écrit Renoir (car c'est bien de lui, il me semble), entend la bouche étrangère brûlante qui se plaint à son oreille :

— Depuis un an, tous les hommes sont partis...

A l'aube, Maréchal sort de la grange et cherche des œufs dans la cour. Cependant que, dans l'étable, molle et belle dans le désordre de ses tresses défaites, l'Allemande se repose dans les bras de Dolette endormi...

Il faut se remettre en route... Les deux amants d'un jour quittent la femme partagée. Pour chacun d'eux, elle a le même sourire... »

Nous sommes loin, c'est évident, de l'idylle merveilleusement tendre et discrète qui se nouera entre Jean Gabin et Dita Parlo sous le regard, seulement, amical de Marcel Dalio dans *La Grande Illusion*. Nous devrons attendre la toute dernière séquence du dernier film de Jean Renoir (*Le Roi d'Yvetot* dans *Le Petit Théâtre*) pour voir deux hommes se partager l'amour d'une femme en toute cordiale innocence.

Reconnaissons-le. Il n'aurait certainement pas pu réaliser *La Grande Illusion* s'il n'avait consenti à arrondir un tant soit peu les angles. Nous savons qu'il a travaillé au scénario en appréciant grandement la collaboration de Charles Spaak, lequel a sans doute exercé une influence modératrice. Nous savons aussi qu'il s'est évertué durant de longs mois à la tâche exténuante de convaincre des producteurs réticents. Il ne faut pas chercher ailleurs l'atténuation, voire l'effacement, des rudesses inscrites dans le projet initial. Il n'a pourtant jamais cédé sur l'essentiel. Une proposition lui a été faite, par exemple, de promener une jolie infirmière (jouée par Annabella) entre les baraquements du camp de prisonniers, à la seule fin d'adoucir l'action. Il l'a repoussée avec vigueur, mais il n'a pas écarté, en revanche, les suggestions ahurissantes de son « homme providentiel », « Monsieur Albert », qui a rendu possible, par son entregent et ses tours de passe-passe, la réalisation du film. Renoir consacre un chapitre entier de *Ma vie et mes films* à cet Albert Pinkévitch, personnage dans la vie qui relève de la fiction telle qu'il la conçoit, ce qui suffit à l'enchanter : « Albert, écrit-il, était un Juif du type brun et rondouillard. Il possédait l'avantage d'un regard émouvant. Quand il suppliait quelqu'un, ses yeux s'embuaient de larmes. Il était impossible de lui résister. »

Négociateur-né, spéculateur boursier infatigable, Albert Pinkévitch a servi d'intermédiaire permanent entre le duo Spaak-Renoir et un bailleur de fonds, qui tient son invraisemblable officine aux murs crasseux et aux divans crevés rue du Faubourg-Poissonnière. Ce redoutable personnage n'aurait jamais produit le film si l'habile « entremetteur » ne s'était ingénié à aplanir d'innombrables difficultés budgétaires. Or, il se trouve en même temps que « Monsieur

Albert » a des idées pour le dialogue, et qu'il entend y apporter sa contribution personnelle... assez extravagante, dans la mesure où elle est inspirée par sa découverte récente de l'Almanach Vermot. Au lieu de se dérober à de telles énormités, Renoir réfléchit et adopte la cascade ininterrompue de jeux de mots, calembours et bouts de refrains égrenés par Monsieur Albert. Le personnage de l'acteur, incarné par Julien Carette, en héritera ; il y gagnera sa vérité singulière et nous serons désarmés, à notre tour, par le plaisir qu'il prend à enchaîner des vocables selon une logique exclusivement phonétique : « Moi, c'qui m'pousse à me débiner, c'est que j'm'embête trop... trop... Trocadéro... Cadet Rousselle... Cadet Rousselle a trois maisons... »

Quel que soit le talent d'Albert Pinkévitch, je me dois d'ajouter que *La Grande Illusion* n'aurait jamais vu le jour si Jean Gabin ne s'était, dès l'origine, passionné pour le projet, et s'il n'avait mis constamment son prestige en balance.

Avec l'arrivée de l'automne 1936, les dernières difficultés sont résolues, le scénario semble définitif et le tournage se met en place.

L'histoire, telle que Renoir et Spaak l'ont imaginée, est alors centrée sur les prisonniers français, qui sont divisés, parfois hostiles les uns envers les autres, en raison de leurs origines sociales, mais qui seront réunis fraternellement au bout du « conte » par les risques pris et les sacrifices consentis en vue de l'évasion.

Au début du film, le personnage du pilote allemand, qui invite Maréchal et Boïeldieu à sa table après avoir abattu leur avion, permet à Renoir d'exposer le sujet qui lui tient à cœur : entre l'aristocrate prussien et le capitaine de cavalerie français la conversation est facile. Ils ont fréquenté le même monde, ils se sont sans doute croisés chez Maxim's, ils ont des relations communes et ils pratiquent la langue anglaise avec la même aisance. Maréchal, à l'inverse, simple ouvrier dans la vie civile, se sent déplacé parmi eux ; mais sa gêne s'efface à partir du moment où il trouve son répondant en la personne d'un autre Allemand, mécano devenu pilote comme lui, qui a travaillé à Lyon avant la guerre dans l'usine Gnome et Rhône. Selon le Renoir de 1936, la frontière passe autant – sinon plus – entre les classes sociales qu'entre les nations.

Il était bien entendu, cependant, que nous ne reverrions pas, après cette scène, celui qui allait devenir le considérable von Rauffenstein de *La Grande Illusion*.

Tout change à partir de l'engagement inopiné – c'est le moins qu'on puisse dire ! – d'Erich von Stroheim pour le rôle du commandant allemand de la forteresse. André Brunelin nous raconte l'histoire, dans son livre sur Jean Gabin, telle qu'il la tenait de Jacques Becker qui en fut le témoin direct.

Quelques jours avant le tournage, Raymond Blondy, directeur de production de *La Grande Illusion*, rencontre à l'occasion d'un cocktail un acteur allemand dont on lui dit grand bien. Il vient de s'illustrer en interprétant un officier prussien plus vrai que nature dans *Marthe Richard* de Raymond Bernard. Son nom, Erich von Stroheim, n'éveille rien de particulier dans l'esprit de Blondy qui, légèrement abasourdi par l'alcool, décide sur-le-champ de lui attribuer le rôle, encore très secondaire, du commandant de la forteresse.

Le lendemain, comme il se doit, le directeur de production appelle Jacques Becker, premier assistant du film, au téléphone. Leur dialogue, rapporté par Brunelin, a quelque chose de stupéfiant, compte tenu surtout des conséquences qu'il aura :

— Tu ne devineras pas qui j'ai engagé pour le rôle du commandant allemand ? annonce Blondy.

— Comment ça ? répond Becker, mais le rôle est déjà distribué. C'est X qui doit le jouer.

— Aucune importance, on le dédommagera. Le type que j'ai trouvé fera mieux l'affaire.

— C'est qui ?

— Le type qui joue dans *Marthe Richard*, un nommé Erich von Stroheim.

— Quoi !... Mais tu es fou ! Tu sais qui c'est ?...

— Ben oui, je viens de te le dire. Le type qui joue dans *Marthe Richard.*

Naturellement, le pauvre Blondy est à mille lieues d'imaginer ce que Stroheim, réalisateur-acteur de *Folies de femmes* et réalisateur-auteur des *Rapaces,* a pu représenter dix ans auparavant pour Becker autant que pour Renoir. En d'autres circonstances, ils auraient été certainement enchantés de travailler avec lui, mais le rôle en question ne comporte qu'une scène et quatre malheureuses répliques.

Becker conseille à Renoir de dissiper au plus vite le malentendu et de dire lui-même à Stroheim, qui doit se présenter le lendemain au bureau de production, que l'engagement proposé est une regrettable erreur, et que, compte tenu de son immense admiration, il ne se sent pas le courage de lui demander de tenir dans le film une place aussi réduite.

Charles Spaak, rédigeant ses souvenirs, ne pouvait manquer de faire un sort à la rencontre entre les deux hommes, qui fut – comme prévu – mémorable : « Nous avons vu cela. Stroheim en civil, naturellement d'une élégance excessive, le poignet cerclé d'un bracelet d'or, les doigts chargés de cailloux, tendant la main à Jean Renoir flottant dans son éternel costume acheté tout fait au Petit Matelot. » Renoir, très ému, offre une cigarette et cherche maladroitement son briquet à amadou, tandis que Stroheim allume déjà la flamme de son briquet en or.

Jacques Becker, au moins aussi ému, se demande en même temps si Renoir aura le courage de répondre lorsque Stroheim posera la question fatidique :

— Cher monsieur, racontez-moi mon rôle.

Becker connaît bien son ami. S'il est un héroïsme que Renoir ne pratique pas, c'est bien celui d'aborder les difficultés de manière frontale. Le voici en effet qui s'embrouille, puis se jette à l'eau sans savoir le moins du monde où il va. Le bouchon, une fois de plus, se laisse porter par l'événement.

— Rien ne presse, dit-il à Stroheim, mais c'est un rôle magnifique... Vous êtes un officier allemand d'un camp de prisonniers pendant la guerre de 14-18... Superbe officier !... nous partons tourner dans deux jours... Le plus important est que vous passiez chez le tailleur, pour vos uniformes, n'est-ce pas...

Il se peut que Renoir ait pris sa décision en moins de temps qu'il ne lui en fallut pour y réfléchir : pourquoi ne pas réunir en un seul et même personnage l'aviateur du début et le commandant de la forteresse qui doit veiller, dans la dernière partie, à ce que les prisonniers ne s'évadent pas ? La vraisemblance ne sera guère sollicitée. Personne ne s'étonnera que von Rauffenstein, plusieurs fois blessé, inapte au service actif, en soit réduit à des fonctions qu'il exècre, celles de geôlier. C'est le dernier moyen qui lui reste, confiera-t-il à Boïeldieu, de servir encore son pays.

Stroheim ignore tout, bien entendu, de ce qui se trame la nuit à son propos, autour d'une machine à écrire, après des journées de tournage éreintantes. Comment pourrait-il imaginer que, chaque soir, Renoir et Becker se concertent pour modifier le scénario, en la compagnie d'une très jeune femme, qui apparaîtra au générique sous le nom de Gourdji, et qui n'est autre que Françoise Giroud. Elle tient le rôle de script-girl et de secrétaire, mais elle ne craint pas de formuler des avis, que Renoir écoute avec attention. Il ne croit nullement déchoir, nous le savons, en s'ouvrant à des « influences », mot essentiel de son vocabulaire.

Il s'arrange donc pour que l'intrusion de von Rauffenstein au cœur de l'action contribue à enrichir l'édifice dramatique au lieu d'en compromettre l'équilibre. Il met ainsi l'accent sur la complicité aristocratique que l'officier allemand privilégie dans sa relation avec Boïeldieu, ce qui renforce le propos initial tel qu'il était indiqué dans le synopsis : « Même dans ce trou du diable, les classes sociales se reforment pour s'opposer. »

Idée générale, que le célèbre dialogue entre Pierre Fresnay et Erich von Stroheim illustrera, en la nuançant :

— Me permettez-vous une question ? demande Boïeldieu. Pourquoi avez-vous fait pour moi une exception en me recevant chez vous ?

— Pourquoi... répond von Rauffenstein, parce que vous vous appelez Boïeldieu, officier de carrière dans l'armée française, et moi Rauffenstein, officier de carrière dans l'armée impériale allemande.

— Mes camarades sont aussi des officiers.

— Un Maréchal, un Rosenthal... officiers ?

— Ce sont de très bons soldats.

— Joli cadeau de la Révolution française !...

— Je crains que ni vous, ni moi, ne puissions arrêter la marche du temps.

— Boïeldieu, je ne sais pas qui va gagner cette guerre... La fin, quelle qu'elle soit, sera la fin des Rauffenstein et des Boïeldieu.

— On n'a peut-être plus besoin de nous.

— Et vous ne croyez pas que c'est dommage ?

— Peut-être...

Une fois cette scène, et d'autres, intégrées au nouveau scénario, il reste à convaincre Stroheim de les jouer comme elles sont écrites. Renoir tombe alors de très haut. Encouragé, sans doute, par la déférence que ne cesse de lui marquer ce drôle de cinéaste français, qui ne semble guère assuré de son autorité, Stroheim formule des suggestions qui sont des exigences. Dans l'incapacité où il se trouve de s'extraire de sa propre mythologie, il demande par exemple que, pour la scène du début, où il reçoit à sa table Maréchal et Boïeldieu, quelques prostituées soient présentes, « de type évidemment viennois ». « J'étais navré, écrit Renoir dans *Ma vie et mes films*... Mon idole était devant moi, il était acteur dans mon film et, au lieu de l'augure dont j'attendais la vérité, je découvrais un être enfoncé dans des clichés puérils. Je me rendais bien compte que ces clichés, entre ses mains, devenaient des coups de génie. Le mauvais goût est souvent la source d'inspiration des plus grands artistes. Cézanne et Van Gogh n'avaient pas bon goût... »

Il n'empêche que, cette fois, le bouchon est poussé trop loin. L'incompatibilité des deux univers est bien trop manifeste pour qu'une solution apparaisse ; si bien qu'une querelle éclate, à l'issue imprévisible... Je me demande si Renoir s'est souvenu alors des larmes de Charles Spaak dans le bureau d'Alexandre Kamenka, quelques mois plus tôt. Souvenons-nous de la réplique de Dalban dans *Toni* : « Si vous voulez voir un type sincère, vous n'avez qu'à me regarder »...

Voilà pourquoi je doute de sa bonne foi lorsqu'il écrit : « Cette querelle avec Stroheim me bouleversa si profondément que je me mis à pleurer. Stroheim en fut frappé au point que lui-même en eut la larme à l'œil. Nous tombâmes dans les bras l'un de l'autre, inondant moi mon veston de chez Le Petit Matelot, lui sa tunique de commandant de l'armée impériale allemande. » Renoir en rajoute encore lorsqu'il affirme vouloir renoncer à la mise en scène du film, plutôt que d'entrer en conflit avec son idole. Les larmes coulent à nouveau et l'effusion est à son comble. Erich von Stroheim jure de respecter désormais à la lettre les indications de Jean Renoir.

Pourquoi l'empêcher dès lors de mettre au service de son personnage les vestiges de sa légende défunte : grands cols de fourrure, nuque raide, lenteurs étudiées contrastant avec des brusqueries admirables ? Il est même tout à fait souhaitable que l'imagination de Stroheim nourrisse la vérité de von Rauffenstein en disposant dans sa chambre de forteresse, sous un grand crucifix de bois sculpté, des gants blancs, un seau de champagne, *Les Mémoires de Casanova*, une collection de cravaches et de sabres, un miroir baroque, des pièces d'argenterie patricienne où il boit un café atroce, et un pot de géranium unique qu'il entoure de soins religieux. Il suffit à Renoir de relier tous ces éléments par un mouvement d'appareil pour faire apparaître la singularité du personnage, en même temps que son « humanité ».

« Humain », « humanité », voilà les grands mots lâchés, sans lesquels *La Grande Illusion* n'aurait pas connu un retentissement aussi large au moment de sa sortie, ainsi qu'une renommée qui ne s'est jamais démentie. Ce n'est sans doute pas un hasard si Roger Viry-Babel et Pierre Billard éprouvent l'un et l'autre le besoin de citer un écrivain d'extrême droite, François Vinneuil (alias Lucien Rebatet), écrivant dans *Je suis partout* (le 12 juin 1937) : « Monsieur Jean Renoir est le metteur en scène officiel du Front populaire... C'est dire dans quel esprit les " fascistes " attendaient son dernier film, que l'on savait consacré à la guerre. Je viens donc de voir, armé jusqu'aux dents, prêt à tirer à mitraille, *La Grande Illusion.* Eh bien ! mon attirail belliqueux ne m'a pas servi... Quel est ce miracle ?... C'est qu'à l'humanitarisme qui a tant servi dans les récits de guerre, M. Renoir oppose un film humain – ce qui est bien différent. A la sentimentalité larmoyante, aux boursouflures du cinéma judéo-parisien, [il oppose] un ton simple et viril. »

Toute la question est là, de certains mots, splendides dans leur état initial : « humain », « sentiment », qui se dénaturent gravement lorsqu'on les prolonge en « humanitarisme » et « sentimentalité ». Il s'agit donc d'en rester à la simplicité de leur acception première, ce qui ne va pas de soi. La merveille de *La Grande Illusion*, et le secret de son triomphe mondial, tient seulement à cela, que je suis bien incapable de démontrer : Renoir échappe à l'ornière de l'humanitarisme, quand ce n'est pas à celle de l'humanisme, pour remonter jusqu'à l'humain.

Il est vrai que, contrairement aux conventions du récit d'évasion, le film n'oppose aucun héros à aucun salaud. C'est la guerre, et elle seule, qui a pris en traître tous ces « bonshommes ». J'emploie ce mot à dessein puisque Renoir écrit :

« Dans les tranchées, je n'ai jamais entendu le mot " poilu ", pas plus que le mot " boche ". J'ai, par contre, souvent entendu le terme " bonhomme " :

— On demande trois bonshommes pour aider le cuistot. »

L'un des moments les plus intenses du film est celui du spectacle de music-hall que les prisonniers français et anglais donnent devant un public de camarades, en présence du commandant allemand, qui a pris place dans une loge. Comme dans *Tire au flanc*, nous partageons d'abord le plaisir de tous et de chacun. Julien Carette chante : « Si tu veux faire mon bonheur, Marguerite... », avant qu'un corps de ballet britannique, constitué d'hommes en tutus, ne vienne battre l'estrade avec une sorte de perfection dans l'observation des cadences. Les Allemands apprécient en silence. L'un d'entre eux, qui s'occupe particulièrement des prisonniers français, répond par un salut au clin d'œil et au mot de complicité que lui adresse Carette : « Tu piges, Arthur ?... »

Pendant ce temps, en coulisse, un journal circule de main en main, qui contient une nouvelle enthousiasmante. Maréchal n'y tient plus. Il bondit sur la scène et s'exclame :

— Arrêtez ! Arrêtez les copains ! On a repris Douaumont, et c'est eux-mêmes qui l'annoncent !

Renoir cite le plan qui suit comme un exemple de ce mouvement d'appareil qu'il a toujours privilégié, nous l'avons vu, depuis *Tire au flanc* jusqu'aux *Bas-Fonds*, en passant par *Toni* et *Lange*. « Il consiste, écrit-il, à prendre les acteurs en gros plan, puis à les suivre dans leurs mouvements. » Poursuite qui se trouve largement justifiée, dans ce cas précis, par le grand élan d'exaltation patriotique.

« Ce plan, écrit-il, commence sur Gabin, dressé au milieu de la scène du petit théâtre, et se termine sur les spectateurs après avoir raflé tous les éléments importants en un panoramique de 180 degrés. »

Mais Renoir se trompe. Le plan ne commence pas sur Gabin. Il passe par Gabin en partant de deux musiciens du petit orchestre, et de l'Anglais déguisé en femme, qui ôte sa perruque et leur demande de jouer « La Marseillaise » (il est d'autant plus beau que ce soit un Anglais qui le fasse, rompant brutalement avec le ton de la mascarade). C'est alors que la caméra recule un peu, glisse sur la droite, trouve Gabin sur la scène entouré de ses amis, prend du champ, de manière à épouser pratiquement le point de vue des officiers allemands dans leur loge, les fait donc apparaître en gros plan (de profil) au moment où ils se concertent, tout en conservant Gabin de face, qui s'avance vers eux (c'est-à-dire vers nous) en les défiant du geste et du regard. Entraîné par Rouget de Lisle, l'appareil se meut vers la gauche et passe en revue les hommes debout, spectateurs devenus acteurs, animés et soutenus par un sentiment d'authentique fierté (dépourvu, comme il se doit, de sentimentalité). Logiquement, le plan devrait s'arrêter là, mais Renoir ne peut s'empêcher d'aller chercher encore une fois sur la droite son chanteur anglais, et de revenir enfin sur la gauche pour retrouver le chœur des prisonniers au garde-à-vous.

« Personnellement, écrira-t-il, cette poursuite du sujet par la caméra m'a donné quelques-unes de mes plus grandes émotions, aussi bien dans mes films que dans ceux des autres. »

Quelle que soit la virtuosité qu'elle exige du cadreur – son neveu Claude, en l'occurrence –, une telle technique n'est pas une fin en soi. Elle correspond au désir permanent de l'homme et du créateur. Dans l'un des six chapitres – pas moins ! – qu'il consacre à *La Grande Illusion* dans son livre, Renoir se résume en une phrase : « Mon sujet principal était l'un des buts vers quoi je tends depuis que je fais des films, à savoir la réunion des hommes. »

Pour mieux les réunir, il faut d'abord les avoir distingués les uns des autres. Nous voyons alors que les personnages ne se définissent pas seulement par leurs classes sociales, mais aussi par des singularités, que les acteurs choisis prennent en compte avec un talent qui tient à leur personnalité propre autant qu'à leur métier consommé. Heureusement, le cinéma français d'alors dispose d'une galerie de figures – de « natures », comme on disait alors – parfaitement plausibles dans la mesure même où leur vérité s'accommode de l'étrangeté, de la fantaisie, voire de l'extravagance. On ne peut pas penser à *La Grande Illusion* sans se souvenir de Julien Carette et de la place qu'il y tient, alors que son personnage disparaît dans la seconde moitié du film ; de Gaston Modot, aussi, tellement impressionnant dès qu'il apparaît ; de Jean Dasté en délicieux ahuri ; de Sylvain Itkine, qui jouait l'inspecteur Juliani dans *Le Crime de Monsieur Lange*, et que nous retrouvons ici, toujours aussi effaré, en amoureux de Pindare, le plus grand poète grec à ses yeux, qu'il s'est mis en tête de traduire sur une table de chambrée.

Dans son livre de souvenirs (*Mes années folles*), Marcel Dalio se souvient d'avoir été convoqué par le directeur de production de *La Grande Illusion*, qu'il avait rencontré quelques jours auparavant au Fouquet's. Est-ce Raymond Blondy qui s'est adressé à lui, ou Albert Pinkévitch ? Compte tenu de ce qui lui est dit, je pencherais plutôt du côté de ce dernier. Renoir, en tout cas, n'est pas là pour lui annoncer :

— Eh bien, on peut dire que tu as de la veine. Le Vigan devait jouer un paysan qui s'évade avec Gabin, mais il trouve que le rôle n'est pas assez beau. Alors on a pensé que Gabin pourrait s'évader avec un petit Juif. Ça t'intéresse ?...

D'un acteur à l'autre la différence est considérable. Entre Le Vigan, antisémite pathologique et ami de Céline, et Marcel Dalio, élevé dans l'odeur des harengs qui emplissait l'épicerie paternelle, rue des Rosiers, on se demande comment le scénario a pu évoluer... Tout se passe comme si le film utilisait le hasard afin de découvrir sa propre nécessité. L'engagement de Stroheim induit le couple imprévu Boïeldieu-Rauffenstein, qui a probablement suscité, par besoin de symétrie, l'autre couple Maréchal-Rosenthal... lequel doit beaucoup, lui aussi, aux circonstances ! Au dialogue entre Fresnay et Stroheim succède alors – de façon logique, bien que fortuite – une autre conversation, entre Gabin et Dalio, dont les résonances humaines ne sont pas moins vives. Maréchal est un homme simple, tandis que Rosenthal appartient à la grande bourgeoisie israélite. Nous sommes à la veille de l'évasion :

— Dans le fond, dit Maréchal, je suis bien content de partir avec toi. Note que Boïeldieu je l'aime bien, mais avec lui, tu comprends, j'peux pas me laisser aller. J'suis pas libre... Qu'est-ce que tu veux, ce n'est pas la même éducation... Alors, il y a... il y a un mur entre nous !

— C'est un type épatant, dit Rosenthal.

— Oui, d'accord, et puis il est très régulier ; mais, écoute : suppose un seul instant que toi et moi on tombe dans la purée. On sera deux purotins, tandis que si ça lui arrive à lui, il restera toujours « Monsieur de Boïeldieu » !... Ben, qu'est-ce que tu veux... Et puis toi aussi tu as été un type épatant. Tu nous as presque tous nourris avec les envois de ta famille...

— Oh, c'est de la vanité... Tu sais, au fond, je suis très fier d'être d'une famille riche, et quand je vous invite à ma table, c'est pour moi l'occasion de le montrer... La foule croit que notre gros défaut c'est l'avarice. Grave erreur ! Nous sommes souvent généreux. Hélas ! En face de cette qualité, Jéhovah nous a largement dotés du péché d'orgueil...

— Oui, ah ! Tout ça, c'est des histoires. Moi j'm'en fous de Jéhovah. Tout ce que je vois c'est que t'as été un bon copain... Et ça, mon vieux, qu'est-ce que tu veux...

Renoir n'a jamais pu, et ne pourra jamais, se passer de grands amis. Au moment de *La Grande Illusion*, il vit pratiquement avec Jacques Becker. « Notre amitié, écrit-il, dépassait le cadre des amitiés normales. Si notre aspect physique n'eût écarté tout soupçon de ce genre, les esprits mal tournés eussent pu croire que nos relations frisaient l'aventure amoureuse. Et pourquoi pas ? Je crois très fermement aux amitiés passionnées et dépourvues de toute implication sexuelle. Dans *La Grande Illusion*, l'aventure Rauffenstein-Boïeldieu n'est pas autre chose qu'une histoire d'amour. »

De la même façon que l'accord se trouve entre des discordances affirmées, l'amitié se nourrit de ce qui la met en danger. Obligé par le devoir, Rauffenstein tire sur Boïeldieu, qui le défie en jouant sur sa flûte l'air de « Il était un petit navire » et en s'éloignant dans les combles de la forteresse sans répondre aux sommations. Si le capitaine n'avait concentré sur lui, par une attitude apparemment insensée, l'attention des geôliers, Maréchal et Rosenthal n'auraient pas eu le temps d'arrimer leur corde, de se lancer dans le vide, et de prendre la fuite.

Rauffenstein et Boïeldieu n'ont pourtant jamais été aussi proches l'un de l'autre que dans la scène où le commandant assiste son ami mourant et où ils font assaut de courtoisie.

— Je n'aurais pas cru, dit Fresnay dans un souffle, qu'une balle dans le ventre puisse faire aussi mal.

— Je vous ai visé à la jambe, murmure Stroheim.

— A cent cinquante mètres... sans visibilité... et puis je courais...

— Je vous en prie, pas d'excuses. J'ai été maladroit.

— De nous deux, ce n'est pas moi qui suis le plus à plaindre. Moi, j'en aurai fini... bientôt, alors que vous n'avez pas fini...

Je dois reconnaître ici que Pierre Fresnay, qui a toujours composé ses personnages avec un soin agaçant à force d'être visible, réussit à nous convaincre dans chacune de ses scènes. Il est réellement nimbé de ce « je ne sais quoi » dont parle Renoir, « qui faisait de ces messieurs de la cavalerie des êtres à part ».

L'amitié de Maréchal et Rosenthal traversera elle aussi une épreuve, mais que ni Spaak ni Renoir n'avaient prévue. Cette fois, ce n'est pas le hasard qui entre en jeu, mais l'esprit critique de Françoise Giroud, ou l'instinct avisé de Marcel Dalio, lequel s'attribue (dans son livre) la nouvelle modification du scénario. Françoise Giroud a remarqué une faiblesse dans la séquence où Maréchal et Rosenthal luttent contre la faim, le froid et la fatigue en cherchant à gagner la frontière suisse. Malgré les multiples difficultés, tout se passe un peu trop bien entre les deux hommes. Dalio raconte qu'un soir, au dîner, il a pris son courage à deux mains et s'est adressé directement à Renoir pour lui dire : « Ecoutez, Jean, il y a quelque chose qui cloche dans cette scène... L'un des deux hommes est juif, il se tord la cheville et l'autre... la lui masse comme une infirmière. Je crois que leurs rapports devraient être différents. Presque le contraire de ce qu'ils sont actuellement... »

Renoir l'écoute avec attention, mais peut-être a-t-il déjà entendu une proposition semblable suggérée par Françoise Giroud. Il réfléchit et découvre que la scène sera d'autant plus émouvante qu'elle gagnera en âpreté.

La fatigue aidant, Maréchal et Rosenthal échangeront donc des mots très durs :

— On n'a même plus rien à bouffer, dit Gabin. Alors autant se rendre tout de suite.

— Oh volontiers, répond Dalio ulcéré, parce que moi aussi j'en ai marre ! Si tu savais comme je te déteste !

— J'te jure que je te le rends bien, va ! Veux-tu que je te dise ce que t'es pour moi ? Un colis, un véritable colis que je traîne aux pieds ! Et puis d'abord, j'ai jamais pu blairer les Juifs !

Arrivés à ce point, les deux hommes ne peuvent que se séparer. Leur exaspération est telle qu'elle ne passe plus par des phrases articulées, mais par les paroles de cette chanson (« Il était un petit navire »), celle précisément que Boïeldieu a jouée, en se sacrifiant, pour faciliter leur évasion.

Dalio chante par dérision. Il est parvenu au bout de la fureur et de la détresse, tandis que Gabin chante lui aussi, mais avec une conviction qui s'affaiblit. C'est l'un des grands moments d'interprétation dans l'œuvre de Renoir. Il ne nous bouleverserait pas tant s'il ne trouvait sa source dans l'un de ces paradoxes effrayants d'ironie qui attirent invinciblement le cinéaste de *La Chienne*. Que les deux personnages soient entrés dans un semi-délire, on le conçoit facilement ; mais aucun scénariste, travaillant en chambre, n'aurait pu avoir l'idée de la chanson, clamée de façon aussi subite et scandée rageusement par les deux acteurs, à rebours de son esprit enfantin.

Racontant à sa manière (dans *Ma vie et mes films*) l'histoire de la même scène, Renoir n'évoque que par allusion les interventions de Françoise Giroud et de Dalio. Il préfère avouer une autre influence : celle du décor réel sur le jeu des comédiens. L'équipe s'est transportée au cœur d'un cirque montagneux, où règne un froid de loup. Les vêtements de Gabin et de Dalio sont trempés de boue. « J'étais très fier, nous dit Renoir, de la scène que j'avais écrite. Hélas, quand nous commençâmes à répéter, les acteurs s'avérèrent incapables de dire leur texte. L'épreuve physique à laquelle je les soumettais les paralysait. » Dalio et Gabin disent pourtant les répliques que j'ai citées, malgré le froid cuisant. Il est vrai qu'elles ont été inspirées par Françoise Giroud, ou par Dalio...

Renoir esquive la difficulté : « Il fallut renoncer à ma scène sur laquelle je comptais tant... Pour réfléchir à la situation, nous allâmes nous réfugier dans une maison perdue dans ce désert. Au bout de quelque temps, l'un de nous, je ne me souviens plus duquel, suggéra de remplacer mon texte par la chanson du " petit navire " dite avec des expressions différentes... Le résultat fut splendide. Le décor avait gagné. En réalité, tout le monde avait gagné. »

Quoi qu'il prétende, la chanson ne remplace pas un dialogue, mais elle « dénoue » de façon pathétique un autre dialogue, entièrement différent, en effet, de celui qu'il avait initialement prévu.

Faut-il ajouter que Gabin et Dalio sont extraordinaires et que Renoir mesure parfaitement ce qu'il leur doit ? Il se souviendra, au moment de *La Règle du jeu,* de l'étendue du registre sur lequel Marcel Dalio promène son jeu. Peu d'acteurs témoignent comme lui d'une telle aisance, aussi bien dans les méandres de la réticence charmeuse – et dans « l'air de chien battu » – que dans la dérive sans contrôle des émotions exacerbées.

Jean Gabin observe, quant à lui, que son personnage a perdu en importance avec la nouvelle place prise dans l'action par les scènes entre Boïeldieu et Rauffenstein. Il est agacé par les marques de déférence que Renoir réserve à

Stroheim. « Y en a que pour le Schleu ! » ironise-t-il, mais il s'interdit de protester. « La règle pour Jean, écrit André Brunelin, était que la qualité du film devait avoir le pas sur le rôle qu'il interprétait. »

Il n'en demeure pas moins que *La Grande Illusion* ne serait pas le film que nous voyons s'il ne s'y était admirablement accompli, comme homme et comme acteur. On se souvient de la façon qu'il a, demi-gouailleuse, demi-gênée, de déclarer son ignorance à propos du mot « cadastre », ou du poète Pindare. On se souvient de ses regards hallucinés, et des hurlements que lui arrache la solitude du cachot. Une vraie torture pour les hommes de son espèce. On se souvient de son visage défait et de son expression encore hagarde, presque enfantine, lorsqu'il revient dans la baraque de ses camarades et avoue qu'il a faim. On se souvient de son retour auprès de Dalio, une fois sa colère apaisée, et de l'incroyable simplicité des gestes et des mots – quasi murmurés – qui lui viennent alors à l'esprit pour dire son amitié retrouvée. Ils feraient croire en l'humanité le plus endurci des misanthropes.

On se souviendra aussi longtemps de ses yeux baignés de lumière, au matin de la première nuit passée avec la fermière allemande. Tout homme amoureux ne peut que se reconnaître dans ce regard-là.

« Gabin, dit Renoir à Truffaut et Rivette en 1954, c'est l'acteur de cinéma avec un grand A. J'ai tourné avec des tas de gens dans ma vie. Je n'ai jamais rencontré une telle puissance cinématographique... Ça doit venir d'une profonde honnêteté. C'est certainement l'homme le plus honnête que j'ai rencontré dans ma vie. »

Si je me résumais, je pourrais raconter l'histoire de *La Grande Illusion* comme celle d'une immense reconnaissance de dettes. Renoir a vu affluer vers lui des collaborateurs aussi nombreux qu'inattendus : Monsieur Albert, Erich von Stroheim, Françoise Giroud, Dalio, sans oublier le vent glacial qui balayait le flanc des Vosges en février 1937. Aussi ne suis-je qu'à moitié étonné lorsque Maurice Bessy – bon observateur du cinéma français d'alors, depuis la salle de rédaction de *Cinémonde* – nous révèle dans son livre (*Les Passagers du souvenir*) l'inquiétude du metteur en scène au moment où il vient d'achever son montage : « Enfanté dans la douleur, son film était-il vraiment celui qu'il avait voulu faire ? Le doute soudain l'envahit. Huit jours avant la présentation à la presse, il s'interrogeait. Dans un moment de découragement, il avait envisagé de ne pas signer le film. »

Je laisse à Maurice Bessy la responsabilité de son témoignage, mais il est certain que Renoir s'est laissé déporter hors de son propos initial, tel que Charles Spaak ne cessera jamais de le définir : « Le sens du film était très clair. La " grande illusion " était de croire que l'alliance d'un Pierre Maréchal et d'un M. de Boïeldieu pût se prolonger au-delà du temps de la guerre ; la paix revenue devait les renvoyer chacun dans leur milieu au sein de clans irrémédiablement hostiles. »

Trahi par l'intérêt passionné qu'ont éveillé en lui, au même degré, Boïeldieu et Maréchal, Rauffenstein et Rosenthal, Renoir ne s'est pourtant pas renié. « Il ne m'a pas été possible de prendre parti pour aucun de mes personnages », confie-t-il en juin 1937 à un journaliste de *Paris-Soir*.

Autrement dit, le film fait mieux que de plaider pour un idéal démocratique, il est lui-même de la démocratie en œuvre.

On comprend la réaction du Président Roosevelt : « Tous les démocrates du monde devraient voir ce film. » Et mieux encore celle du docteur Goebbels désignant *La Grande Illusion* comme « l'ennemi cinématographique n° 1 ».

CHAPITRE DOUZIÈME

« Ce souffle qui a odeur de destin... »

*

1937/1938. « La Marseillaise » « La Bête humaine »

Encore une drôle d'histoire :

Le projet de *La Marseillaise* part d'une initiative du Parti communiste à la fin de 1936, dans l'euphorie toute neuve des victoires du Front populaire. Face au danger fasciste, à l'extérieur comme à l'intérieur, les dirigeants communistes privilégient les thèmes patriotiques et unitaires. Là-dessus Renoir ne peut que les suivre. Il mesure clairement la menace que fait peser le régime hitlérien sur le destin de l'Europe. L'amour de la France est inscrit dans ses fibres, et rien ne le préoccupe autant que la « réunion des hommes ».

Le 12 mars 1937, un grand meeting se tient salle Huygens. Un tract est diffusé à des millions d'exemplaires, qui annonce : « Le film de l'Union de la Nation française contre une minorité d'exploiteurs, le film des Droits de l'Homme et du Citoyen. Pour la première fois, un film sera commandité par le peuple lui-même, par une vaste souscription populaire.

2 francs la part de commandite ! 2 francs le billet de souscription ! 2 francs qui viendront en déduction du prix des places dans les salles où le film sera projeté ! Souscrivez ! »

Henri Jeanson se souviendra un an plus tard, avec une ironie cinglante, des débats qui précédèrent l'élaboration du scénario :

> « Ce fut épique, écrira-t-il.
> Tous les représentants du Front Populaire avaient la parole : socialistes, frontistes, radicaux, communistes, etc. etc...
> ... Tous s'improvisaient scénaristes, metteurs en scène, opérateurs. Je crus bon d'intervenir :
> — Si j'allais chez Renault et si je faisais une observation à un camarade mécanicien sur la manière dont il s'y prend pour monter un moteur, il m'enverrait discourir ailleurs ! Pourquoi voulez-vous apprendre à Renoir comment on fait un film ?
> Je fus hué, comme il se doit. »

Le désordre des débats n'empêche pas le projet de prendre, durant les premières semaines, des proportions grandioses. Après avoir pris son parti des collaborations multiples qui se sont manifestées pendant la réalisation de *La Grande Illusion*, Renoir les organise à présent, au point d'apparaître avant tout – dans ses déclarations de l'époque – comme un maître d'œuvre. Les meilleurs scénaristes seront mis à contribution, à l'exception de Prévert, bien trop libertaire sans doute pour se conformer à un projet orthodoxe. Charles Spaak coordonnera l'ensemble de la fresque historique qui, par une suite de tableaux, nous conduira de l'annonce faite au roi de la prise de la Bastille au champ de bataille de Valmy. Henri Jeanson écrira les dialogues qui s'échangeront à Paris dans les faubourgs. Marcel Achard fera parler les émigrés de Coblence. Marcel Pagnol devra imaginer une conversation entre Robespierre, le réaliste, et Brissot, l'idéaliste. « Je considère cette scène, dit alors Renoir, comme une des plus importantes de tout le film, celle qui aura sans doute la plus grande signification. »

La musique sera écrite par un groupe de compositeurs prestigieux : Honegger, Milhaud, Auric, Kosma, Ibert. Renoir s'apprête aussi – étrangement – à déléguer la « direction de l'interprétation », que devra assurer Louis Jouvet. La distribution prévoit le même Jouvet en Robespierre, Pierre Renoir en Brissot, Gabin en « magnifique menuisier du faubourg Saint-Antoine », Stroheim en officier autrichien, et Maurice Chevalier en ouvrier chantant « La Marseillaise ».

« Il faudra déchanter, écrit Pierre Billard en historien précis. La souscription n'a pas rapporté plus de 500 000 bons à 2 francs. C'est tout à fait insuffisant, en dépit des apports syndicaux (70 000 francs de la CGT et de l'Union des syndicats). Il faudra insuffler discrètement de " l'argent politique ". Pascal Ory cite le témoignage de Giulio Ceretti, intermédiaire financier du Komintern, qui se présente comme le pourvoyeur de fonds pour 18 millions. » Or, *La Grande Illusion* a coûté 15 millions, ce qui confère, selon Pierre Billard, « une certaine crédibilité » aux chiffres de Ceretti.

Henri Jeanson, dans son article de février 1938, se résumera en deux phrases :

« Les socialistes et les radicaux, évincés par les communistes, abandonnèrent *La Marseillaise* à son destin.

« Et Jean Renoir, en tentant de se libérer, fut fait prisonnier par Moscou. »

Il est vrai que l'on ne peut nier, cette fois, une influence prépondérante. *La Marseillaise* nous renseigne tout autant sur l'état d'esprit des communistes de 1937 que sur la grande révolte des « patriotes » de 1792. Il s'agit, dans les deux cas, de préserver les acquis d'une victoire. Les militants du Parti et les fédérés marseillais montés à Paris soupçonnent puis accusent de trahison un « ennemi intérieur » qui a juré leur perte. Les dialogues et les nombreux discours prononcés dans le film ne laissent aucun doute à ce sujet. Quand les patriotes dénoncent les aristocrates, considérés comme complices des émigrés de Coblence, de s'allier secrètement aux Prussiens et aux Autrichiens afin de rétablir l'autorité royale, c'est la « réaction » qui est visée, dans la mesure où on la croit capable d'utiliser tous les moyens pour abolir les conquêtes du Front populaire.

Lorsqu'on entend un conseiller de Louis XVI déclarer : « Je préférerais voir les Prussiens camper sur la place Louis-XV, et l'assignat tomber au-dessous de zéro, plutôt que d'assister à une victoire qui renforcerait l'audace des éléments de désordre », le lien est nettement établi avec une droite « revancharde » qui ne manquerait pas de confondre, le cas échéant, ses intérêts sacrés avec ceux de l'ordre fasciste. N'oublions pas l'opinion d'un Elie Faure, par exemple, qui – en 1937 – considère Mussolini et Hitler comme « les hommes de paille du capitalisme ».

Voilà pourquoi les patriotes marseillais multiplient les mises en garde à l'intention de leurs adversaires :

— Nous les portefaix du port de Marseille, dit un homme, travailleurs disciplinés et ennemis de la violence (on reconnaît là le style et le ton du Parti), nous qui avons arrêté la révolte quand la populace voulait saccager la maison du fermier Rebuffet, nous flétrissons les lâches attentats contre la tranquillité publique, par lesquels les réactionnaires marquent leur dépit de la victoire du peuple !

— Ce qu'il nous faut, dit une femme, c'est une certitude. C'est l'assurance que nos hommes, avant d'aller présenter leurs poitrines aux canons des Autrichiens, auront fait justice des chefs criminels qui mettent leur intérêt de caste au-dessus de la sauvegarde de leur pays.

Je ne vois pas comment contredire Henri Jeanson lorsqu'il écrit : « On retrouve dans ce film tous les thèmes de propagande du Parti communiste. »

La Nation est sans doute le thème que Renoir considère comme le sujet principal de son film. Il lui consacre une belle scène de plein air, qui met en présence le marquis de Saint-Laurent (Aimé Clariond) et le citoyen Arnaud (Andrex). Le marquis vient de se voir déposséder de son commandement sur le fort qui domine la ville de Marseille depuis le front de mer. A travers un créneau du rempart qui barre l'horizon, on aperçoit la voile d'un bateau de pêche. On sent réellement la lumière sur les visages, et la douceur du vent marin. La caméra accompagne les personnages avec nonchalance.

Le marquis affirme ne pas comprendre le sens des mots qui condamnent le monde où il a toujours vécu :

— « Nation », « citoyen », qu'est-ce que c'est que tout ça ?

— La nation, répond Arnaud d'une voix calme, c'est la réunion fraternelle de tous les Français... C'est vous, c'est moi... Ce sont les gens qui passent dans la rue... C'est ce pêcheur dans cette barque. Et les citoyens ce sont les gens qui composent cette nation.

Aucun autre thème n'est oublié. Même pas celui, assez nouveau en 1937, de « la main tendue aux chrétiens ». Arnaud fait ainsi la leçon – il n'y a pas d'autre mot, hélas – à l'un de ses camarades farouchement anticlérical :

— Pourquoi veux-tu que, parce qu'un homme porte la soutane, il soit forcément réactionnaire ? Tu ne peux pas oublier les services que les prêtres réfractaires ont rendus à la Révolution.

On peut remplacer, si l'on veut, le mot « propagande » par celui de « didactisme », plus « convenable » quand on l'emploie au sens brechtien dans les cercles intellectuels. Je dois préciser alors que l'Allemand Carl Koch, conseiller du réalisateur pour *La Grande Illusion*, *La Marseillaise*, et plus tard pour *La Règle du jeu*, a travaillé avec Bertolt Brecht, dont il a retenu (selon Renoir) l'horreur de la « rêverie imprécise » et le goût de la « rigueur logique ». Il n'en demeure pas moins que le film nous délivre un message partisan, et qu'il nous tient – explicitement – un discours politique lié aux circonstances.

Je comprends que certains spectateurs – aujourd'hui comme en 1938 – soient troublés, agacés, ou se disent comme Henri Jeanson accablés d'ennui par les très longues professions de foi auxquelles nous assistons dans l'enceinte du club marseillais des « Amis de la Constitution ». Que Renoir s'ingénie à les « faire passer » en les pimentant de notations burlesques ou terre à terre, nous n'en attendions pas moins de lui. Un exemple parmi beaucoup d'autres : la femme qui dénonce les « chefs criminels » raconte, à l'appui de son accusation, l'histoire de son amant, Antoine Givaudan, sergent au 49e régiment d'infanterie, tué par les Autrichiens près de Mons, alors qu'il fuyait :

— Citoyens, dit-elle, il y en a peut-être ici qui l'ont connu. S'il y en a, ils savent qu'Antoine Givaudan n'avait peur de rien ! Et que, s'il a fui, c'est parce qu'il a été trahi !

Elle est interrompue par un brave imbécile de l'assistance, qui fait l'éloge de son « collègue » Givaudan, et de son « cœur sur la main ».

— Même que je lui dois encore deux écus, dit-il, qu'il m'a prêtés à la foire de...

Un grand brouhaha couvre sa voix et le rappelle à l'ordre, ce qui permet à la femme de poursuivre sur le même ton de solennité, auquel Renoir prête une attention soutenue.

Il s'est beaucoup documenté en écrivant son scénario. Les discours que nous écoutons sont tirés des comptes rendus des clubs publiés dans les journaux de l'époque. « J'ai bien été obligé, dit-il à Jean Narboni et Michel Delahaye en 1967, de me familiariser avec le style, les façons, les paroles, le costume des gens de cette époque. Et c'est à un point tel que, dans *La Marseillaise*, je n'ai pour ainsi dire pas fait de dialogues. Car presque tous les dialogues sont pris dans les documents existants. »

Il s'était tout autant félicité en réalisant *Madame Bovary* d'avoir pu emprunter à Flaubert la plupart des répliques de son film. Dans les deux cas, les phrases prononcées relèvent plus du langage écrit que du langage parlé. Il serait le premier à reconnaître qu'elles ne sonnent pas « naturellement », ce qui le stimule au lieu de le gêner. Ces « discours de l'époque », dont il admet qu'ils « ne seraient pour ainsi dire pas supportables aujourd'hui », revêtent pourtant à ses yeux « une grandeur, une beauté, une éloquence, qui en font de la grande poésie ». Il ne peut l'avouer aussi crûment, mais il est certain que la Révolution le passionne – peut-être essentiellement – en ce qu'elle a de théâtral.

Raison pour laquelle il souffle à Marie-Antoinette une déclaration lourde de conséquences. Lors du conseil décisif où le roi prend connaissance du manifeste signé par le duc de Brunswick, qui enjoint aux révolutionnaires de rendre les armes, elle dit :

— Le rideau va se lever sur le dernier acte de la tragédie, et je suis d'avis de frapper les trois coups.

Ce à quoi Louis XVI répond avec bon sens :

— Le défaut de l'affaire, c'est que dans cette représentation nous sommes aussi des acteurs, ce qui est évidemment une position moins commode que celle de spectateur.

Il devient acteur, en effet, silhouette de carton sur fond de lumière, dans un « théâtre d'ombres » que Renoir s'est plu à reconstituer avec la collaboration de Lotte Reiniger. On y voit le roi courtiser la Nation, dont l'apparence est déjà celle de notre Marianne en bonnet phrygien.

— Madame... Madame la Nation, chante Louis XVI, venez dans mes bras que je vous embrasse.

— Monsieur le roi, répond la Nation d'une voix grêle, entre nous le pont est cassé, et un abîme nous sépare !

— Quel est donc cet abîme ?

— C'est le manifeste de Brunswick !

L'idée du théâtre est certainement aussi à l'origine de l'accent mis sur la traversée de la France par les volontaires marseillais. Aucune autre région ne pouvait produire de personnages aussi doués pour l'hyperbole, ainsi que pour le dosage, immanquablement savoureux, de la mauvaise foi et de la sincérité.

Les acteurs provençaux (Andrex, Ardisson, Dullac, Allibert) se donnent les uns aux autres une comédie perpétuelle, qui rehausse – en l'équilibrant – leur ferveur révolutionnaire. Je dois avouer que Renoir avait grand besoin de leur ingénuité et de leur verve pour masquer le fait qu'ils sont – après tout – des « héros positifs » à la mode soviétique. Arnaud, en particulier, qui étudie, raisonne et agit « de façon responsable », ne vit que par les propos qu'il tient et par les sentences qu'il prononce. Il est du bois, assurément, dont on fait les « commissaires politiques »...

Nous retrouvons Renoir exerçant sa lumineuse acuité de regard, lorsque le film parvient à son dénouement. Aux approches de la colline de Valmy, quelques minutes avant la bataille, le gros Javel (Dullac) lance de sa voix la plus sonore :

— Eh bien moi je dis que les 20 000 esclaves et les 5 000 traîtres qui sont là-bas en face ne viendront jamais à bout de 20 millions d'hommes libres ! Vive la liberté !

A peine a-t-il prononcé le dernier mot que les ordres jaillissent du « garde à vous » et du « portez armes ». « L'homme libre » obéit alors et s'exécute sans sourciller. Aussi saisissante soit-elle, l'ironie du contraste ne diminue pourtant en rien la portée de l'événement.

La Révolution offre à Renoir ses grands et ses petits théâtres sur les tréteaux desquels triomphe le verbe, mais où le spectacle déploie aussi ses foules aux moments clefs, dans la seule tradition qui vaille, celle de David W. Griffith. Nous éprouvons ainsi le sentiment du vaste et l'aspiration à l'intime jouant ensemble leur partition.

Pour filmer le départ des volontaires marseillais vers Paris, il a juché sa caméra sur une grue. Au lieu d'une banale vue générale de la place, le plan – qui deviendra séquence – accroche d'abord la branche imposante d'un arbre sur laquelle un enfant est couché. Nous glissons ensuite vers le bas et nous parcourons les groupes de soldats, qui boivent le vin offert par des jeunes filles, qui entourent le soliste chantant un couplet de « La Marseillaise », qui font leurs adieux à leurs fiancées et à leurs mères. La caméra prend encore du champ vers la gauche pour découvrir le contrepoint de la fête, un cercle de femmes agenouillées qui pleurent ou prient pour leurs hommes, puis elle revient vivement vers la droite, dans un mouvement qui consacre l'élan patriotique, juste avant l'ordre de rassemblement et de départ.

L'entrée des Marseillais à Paris est filmée différemment, mais la grue est employée à nouveau. Elle s'élève au-dessus des blocs de parpaings sur lesquels on a planté un écriteau « Ci-gît la Bastille ». Elle monte encore, de manière à appréhender l'ensemble de la place, où un grand espace a été ménagé. Et voici que là-bas, tout au fond de l'image, apparaissent les tambours du bataillon qui a traversé la France en plus de vingt-cinq jours, et qui arrive de très loin en effet pour offrir aux Français leur hymne national.

Parmi les films soviétiques qu'il a visionnés en Russie au début de 1936, Renoir dit avoir « admiré *Tchapaïev* (de Gueorgui et Sergueï Vassiliev) où les Russes blancs sont présentés comme des adversaires de bonne foi ». On voit donc poindre en lui durant ces années-là, où il donne tant de preuves de son engagement politique, la formulation d'une réplique qu'il prononcera lui-même dans *La Règle du jeu* :

— Tu comprends, sur cette terre, il y a une chose effroyable : c'est que tout le monde a ses raisons !

Dans *La Marseillaise* il expose donc les raisons des uns et des autres avec une probité qui ne correspond pas seulement à une noblesse de cœur. Au « fair-play », dont nous le savons capable, s'ajoute une curiosité alimentée sans cesse par le désir d'être surpris, et même dépassé par ce qu'il découvre.

Raison pour laquelle il s'attarde un moment, durant l'assaut des Tuileries, sur l'attitude des gardes suisses, dont la résistance n'a plus d'objet. La cause qu'ils défendent n'est pas la leur et elle est, de toute évidence, perdue. Pourtant, lorsqu'un Marseillais souriant l'invite à se rendre, un garde répond :

— Nous sommes suisses, et les Suisses n'abandonnent leurs armes qu'avec leurs vies. Nous ne croyons pas avoir mérité un tel affront. Nous ne quitterons pas nos postes et nous ne nous laisserons pas désarmer.

On sent que Renoir s'étonne, mais qu'il s'incline en même temps devant une détermination qui tient de l'héroïsme autant que de l'entêtement.

Si *La Marseillaise* est un si grand film, malgré son lourd cahier des charges, c'est à cette curiosité alerte que nous le devons. Charles Spaak nous l'a bien dit : « Renoir attache beaucoup plus d'importance aux métiers des hommes, aux connaissances précises qu'ils ont acquises au contact de la matière ou de la nature, qu'à leur idéologie. » Nous allons donc avec lui de découverte en découverte. Cabri, le paysan provençal (Delmont), enseigne à Bomier (Ardisson), le maçon de Marseille, l'art d'orienter son feu en plein vent sur une colline. Un très vieux courtisan, qui a connu les fastes de Trianon, fait renaître pour les émigrés de Coblence l'ensemble des figures de la gavotte. Nous avons droit à la démonstration en règle du chargement du fusil en douze temps, et à un échange très nourri entre soldats fourbus sur les différentes manières de soigner les pieds mis à mal par les longues marches. Lorsque Bomier proteste contre les platées de pommes de terre, inscrites chaque jour à l'ordinaire de la cantine, et dit qu'il refuse de « se nourrir de racines », le gros Javel lui signifie sur un ton digne de Monsieur Homais :

— Tu ignores donc, malheureux, que ce précieux tubercule peut être cuisiné de vingt façons différentes, et toutes plus délicieuses les unes que les autres ! Il nous fournit généreusement, non seulement de la farine, des fécules, des médicaments, mais encore une excellente eau-de-vie. Té ! Le roi Louis XVI lui-même, qui n'est pas un bon politique, mais qui est un fin mangeur, eh bien, il se nourrit exclusivement de pommes de terre !

Quelques scènes plus loin, alors que les affaires deviennent sérieuses, et que l'assaut des Parisiens menace le palais des Tuileries, Marie-Antoinette pénètre dans les appartements du roi et le découvre attablé.

— Comment, sire, dit-elle, vous mangez en de pareilles circonstances !

— Et pourquoi pas ? répond Louis XVI. L'estomac est un organe qui ignore les subtilités de la politique. Je me suis fait servir des tomates. On parle beaucoup de ce légume depuis l'arrivée à Paris de ce bataillon de Marseillais. Eh bien, madame, voulez-vous que je vous donne mon impression ? C'est un mets excellent, et nous avons eu tort de le négliger.

En deçà et au-delà de la politique, *La Marseillaise* pourrait donc se raconter comme l'échange, entre Français du Nord et Français du Midi, de la tomate contre la pomme de terre !

On devine sans peine l'intérêt narquois et l'affection réelle que les deux Renoir ressentent pour le personnage de Louis XVI. Pierre l'interprète et Jean le met en scène en oubliant quelque peu les griefs émis au long du film par les patriotes jacobins. Jean s'est beaucoup documenté. On pourrait le croire parvenu à un certain degré d'objectivité historique. Je le soupçonne néanmoins d'avoir retenu, dans son portrait d'un souverain promis à la déchéance puis à la mort, les attitudes et les mots qui l'ont intéressé personnellement.

Louis XVI est un « civilisé ». C'est un homme de goût. La critique qu'il formule à l'endroit du manifeste de Brunswick est, aux yeux de Renoir, d'une pertinence sans recours :

— Eh bien, franchement, dit-il, je n'aime pas son style !

Ecoutons-le à présent parler de la chasse, son exercice favori, dont il déplore la désastreuse évolution :

— On ne sait plus chasser aujourd'hui. Quel intérêt voyez-vous à des expéditions avec des rabatteurs, qui vous amènent le gibier comme des quilles devant les boules d'un joueur ?

Propos qui se trouvera illustré, en tout point, par la fameuse séquence de la chasse dans *La Règle du jeu.*

Pierre Renoir ajoute au portrait des touches personnelles d'une infinie justesse. Jean ne pouvait obtenir que de son propre frère la moue réprobatrice, à peine esquissée, par laquelle Louis XVI exprime son sentiment lorsqu'on lui annonce la prise de la Bastille ; ou bien encore les regards de vieille amitié qu'il échange avec Picard, son valet de chambre (joué par Léon Larive, comme il se doit) ; ou bien, surtout, son arrêt d'un instant au moment le plus dramatique. Chassée par l'émeute de son palais, la famille royale traverse le jardin des Tuileries pour se rendre à l'Assemblée nationale. C'en est fini alors de plusieurs siècles d'autorité royale. Placée haut, la caméra cadre la longue allée où chemine le groupe. Un mouvement de grue nous rapproche avec souplesse de Louis, l'enfant dauphin, qui ne pense encore qu'à jouer. Il donne un coup de pied dans un tas de feuilles mortes et il en prend une poignée, qu'il jette au visage de sa sœur. Son père le retient par la main, et remarque avec simplicité :

— Voilà bien des feuilles... Elles tombent de bonne heure cette année...

« Ce mot, que je n'ai pas inventé, est à mon avis assez poignant, dit Renoir. Et cela tend à confirmer ce côté victime consciente qui, je crois, se trouvait chez Louis XVI... J'ai l'impression qu'il savait que c'était la fin, et qu'il se disait : faire une chose ou une autre, de toute façon, cela ne changera rien à la destinée... Et cela, je crois que mon frère Pierre l'a admirablement rendu. »

Nous voilà donc revenus au bouchon emporté par le flot des circonstances. La logique et la morale convergent, une fois de plus, pour nous signifier que la seule attitude convenable est celle du « consentement », maître mot dans l'esprit de Renoir, qui sera prononcé ouvertement treize ans plus tard par un personnage du *Fleuve*.

On mesure alors l'étendue du paradoxe. Ce film inspiré d'un bout à l'autre par la ferveur révolutionnaire nous parle d'un destin qui, sourdement, dicte sa loi. Le roi d'un côté, les patriotes marseillais de l'autre, sont embarqués sur le même bateau, soulevé par les vagues montantes d'une histoire dont ils ne sont pas les maîtres. Cependant, contrairement à leurs aînés de 1792, les Français de 1938 ne se hausseront pas jusqu'aux hauteurs de Valmy. C'est une déroute qui les attend au printemps 1940, et l'on verra fuir d'autres Antoine Givaudan qui, eux non plus, « n'avaient peur de rien ». Il est vrai que très peu d'entre eux auront vu *La Marseillaise*, qui fut un échec commercial, comparé surtout au triomphe de *La Grande Illusion* quelques mois plus tôt.

Je suis frappé, en recoupant les dates, par deux rapprochements :

La Marseillaise, dont la première projection publique a eu lieu le 9 février 1938, se termine au matin d'une bataille. Un mois auparavant (le 8 janvier), Renoir a déposé à l'Association des auteurs de films un projet de scénario qui s'intitule *Les Sauveteurs*. La première phrase de son texte s'est visiblement imposée à lui : « Nous sommes à la veille d'une guerre internationale. » Il raconte ensuite, de façon très succincte, l'histoire d'un sauvetage en mer. Des navires de toutes sortes, et de nationalités très diverses, viennent au secours d'un bateau en perdition, et ils réussissent dans leur entreprise. « Au moment, écrit Renoir, où tout le monde se réjouit et fête cette grande victoire de la solidarité humaine, la radio et la télévision, qui n'ont pas cessé de fonctionner, annoncent que la guerre est déclarée. Tous ces gens se séparent et regagnent leurs bateaux respectifs, se préparant à aller combattre les uns contre les autres. »

On sait, d'autre part, qu'Emile Zola a tenu (en 1890) à conclure l'action de sa *Bête humaine* par l'entrée en guerre de 1870. Il ne lui suffisait pas de décrire le combat mortel entre Jacques Lantier, le mécanicien de la locomotive, et Pecqueux, son chauffeur ; il lui fallait imaginer de surcroît un train fou, rempli de « troupiers qui hurlaient des refrains patriotiques », roulant sur ses rails comme « un monstre échappé », « une force prodigieuse et irrésistible que rien ne pouvait arrêter »

Je dois citer encore les dernières lignes du roman : « Qu'importaient les victimes que la machine écrasait sur son chemin ! N'allait-elle pas quand même à l'avenir, insoucieuse du sang répandu ? Sans conducteur, au milieu des ténèbres, en bête aveugle et sourde qu'on aurait lâchée parmi la mort, elle roulait, elle roulait, chargée de cette chair à canon, de ces soldats déjà hébétés de fatigue, et ivres, qui chantaient. »

Une première adaptation de *La Bête humaine* a été entreprise, dès 1933 semble-t-il, par Roger Martin du Gard, qui a transposé le récit de Zola dans les années 1910, de manière à ce que le film se termine lui aussi par une entrée en guerre. « Il pouvait être séduisant, en effet, dit Renoir à un journaliste de *Cinémonde* en août 1938, de conclure le film en 1914. Mais la reconstitution des chemins de fer d'avant-guerre eût, à elle seule, coûté des millions, sans apporter un élément spectaculaire appréciable. C'est pourquoi j'ai décidé de transporter carrément l'action en 1938. »

Il s'agit seulement, dans son esprit, d'une actualisation. Mais nous savons, nous, que les personnages de *La Bête humaine* vivent, comme ceux de Zola, dans les derniers confins d'une paix menacée. Le monde de 1938 est appelé à s'écrouler, comme celui du Second Empire en 1870, et le XIXe siècle en son entier avant 1914.

Renoir ne peut que pressentir, lui aussi, le cataclysme à venir. La « bête aveugle et sourde qu'on aurait lâchée parmi la mort » est déjà à l'œuvre. Il suffit pour s'en convaincre de lire les journaux de cet hiver 38. *Le Figaro*, par exemple, où François Mauriac plaide pour « la protection des villes ouvertes » en cas de conflit. « Hâtons-nous, écrit-il, car le printemps approche. Il se presse, cette année ; il devance son heure. Les arbustes des jardins d'Auteuil sont déjà verdissants. Je n'aime pas cette impatience de la nature, cette intervention sournoise, cette complicité de Cybèle et du dieu des morts. Je me méfie de cette brise trop douce, de ce vent tiède, qui sent la terre, l'argile ; de ce souffle qui a odeur de destin... »

Or, le destin en 1938 n'est pas d'humeur à tergiverser.

Sollicité par les producteurs Robert et Raymond Hakim, qui veulent porter *La Bête humaine* à l'écran avec Jean Gabin dans le rôle principal, Renoir se met au travail sans perdre une minute. Il rejette, poliment mais en bloc, le scénario de Roger Martin du Gard, qu'il prétend admirer, mais qu'il trouve beaucoup trop long et pratiquement impossible à tourner en raison de son coût. Sa propre adaptation du roman de Zola, qu'il n'a jamais lu et qu'il découvre pour l'occasion, ne lui prend – à l'en croire – pas plus de quinze jours. Une rapidité qui lui permet, sans doute, de s'attaquer au matériau de façon abrupte, sans se laisser impressionner par la gloire de l'écrivain. Il élague franchement le récit, il resserre l'action avec une vigueur peu commune, il supprime un nombre impressionnant de personnages et de péripéties. Si bien que l'épopée naturaliste se réduit et se résorbe sous nos yeux pour ne plus laisser apparaître que sa ligne tendue à tout rompre, analogue à celle d'un magnifique roman noir.

Claude Gauteur a publié dans son livre (*La Double Méprise*) les divers entretiens accordés par Renoir à des journalistes durant la conception et la réalisation de *La Bête humaine* :

« Je ne suis pas un adaptateur, ni un copiste, mais un auteur de films », dit-il à Claude Briac (*Ce Soir*, 24/7/38).

Devant Louis Chéronnet (*L'Humanité*,15/11/38), il raconte que les notes prises par Zola pendant l'écriture de son roman lui ont servi de fil conducteur. En dégageant, pour sa gouverne personnelle, une charpente et un sujet, l'écrivain aurait donc encouragé et autorisé le cinéaste à ne pas en sortir.

« Pour l'histoire elle-même, dit Renoir à propos de Zola (mais n'est-ce pas de lui qu'il parle ?), ce qui le séduisit d'abord, c'est l'espèce d'engrenage psychosociologique dans quoi sont pris les personnages : après un crime par jalousie, un homme pousse sa femme dans les bras du seul témoin qui pourrait l'accabler, afin qu'il se taise. Là, ne pouvant plus souffrir de son rival, il ne fera que courir de déchéance en déchéance. Mais sur le rival pèse une épouvantable hérédité : il est atteint d'une sorte de mal mental qui le pousse à devenir le meurtrier de la femme qu'il aime. Entre ces deux hommes, la femme est plus faible et plus inconsciente que volontairement mauvaise. »

Je note que ces quelques phrases suffisent, pour une fois, à résumer le film. Renoir n'aurait pu se livrer à un tel exercice avec *La Nuit du carrefour*, *Boudu*, *Lange*, ni même avec *La Chienne* et *La Grande Illusion*. Il est assez étonnant de le voir renoncer pour *La Bête humaine* aux digressions, ruptures de ton, enchevêtrements et passerelles multiples liant les destinées entre elles; aux longs mouvements d'appareil, aussi, qui sont autant de départs vers une découverte, autant de moyens de faire jouer son amoureuse liberté de regard.

Il en est conscient, puisqu'il déclare à Raymond Berner (*Cinémonde*, 4/8/38) : « De plus en plus, je tends à retrouver l'unité d'action, avant d'en revenir à l'unité de lieu et l'unité de temps. » Pour son projet des *Sauveteurs*, il a prévu en effet que le film se déroulerait en deux heures : la durée réelle de l'alerte, du naufrage et de l'arrivée des secours.

Pourquoi ne dit-il pas alors que de telles intentions sont en rupture complète avec le texte torrentiel, échevelé – démentiel ou inspiré, selon les goûts – qui porte le même titre de *Bête humaine* ?

Son père Auguste connaissait bien Emile Zola, mais il n'aimait pas beaucoup ses romans. Dans le journal de Julie Manet (dont les extraits sont publiés dans les *Ecrits et Propos* du grand peintre réunis par les éditions de l'Amateur) je lis ceci :

« M. Renoir parle de Zola, de sa façon de ne voir qu'un côté des choses et de décrire le peuple... Il dit qu'il remarquait autrefois, lorsqu'il allait au Moulin de la Galette où se réunissaient toutes les foules de Montmartre, combien il y avait de sentiments délicats chez ces gens dont Zola parlait comme d'êtres atroces. »

Jean, de son côté, relate une anecdote dans *Pierre-Auguste Renoir, mon père* qui n'est pas seulement savoureuse. La scène se déroule dans la loge d'Hortense Schneider au Théâtre des Variétés. Tandis que Zola et Edmond Renoir (frère du peintre) discutent savamment du « thème en peinture », Jacques Offenbach et la belle Hortense s'ennuient ferme ; ce qui n'échappe pas au regard d'Auguste, agacé lui aussi par les considérations théoriques. Il s'adresse alors à Hortense Schneider et demande :

— Tout cela c'est très joli, mais parlons de choses sérieuses. Votre poitrine se tient-elle bien ?

— Quelle question ! proteste la diva en souriant.

« Et elle ouvrit son corsage, écrit Jean Renoir, donnant ainsi une preuve éclatante de la fermeté de ses appas. Mon père, son frère et Offenbach éclatèrent de rire. Zola devint rouge comme une pivoine, balbutia quelque chose d'incompréhensible et s'enfuit à toutes jambes. »

Drôle de « réaliste », on en conviendra, que la réalité d'un sein met ainsi en déroute. Or, toute la question est là, me semble-t-il, d'une « appréhension » suffocante en présence des choses et des êtres, qui entraîne le romancier naturaliste dans les débordements lyriques et la surenchère imaginative, bien au-delà de la vraisemblance, et même de la vérité en ce qu'elle a de simple et d'infiniment divers. Ecrivant *La Bête humaine*, Zola voit le meurtre partout. Dans ses notes manuscrites sur le roman, André Bazin compte « six assassins de fait ou d'intention, pour un nombre de personnages à peine plus élevé. Lantier, Roubaud, Séverine (quand elle veut faire disparaître son mari), Misard, Flore, et même à la fin Pecqueux. Cette accumulation criminelle serait invraisemblable dans un roman de Simenon. »

André Bazin relève aussi chez Zola une propension aux morceaux de bravoure haletants, que l'on croirait d'inspiration cinématographique, alors que le cinéma n'a été inventé que cinq ans plus tard : locomotive noyée dans une tempête de neige, déraillement fantasmagorique provoqué par une jeune femme ivre de jalousie, train fou de la dernière scène. Il aurait fallu un Abel Gance, celui de *La Roue*, pour retrouver l'élan de tels paroxysmes, dont Zola a dû se sentir si fier, mais qui n'ont pas inspiré Renoir le moins du monde, puisqu'ils ont disparu du film en même temps que la cascade des homicides.

Il m'est donc impossible de croire à sa bonne foi quand il continue à prétendre, dans la plupart de ses entretiens, qu'il s'est voulu fidèle à « l'esprit » de Zola. Je le trouve à peu près aussi convaincant alors que dans les moments où, sur son plateau, il couvre un comédien de compliments, pour lui demander aussitôt de modifier son jeu – « admirable », bien entendu – dans tel ou tel sens.

Il ne modifie pas seulement le récit de Zola. Si l'on relit le livre après avoir vu le film, on constate que le romancier et le cinéaste entretiennent avec leurs personnages des relations si différentes qu'elles ne sont pas conciliables.

Dans le roman, Phasie, la marraine de Jacques Lantier, est mariée au misérable Misard, le garde-barrière, qu'elle soupçonne – à juste titre – de vouloir l'empoisonner. Ce petit homme, malingre et effacé, est habité par une idée fixe. Il cherche à s'emparer des mille francs que sa femme a reçus en héritage, et qu'elle s'ingénie à lui cacher. Phasie n'est pas moins acharnée que son mari dans leur conflit sournois. Parlant avec Lantier des trains qui passent journellement devant sa fenêtre, elle remarque :

— Ah ! C'est une belle invention, il n'y a pas à dire. On va vite. On est plus savant. Mais les bêtes sauvages restent les bêtes sauvages, et on aura beau inventer des mécaniques bien meilleures encore, il y aura quand même des bêtes sauvages dessous.

Emile Zola n'est pas loin de partager une telle vision de l'humanité, illustrée au long du livre par la dégradation des sentiments en passions violentes, puis meurtrières. Le mal dont souffre Lantier, cette hérédité alcoolique qui voile son esprit et fait de lui un monstre chaque fois qu'il approche de trop près une chair féminine, n'est jamais qu'un révélateur, accentué dans son cas, mais partout présent. La rage de Roubaud lorsqu'il découvre que sa femme, Séverine, s'est abandonnée autrefois aux désirs – non moins monstrueux – du président Grandmorin, la jalousie inexprimable de Flore lorsqu'elle observe Lantier et Séverine échangeant des regards amoureux, la fureur de Pecqueux lorsqu'il surprend sa maîtresse Philomène en compagnie de Lantier, relèvent de la même soif, évoquée par Zola à propos de son héros : « soif de venger des offenses très anciennes dont il aurait perdu l'exacte mémoire... rancune amassée de mâle en mâle depuis la première tromperie au fond des cavernes ». Le romancier ne fait alors que souscrire à la théorie développée par un certain Cesare Lombroso dans un ouvrage publié en 1885, *L'Homme criminel*. Théorie selon laquelle « les crimes les plus affreux ont un point de départ physiologique, atavique, dans les instincts animaux qui... renaissent tout à coup sous l'influence de certaines circonstances ».

Le titre choisi pour le roman indique bien qu'une fatalité inexorable conduit les personnages à extérioriser leur vraie nature. Zola en prend son parti, qui les prive presque entièrement de conscience morale ; comme le prouve l'attitude de Lantier lorsqu'il a « enfin » poignardé Séverine : « Enfin, enfin ! Il s'était donc contenté, il avait tué ! Oui, il avait fait ça. Une joie effrénée, une jouissance énorme le soulevait, dans la pleine satisfaction de l'éternel désir. Il en éprouvait une surprise d'orgueil, un grandissement de sa souveraineté de mâle. »

Extériorisation, exultation, exacerbation...

Il faut, chez Zola, que le vacarme intérieur trouve à s'exprimer, et que le bouillonnement interne produise dans les esprits une exaltation très proche de l'orgasme. Ils n'aspirent ces personnages qu'à se sentir « soulevés », « grandis », transportés très loin ou très haut, hors et au-delà d'eux-mêmes.

Chez Renoir, au contraire, tout part de l'extérieur pour revenir à l'intime. A l'opposé de celui de Zola, son Jacques

Lantier souffre, après avoir tué Séverine, comme il n'a jamais souffert. Il est alors renvoyé à lui-même, moins par le remords et le déchirement passionnel que par la douleur la plus violente qui se puisse imaginer, le sentiment tragique à l'état pur, une conscience de soi devenue si présente et si oppressante que l'on ne peut s'en délivrer qu'en mourant. Alors que Zola fait remonter les actes, par la chaîne des causes, jusqu'à la nuit des cavernes, Renoir évoque, pour sa part, le tourment des Atrides :

« Etre tragique, au sens classique du mot, dit-il, et cela en restant coiffé d'une casquette, vêtu d'un bleu de mécanicien, et en parlant comme tout le monde, c'est un tour de force que Gabin a accompli en jouant le rôle de Jacques Lantier dans *La Bête humaine*. »

Dès la première séquence, le ton est donné et la vitesse acquise. Le feu roulant de la chaudière brûle comme une pensée trop forte pour être contenue. Gabin au travail, masqué de suie, actionne d'une main experte les commandes de sa locomotive. Nous voyons défiler par ses yeux un paysage aussi morne qu'exaltant de talus, de rails, de ciels bas, d'arbres, de poutrelles et d'horizons perdus. A peine Renoir nous a-t-il prévenus en s'attardant quelques secondes de trop dans le vacarme et la nuit noire, durant la traversée du tunnel. Il semble redouter pour son personnage la lente révélation du jour, là-bas, très loin, au fond de l'image.

Revoyant *La Bête humaine*, je ne puis que penser aux paroles prononcées par François Truffaut dans *La Nuit américaine* : « Il n'y a pas d'embouteillages dans les films. Il n'y a pas de temps morts. Les films avancent comme des trains, tu comprends, comme des trains dans la nuit. »

Aux commandes du sien, Renoir ne peut que se montrer aussi direct, aussi sûr de ses gestes, aussi économe du temps dramatique, que Gabin-Lantier contrôlant la vitesse de sa locomotive, observant la voie, communiquant par gestes avec son chauffeur, tirant sur une manette et consultant sa montre

D'un côté, Renoir fait la part belle à l'exactitude documentaire. Gabin, qui en rêvait depuis l'enfance, a reçu pour l'occasion une formation complète de mécanicien. Il conduit réellement la locomotive, et l'on oublierait presque qu'il joue quand il juge en connaisseur de la voracité en huile de sa « Lison ». De longues minutes sont consacrées par ailleurs à la vie quotidienne des cheminots, dans le local où ils font leur toilette, préparent leurs repas et trouvent un lit pour y passer leur nuit de repos.

D'un autre côté, les scènes où nous voyons se nouer l'action tragique s'en tiennent au strict nécessaire. Elles sont brèves et s'enclenchent les unes les autres avec une logique sans faille. Armé de ciseaux, Renoir coupe dans la chair du roman, en prenant garde d'épargner les organes vitaux. Certains dialogues sont parfois reproduits à la lettre, mais ils sont séparés de leur abondant contexte, de manière à ce que chaque mot puisse acquérir une force décuplée. Il arrive même que tout soit dit en une seule réplique. Renoir a été trop heureux de trouver dans Zola cette phrase de Séverine adressée à Lantier lorsqu'ils se promènent « en camarades » dans le square des Batignolles :

— Ne me regardez pas comme ça, vous allez vous user les yeux !

Le jeu de Simone Simon et celui de Jean Gabin contribuent à cet enrichissement, à la fois furtif et décisif, des paroles, des regards, des échanges.

Simone Simon nous apparaît d'abord dans l'encadrement d'une fenêtre. Elle caresse un petit chat blanc qu'elle tient serrée contre elle. Il lui suffit d'un instant pour nous faire sentir l'inconscience enfantine de Séverine, en même temps que la maîtrise de son infinie séduction. Renoir se laisse charmer, et probablement plus que de raison, ce qui l'incite à une délicatesse – non moins infinie ! – lorsqu'il nous suggère la dualité des aspirations, qui se contrarient pour mieux s'unir dans les sourires et les yeux clairs de la ravissante personne. Séverine est innocente. Elle a été la victime de

Grandmorin, qui s'est emparée d'elle en sa tendre adolescence, comme elle a été la victime de Roubaud, qui l'a brutalisée, puis obligée à se rendre complice de son meurtre.

Victime sans doute, mais nullement passive... Lors de sa visite à Grandmorin, elle a fait preuve d'une surprenante aisance, marquant par là qu'elle avait ses entrées dans cet hôtel particulier, et remarquant même au passage :

— Tiens, on a changé les rideaux... J'aimais mieux les vieux.

Sa réaction après le meurtre la dépeint plus nettement encore. Dans le train qui va de Paris au Havre, Roubaud l'a poussée devant lui, jusqu'au compartiment réservé où se trouvait Grandmorin. Du meurtre nous n'avons rien vu, derrière la porte fermée et les rideaux baissés. Lorsqu'ils sont revenus vers leur propre compartiment, le mari et la femme n'ont croisé personne, excepté Lantier, qui se tenait là, à quelques pas, dans le couloir, et qui les a peut-être remarqués. Or, c'est elle Séverine qui prend alors l'initiative de le rejoindre et de prononcer les quelques mots, parfaitement banals, qui sont l'amorce de son entreprise de séduction.

On ne peut pas dire d'elle ce que Guignol disait de Lulu dans *La Chienne* : « Elle est toujours sincère. Elle ment tout le temps. » Séverine est beaucoup moins prévisible. Appliquée à obtenir de Lantier qu'il se taise sur ce qu'il a vu, devant les policiers et le juge d'instruction, elle s'offre d'abord... à son amitié, avant de céder à son amour, dans un élan vrai, qui les emportera tous les deux. De sorte que la question, que l'on devrait se poser au moment de leur première étreinte, s'éloigne très vite de notre esprit. La ferveur, candide, irrésistible, de Séverine a protégé Jacques contre lui-même. Il peut se croire guéri de ses pulsions meurtrières, mais nous n'en savons rien.

Renoir ne tient compte à aucun moment des explications que donne Zola de cette étrange rémission : « Elle l'avait guéri, parce qu'il la voyait autre, violente dans sa faiblesse, couverte du sang d'un homme qui lui faisait comme une cuirasse d'horreur. Elle le dominait, lui qui n'avait point osé... » Un peu plus tard, quand l'histoire d'amour est entrée dans sa période de grande félicité, je lis ceci : « Lui, n'en doutait plus, avait trouvé la guérison de son affreux mal héréditaire ; car, depuis qu'il la possédait, la pensée du meurtre ne l'avait plus troublé. Etait-ce donc que la possession physique contentait ce besoin de mort ? Posséder, tuer, cela s'équivalait-il, dans le fond sombre de la bête humaine ? »

Renoir, nous le savons, n'est pas homme à s'attarder sur de telles considérations, fondées sans doute, mais bien trop générales, et si peu généreuses... Il préfère filmer Jacques et Séverine au matin de leur première nuit d'amour. Ils sont radieux. La main de Simone Simon est tendrement agrippée au ciré noir de Jean Gabin, dont le regard heureux se nimbe d'inquiétude... La scène qui suit nous montre Roubaud penché sur la cachette où il a dissimulé le portefeuille de Grandmorin. Séverine, qui le surprend, lui dit son dégoût. Mais ce moment joue avant tout comme une ellipse destinée à sous-entendre la période euphorique de l'histoire d'amour. Car, contrairement à Zola, Renoir a besoin de couper court, et de revenir aussi vite que possible au décor de la chambre, que Victoire, la femme de Pecqueux, prête aux Roubaud lorsqu'ils viennent à Paris. Ce lieu a déjà été très fortement visualisé au début du film. Nous reconnaissons la table au centre, le buffet au fond, le lit sur la droite, et la fenêtre dominant l'ensemble des voies ferrées de la gare Saint-Lazare. Nous nous souvenons alors que Roubaud a attendu Séverine là, dans cette même pièce, et qu'un soupçon lui est venu à propos d'une bague offerte autrefois par Grandmorin. Soupçon vite transformé en certitude et en colère si violente que la jeune femme n'a pu s'y soustraire. Elle a avoué. Nous n'avons pu oublier la sauvageric de Roubaud, puis son visage refermé sur la décision du meurtre. Séverine y assistera, qu'elle le veuille ou non :

— Je te jure que maintenant il y aura quelque chose de solide entre nous, lui a-t-il dit.

Or, cette fois, c'est Lantier qui attend Séverine... Et c'est Renoir qui réduit en une scène unique cinquante pages du roman.

Il ne les résume pas pour autant, mais il confère à ses propres minutes une densité proprement affolante. Je ne crois pas inutile de noter ici que nous avons atteint la première heure de projection, c'est-à-dire la fin du deuxième tiers du film. Renoir ne peut ignorer qu'il s'agit là du moment clef – de la clef de voûte en vérité, commandant l'équilibre de l'ensemble – à partir duquel une œuvre dramatique rassemble ses éléments, découvre l'ampleur de ses enjeux, et se doit donc d'aller jusqu'à son terme.

Jacques et Séverine sont étendus sur le lit. La tête de Simone Simon repose sur l'épaule de Jean Gabin. Le bonheur amoureux, chez Renoir, prend ainsi souvent la forme du blottissement. Nous savons, par Zola, qu'un besoin tourmente la jeune femme depuis plusieurs semaines (celles que Renoir n'a pas évoquées). Il lui faut avouer, enfin, à son amant que Roubaud est bien l'assassin de Grandmorin, et qu'elle a été contrainte par la force d'assister au crime. Il lui faut expliquer, du même coup, la raison qui a poussé son mari à se venger d'un rival :

— Voyons, toi, mon chéri, demande-t-elle, est-ce que tu ne vas plus m'aimer parce que tu sais ça maintenant ?

— Moi, ne plus t'aimer... répond Lantier. Pourquoi ? Ton passé ne me regarde pas. Tu es la femme de Roubaud. Tu as pu être celle d'un autre...

Renoir filme la scène de telle sorte que l'avantage soit donné tour à tour à l'un ou à l'autre des deux visages, selon l'intensité des émotions ressenties. Il n'utilise pas le gros plan. Il ne sépare donc pas Séverine de Jacques, mais il parvient à créer une proximité qui nous rend lisible leur vie intérieure à travers la fixité d'un regard ou le frémissement d'un trait.

Gabin, qui a tout compris, serre un peu plus ses lèvres minces et retient son souffle pour nous laisser entrevoir l'imagination dévastée de Jacques Lantier. Les coups assénés par Roubaud sur le corps de Séverine, et plus encore, les détails du meurtre de Grandmorin, éveillent en lui une curiosité et un trouble violemment érotiques, cela ne fait pas l'ombre d'un doute. Il interroge Simone Simon d'une voix douce, faussement hésitante :

— Mais toi... tu... t'as... t'as aidé à... la chose ?

— Non, non. J'ai tout vu.

Le calme de Simone Simon n'est pas moins effrayant que le questionnement avide de Gabin :

— T'as tout vu... Mais, dis-moi... Comment il a fait ?

— Avec un couteau que je lui avais donné

— Avec un couteau ?...

— Oui.

— Et... combien de fois il a frappé ?

— Une fois.

— Une fois ?... Alors, qu'est-ce ça t'a fait à toi de le voir mourir comme ça, d'un coup de couteau ?

— Oh, je ne sais pas... je ne sais pas...

La voix de Gabin s'adoucit encore :

— Pourquoi tu mens ? Pourquoi tu dis que tu ne sais pas ? Dis-le-moi, dis-le-moi franchement.

— C'est affreux, avoue-t-elle, j'ai plus vécu dans cette minute-là que dans toute ma vie passée.

C'en est trop pour Jacques Lantier, qui se rejette sur le côté et cache son visage.

On pourrait croire que Renoir reprend ici à son compte la question de Zola : « Posséder, tuer, cela s'équivaut-il dans le fond sombre de la bête humaine ? »

Oui, mais à la condition de formuler la question telle que nous la lisons dans le regard de Jean Gabin : « Posséder, tuer, cela s'équivaut-il dans le fond sombre de l'âme humaine ? »

Les deux amants retrouvent un ton rêveur pour un échange de répliques que Zola a placé cinquante pages plus loin :

— Ah, si j'étais libre, dit Séverine, si mon mari n'était pas là, ce que nous oublierions vite.

— On ne peut tout de même pas le tuer, répond Lantier, comme s'il refusait de la prendre au sérieux.

Mais elle reprend aussitôt :

— Hier, pendant une manœuvre, il a failli se faire écraser entre deux wagons. Une seconde de plus, et j'étais libre. On est vivant le matin, n'est-ce pas, et on est mort le soir...

La voix de Simone Simon n'a jamais été aussi délicieusement chantante.

Lantier, qui se retourne vers elle et la regarde, connaît à présent le prix à payer. Il devra tuer Roubaud pour pouvoir dire à son tour : « Il y a quelque chose de solide entre nous. » Mais c'est elle, Séverine, qu'il poignardera...

Nous en sommes arrivés au point où la tragédie ne peut plus se tromper de victimes. En croyant nouer entre eux des liens indéfectibles, Roubaud et Séverine, puis Séverine et Lantier, ne font que resserrer l'étau qui les enferme dans la pire des solitudes.

Renoir se détache alors complètement de Zola. Il n'est pas question pour lui de voir Lantier et Pecqueux s'entre-tuer, ni de montrer leurs corps déchiquetés répandus sur la voie, et encore moins de lâcher en apothéose son train aveugle chargé de soldats ivres.

Jean Gabin a vraiment tout compris. Il sait que le tourment qui hante son personnage ne peut s'exprimer qu'à mi-voix. Tout au long du film, nous avons vu la malédiction contenir sa violence, qui pouvait surgir – à tout moment – d'un seul mot prononcé. La seule erreur de Séverine aura été d'en avoir trop dit en avouant l'intensité de sa jouissance à l'instant du meurtre. D'une certaine façon, elle s'est désignée elle-même au couteau de Jacques Lantier.

Lantier lui aussi, le lendemain, sur la plate-forme de sa locomotive, aura besoin d'avouer. Il dit à Pecqueux qu'il a tué Séverine, qu'il ne la reverra plus, qu'il va en crever. Julien Carette écoute alors Jean Gabin comme rarement un acteur en aura écouté un autre. Je ne sais comment Renoir s'y est pris pour lui faire trouver cette pauvre voix, tellement bouleversante, qu'il tente d'opposer à la résolution de son ami. Il lui conseille de se livrer à la police, de se dénoncer :

— Ah oui, dit-il, je leur raconterai... Mais tout... comment ça s'est passé... Ils comprendront... Je te comprends bien, moi...

Voilà justement ce qui est impossible. Comprendre...

Pecqueux devra en convenir devant le corps sans vie de Lantier. Le merveilleux Carette efface alors une larme et remarque entre deux sanglots :

— Pauvre vieux. Il a dû souffrir pour en arriver là. C'est la première fois depuis longtemps que je le vois avec un visage aussi calme.

Nous retrouvons alors dans le regard de Jean Renoir la même compassion, immense, impuissante, qui s'était exercée quatre ans plus tôt à l'égard de son cher Toni.

CHAPITRE TREIZIÈME

« *Sans affectation ni raideur...* »

*

1939. « La Règle du jeu »

Il est – à nouveau – impossible de donner de *La Règle du jeu* un résumé pertinent. Je ne vois pas comment un récit en quelques lignes, ou en quelques pages, pourrait fournir à quelqu'un qui n'aurait pas vu le film ne serait-ce qu'une indication sur ce qui se joue réellement entre des personnages qui ne cessent de se rapprocher ou de s'éloigner les uns des autres, et qui se contredisent à l'infini. Un vrai romancier, en revanche, devrait être tenté par un matériau aussi riche, et aussi difficile à appréhender. Puisque l'on « porte » des romans à l'écran, les mettant ainsi à l'épreuve, pourquoi ne se risquerait-on pas dans une création littéraire inspirée par des films ? C'est à ce compte-là seulement qu'un « conte rendu » de *La Règle du jeu* deviendrait concevable.

Le genre même auquel appartient cette histoire ne se précise pas aisément. Au moment de la réédition du film en copie à peu près intégrale (réalisée par Jean Gaborit et

Jacques Durand en 1965), Renoir a rédigé le texte suivant, qui se place aussitôt après le générique :

« Ce divertissement, dont l'action se situe à la veille de la guerre de 1939, n'a pas la prétention d'être une étude de mœurs. Les personnages qu'il présente sont purement imaginaires. »

Il se montre donc fidèle, après tant d'années, aux dénégations inscrites dans le prologue de *La Chienne* : « ni un drame ni une comédie », « aucune intention morale », ne pas chercher à prouver quoi que ce soit.

En avril 1939, il annonçait à la presse : « Nous allons essayer de faire un drame gai. C'est l'ambition de toute ma vie. »

Sa déception lorsque le film reçut un accueil désastreux à sa sortie, au début de juillet 1939, fut à la mesure de cette ambition. A René Clair, qui lui demandait quelles avaient été ses intentions exactes, il répondit : « Je ne sais plus... » C'était là l'aveu d'un désarroi, sur lequel il reviendra longuement – trente-cinq ans plus tard – dans *Ma vie et mes films* :

« Pendant le tournage, je fus ballotté entre mon désir de faire de la comédie et celui de raconter une tragique histoire. Le résultat de mes doutes fut le film tel qu'il est. Je passais par des moments de découragement absolu, puis, quand je voyais la manière dont les acteurs traduisaient ma pensée, je devenais délirant d'enthousiasme. »

Je crois cependant que la réponse à René Clair peut se lire autrement. N'importe quelle vision de *La Règle du jeu* me persuade, en effet, que Renoir se trouve au printemps 39 dans la situation que décrit admirablement Henri Matisse : « En art, la vérité, le réel, commence quand on ne comprend plus rien à ce que l'on fait, à ce qu'on sait. »

Le spectateur devant l'écran n'est-il pas plongé à son tour dans la même incertitude, source de désarroi, et dans la même ivresse euphorique alimentée par des surprises, dont une fréquentation assidue de l'œuvre amplifie l'effet, à la fois dévastateur et jubilatoire, au lieu de le dissiper ?

Renoir ne croyait pas si bien dire en 1932 lorsqu'il plaidait pour le droit des films à s'évader hors des intentions de leur auteur. Au mois de mai 1939, il reçoit Nino Frank et lui confie :

« Je me doutais bien que cette histoire me réserverait des surprises. A mesure que nous tournions, je m'aperçus que la matière que j'avais résumée aisément sur le papier prenait une consistance singulière : mes personnages se mettaient à vivre pour leur propre compte, et leur simple confrontation – qui avait été le point de départ de mon scénario – prenait des proportions que je ne soupçonnais guère auparavant... »

Il parle pourtant de gens qu'il connaît. Une toute petite phrase de *Ma vie et mes films* nous l'apprend : « Je pensais à quelques-uns de mes amis dont les intrigues amoureuses semblaient la raison d'être. » Nous n'en saurons pas plus sur le monde d'aisance matérielle qui est le sien depuis l'enfance. La plupart de ses romans, écrits à la fin de sa vie, des *Cahiers du capitaine Georges* à *Geneviève* en passant par *Le Cœur à l'aise*, nous raconteront l'histoire d'un jeune homme, né à la fin du XIXe siècle dans une famille de la grande bourgeoisie, qui jouit sans remords d'une fortune héritée et qui consacre l'essentiel de son temps à ses affaires de cœur. Ce monde est le sien, mais lui Renoir vit dans sa marge. Ses parents, contrairement à ceux de ses romans ou à ceux du marquis de la Cheyniest de *La Règle du jeu*, n'ont jamais été des bourgeois. L'argent leur est venu comme une chance accordée au génie de l'artiste. Héritier à son tour, il s'en est servi pour produire ses propres œuvres, ce qui l'a placé – à nouveau, et pour longtemps – en marge de la profession cinématographique.

Renoir a côtoyé, par la force des choses, le monde des Saint-Aubin, des La Bruyère, des Geneviève de Marras et autres Charlotte de la Plante, invités par Robert de la Cheyniest à la partie de chasse qui doit se dérouler en Sologne, aux alentours de son château de la Colinière ; mais son métier et son évolution politique l'ont écarté très loin de leurs principes, opinions, manières et « manies », dont il s'est plu à relever les ridicules dans sa chronique de *Ce Soir*.

En jetant sur le papier, dans un premier temps, les notes d'un synopsis, il s'est montré sévère à l'égard de La Cheyniest (qui s'est d'abord appelé Monteux, puis Dunoyer). Le personnage est présenté comme un avocat brillant, mondain, égoïste, autoritaire, volontiers cassant. Il veut, par exemple, organiser une battue pour s'emparer du malheureux braconnier qui a eu l'audace de pénétrer dans sa propriété. Le vrai marquis de la Cheyniest, celui du film, éprouvera au contraire à l'endroit de Marceau, le braconnier, une sorte de tendresse indulgente, pour ne pas dire complice. La bienveillance amusée, et compréhensive au bout de la curiosité, l'emporte à peu près toujours chez Renoir sur le sarcasme et la raideur.

Il ne peut pas ne pas être conscient de sa situation personnelle vis-à-vis de ses personnages. Souvenons-nous de la formule qu'il avait trouvée pour définir le climat des dimanches à La Nicotière, chez Paul et Renée Cézanne : « des sortes de fêtes galantes à l'usage d'une bourgeoisie cultivée ». Nous ne sommes pas loin au fond, mais à un degré moins intense, des soirées de La Colinière chez Robert et Christine de la Cheyniest. Renoir se doit donc d'y prendre sa part, et de s'y impliquer en personne, physique et morale.

Reste à savoir comment le peintre va se représenter au sein de son propre tableau, mais en faisant tout, naturellement, pour ne pas se donner le beau rôle. Le Jean Renoir de 1939 est un homme en vue. Il vient de réaliser deux films (*La Grande Illusion* et *La Bête humaine*) qui ont reçu un excellent accueil. En conséquence inverse, le personnage d'Octave qu'il invente (dès la première écriture du scénario) lui apparaît aussitôt comme un parasite et un artiste raté, accueilli néanmoins avec chaleur dans l'hôtel particulier des La Cheyniest en raison de l'ancienne et fraternelle amitié qui le lie à Christine.

A son ami André Jurieux, qui le soupçonne d'être amoureux, lui aussi, de la jeune femme, il répond d'une seule traite :

— Mais parfaitement, je l'aime ! A ma façon... Il faut que tu comprennes une chose, c'est que cette fille-là c'est comme ma sœur. J'ai passé toute ma jeunesse avec elle. Son père, le vieux Stiller, c'était non seulement le plus grand chef d'orchestre du monde, mais c'était aussi le meilleur homme qui soit. Quand j'ai voulu apprendre la musique et que je suis allé le trouver en Autriche, à Salzbourg, il m'a reçu comme son fils. Et je n'ai jamais pu lui prouver ma reconnaissance. Maintenant, je peux, tu comprends ! Je peux, parce qu'il est mort ; il n'est plus là pour s'occuper de sa fille, et je m'en occuperai ! Elle en a besoin parce que, après tout, elle n'est pas chez elle, elle est à l'étranger... les gens autour d'elle ne parlent pas sa langue...

Veiller sur Christine tout en favorisant les projets de son grand ami Jurieux, qui s'est juré, lui, de la conquérir, n'est pas une mince affaire.

Doué par ailleurs d'un caractère heureux et d'un solide appétit, Octave se contenterait bien de lutiner au passage Lisette, la femme de chambre de Christine, mais il est pris à partie par les protagonistes du drame – ou de la comédie – en formation, et il se voit contraint d'agir dans telle ou telle direction, sans savoir exactement où elles peuvent mener celle (Christine) ou ceux (Jurieux, mais pas seulement) qu'il croit aider.

Metteur en scène malgré lui, en somme, il devient le double, à la fois irrésolu et persuasif, d'un Renoir qui cherche pour sa part une vérité fuyante dans les mouvements inconsidérés de ses personnages.

On comprend dès lors que le rôle ne pouvait échapper à l'auteur du film. Renoir avait d'abord pensé à son frère Pierre comme interprète d'Octave, mais le hasard d'un autre engagement du comédien a joué en faveur de la nécessité.

C'est donc Octave-Renoir qui accueille André Jurieux sur la piste du Bourget, plongée dans la nuit, à l'issue d'un raid aérien au-dessus de l'Atlantique. C'est avec lui que nous écoutons l'aviateur confier sa révolte au micro de la radio-reporter :

— Je suis très malheureux, dit-il. Je n'ai jamais été aussi déçu de ma vie. J'avais tenté cette aventure à cause d'une femme, et elle n'est même pas là pour m'attendre. Elle ne s'est même pas dérangée ! Si elle m'entend, je lui dis publiquement qu'elle est déloyale !

C'est le même Renoir dont nous apercevons le visage rond, les yeux fixes et le visage tendu par la peur, à travers le pare-brise de la voiture que Jurieux conduit « à tombeau ouvert » sur une route de campagne. L'accident est inévitable. Ils en sortiront indemnes l'un et l'autre, mais cette fois le personnage fait place à l'auteur du film, qui a certainement pensé à la mort de Pierre Champagne, quelque douze ans plus tôt, dans des circonstances comparables.

C'est Octave encore qui pénètre comme chez lui, à la manière d'un metteur en scène arpentant son décor, dans l'hôtel particulier des La Cheyniest. Il vient plaider la cause de Jurieux, et obtenir de Christine qu'elle le reçoive parmi les invités de La Colinière.

On me pardonnera, j'espère, de me livrer ici à une confidence personnelle. Cette scène de la première mise en présence sur l'écran de Nora Gregor et Jean Renoir, découverte à l'âge de dix-sept ans au ciné-club de Casablanca, a représenté pour moi un ébranlement dont je ne suis pas vraiment sorti.

Christine vient de refuser la suggestion d'Octave. Elle trouve indécent d'inviter Jurieux à La Colinière après ses déclarations intempestives à la radio. Renoir se lève alors et fait mine de s'en aller, dans une attitude de bouderie enfantine qui serait ridicule si elle n'était désarmante. Christine éclate de rire, elle pousse le bonhomme vers le lit, elle se penche sur lui, l'embrasse. L'enjeu, pourtant crucial, de leur conversation cède à l'enjouement qui les submerge, et qui m'affranchit, moi spectateur, de tous mes repères. Cette scène ne ressemble à aucune autre. L'amour entre Octave et Christine, car il s'agit bien d'amour – et de sensualité, ô combien ! – sous le couvert de la complicité fraternelle, ne saurait se qualifier autrement que par son évidence sur l'écran : un beau visage de femme à la fois pensive et rieuse, veillant à la façon d'une mère ou d'une amante sur cet étrange poupon quadragénaire, jouisseur, paresseux et drôle, dont le visage repose pour l'instant à l'horizontale sur le bord inférieur du cadre, comme s'il se livrait corps et âme à la chaude protection de son amie.

En suscitant la gaieté de Christine, Octave simplifie la question qu'il est venu poser. Elle ne s'oppose plus à l'idée de se retrouver en présence d'André Jurieux. Il est vrai – à l'en croire – qu'elle n'a jamais éprouvé à son égard que de l'admiration et de l'amitié. Nous ne saurons jamais ce qui s'est passé entre eux – au juste – dans les jours qui ont précédé le raid, mais il est presque certain que l'aviateur a pris pour une promesse d'amour ce qui n'était que l'expression, un peu trop vive, d'un enthousiasme.

Vieille idée chez les héroïnes de Renoir, à cette époque, d'une tendresse qui ne perdrait rien de sa qualité en se privant de l'inéluctable virtualité amoureuse. Joséfa, dans *Toni*, a proposé à « Monsieur Albert » de « parler gentiment, sans pour cela... ». Séverine, elle aussi, dit à Jacques dans *La Bête humaine* : « On aurait mieux fait de rester comme au début, sans rien faire... Tu te rappelles nos belles promenades dans le dépôt, si innocentes... » Renoir, en les filmant, ne les croit qu'à moitié, mais à moitié exactement. Il n'en fait pas la confidence, mais quand je lis ce qu'il écrit sur son père, c'est à lui que je pense, sans ambiguïté possible : « Renoir a connu de merveilleuses amitiés masculines mais plus encore de ces amitiés féminines si rares et si fragiles, toujours sur le bord de se transformer en un autre sentiment. »

Lisette, pour sa part, est formelle; et d'autant plus convaincante que le bon sens inné de Paulette Dubost ajoute du poids à ses paroles. Quand Christine lui demande (se posant à elle-même la question) :

— Et l'amitié, qu'est-ce que tu en fais?

Elle répond :

— L'amitié avec un homme ? Ah ! Autant parler de la lune en plein midi !

Après avoir obtenu de Christine la grâce d'André Jurieux, mais rien d'autre apparemment, Octave rejoint Robert de la Cheyniest, qu'il tutoie et qu'il considère comme « un bon type dans le fond ». Tous ceux qui ont vu et revu *La Règle du jeu* sont confondus en premier lieu par la beauté – je ne trouve pas d'autre mot – de ses personnages. Je ne sais si le cinéma français en compta jamais de mieux dessinés et de plus vivants. Parmi eux, cet aristocrate de souche récente n'est pas le moins drôle, ni le moins surprenant. Nous apprendrons plus tard, par un domestique, que « sa mère avait un père qui s'appelait Rosenthal, et qui venait tout droit de Francfort ». Rosenthal donc, comme dans *La Grande Illusion*... ce qui permet à Marcel Dalio de reprendre un rôle déjà taillé à ses mesures. Certains domestiques tiennent La Cheyniest pour un « métèque », d'autres pour un « parfait homme du monde ». Jurieux le voit comme un idiot et un snob, qui n'a rien d'autre à faire que d'enrichir sa collection d'instruments mécaniques et musicaux. On pourrait ajouter « mari volage » puisqu'il entretient une ancienne liaison avec Geneviève de Marras (la belle Mila Parély), ce qui le place en situation fausse vis-à-vis de Christine, et lui donne du remords. Mais on ne saurait l'enfermer, bien entendu, dans l'une ou l'autre de ces catégories ; bien trop étroites pour un homme qui ne tient pas en place. Ou alors, il faudrait en définir une nouvelle et prononcer le mot que Renoir emploie lorsqu'il veut nous faire part d'une admiration particulière, privilégiée à ses yeux : Robert de la Cheyniest est un « civilisé », avec tout ce que cela suggère dans l'ordre du goût, de l'humour, du « cynisme chaleureux », de la fragilité intime et de la compréhension. En l'incarnant, Dalio marque le personnage de sa griffe personnelle. La brusquerie merveilleuse avec laquelle il extériorise ses émotions lui appartient en propre.

Regardons la scène où Octave demande à La Cheyniest d'inviter Jurieux à La Colinière.

Dalio (filmé de près) se rembrunit.

— C'est extrêmement grave ce que tu me demandes là, dit-il.

Il se lève. La caméra l'accompagne. Il poursuit :

— Tu comprends que je n'ignore pas du tout ce qui s'est passé entre Christine et ton ami. Je ne suis tout de même pas idiot...

Les deux personnages s'éloignent ensemble dans la profondeur du salon.

— Oh, il ne s'est rien passé, dit Octave.

— Heureusement !

— Alors, invite-le.

Dalio s'anime, devient véhément :

— Oh ! Je risque gros ! Parce que je l'aime, moi, Christine ! (Il lève les bras au ciel.) Si je venais à la perdre, je ne m'en consolerais pas...

Un silence suit. Renoir adopte la solution du plan général, éloignant les personnages pour mieux nous faire sentir l'importance du moment. Octave n'est plus alors réellement son double. C'est lui, Renoir, qui prononce les phrases essentielles, en fonction desquelles – probablement – il a conçu son film :

— Dis donc, vieux, j'ai envie de foutre le camp... j'ai envie de... de disparaître dans un trou.

— Ça t'avancerait à quoi ?

— Ben, ça m'avancerait à plus rien voir, à plus chercher à savoir ce qui est bien, ce qui est mal... Parce que, tu comprends, sur cette terre, il y a une chose effroyable, c'est que tout le monde a ses raisons !...

Nous revenons au plan moyen des deux hommes, filmés côte à côte. La Cheyniest enchaîne :

— Eh, bien sûr que tout le monde a ses raisons, et moi je suis pour que chacun les expose librement. Je suis contre les barrières, contre les murs. D'ailleurs, c'est pour ça que je vais inviter André.

— Tu crois que c'est bien ? demande Octave (qui se pose vraiment la question ; autant que Renoir en tout cas).

— J'ai confiance en Christine, répond La Cheyniest. Si elle doit aimer Jurieux, ce n'est pas en les séparant que je l'en empêcherai. Alors, autant qu'ils se voient, qu'ils s'expliquent.

Durant toute la scène, l'élégance de la mise en scène et la familiarité du ton jouent avec la subtilité des enjeux, de manière à ce que leur gravité nous apparaisse voilée. Cette question de la confiance va pourtant se révéler capitale. Christine a l'ingénuité de croire son mari fidèle, alors qu'il lui a caché depuis le début de leur mariage sa liaison avec Geneviève. La Cheyniest admire – comme nous – la loyauté de Christine. « J'ai décidé de mériter ma femme ! » annoncera-t-il à Geneviève pour justifier sa décision de rupture. Mais c'est elle, Christine, qui « déméritera » sous nos yeux, dans de telles proportions et avec un éclat si frémissant que notre stupéfaction ne s'affaiblit pas après vingt visions du film.

Il en va de l'amitié comme de l'amour. Jurieux fait à Octave une confiance absolue, dont nous n'avons aucune raison de douter, mais dont nous verrons qu'elle sera trahie au moment même où il prononcera le plus grand éloge de son ami.

La Règle du jeu dérègle à cet égard nos habitudes de spectateur. Hormis Schumacher, le garde-chasse, jaloux jusqu'au meurtre du braconnier Marceau, et Jurieux bien sûr, conduit par sa passion, nous ne pouvons croire aucun personnage sur parole. Le meilleur exemple est celui de Geneviève, qui affiche d'entrée de jeu sa désinvolture en matière de sentiments. Elle sourit lorsqu'on la questionne à ce sujet, et elle répond : « Je pense à un mot de Chamfort, que je considère presque comme un précepte. Il dit que l'amour dans la société c'est l'échange de deux fantaisies, et le contact de deux épidermes. » Or, c'est la même femme qui renoncera à sa fantaisie, autant qu'à son amour-propre, pour s'accrocher désespérément – et en pure perte – au cou de La Cheyniest.

Les personnages ne se mentent pas seulement les uns aux autres, comme dans les comédies du répertoire, ils se mentent à eux-mêmes obstinément, jusqu'à ce que leurs vérités surgissent, imprévues, difficilement croyables, dans le feu d'une action qui les prend de court, les « égare », et les oblige à convenir de la nature et de l'intensité réelle de leurs sentiments. Ils se ravalent ainsi, eux les « gens du monde », à la condition simplement humaine d'un Schumacher et d'un Marceau se disputant l'amour de Lisette.

Le plus étrange est encore de découvrir le comique extravagant, erratique, dévastateur, de ces situations enchevêtrées... Et non dans un esprit qui ferait de l'humour la « politesse du désespoir ». *La Règle du jeu* n'est pas une comédie qui dévoilerait tout à coup son arrière-fond de tragédie. Renoir procède plutôt à l'inverse en nous montrant des personnages pathétiques qui ne savent pas à quel point ils sont drôles. Lorsque Dalio dit : « Je souffre et j'ai horreur de ça ! », il est sincère, de façon indéniable, et d'autant plus irrésistible. *La Règle du jeu* est donc, très exactement, un « drame gai », chatoyant, extraordinairement inventif, qui nous inspire une humeur de fête, un humour souverain, en nous rapprochant au plus près de ce point de notre sensibilité où le rire et le pire se renforcent et s'encouragent mutuellement dans la même ivresse aux conséquences incalculables.

Nous sommes tous passés par là, même si – comme les spectateurs parisiens de juillet 1939 – nous nous refusons à avouer le scandale d'une gaieté si merveilleusement « déplacée » et si tranquillement indécente.

Ni Renoir, ni Octave n'y peuvent rien. Passé une certaine limite, plus aucune situation n'est maîtrisable. « Les personnages de *La Règle du jeu*, dit Renoir à Nino Frank, se sont échappés de mes mains et ont fait leur propre film. »

Selon Octave, Jurieux s'est conduit « comme un gosse » en ne retenant pas son mouvement d'humeur lorsque la radio-reporter l'a interrogé. Le même Octave fait à Christine un reproche semblable, en lui expliquant comment son attitude dans les jours qui ont précédé le raid a pu créer l'équivoque : « Ecoute, ma petite Christine, t'as une manière de te jeter au cou des gens. On croirait que t'as toujours douze ans ! » Mais lui, Octave, n'a pourtant rien d'un adulte. Il boude, il ruse, il plaisante, il se déguise en ours, il se réjouit et s'attriste d'un instant à l'autre, à la manière d'un enfant. Naturellement, il n'est pas le seul. Tous les autres protagonistes, maîtres, serviteurs, invités, sont aussi entraînés par le maelström de la comédie à révéler – à réveiller – leur part d'enfance, ou de puérilité.

Notons que le vaudeville traditionnel procède, en apparence, de la même manière, ce qui rassure sans doute Renoir en lui faisant croire qu'il s'inscrit – après tout – dans un genre répertorié. Au moment de se lancer dans l'aventure, il lui est même arrivé de penser qu'il allait réaliser « un bon petit film normal ». Seulement nous savons qu'il ne serait pas lui-même s'il adoptait le ton de fantaisie, arbitraire par convention, qui ferait « reconnaître » *La Règle du jeu* comme une comédie parmi tant d'autres. Son « erreur », son génie, est de ne s'être pas résolu à traiter ses personnages comme des fantoches. Leurs excès ne correspondent nullement aux paroxysmes que ménagent les auteurs de vaudeville dans leurs horlogeries. La vérité seule, chez Renoir, commande l'exaltation ou l'exubérance. Il observe donc, avec attention et scrupule, la « règle du jeu » sociale à laquelle se soumettent les personnages, et la vigueur des pulsions qui les animent, son vœu profond étant de faire apparaître l'ampleur des oscillations intimes entre candeur et inconscience, jeu et tricherie, sincérité et mauvaise foi, enfance et puérilité.

Il veille, d'autre part, à lester d'observations exactes une embarcation prompte à la dérive. S'il veut donner corps à son intuition première, suggérée par une écoute de la musique baroque française (« Couperin, Rameau, écrit-il, tout ce qui va de Lulli à Grétry »), et s'il entend satisfaire son « envie de filmer des personnages se remuant suivant l'esprit de cette musique », il sait qu'il devra en équilibrer la grâce de quelque façon.

Il prend donc un plaisir personnel, c'est évident, à faire parler l'ingénieur qui a mis au point l'appareil d'André Jurieux : « Un avion Caudron (tiens donc, comme celui du lieutenant Renoir en 1917) strictement de série, avec un moteur Renault de cent chevaux. La place du deuxième pilote a été remplacée par un réservoir d'essence supplémentaire. » Une autre précision technique concerne le savoir-faire du braconnier, qui éveille dans les yeux du marquis une curiosité de gamin. Il prie même Marceau de lui faire une démonstration en règle sur la pose des collets dans les sous-bois.

Mais l'exemple le plus savoureux est encore la réplique du chef cuisinier, prononcée – comme il se doit – par un Léon Larive en majesté. Elle est adressée au domestique qui a émis des soupçons sur les origines de La Cheyniest :

— A propos de Juifs, lui lance-t-il, avant de venir ici j'étais chez le baron d'Epinay. Je vous garantis que là il n'y en a pas, mais je vous garantis aussi qu'ils bouffaient comme des cochons. C'est d'ailleurs pour ça que je les ai quittés... La Cheyniest, tout métèque qu'il est, m'a fait appeler l'autre jour pour une salade de pommes de terre. Vous savez, ou plutôt vous ne savez pas, que pour que cette salade soit mangeable, il faut verser le vin blanc sur les pommes de terre lorsque celles-ci sont encore absolument bouillantes. Ce que Célestin n'avait pas fait, parce qu'il n'aime pas se brûler les doigts. Eh bien lui, le patron, il a reniflé ça tout de suite. Vous me direz ce que vous voudrez, mais ça c'est un homme du monde !

Aux yeux de Renoir, le ballet des sentiments ne pourrait se déployer de façon aussi vive, si sa « vérité vraie » n'était assurée par les détours du côté de l'office et des longs couloirs, où les invités déposent leurs chaussures, la nuit venue. afin qu'elles soient cirées par un Marceau nouvellement promu sur sa demande à la dignité de domestique du château. Ces détours nous éloignent, en principe, des questions en suspens : Jurieux parviendra-t-il à se faire aimer de

Christine ? La Cheyniest réussira-t-il à « mériter » sa femme, en se séparant donc de Geneviève ? Marceau séduira-t-il Lisette en dépit de la surveillance exercée par son mari, l'ombrageux Schumacher ?

Renoir ne se désintéresse nullement de ces questions. Elles demeurent – tout autant – « intrigantes » à travers les diversions qu'il crée pour mieux y revenir dans le mouvement du film. La composition dramatique ne prend pas chez lui, nous l'avons vu déjà souvent, la forme d'une progression par gradations et paliers, elle évolue selon un principe de latence entretenue et prolongée, de manière à préparer, tout en la retardant, la soudaineté de l'événement.

L'importance prise par la séquence de la chasse, distribuée en multiples saynètes, découle de ce désir d'infuser en nous le pressentiment de ce qui va suivre, plus tard, lorsque l'esprit de la fête transgressera toutes les règles du jeu. Elle est en elle-même, cette séquence, une longue digression-diversion, qui ramasse, réunit et soulève les questions. Les rabatteurs – dénoncés autrefois par Louis XVI – ne procèdent pas autrement ; ils s'avancent en rangs serrés, avec une lenteur calculée, grommelant une rumeur indistincte, afin d'infliger aux bêtes le supplice de la peur, sans leur laisser d'autre choix qu'une fuite en terrain découvert, dont très peu réchapperont. Il s'agit encore de lièvres et de faisans, mais déjà des plaisanteries fusent, faussement anodines ou carrément macabres :

Jurieux, par exemple, se dirige vers son affût, au-delà de la ligne des rabatteurs.

« Tu viens avec moi ? » propose-t-il à Octave, qui lui répond en riant : « Là-bas ? C'est très dangereux, mon vieux ; ils vont nous prendre pour des lapins ! » Jurieux hausse les épaules. Nous ne savons pas encore qu'il sera abattu lui-même en pleine course, à la fin du film, exactement comme un lapin.

A propos des dangers de la chasse, le général raconte une anecdote qui le met visiblement d'excellente humeur :

— Vous ne savez pas ce qui est arrivé à ce pauvre Georges l'année dernière chez les Malvoisier. Il a pris son fusil de telle sorte, des mains de son chargeur, que toute la charge lui a broyé la cuisse !

Et c'est en s'esclaffant qu'il conclut :

— Il est mort en vingt minutes !

Octave-Renoir se tient sur le bord droit de l'image et il dit :

— Elle est bien bonne !

C'est une malice de sa part, mais il doit bien s'avouer en même temps, comme auteur du « drame gai », que le rire du général se conforme – diablement ! – au ton qu'il a choisi.

Octave n'a pas de fusil. Il ne participe pas à la chasse. On le voit circuler çà et là, d'un groupe à l'autre. Il s'approche ainsi du charmant Monsieur Berthelin, qui vient de prêter à Christine une lunette d'approche pour qu'elle puisse observer un écureuil furetant au sommet d'un arbre.

— C'est merveilleux, dit-elle, je le vois comme si je pouvais le toucher.

— Mais oui, précise Berthelin, une lunette d'approche est une compagne indispensable, et comme celle-ci est petite, on l'emporte toujours. Son optique est si fine, et sa disposition telle que, servant de télé-loupe à peu de distance, vous examinez ce petit écureuil sans l'intimider et vous vivez toute sa vie intime.

En écrivant cette réplique, Renoir ne s'est pas privé du plaisir de nous offrir au passage sa définition du cinématographe, qui surprend lui aussi les intimités en mettant à profit la finesse de ses objectifs.

Christine dirige au loin la lunette d'approche, et elle a la surprise de découvrir un couple enlacé. Nous savons, nous, que Geneviève vient de demander à Robert un baiser d'adieu, qui lui est accordé avec autant de soulagement que de tendresse. Christine ignore, bien entendu, la nature de ce baiser, mais ce qu'elle voit ouvre pour elle des perspectives inconnues, au-delà d'une déception ou d'une colère dont elle ne fera – notons-le – confidence à personne.

— Ça a l'air bougrement intéressant ce que tu vois là-bas, lui dit Octave.

— Très intéressant, répond Christine à voix basse.

Tout se trouve donc en place pour un troisième et dernier acte, qui excédera de très loin nos attentes et nos prévisions en matière d'ébriété sentimentale, de circulation hasardeuse des désirs, de gaieté féroce, de lyrisme burlesque à la manière de Charlie Chaplin, et de tragédie, aussi logique dans ses enchaînements qu'elle nous apparaîtra scandaleusement absurde dans son dénouement. Il faut que Renoir ait été protégé par une forme d'inconscience pour nous avoir entraînés ainsi, à l'occasion d'une fête costumée et d'un spectacle, dans un carrousel aussi fou, et aussi endiablé – au fond – que le rire du général saluant la mort d'un maladroit.

Le plus étonnant est de le voir conserver, d'un bout à l'autre de l'incendie mental, la pleine maîtrise de sa mise en scène. Entre les mains de Jean Bachelet, la caméra renoue avec la mobilité qui fut la sienne à l'époque de *Tire au flanc*, mais *La Règle du jeu* lui offre de surcroît un don d'ubiquité, et lui accorde une sorte d'infaillibilité magique, magistrale, dans la capture de chaque instant.

Sur scène, les artistes amateurs s'en donnent à cœur joie. Dans la salle, puis dans les salons, les désirs se cherchent, d'autant plus troublants que Renoir n'en donne que des visions furtives : les lèvres de Lisette enrobant le nez de Marceau, la main de Saint-Aubin sur la main de Christine. Les allées et venues s'accélèrent. Des portes se ferment. D'autres s'ouvrent par inadvertance, mettant en présence ceux qui ne devaient pas se rencontrer. Les rivaux s'affrontent à coups de poing. Schumacher poursuit Marceau et tire des coups de revolver à travers des groupes d'invités, qui ne s'émeuvent pas outre mesure, pensant que les animateurs du spectacle leur font la surprise d'une nouvelle « attraction ».

Les plans se succèdent ainsi. Mouvementés mais précis, inattendus mais saisissants de netteté, souplement orchestrés au sein du plus violent désordre, ils nous procurent l'assurance de ne rien perdre à ce grand jeu de l'éperdu.

A l'exception – essentielle, nous le verrons – de Christine, tous les autres personnages poursuivent sur leur lancée. Marceau et Lisette ont entamé leur idylle. Schumacher est fou furieux. Geneviève, qui a trop bu, accable La Cheyniest de ses démonstrations amoureuses. Jurieux casse la figure de Saint-Aubin, surpris en compagnie de Christine. La Cheyniest, très malheureux, triomphe néanmoins sur la scène en découvrant le limonaire qui couronne sa collection d'instruments musicaux et mécaniques. Octave, d'abord empêtré dans sa peau d'ours, se laisse ensuite dépasser par les événements. Ce qui n'empêche pas Renoir de diriger l'ensemble avec une lumineuse aisance.

Dans une chronique de *Ce Soir,* publiée en mars 1937, il a raconté la découverte dans son grenier d'un « bouquin » oublié là depuis vingt-cinq ans :

« C'était le règlement de la cavalerie, écrit-il. Ça m'a un peu ému, parce que je suis un ancien cavalier. Je l'ai feuilleté, puis lu avec plus d'attention. C'est un ouvrage remarquable ; l'équitation y est enseignée avec une précision et une concision que pourraient envier bien des ouvrages modernes. Mais ce qui m'a frappé – et nous tombons là dans un domaine purement moral –, c'est l'insistance que met l'auteur à recommander d'éviter l'affectation et la raideur non seulement dans l'exercice pur et simple du métier de cavalier, mais encore dans toutes les manifestations de la discipline militaire.

« " Sans affectation ni raideur ", cela revient à toutes les pages. »

Voilà, en effet, l'idéal à poursuivre, aussi bien dans l'art de vivre que dans celui qui consiste à produire des œuvres. *La Règle du jeu* nous prouve que Renoir est parvenu, au printemps 1939, à cet accomplissement suprême du geste créateur.

Les maladresses elles-mêmes (de Renoir comédien, par exemple) sont emportées par l'ampleur du mouvement et l'accélération des rythmes, rapportées tout à coup (sans affectation ni raideur) à l'intensité mystérieuse des retours d'intimité et des plages de repos. Metteur en scène, Renoir lit son scénario comme une partition dont il dirigerait l'exécution, à l'image du « vieux Stiller », le grand chef d'orchestre dont Octave aurait tellement aimé suivre la voie.

Si la musique baroque française est une des sources d'inspiration de *La Règle du jeu*, il ne faudrait pas oublier le jazz, que Renoir a découvert très tôt, grâce à Jacques Becker, au début des années 20. Il a écouté Duke Ellington. Il s'est rendu jusqu'à Marseille pour assister à l'un des premiers concerts en France de Louis Armstrong. « Je fus conquis, écrit-il dans *Ma vie et mes films*, par l'étrangeté de cette musique. Elle faisait penser à des animaux de forêt vierge. Leurs cris évoquaient des plantes monstrueuses, des fleurs aux coloris violents. » Je retrouve pour ma part cette violence des tons dans un échange incroyable entre Mila Parély, la vibrante actrice qui incarne Geneviève, et Dalio. Elle s'approche de lui et elle dit : « Quand partons-nous ? », puis elle insiste et répète en hurlant : « Quand partons-nous ? » La réaction de Dalio est fabuleuse. Il prend d'abord un temps de retard, avant de surenchérir frénétiquement, en poussant des cris inarticulés, à la fois drôles et déchirants, comme un instrument qui voudrait prendre le pas sur un autre instrument. Ce moment relève beaucoup plus, à coup sûr, de la musique improvisée que du dialogue écrit et interprété selon la norme. Je regrette de ne pas posséder la culture musicale adéquate, qui m'autoriserait à traduire ce que je ressens. Je dois donc me contenter d'écrire que l'inspiration des comédiens et l'aventure de leur parole, accordées au regard de la caméra et aux changements d'angle, se conjuguent dans un mouvement d'ensemble qui agit sur notre sensibilité de façon à la fois fluide et heurtée, mélodique et rythmique dans la même seconde. Raison pour laquelle Renoir privilégie les acteurs, Marcel Dalio et Julien Carette par exemple, qui se prêtent le mieux à ce jeu des cadences, entre souplesse et rupture, glissements et saccades, continuité et discontinuité.

On pourrait classer sans trop d'effort les personnages de *La Règle du jeu* dans la catégorie des figurines animées et soumises à la mécanique subtile de leur boîte à musique, que collectionne avec amour le marquis de la Cheyniest. Ils en ont le charme, mais il nous faut les considérer aussi comme des instrumentistes qui « se jouent » de leur partition en l'interprétant. Bien que rigoureusement « programmées » selon des logiques psychologiques et sociales, les boîtes à musique deviennent ainsi des boîtes à surprises.

Au sein du grand ensemble orchestral qu'ils constituent, Christine est l'Exception qui ne confirme aucune règle. Une soliste qui tient sa place dans le concert, mais qui ne cesse de se montrer déconcertante. Dans *Ma vie et mes films*, Renoir écrit : « Un élément important est l'honnêteté sentimentale de Christine, l'héroïne du drame. » Lorsque Jacques Rivette lui a fait remarquer quelques années plus tôt (en 1966, dans son émission *L'Exception et la Règle*) que ce personnage était « celui sur lequel on se pose le plus de questions », il a répondu :

« Bien sûr, parce que sa logique est tellement claire. Ce qu'elle dit est tellement simple, tellement direct que, étant absolument clair et transparent, ça finit par paraître mystérieux. Mais je crois que les êtres absolument simples et directs sont comme ça. Ils paraissent mystérieux. »

Il donne ensuite une explication de l'attitude de Christine lorsqu'elle s'offre soudain à Saint-Aubin à l'occasion de la fête. Elle est, selon lui, « une femme innocemment romantique » qui s'est trouvée confrontée en l'espace de quelques secondes aux réalités et aux laideurs de l'existence. « C'est pour cela, dit-il, que ça m'intéressait beaucoup d'avoir une Viennoise pour jouer le rôle, assez romantique. Et, brusquement, ce romantisme, l'amour pur, l'amour éternel, les promenades au clair de lune en se donnant la main, tout ça, brusquement, c'est remplacé par une réalité beaucoup plus brutale, par le besoin purement physique d'être bousculée sur un canapé et de faire l'amour, ou plutôt de la bousculer sur un canapé et de faire l'amour qu'elle lit chez ce monsieur, chez les autres, chez les gens qui lui courent autour. »

L'explication vaut pour Saint-Aubin, mais on comprend moins le revirement de Christine lorsqu'elle se laisse happer et convaincre par les mots d'amour que lui prodigue André Jurieux. Comme lui, nous n'en revenons pas. N'est-ce pas la même Christine qui confiait à Geneviève dans une scène précédente : « Il est bien gentil, André, bien brave... mais trop sincère... C'est assommant les gens sincères » ? Renoir, lui, ne se pose pas la question. Il ne songe pas à chercher le pourquoi de son attitude, et encore moins à la justifier. Au grand jeu de l'éperdu, Christine n'est-elle pas celle, en effet, qui se montre la plus « honnête » ? Elle vit ce qu'elle éprouve et elle éprouve ce qu'elle vit, dans l'instant même, le risque de se contredire n'étant – à « vrai dire » – que le moindre.

On sent que Renoir l'aime et l'admire pour cela, sans distinguer l'actrice du personnage. Il avait d'abord pensé à Simone Simon, sur laquelle, après *La Bête humaine*, il ne tarissait pas d'éloges, et qui se déroba pour je ne sais quelles raisons. Nous aurions eu alors une autre Christine, que Renoir a probablement vite oubliée à partir du moment où il a rencontré Nora Gregor.

Cette comédienne, qui a été l'interprète de Carl Dreyer en 1924 dans *Mikael*, est à présent l'épouse du prince Stahremberg, aristocrate autrichien antihitlérien, qui a dû quitter son pays après l'Anschluss. « J'avais fait sa connaissance peu avant *La Règle du jeu*, écrit Renoir. Lui et sa femme étaient dans un grand état de confusion. Tout ce à quoi ils croyaient était en train de s'écrouler. On pourrait écrire un roman sur l'état d'esprit de ces exilés. Je me contentai de profiter de l'allure de Nora Gregor, de son côté " oiseau " sincère pour bâtir le personnage de Christine. »

Il s'agit en effet de cela, d'une « allure » qui ne jure d'aucune façon avec la spontanéité de la jeune femme, d'une distinction et d'une élégance morale, qui ne doivent rien à l'affectation et encore moins à la raideur, et d'une féminité qui concilie sans effort apparent candeur et sensualité, indulgence et rire malicieux, retenue de grand style et fragilité assumée. Christine est mieux que belle. Quelque chose en elle irradie doucement. Une grâce, un tremblement léger, que Renoir a su capter, ne serait-ce qu'en écoutant son accent d'étrangère et sa voix chantante, dont les modulations suggèrent un ondoiement, un balancement mélodieux, qui nimbent de sourire une gravité secrète.

Il est généralement admis – et par Renoir en premier lieu – qu'André Jurieux est celui qui doit mourir à la fin du film pour n'avoir pas respecté la « règle du jeu ». Qu'il soit voué au sacrifice en raison de sa sincérité ne fait pas, c'est vrai, le moindre doute. Je ne puis oublier cependant le ridicule de son attitude lorsque Christine, lui ayant déclaré son amour, ne voit pas d'autre solution qu'un départ immédiat avec lui. Jurieux est alors au comble du bonheur, mais il n'oublie pas les convenances, ce qui le condamne alors sans recours possible aux yeux de l'héroïne :

— Il faut que j'aille prévenir La Cheyniest, dit-il.

— Pour quoi faire ? lui demande Christine.

Elle se détourne et va s'asseoir sur le bras d'un fauteuil. Jurieux la rejoint et tente de la convaincre :

— Christine, écoutez-moi... Christine, je ne peux tout de même pas enlever la femme d'un monsieur qui me reçoit chez lui, qui m'appelle son ami, à qui je donne la main, sans avoir avec lui au moins une explication !

— Mais puisqu'on s'aime, André, qu'est-ce que ça peut faire ?

— Christine, tout de même, il y a des règles !

Il les respecte donc, lui aussi, ces codes de la bienséance dont il ne semblait pas se soucier quelques minutes auparavant. Nous l'avons vu boxer Saint-Aubin et nous le verrons répondre ensuite à l'assaut d'un La Cheyniest ivre de jalousie. Mais les deux hommes ne font alors que se soumettre à une convention ancestrale, celle qui admet l'empoignade entre rivaux, avant d'observer – ensemble – la convention inverse. Le marquis et Jurieux reviennent à la raison, et rivalisent de mondanité, sous le regard sarcastique de Renoir, qui mesure ainsi la courte distance entre barbarie et civilisation.

Pendant ce temps, Christine et Octave s'affranchissent des règles, codes et conventions avec lesquelles ils ont joué, mais auxquelles ils n'ont jamais souscrit en leur for intérieur. En s'éloignant du château, et en trouvant refuge dans une petite serre vitrée au fond du jardin, ils s'écartent d'un monde que Christine ne supporte plus. Ce qui contribue peut-être à atténuer notre – immense – surprise quand elle prend conscience de son amour pour Octave et quand elle l'oblige à avouer le sien. Nous sommes abasourdis, mais nous entrevoyons une réponse à nos questions. Christine a fait l'expérience de la fidélité avec La Cheyniest ; elle s'est « exercée » à la frivolité avec Saint-Aubin, à la « sincérité » avec Jurieux. Dans les bras d'Octave, elle consent tout à coup à une simplicité inconnue, « inqualifiable »... que je me garderai donc de qualifier.

La petite serre n'est éloignée du château que de quelques dizaines de mètres, mais nous sentons bien que la règle du jeu n'y a plus cours, et qu'un univers nous sépare désormais de La Cheyniest, de Jurieux, de Geneviève, de Lisette, de Marceau... et de Schumacher, qui guette dans un fourré, son fusil chargé à la main...

— Tu sais, c'est toi que j'aime, dit Christine à Octave... Et toi, est-ce que tu m'aimes ?

Sa voix est posée, son regard droit. Lui ne peut que répondre, dans un souffle :

— Oui, Christine, je t'aime.

— Alors, embrasse-moi.

Octave se penche sur sa joue, comme il en a l'habitude depuis tant d'années, mais Christine le reprend :

— Non, sur la bouche. Comme des amoureux.

Je ne me souviens pas de ce que fut ma stupéfaction lorsque je vis, pour la première fois, ce baiser échangé entre une princesse autrichienne, au beau visage déjà marqué par la vie, et un auteur-acteur de quarante-cinq ans, à la figure de bon vivant, dont rien ne pouvait laisser penser qu'il allait enlever cette femme au milieu de la nuit, en dépit des convenances, et même des règles de l'amitié, auxquelles Jurieux et La Cheyniest ont la faiblesse de croire en cet instant précis.

Aucun autre que Renoir n'aurait risqué un tel contre-emploi, qui se justifie pourtant si l'on songe que les cinéastes s'éprennent souvent de leurs actrices, de la même façon que les romanciers tombent amoureux de leurs héroïnes. Octave et Christine, c'est Stendhal pénétrant dans son livre par effraction, et répondant au baiser que lui accorderait la Sanseverina en personne ! Nous sommes alors au comble de la fiction, et de la tension vers l'impossible qui pourrait en définir l'essence, à ceci près qu'un amour vrai vient de naître sous nos yeux après vingt ans peut-être d'une « amitié rare et fragile, toujours sur le bord de se transformer en un autre sentiment ».

Il n'est évidemment pas question d'obtenir de lui une quelconque confidence à ce sujet, mais nous savons, par la biographie de Célia Bertin, que Renoir est en train de vivre au moment de *La Règle du jeu* une situation, très différente certes, mais en même temps assez comparable. Il s'éloigne de Marguerite – non sans drame, je le suppose – et se rapproche de Dido Freire, qu'il a rencontrée douze ans auparavant sur le plateau de *La P'tite Lili*, un film réalisé par son ami Alberto Cavalcanti, où il figurait lui-même comme acteur, auprès de Catherine Hessling et de leur fils Alain, âgé de six ans. Dido était alors une toute jeune fille, ayant reçu une éducation française au cours Dupanloup, mais son origine étrangère (son père appartenait au corps diplomatique brésilien) a peut-être influencé quelque peu – mais je n'en sais rien – le personnage de Christine. Célia Bertin nous dit que les années ont passé sans créer de lien particulier entre Jean et Dido. Nous savons seulement que la jeune fille a été séduite... par Alain, qui vivait une enfance difficile entre un père très occupé et une mère préoccupée d'elle-même. « Elle prit vite l'habitude, écrit Célia Bertin, de l'emmener au Jardin d'acclimatation et dans les fêtes foraines. Elle lui faisait faire des cartons et il était fier d'elle parce qu'elle tirait très bien à la carabine. Ils s'attachèrent tant l'un à l'autre qu'elle l'emmena en vacances chez sa mère qui habitait l'Angleterre. »

Selon Célia Bertin, ce n'est pas Renoir, mais M. Guillaume, administrateur de la société qu'il a créée pour produire *La Règle du jeu*, qui a engagé Dido Freire comme secrétaire, puis comme script-girl. Une fonction qui favorise les rapprochements ou, au moins, les complicités. Renoir se rend alors à l'évidence. Il remarque la vivacité d'esprit de la jeune femme et la beauté de ses yeux noirs « mangeant son visage délicat ». « Il s'était aperçu, écrit la biographe, qu'elle avait de la classe, ce qu'il aimait autant que la beauté et l'intelligence. » Bref, il est tombé amoureux, et pour longtemps, puisqu'il partira avec Dido pour l'Italie aussitôt après *La Règle du jeu*, l'épousera en Amérique et passera avec elle les quarante prochaines années de sa vie.

On peut comprendre alors comment Christine et Octave ont franchi le seuil qui sépare l'amitié de l'amour. Au lieu de figer leurs sentiments, le temps a permis au contraire qu'ils se révèlent et s'accomplissent. Mais les personnages du film n'auront pas la chance de Jean et de Dido dans la vie.

Renoir ne nous laisse pas oublier que, au château de la Colinière, la règle du jeu est encore en vigueur, et c'est Lisette à présent qui fait la leçon à Octave, venu chercher le manteau de Christine :

— Vous avez tort, monsieur Octave, lui dit-elle. Parce que, quand c'est pour s'amuser comme ça, ça n'a pas d'importance; mais pour vivre ensemble tous les deux, je crois qu'il faut laisser les jeunes avec les jeunes et les vieux avec les vieux... Et puis, vous n'avez pas d'argent. Une femme comme Madame, ça a besoin de beaucoup de choses...

Octave écoute, et se laisse convaincre. Il dit à Jurieux que Christine l'attend. Son ami trouve donc la mort à sa place en courant vers la serre du jardin. Il porte le manteau d'Octave et Christine est revêtue du capuchon de Lisette. Caché dans un fourré, en compagnie de Marceau devenu son complice, Schumacher croit que c'est sa femme qui attend Octave à l'intérieur de la serre. Il y a vu un homme embrasser une femme dans la scène précédente, et il se trompe sur leurs identités. Christine, elle aussi, s'est trompée en observant à la lunette d'approche son mari enlaçant Geneviève. Elle a pris pour un baiser d'amants ce qui n'était qu'un baiser d'adieu. Erreur « idiote » dans les deux cas, mais tellement lourde de conséquences... Schumacher tire sans hésiter et il tue André Jurieux, dont la chute a également valeur de rappel. L'image du lapin abattu par un chasseur alors qu'il traversait une clairière est demeurée gravée dans notre esprit.

« On ne sait vraiment ce qu'est un film qu'après en avoir terminé le montage, écrit Renoir dans *Ma vie et mes films*. Dès les premières projections de *La Règle du jeu,* je me sentis assailli de doutes. C'est un film de guerre, et pourtant aucune allusion à la guerre n'y est faite. »

Il avait pourtant clairement annoncé ses intentions – ou fait part, au moins, de son intuition – dans un article de *Ce Soir* publié un an plus tôt, le 2 mars 1938. Je ne puis le relire sans y voir le véritable synopsis de *La Règle du jeu*. L'article s'intitule « Mon prochain film ». Renoir y adopte le ton de la plaisanterie pour mieux libérer son audace imaginative. Il pense qu'il ne tournera jamais le film en question, et qu'il n'osera même pas en parler à un producteur, de peur de passer pour un fou. L'histoire qu'il échafaude se déroule entièrement sur le toit d'un immeuble. Elle met en présence trois ou quatre personnes, réfugiées là en raison d'un incendie qui s'est déclaré au rez-de-chaussée, et qui a déjà gagné le premier étage.

« Nos gens de là-haut, écrit-il, ne sont pas du tout incommodés par la fumée, car il y a du vent. Le hasard veut qu'ils aient des œufs durs, du rosbif froid et quelques bouteilles de bière. Et comme cet incendie est très lent, ils finissent par s'habituer à la situation et ils se mettent tranquillement à casser la croûte.

« Et entre eux se jouerait un drame n'ayant rien à voir avec le danger imminent. Ils s'aimeraient, se jureraient un amour éternel, puis se tromperaient, se vengeraient... Et, au moment où la vertu serait enfin récompensée, et les méchants punis, le toit s'écroulerait et ils s'abîmeraient tous dans les flammes. »

On ne peut pas mieux évoquer l'état d'une société « dansant sur un volcan », mais je retiens surtout l'idée de la lenteur liée à celle de l'imminence. La lenteur justifie l'aveuglement des protagonistes, tandis que l'imminence précipite les péripéties de l'imbroglio sentimental.

L'année suivante, durant les mois d'hiver et de printemps 1939, le pressentiment de Renoir se généralise. Autour de lui, comme en lui, l'accélération de l'histoire presse le mouvement des chorégraphies amoureuses et intensifie leur sensualité jusqu'à faire monter le sang aux joues. Il suffit pour s'en convaincre de parcourir les livres de souvenirs. Celui de Maurice Chevalier, par exemple :

« Une gaieté folle dans la grande ville. Oui, folle. C'est bien ça. Anormale, on s'amuse trop ! On rit trop fort ! Il y a de l'hystérie dans tout ça. Et on danse ! Et on s'envoie en l'air ! Et allez donc ! Toute cette période fait penser à la mer quand le temps s'obscurcit et que de grosses vagues de fond brutalisent le navire. Le temps tourne au cyclone... »

Marcel Carné décrit le même climat dans sa *Vie à belles dents* :

« On vivait alors une époque plus que singulière, où l'on sentait confusément que quelque chose allait finir, qu'un bouleversement était proche.

« Je n'ai pas souvenance que les gens étaient tristes. Au contraire, beaucoup dont j'étais, je l'avoue, se jetaient sur tous les plaisirs que la vie pouvait encore leur offrir. »

Ces témoignages nous aident à comprendre la fièvre qui s'est emparée des personnages de *La Règle du jeu.* Je me pose néanmoins la question : que se passerait-il si nous n'en avions pas connaissance ? Le film nous apparaîtrait sans doute un peu plus énigmatique, mais il conserverait sa force intacte. Le génie de Renoir est d'avoir saisi, et rendu saisissante, l'humeur singulière d'une période précise. Or nous savons qu'une telle appréhension, aussi directe, aussi simple, du particulier est le meilleur moyen d'accéder au général. Tous les films nous parlent, involontairement le plus souvent, du moment historique où ils sont nés. Celui-là a trouvé dans le sien un bain révélateur idéal. Renoir vit et filme au présent. Il aime, il se réjouit, il s'émeut, il s'inquiète, en prélevant des instants dans la durée : les lueurs pâles émanant du ciel au-dessus de la campagne de Sologne ; la précipitation de l'émotion sur le visage de Nora Gregor, qui peine à reprendre son souffle ; les larmes qui baignent le visage de Gaston Modot, transformant tout à coup l'idée que nous nous faisions du terrible Schumacher...

Paradoxalement, l'arrimage précis de *La Règle du jeu* au printemps 1939 lui a permis de traverser le temps et l'espace. « Un quart de siècle plus tard, écrit Renoir dans *Ma vie et mes films*, je faisais une conférence à Harvard. Dans un cinéma voisin de l'université on passait *La Règle du jeu.* Lorsque je parus sur l'estrade, ce fut une ovation enthousiaste. Un public d'étudiants acclamait *La Règle du jeu.* »

Sur le moment pourtant, en juillet 39, l'échec du film devant le public le plonge dans un découragement tel qu'il parle d'abandonner le cinéma. Les quelques critiques favorables (dénombrées par Claude Gauteur dans son livre) ne peuvent lui rendre un semblant de confiance. On imagine facilement sa détresse lorsqu'il est obligé (par nécessité « commerciale ») de procéder lui-même à des coupes franches. Marguerite se rend dans la salle où le film est projeté. Elle note les plans qui font protester les spectateurs, et qui seront donc impitoyablement sacrifiés. Quinze minutes disparaîtront ainsi, que les admirateurs de Renoir croiront perdues à jamais, jusqu'à la deuxième naissance de *La Règle du jeu* au début des années 60.

Je ne puis oublier cependant que j'ai dû voir ce film mutilé une bonne dizaine de fois avant sa résurrection, ce qui ne m'a jamais empêché – à chaque vision et au-delà même de l'admiration – de le considérer comme un événement de ma propre vie. Lorsque Jacques Rivette et François Truffaut interrogent Renoir en 1954, ils ne connaissent encore que cette version, qui est certainement entrée pour beaucoup dans leur vocation de cinéastes. En juillet 1958, André Bazin écrit à Truffaut : « Ce que vous me dites à propos des chutes de *La Règle du jeu* est extraordinaire. Je crois rêver. Pourrais-je voir cela en août ? » Il meurt en novembre sans les avoir vues. On peut relire cependant son *Renoir français* (publié en 1952 dans les *Cahiers du cinéma*) sans éprouver le besoin d'y changer une ligne :

« *La Règle du jeu* n'est qu'un entrelacs de rappels, d'allusions, de correspondances, un carrousel de thèmes où la réalité et l'idée morale se répondent sans défaillances de signification et de rythme, de tonalité et de mélodie ; mais film pourtant merveilleusement construit dont nulle image n'est inutile ni placée à contretemps. C'est une œuvre qu'il faut revoir comme on réécoute une symphonie, comme on médite devant un tableau car on en perçoit mieux chaque fois les harmonies intérieures. »

« Chef-d'œuvre », donc. André Bazin prononce le mot en étant sûr, au fond, que la version intégrale ne le démentira pas. Ce qui fut le cas. Mais la notion de chef-d'œuvre implique une idée d'achèvement, de perfection, qui ne nous satisfait pas entièrement. Les « harmonies intérieures » dont nous parle André Bazin ne sont-elles pas, avant tout, l'apanage mystérieux des êtres vivants ? Les coupes opérées en

1939 nous en donnent la preuve, puisqu'elles n'ont pas interdit au film de « fonctionner » devant une génération entière de spectateurs entre 1945 et 1965.

« Il ne faut pas peindre la vie, mais rendre la peinture vivante », disait Pierre Bonnard. Ce qui me paraît correspondre au dessein essentiel de Renoir réalisant *La Règle du jeu.*

Je savais bien en entreprenant ce chapitre qu'il serait le plus long de ce livre. Les lignes, puis les pages, ont défilé sous ma plume sans jamais me satisfaire. Elles ne disent pas la moitié, ni le quart, de notre plaisir et de nos rires, au début des années 50, lorsque nous évoquions entre amis telle ou telle séquence de *La Règle du jeu.*

Restons-en donc pour finir – mais surtout pas pour conclure – à certaines répliques, qui ne seraient rien si nous n'avions en tête la voix, la verve ou le charme des interprètes.

Au début du film, Marceau arrêté par Schumacher s'explique devant La Cheyniest, qui l'écoute avec bienveillance :

— Après tout, dit-il, moi, si je braconne, ce n'est pas par méchanceté, c'est pour nourrir ma vieille mère.

Schumacher offusqué le coupe :

— Monsieur le marquis, il n'a pas de vieille mère !

Julien Carette donne alors sa pleine mesure en proférant de façon tordante, inénarrable, définitive :

— Moi, je n'ai pas de vieille mère ? Moi, je n'ai pas de vieille mère !

Une autre scène nous prend littéralement à revers. Après l'avoir aperçue dans la lunette d'approche enlacée par son mari, Christine rend visite à Geneviève. Au lieu des reproches que nous attendons, elle gagne au contraire la complicité de sa supposée rivale en disant :

— Ce brave Robert est si gentil, tellement sensible, mais c'est un véritable enfant, incapable de rien cacher !

— Ça c'est bien vrai, reconnaît Geneviève.

— Quand il veut mentir, ça se voit tout de suite. Il rougit avant d'ouvrir la bouche.

— On a envie de lui dire que son nez remue.

— Il est si délicat... Je ne vois qu'une chose à lui reprocher, c'est sa manie de fumer dans le lit.

– Oh, alors, ça c'est assommant. Il met de la cendre partout !

— Et les draps...

— Tout brûlés. Comme si un lit c'était un endroit pour fumer !

— Je vous le demande !

Et elles éclatent du même rire.

Je reverrai souvent encore *La Règle du jeu*, ne serait-ce que pour écouter les sages conseils donnés par Marceau à La Cheyniest, dont il est devenu le confident :

— Moi, monsieur le marquis, les femmes, que ce soit pour les avoir, ou pour les quitter, ou pour les garder, j'essaie d'abord de les faire rigoler. Quand une femme rigole, elle est désarmée, vous en faites ce que vous voulez... Mais vous, monsieur le marquis, pourquoi vous essayeriez pas d'en faire autant ?

— Mon pauvre Marceau, parce qu'il faut être doué.

Le ton, sereinement affligé, que Dalio trouve pour lui répondre n'est pas moins délectable dans l'ordre de l'humour secret.

On se représente sans mal Renoir debout derrière sa caméra. Un très large sourire lui découvre les dents. Quand il observe, par exemple, l'amitié qui vient de naître, à la fin du film et contre toute attente, entre un Schumacher accablé et un Marceau toujours sur la brèche. Jaloux l'un et l'autre, ils ont cru apercevoir Lisette dans les bras d'Octave.

— T'as ton revolver ? dit Carette. Fous-y un coup.

— J'ai pas de balles, répond Gaston Modot en chuchotant. J'ai tout tiré sur toi.

Il ira donc chercher son fusil, avec les conséquences que l'on sait.

Rêvant au scénario extravagant de son « prochain film », Renoir avait envisagé plusieurs dénouements avant de se décider pour une dernière hypothèse :

« Ou alors, soyons réaliste, avait-il écrit ; après tout, il n'y a aucune raison pour que les pompiers ne fassent pas courageusement leur métier, et c'est dans leurs bras que la jeune fille évacuerait son incommode refuge, tandis que l'amoureux et le traître, pour une fois étroitement enlacés, attendraient ensemble la mort. »

La Règle du jeu décline à l'infini ces enlacements et ces échanges. Ils sont naturels tout d'abord (entre Octave et Jurieux, Christine et Octave, Octave et La Cheyniest), puis ils deviennent franchement paradoxaux (entre La Cheyniest et Marceau, Christine et Geneviève, Christine et Saint-Aubin, Christine et Jurieux, La Cheyniest et Jurieux), avant de nous apparaître parfaitement improbables, lorsque Christine se déclare amoureuse d'Octave, et Marceau ami de Schumacher.

La beauté des personnages est liée à cette faculté que Renoir leur prodigue d'entrer, qu'ils le veuillent ou non, en amitié, amour, affection, tendresse, désir, complicité. C'est en cela qu'ils sont vivants, et qu'ils doivent bien en assumer le risque.

Sans compter l'incendie qui gagne d'étage en étage, et le destin qui veille aux frontières de la France.

Chapitre quatorzième

« Rien n'est plus bizarre ni plus changeant que l'homme... »

*

1940/1941. La guerre, l'exil, Hollywood. « L'Etang tragique »

En exposant son propre visage désemparé, et sa propre mine défaite, misérable, dans les dernières images de *La Règle du jeu*, Renoir ne se doutait pas que l'échec de son film allait le plonger dans un état comparable. Mais à la différence d'Octave, vaincu de l'art autant que de l'amour sans avoir combattu, il est, lui, un créateur intrépide qui s'est adressé – en toute inconscience ! – aux spectateurs de la génération suivante, et qui vient de le payer très cher. Je ne sais, par ailleurs, si son nouvel amour a pu atténuer son désarroi, mais il est certain que la présence de Dido Freire à ses côtés précipite une évolution qui s'accomplira dix ans plus tard dans la vaste méditation de *The River* (*Le Fleuve*).

Ils ne se quittent plus désormais. Au début du mois d'août 1939, Dido accompagne Jean qui vient d'accepter la proposition d'un producteur italien. On se représente facilement la stupeur de ses amis antifascistes lorsqu'ils apprennent que

Renoir est à Rome pour y réaliser une *Tosca*, dont il écrit le scénario avec son ami Carl Koch et où Michel Simon doit incarner le comte Scarpia. Tout se passe comme s'il oubliait la peur, la révolte et aussi les rires vengeurs que lui ont inspirés dans ses articles de *Ce Soir* les accoutrements et les rodomontades de Benito Mussolini, et comme si ne l'intéressaient plus que les déploiements de la statuaire baroque italienne. « J'avais envie, dira-t-il à Rivette et Truffaut en 1954, de voir des anges sur des ponts, avec des vêtements et trop de plis, et des ailes avec trop de plumes. J'avais envie de cette espèce de jeu compliqué du baroque italien. »

Il n'empêche qu'une rupture de fait le sépare à présent de ses « camarades » de *La vie est à nous* et de *La Marseillaise*. Rupture qu'il néglige d'évoquer dans *Ma vie et mes films*, pour passer aussitôt à la déclaration de guerre...

Nous savons pourtant qu'il se prépare à tourner *La Tosca* dans ce climat étrange de l'été 39, où chacun s'empresse de goûter des bonheurs qui seront bientôt refusés. Le jeune Luchino Visconti, qui a déjà été l'un de ses assistants pour *Partie de campagne*, l'accueille à Rome. En compagnie de Dido, il visite Florence, Pise et Lucques. Bien qu'il n'en dise rien, on se doute que ces « repérages d'extérieurs » tiennent lieu, en même temps, de lune de miel. Douze ans plus tard, le 21 mai 1951, préparant à Rome la production du *Carrosse d'or*, il écrira à Dido, restée en Californie : « J'ai eu à peine le temps de respirer. Et quand je respire, c'est pour penser à vous. Malgré toute l'excitation de revoir cette ville que nous aimons, je ne me fais pas à l'idée de la revoir sans vous. Et je m'ennuie dès que je m'arrête. »

Les premiers jours de septembre voient la France et l'Allemagne entrer en guerre. Dès le 27 août, le lieutenant Renoir s'est mis à la disposition du Service cinématographique de l'armée. Il revient en France pour filmer des « soldats bâillant d'ennui » quelque part sur le front immobile de l'est. Or, il se trouve que l'Italie, qui n'a pas apprécié le pacte germano-soviétique, préserve pour l'instant sa neutralité. Le retour de Renoir en Italie s'inscrit donc dans un ensemble de signes amicaux adressés par le gouvernement français à un Duce qui hésite encore. Le cinéma prend alors une part active à ces échanges de bons procédés. Jean Choux réalise une *Naissance de Salomé* à Cinecittà, et Marcel L'Herbier une *Comédie du bonheur*, tandis que Renée Saint-Cyr tient le premier rôle de *Roses écarlates* sous la direction de Vittorio De Sica. Renoir bénéficie d'une situation particulière. On lui demande de donner des conférences dans une école de cinéma inaugurée en 1935, le Centro Sperimentale. Mussolini, qui ne cache pas son admiration pour *La Grande Illusion*, en a émis personnellement le vœu.

Dido, Renoir et Carl Koch se sont installés dans un grand appartement près de l'église San Stefano Rotondo. « En l'honneur de Dido, née à Belem, nous apprend Célia Bertin, les deux amis se mirent à couvrir les murs et les plafonds de fresques représentant l'Amazonie : les animaux de la forêt, la jungle, le fleuve. » Il est certain que Renoir s'intéresse à ce décor, qu'il n'a jamais vu, en raison d'une histoire vraie qui s'y est déroulée ; déjà ancienne, puisqu'elle remonte à 1910. C'est Dido qui l'a évoquée devant lui, et il rêve d'en faire un film. L'influence de la jeune femme, catholique croyante et pratiquante, devient manifeste quand on lit (dans les *Œuvres de cinéma inédites* publiées chez Gallimard) le synopsis de *Magnificat,* qui sera déposé en septembre 1940 à l'Association des auteurs de films.

Rien dans l'œuvre précédente de Renoir ne pouvait nous laisser prévoir qu'il se passionnerait un jour pour un tel sujet :

Un groupe de religieux français a reçu pour mission d'évangéliser les indigènes d'une région à peu près inexplorée du Brésil, au cœur de la jungle amazonienne. Après un voyage qui est en lui-même une aventure remplie de découvertes et de dangers, ils construisent leur couvent très loin du dernier village « civilisé », mais au vu et au su des Indiens invisibles qui les observent. « Des centaines de présences, écrit Renoir, se manifestaient par le bruissement des feuilles, des traces de foulées sur le sol, et surtout par des flèches meurtrières qui, de temps à autre, venaient tuer un père au milieu de ses travaux. La règle était de ne manifester dans ce cas ni surprise ni colère. On procédait à la cérémonie de l'enterrement, on creusait une tombe, on plantait une croix, sans même jeter un regard du côté de la forêt redoutable. »

Renoir ne mentionne pas l'ordre auquel appartiennent ces moines, mais nous le savons pénétré à l'époque de spiritualité franciscaine. Claude Gauteur cite à ce propos le texte d'un interview publié dans *Pour Vous* en octobre 1939 : « Pour le moment, dit-il, influencé sans doute par mon séjour en Italie, je lis saint François d'Assise, avec l'intention d'en faire un film et... la certitude de ne pas le faire... Il faut de temps en temps de grands projets de ce genre. On s'y attache parce qu'ils vous élèvent... Mais on ne les réalise pas parce que c'est trop grand. »

Les moines de *Magnificat* parviendront, quant à eux, au bout de leurs peines et de leur immense patience. Dès leur arrivée, ils ont disposé aux abords de leur campement ce qu'ils appellent une « table aux cadeaux ». Des étoffes colorées, des bijoux fantaisie, une demi-douzaine de couteaux, un réveille-matin sont placés là, bien en vue. Les habitants de la forêt reconnaîtront peut-être ces objets comme des signes d'amitié à leur adresse. Mais l'espoir devra demeurer longtemps à l'état de belle et « grande » illusion.

« Cette vie dura douze ans ; douze ans sans même apercevoir un seul de ceux qu'ils brûlaient de convaincre », écrit Renoir.

Les moines tués par les flèches, ou morts de maladie, sont remplacés par d'autres moines venus de France, qui ont effectué à leur tour le périple insensé.

Et puis, un beau matin, alors qu'on ne s'y attend plus, un religieux découvre que la table aux cadeaux a été visitée dans la nuit. A la place des objets, des fruits de la forêt ont été déposés en offrande. Les moines s'agenouillent et remercient Dieu dans une action de grâces. Le lendemain, un Indien apparaît au grand jour, accompagné de ses enfants tout nus. L'évangélisation peut commencer.

Influencé par l'Italie, par saint François d'Assise... et par Dido, Renoir ne renonce pas pour autant à lui-même. En dehors – ou en raison – de sa portée spirituelle, *Magnificat* devrait lui permettre de revenir sur son sujet de prédilection, la « réunion des hommes ». Dès l'écriture du premier synopsis, il note : « Les origines de tels religieux sont des plus diverses. A côté de ceux qu'une vocation normale a attirés, il y a ceux qui ont fui le monde à la suite de désillusions, ceux qui ont un passé. Cette solitude dans la forêt tropicale me paraît pouvoir provoquer un bouillon de culture très actif pour faire ressortir l'humanité de ces héros. »

On finirait par oublier en le lisant les péripéties de la « drôle de guerre », qui se déroulent « ailleurs », semble-t-il, durant son séjour en Italie. Péripéties qui seront suivies en mai 40 par la brutalité de l'offensive allemande. Renoir et Dido doivent rentrer précipitamment à Paris ; puis ils sont emportés, comme tant d'autres, dans le déferlement de l'exode.

Etrangement, l'ancien combattant de 14-18 ne paraît pas ressentir ce que l'humiliation de la défaite peut avoir de cuisant. A travers les documents dont je dispose (ses lettres publiées, *Ma vie et mes films*), je le retrouve préoccupé avant tout par le sort du cinéma français et par la suite de sa propre carrière. Il est vrai qu'une paix, pour le moins problématique, succède à la « drôle de guerre ». Une sorte de « relâche », pour parler en termes de spectacle, de relâchement à coup sûr, entraînant le risque de commettre certaines lâchetés. Renoir hésite. Il est toujours sous contrat avec la société Scalera Film de Rome. En même temps il souhaite reprendre en France son activité de cinéaste, dans l'hypothèse très aléatoire d'une reprise de la production. C'est alors que son ami Robert Flaherty, dont il admire les magnifiques poèmes documentaires (*Nanouk l'Esquimau*,

L'Homme d'Aran), intervient avec insistance depuis Washington, en se faisant fort de lui trouver un engagement à Hollywood et un visa pour les Etats-Unis.

Le 14 août, Renoir écrit à Me Tixier-Vignancour, nommé directeur de la radio et du cinéma par le gouvernement de Vichy, pour exposer sa situation personnelle. Il s'en remet au personnage quant à l'opportunité, pour lui, de réaliser un film en Amérique durant les mois nécessaires à la mise en place des nouvelles structures de production. Puis il ajoute ces lignes, dont la lecture procure une gêne difficile à dissiper :

« Je me permets de vous donner mon sentiment à ce sujet : ici sur la Côte d'Azur le spectacle est lamentable. A côté de certains de mes camarades, véritables professionnels, la racaille que vous connaissez continue à s'agiter. Et je n'entrevois pas encore les moyens de les éliminer. La seule chance de faire un film proprement c'est de trouver un commanditaire en dehors de ces gens-là. »

Or Renoir sait parfaitement à qui il s'adresse, et de qui il parle. Maître Tixier-Vignancour est un homme d'extrême droite, qui doit partager largement le mépris d'un Paul Morand (*France la doulce*) ou la répugnance affichée d'un Lucien Rebatet (*Les Tribus du cinéma et du théâtre*) à l'égard des producteurs juifs venus d'Europe centrale, qui ont financé – impudemment à leurs yeux – le cinéma français des années 30. Le mot « racaille » ne correspond que trop bien malheureusement à cette « nuée de producteurs balkaniques » dont parle Marcel L'Herbier dans ses Mémoires (*La Tête qui tourne*, 1979) et qui ont, selon lui, « dépossédé la France de SON cinématographe ».

L'humeur de la période est donc bien au relâchement, comme au reniement. J'ai sous les yeux la photocopie d'un article publié par *La Semaine de Vichy-Cusset* en date du 21 septembre 1940. Les journalistes (Louis E. Fournier et Jean-Henri Guillaumet) interrogent Renoir sur ses projets, puis ils lui posent une question délicate :

— Ne vous a-t-on pas reproché d'être allé tourner à l'étranger durant la guerre ?

Sa réponse est étrange. Il ne fait pas du tout mention de sa « mission diplomatique » en Italie, et il raconte qu'il a eu l'idée, avec quelques autres cinéastes, de produire des films à bon marché, en utilisant une centaine d'affectés spéciaux parmi les techniciens et artistes mobilisés restés à l'arrière, et en leur conservant seulement leur solde normale.

— L'Etat, dit-il, n'aurait eu que la pellicule à fournir. On aurait pu ainsi réaliser de nombreux films qui auraient servi la cause française ; mais on n'a pas voulu comprendre la nécessité de cette propagande ni financer, laissant ce soin à des producteurs en majorité étrangers et israélites...

— La plupart de ceux-ci, remarquent les journalistes, ont jugé plus prudent de se retirer rapidement...

— Et c'est tant mieux, répond Renoir. Ils ne faisaient rien pour le cinéma et se contentaient de garder les bénéfices... Il suffira de les remplacer par les directeurs de production qui, il faut bien le dire, faisaient tout le travail.

Le fait qu'il ne soit pas le seul à s'exprimer ainsi ne le justifie malheureusement en rien. Pierre Darmon cite dans son livre intitulé *Le Monde du cinéma sous l'Occupation* un article du journal *Aujourd'hui* où Marcel Carné s'adresse directement au cinéma et s'indigne de rencontrer sur la Côte d'Azur « des vieux messieurs en " er " et en " itch ", qui hier vivaient honteusement de toi, et qui aujourd'hui parlent d'aller te relancer jusqu'en Amérique et qui voudraient bien qu'on les y suivît... ».

Je n'en ai pas fini, quoiqu'il m'en coûte, avec les propos clairement ou insidieusement antisémites prêtés à Renoir durant cette courte période. Henri Jeanson qui, après avoir été son ami, ne porte pas dans son cœur le réalisateur de *La Marseillaise*, raconte dans son livre (*70 ans d'adolescence*) une histoire assez peu croyable, mais je ne pense pas qu'elle ait pu avoir été inventée de toutes pièces. Renoir, durant son séjour à Lisbonne où il attendait d'embarquer pour l'Amérique, aurait reçu des journalistes portugais et leur aurait déclaré en substance (selon Jeanson, qui ne saurait avoir eu une connaissance exacte de ces articles) : « Comme tous mes confrères, j'ai été victime des Juifs, qui nous empêchaient de travailler et qui nous exploitaient. Quand je reviendrai, je serai dans une France désenjuivée, où l'homme aura retrouvé sa noblesse et sa raison de vivre. »

Or, dans sa brochure intitulée *Jean Renoir, le spectacle et la vie*, publiée par *Cinéma d'aujourd'hui* en 1975, Claude Beylie oppose un démenti formel à ces assertions. Un de ses amis portugais a cherché et retrouvé les articles en question, où Renoir se contente d'évoquer les perspectives d'un « cinéma latin », qui devrait prendre le pas dans l'avenir sur le cinéma anglo-saxon. « On cherche en vain, écrit Beylie, même en lisant entre les lignes, la moindre allusion antisémite ou fascisante. » Conclusion que Célia Bertin reprend à son compte dans sa biographie. Je devrais donc, à mon tour, m'en tenir là, mais je demeure ébranlé par la suite du récit de Jeanson :

Quelques semaines plus tard à New York, Saint-Exupéry aurait eu l'intention de présenter son ami Renoir à Pierre Lazareff, qui dirigeait une agence d'information, qui avait donc connaissance des dépêches en provenance du Portugal, et qui ne lui aurait pas caché son irritation.

— Eh bien, soit ! aurait-il dit à Saint-Exupéry, amenez-le-moi votre Renoir, mais attention ! hein ! je lui dirai ce que j'ai sur le cœur avant le déjeuner.

« Bientôt, écrit Jeanson, Saint-Ex introduisit Renoir, tout penaud et pas flambant neuf, chez Lazareff.

— Ah ! Vous Renoir, écoutez-moi bien...

— Non, non, l'interrompit vivement Renoir, je sais, hélas, ce que vous allez me reprocher, et vous aurez raison, je le mérite. »

Je ne puis vraiment mesurer ce que la scène en question doit à l'imagination, ou à la malveillance, d'Henri Jeanson. Le terrible est qu'elle me semble plausible, d'autant que le souvenir me revient d'une libre conversation avec Frédéric Rossif en 1990, quelques semaines avant sa disparition. Le réalisateur de *Mourir à Madrid* et de *La Fête sauvage*, cinéphile au goût très sûr par ailleurs, m'avait assuré qu'il avait eu la preuve formelle de déclarations antisémites formulées par Renoir durant la même période. Lorsqu'il se trouva, des années plus tard, en sa présence, il ne put s'empêcher, malgré son admiration – ou en raison même de cette admiration – de lui en faire ouvertement le reproche, et il s'attira la même réponse navrée, accompagnée du même repli en bon ordre.

De cela, au moins, nous sommes sûrs : quoique Renoir ait pu dire, ce ne fut pas par conviction. Si les témoignages de Jeanson et Rossif sont vrais, ils établissent en même temps que le « fautif » regrette ses paroles. Il se serait donc exprimé – disons – par opportunisme ou par manque de courage devant les puissants du jour. N'oublions pas que ses prises de position antifascistes ont été très claires dans un passé récent, et que ses interlocuteurs ne peuvent les ignorer. Il doit donc leur donner des gages, et dire à Tixier-Vignancour, aux gens de *La Semaine de Vichy*, et – peut-être – aux journalistes portugais, exactement ce qu'ils veulent entendre. Pierre Lazareff (si l'histoire de Jeanson est vraie) et Frédéric Rossif condamnent à bon droit cette attitude, qui ne saurait pourtant effacer dans notre esprit, ni – j'en suis sûr – dans l'esprit de Renoir, le souvenir que nous conservons du Rosenthal de *La Grande Illusion* et du La Cheyniest de *La Règle du jeu*.

— Et d'abord, j'ai jamais pu blairer les Juifs ! lance Gabin dans la scène que j'ai longuement décrite de *La Grande Illusion*.

Faiblesse d'un instant, là encore, sous le coup de l'épuisement et de la colère. Elle n'aura aucune conséquence sur l'amitié des deux hommes.

Je me dois ici de préciser que mon intention première pour ce livre n'était pas d'écrire une biographie, mais quelque chose qui aurait ressemblé au « roman d'une œuvre ». Je souhaite, bien entendu, que le personnage de Renoir vive aux yeux du lecteur dans l'invraisemblable richesse de ses contradictions, mais je préfère y parvenir en m'imprégnant des impressions procurées par les seuls documents irréfutables que sont les films, les romans, les pièces de théâtre. Nous verrons bientôt que la période que je viens d'évoquer trouve un écho, voilé mais certain, dans *This land is mine* (*Vivre libre*) qu'il réalisera durant l'hiver 1942-43.

Le voici, pour l'heure, en Amérique, sans se douter qu'il y finira ses jours trente-neuf ans plus tard. Il a débarqué à New York le 31 décembre 1940 en pleine fête de la Saint-Sylvestre. Le 10 janvier 1941, son avion se pose sur l'aéroport de Los Angeles. Un contrat l'attend dans les bureaux de la 20th Century Fox, dirigée alors par Darryl F. Zanuck. Il parle encore un anglais approximatif lorsqu'on lui propose, trois mois seulement après son arrivée, de réaliser un premier film intitulé V*enezuela.* « Une charmante histoire pour enfants de douze ans », écrit-il à son frère Claude le 15 avril 1941. Heureusement pour lui, le projet est remis à plus tard, et Zanuck le choisit – de préférence à Fritz Lang – pour diriger la réalisation de *Swamp water* (*L'Etang tragique*). Dudley Nichols en est le scénariste, qui n'a pas son pareil pour faire valoir, sans mièvrerie aucune, l'humanité de ses personnages. Il a déjà écrit pour John Ford le délicieux *Judge Priest* (1934), puis *The Informer* (*Le Mouchard,* 1935), qui lui a valu un Oscar, *Stagecoach* enfin (*La Chevauchée fantastique*, 1939). Il a aussi contribué à la mise au point de *Bringing up Baby* (*L'Impossible Monsieur Bébé*), étincelante comédie de Howard Hawks en 1938.

Le 23 mai, Renoir écrit – de façon diplomatique – à Zanuck pour le remercier de sa proposition. « *Swamp water*, dit-il, est exactement le sujet que j'aurais choisi si j'avais été mon propre producteur. » Il se déclare enchanté par ailleurs de travailler avec Dudley Nichols, dont il admire particulièrement *The Informer*. Le 26 mai, il se contente d'annoncer – beaucoup plus honnêtement – à son frère Claude : « On vient de me donner un sujet un peu moins idiot que les autres et j'en suis tout ragaillardi. Ce scénario est même tiré d'un roman magnifique qui se passe en Géorgie, dans le marais d'Okefenokee, au milieu des crocodiles, serpents divers, cerfs, renards, loutres, etc. »

Les deux volumes de correspondance publiés à ce jour (*Lettres d'Amérique* aux Presses de la Renaissance et l'ensemble 1913-1978 chez Plon) permettent désormais de le suivre à la trace. De lettre en lettre, nous voyons se préciser et se renforcer en lui deux sentiments, entre lesquels il ne voit pas de contradiction. D'un côté, il découvre une Amérique « grandiose et cocasse », dont il apprécie aussitôt la cordialité sans fard et l'ingénuité abrupte, tandis que, d'un autre côté. Hollywood le déçoit et l'irrite.

Je vois une première explication à cela : Renoir vit encore, en 1941, sur des émerveillements de jeunesse. Lui qui a tant admiré les prodiges d'intensité imprimés par Griffith et Stroheim aux images de leurs films, qui a reconnu immédiatement le génie de Charlie Chaplin, qui s'est inspiré pour ses premiers films de la lumière de rêve répandue sur les visages de Mae Murray et de Gloria Swanson, croit que le cinéma américain est voué à la décadence en raison de la tyrannie exercée par les directeurs des grands studios. « Si cela continue, écrit-il, ils vont finir par tuer cette magnifique poule aux œufs d'or. »

Il cite peu de films dans sa correspondance, ignorant tout visiblement des œuvres de premier plan réalisées en 1940 et 1941, et qui ont si bien franchi les décennies : *The Philadelphia story* (*Indiscrétions*) de George Cukor, *Rebecca* de Alfred Hitchcock, *The Maltese falcon* (*Le Faucon maltais*) de John Huston, *Meet John Doe* (*L'Homme de la rue*) de Frank Capra, *How green was my valley* (*Qu'elle était verte ma vallée*) de John Ford. Le plus curieux sera de le voir s'obstiner dans son analyse, et ce au prix d'une énorme erreur : « La notion d'auteur de films, écrira-t-il dans *Ma vie et mes films*, avait déserté Hollywood depuis la mort de Lubitsch. » Or Lubitsch est bien vivant en 1941, et il s'apprête à réaliser *To be or not to be*.

Il est vrai, d'autre part, que l'attention incroyablement minutieuse que Zanuck porte aux films qu'il produit doit être difficile à supporter, et que Renoir n'est pas le seul à s'en plaindre. Le 13 juin 1941, il écrit à Pierre Lestringuez : « Je commence à perdre l'espoir de faire quelque chose de possible ici. Cette nuit, j'ai une conférence avec le grand patron de la Fox, Zanuck. Dans le genre bras de chemise, ça ressemble exactement à un kriegspiel sur carte au 25/1 000e développé par un commandant de chasseurs à pied en 1912 ! Nous avions une histoire à peu près possible. Il s'est arrangé pour que je la trouve complètement idiote ! » Le 20 juillet, il se confie à Antoine de Saint-Exupéry, avec qui il est en liaison étroite depuis que s'est fait jour un projet d'adaptation de *Terre des hommes*, qui n'aboutira pas. « Mes premiers contacts réels avec le cinéma américain, lui écrit-il, m'ont convaincu de l'impossibilité d'y apporter si peu que ce soit de moi-même. Je ne pense pas que je ferai un mauvais film, mais je suis sûr que le résultat sera parfaitement neutre, impersonnel et convenable. » Le même jour, il raconte à son frère : « Mon métier n'est vraiment pas drôle à Hollywood, il consiste à être assis dans un confortable fauteuil, à fumer des cigarettes et à dire " action " et " coupez "... Mon patron, M. Zanuck, est une espèce de Richebé, avec la différence fâcheuse que c'est à une échelle 4 ou 500 fois supérieure. Si je te dis qu'il a choisi lui-même les cravates des personnages de mon film et les boutons de leurs chemises, je pense que tu auras compris. »

La direction d'acteurs, on le sait, commence et même – parfois – finit avec la distribution des rôles. Sur ce point, Renoir ne peut que se montrer satisfait. C'est Zanuck qui a désigné Dana Andrews pour incarner Ben, le jeune homme entreprenant et ombrageux, qui risque sa vie dans les méandres du marais à la recherche de son chien perdu.

Renoir ne tardera pas à se montrer enchanté de ce choix. Dana Andrews est animé par une belle énergie intérieure, dont il usera dans la suite de sa carrière avec une remarquable sobriété. Le metteur en scène est d'autant plus content qu'il a réussi, pour le rôle de Julie, à infléchir la décision de son producteur en faveur de la débutante – et délicieusement sensible – Anne Baxter, de préférence à l'étoile montante de la Fox, Linda Darnell. Ses premiers contacts avec ses jeunes interprètes sont excellents. Il espère obtenir d'eux une fraîcheur d'interprétation sans laquelle le film perdrait beaucoup de son charme.

Une de ses demandes a beaucoup amusé les responsables de la Fox. Lorsqu'il a proposé de tourner les scènes de plein air dans le vrai marais d'Okefenokee, on lui a répondu : « Vous avez vu les décors que nous sommes capables de construire. Nous avons tourné en studio des films se passant à Vienne, à Paris, dans des petites villes américaines, et personne n'a jamais douté de l'exactitude des décors. Croyez-vous que nous avons fait toutes ces dépenses pour aller tourner dans un marécage de Géorgie ? » Zanuck est pourtant ébranlé par les arguments de Renoir, qui lui a prédit – sans se tromper – que, dans les années à venir, le besoin d'authenticité conduira les équipes de cinéma à se déplacer sur les lieux réels de l'action. Il accepte donc que Renoir se rende en Géorgie afin de prendre les images du marais qui serviront de fond de transparence pour les plans tournés en studio. Dana Andrews sera même du voyage. On le verra piloter son canoë à la surface du prodigieux labyrinthe aquatique, où surgissent des troncs d'arbres de toutes dimensions, où les lianes s'enchevêtrent en taillis inextricables, où le partage des eaux et de la terre ferme demeure indistinct, où l'on voit émerger par endroits l'œil d'un crocodile, où la morsure des serpents à sonnette ne pardonne pas, et où les sables mouvants sont parfaitement capables d'aspirer en quelques instants les corps entiers de leurs victimes.

Chaque fois qu'il évoque son séjour en Géorgie, Renoir est enthousiaste. Aux splendeurs naturelles de l'endroit s'ajoute la fière allure de ses habitants. « C'est un beau pays », dit-il à l'un d'entre eux. « Oui, lui répond l'homme, c'est le pays du Bon Dieu. Il a essayé d'en faire cadeau à quelqu'un, mais personne n'en a voulu... Alors il l'a gardé... »

Renoir trouve en Géorgie ce qu'il aurait découvert en Amazonie s'il avait pu tourner *Magnificat*. Il doit se demander aussi, parfois, comment son père ou Claude Monet auraient tiré parti de telles merveilles. « Ce genre de paysage et de faune, écrit-il à Saint-Exupéry, a surtout l'avantage de donner un certain " ton " à la population. Des paysans qui peuvent, de temps en temps, gagner plusieurs centaines de dollars après une bonne chasse au renard ne sont pas des paysans ordinaires, ce sont des aristocrates. Le côté " jeu " de la chasse leur donne un certain mépris de l'argent... » Puis il ajoute une phrase où nous le retrouvons tel qu'en lui-même il ne changera plus : « Peut-être que ce qui m'a tant séduit dans ce pays, c'est que c'est un vieux pays. Devant chaque vieille ferme en bois, il y a un arbre immense qui a été planté par quelque aïeul... »

Je ne résiste pas ici au plaisir de suivre Renoir dans l'une de ses fameuses digressions : Un jour, Dido et lui se présentent devant une maison « du plus pur style du Sud », située à la lisière du marais. Ils disent à des jeunes filles aux pieds nus, vêtues de haillons, leur désir de la visiter. Quelques instants plus tard, une petite fille leur répond que leur grand-mère accepte de les recevoir, mais qu'il lui faut d'abord se préparer. Une bonne demi-heure se passe avant l'entrée de cette personne, qui fait à Renoir l'effet d'une apparition. La vieille dame a revêtu une robe de soirée noire, pailletée et très décolletée, qui souligne son extraordinaire maigreur. « Nul d'entre nous cependant ne se sentait l'envie de rire, se souviendra Renoir quarante ans plus tard dans *Ma vie et mes films*, la vieille dame avait l'air d'une reine. Elle fit une révérence... »

Une des filles s'approche avec une cruche de whisky. Renoir visite la maison. Il fait des compliments sur la beauté des lieux. En des instants comme celui-là, la réalité relève à ses yeux, plus que jamais, de la féerie. Il regarde « cette femme entourée d'un bouquet de filles belles comme le jour, comme une souveraine l'est de ses dames d'honneur ». Le conte s'enrichit encore d'une touche romanesque lorsqu'il avise une porte soigneusement fermée. Il s'interroge sur le mystère qu'elle semble protéger, mais la vieille dame prévient sa question en disant :

— C'est la chambre de mon frère. Il est couché. Voilà plus de trente ans qu'il est couché. C'est à la suite d'un désespoir d'amour. La fille qu'il aimait est partie à Atlanta faire la catin. Mon frère voulut tuer le garçon qui l'avait enlevée. Il en fut empêché par nos parents. Alors il se coucha. Il ne s'est plus jamais relevé.

On peut comprendre alors ce qui se joue dans l'esprit de Renoir. Son voyage vers le sud lui a ouvert des perspectives absolument neuves, et ses rencontres avec les gens de là-bas lui ont inspiré beaucoup plus que de la curiosité. Ecrivant à Saint-Exupéry, il se déclare « fou des Américains qui ne sont pas de Hollywood ». Du coup, des idées bouillonnent en lui, qui ne sont pas des idées de films, car « ce n'est pas, écrit-il, dans cette espèce de Bibliothèque Rose qu'est le cinéma américain que je pourrais les lâcher en liberté ». Il parle donc de se retirer dans un coin perdu de campagne, et de se consacrer à l'écriture, seul moyen selon lui de « faire fonctionner le trop-plein ».

Il est vrai que son désir créateur essentiel est contenu – c'est le mot – dans cette sensation du trop-plein. Il possède un tempérament trop riche, il est bien trop animé par l'envie d'explorer les chemins de traverse, et de mettre la vérité à l'épreuve du paradoxe, pour ne pas se sentir brimé lorsque la doctrine hollywoodienne incarnée par un Zanuck lui impose de raconter une histoire de façon tellement linéaire et lisible qu'elle devient simpliste, simplette, ou « complètement idiote » comme il le dit dans ses moments de découragement.

Si l'on s'en tient à la seule continuité filmographique, il est assez ahurissant, en effet, de voir succéder *Swamp water* deux ans après exactement à *La Règle du jeu*. Nous n'échangeons pas seulement le soleil pâle de Sologne contre les mille reflets répandus, selon les caprices de la végétation, sur l'étendue immense du marais d'Okefenokee. Nous découvrons avec Renoir de nouvelles règles... qui interdisent le jeu. Lui qui déteste les clichés se voit contraint tout à coup de sacrifier à la tradition du héros jeune, aventureux, fier, irréprochable, à la convention de l'innocent persécuté, et au poncif des « vilains » aussi vulgaires que sournois.

D'une certaine façon, *Swamp water* relève bien de la « Bibliothèque Rose » hollywoodienne, mais Renoir ne peut nier, d'autre part, que ce sujet-là était pour lui. Grand lecteur d'Andersen, admirateur de la vieille dame en robe pailletée entourée de ses suivantes, il se souvient des récits de Mark Twain et se retrouve chez lui en territoire de « conte et légende ».

Ben (Dana Andrews), le garçon qui affronte les risques du marais pour y retrouver son chien, est une sorte de jeune prince intransigeant. Tom Keefer (Walter Brennan), le vieil homme avec lequel il se lie d'amitié, est un enchanteur à sa manière. Arrêté pour un crime qu'il n'a pas commis, et condamné à mort à la suite d'un témoignage rendu par le complice des vrais assassins, l'étrange personnage s'est évadé et il a trouvé, au cœur d'Okefenokee, beaucoup mieux qu'un refuge ; un royaume, pourrait-on dire, périlleux pour quiconque s'y aventure, mais pas pour lui qui en connaît les moindres dédales, qui en déjoue les pièges, et qui résiste même à la morsure d'un serpent à sonnette.

— J'ai décidé de ne pas mourir, explique-t-il à Ben stupéfait, qui s'apprêtait à l'enterrer et qui assiste à sa résurrection.

Renoir ne peut qu'aimer un personnage de ce style. Dans une lettre à Dudley Nichols, il regrettera l'intervention de Zanuck, qui a supprimé certaines scènes où il aurait pris une place plus grande, jusqu'à se situer au centre du récit. « J'ai l'impression, lui dira-t-il, qu'une des possibilités du succès de *Swamp water* pourrait tenir à l'étrangeté de l'histoire. L'étrangeté repose en partie sur le caractère de Tom Keefer. En gâchant ce personnage, je pense qu'on a compromis le succès du film. » Heureusement pour nous, d'autres scènes demeurent, qui font de Tom Keefer l'émanation du paysage. Walter Brennan, qui l'incarne, a déjà obtenu trois Oscars dans la catégorie des « *supporting actors* ». Acteur de « second plan » donc, mais comédien de premier ordre, il prête au personnage une intégrité, un ascendant, un mystère qui relèvent de la fable ou de la féerie telles que Renoir les conçoit. Il s'agit bien avec lui d'incarnation plus que de simple interprétation. Sa maigreur, son visage émacié, ses regards égarés, en alerte perpétuelle, font vivre autour de Tom Keefer l'univers de pénombre et d'eau stagnante sous l'enchevêtrement des branches et des lianes. Frêle en apparence, il étonne par la rapidité avec laquelle il renverse un adversaire et l'immobilise. Il parle peu, mais jamais pour ne rien dire. Walter Brennan se sert admirablement d'une voix qui semble manger les mots pour mieux en peser le sens, avant de les livrer au souffle. Une remarque lui échappe lorsqu'il apprend que sa fille Julie a grandi en son absence, et qu'elle est bien traitée par ceux qui l'ont recueillie :

— Il y a beaucoup de braves gens autour de ce marais. Certains sont meilleurs qu'on ne le croit, mais d'autres aussi sont pires.

Bien sûr, cette réplique n'a été écrite que pour faire avancer l'action du film, en désignant – parmi les pires – les frères Dorson, ainsi que leur complice Jesse Wick, dont la vilenie se révélera par la suite à nos yeux.

Je me dis en même temps qu'un tel propos est à rapprocher de ceux que tenait parfois Auguste Renoir, et auxquels son fils a peut-être pensé :

— Rien n'est plus bizarre ni plus changeant que l'homme. Un lion reste un lion, un tigre reste un tigre.

L'homme à l'encontre est beau et noble à l'égal d'un dieu de l'Olympe, ou stupide et laid comme la vipère ou le crapaud.

Je n'entends pas ici magnifier la morale de *Swamp water*, conforme en tout point à la convention hollywoodienne, et – plus précisément encore – à la tradition de la Fox, telle que Bertrand Tavernier et Jean-Pierre Coursodon la définissent dans leurs *50 ans de cinéma américain* : « Le studio, écrivent-ils, a une passion pour le passé du pays... pour la peinture des petites villes, des villages, de la campagne, dont la quiétude est souvent opposée aux grandes cités tapageuses et corruptrices. Warner peint l'Amérique telle qu'elle est, Fox telle qu'elle devrait être ou aurait dû être : idéalisme et passéisme sont les deux mamelles du studio... »

Swamp water se situe sur cette ligne et ne s'en écarte pas. Renoir reprend la peinture de la petite bourgade du Sud là où Dudley Nichols et John Ford l'avaient laissée après leurs trois films en forme de chroniques, lumineusement modestes et d'autant plus sublimes, dont le personnage principal était incarné par Will Rogers : *Doctor Bull* (1933), *Judge Priest* (1934), *Steamboat 'round the bend* (1935). En dehors de Dudley Nichols lui-même, nous retrouvons au générique du film de nombreux acteurs de second plan que Ford a souvent employés, ou qui, plus généralement, contribuent à la saveur et au relief que nous ne cessons d'apprécier dans le cinéma américain de l'époque : John Carradine, par exemple, au profil anguleux et au regard chargé de hantises ; Ward Bond, dont la débordante humanité s'accorde aussi bien aux personnages de héros qu'aux rôles de salaud ; ou bien encore le corpulent et solennel Eugene Pallette, que sa voix de rogomme suffirait à identifier. Une galerie de portraits, donc, mais surtout de caractères, abruptement dessinés.

Mae Marsh est là, elle aussi, dans le rôle effacé (son nom n'est même pas cité au générique), mais présent, de la dame qui a offert un toit et un emploi à la fille du réprouvé. Celle qui fut l'héroïne d'*Intolérance* représente ici un autre passé. Malgré la retraite que les nouveaux maîtres de Hollywood lui ont imposé, l'esprit de David Wark Griffith n'est certainement pas, aux yeux de Renoir, tout à fait révolu. Si bien que nous reconnaissons chez Anne Baxter, interprétant Julie Keefer, la joliesse d'âme et la candeur farouche d'une Cendrillon géorgienne, que Mae Marsh aurait pu fort bien incarner vingt ans plus tôt.

Zanuck ne s'est pas refusé, semble-t-il, à ce que les relations entre les personnages soient placées sous le double signe de la dignité et de l'âpreté. « Dignité », c'est le mot que prononce Renoir dans une lettre à Dudley Nichols, le 4 septembre 1941, lorsque le travail est achevé : « Dans l'ensemble il se dégage une certaine dignité de ce film, reconnaît-il. Cela vient certainement de la qualité de votre dialogue. »

Il a veillé, pour sa part, à ce que les quatre protagonistes, Ben et son père Thursday Ragan (auquel Walter Huston prête sa force de caractère), Tom Keefer et sa fille Julie, soient des êtres pétris de rudesse et d'orgueil. Aucun d'entre eux ne transige dans les situations de conflit. Lorsque Ben décide, parce que rien ne lui semble plus important que de retrouver son chien, d'aller le chercher dans le marais, son père s'y oppose avec brutalité. Tom Keefer, de son côté, ne réfléchit pas une seconde avant d'assommer le jeune homme qui a découvert son refuge, et à le retenir prisonnier « jusqu'à la fin de ses jours » s'il le faut. Il se méfie de Ben, qui pourrait à son retour dans le village trahir son secret. L'amitié entre eux ne se fait jour qu'après l'épisode du serpent. Alors qu'il en avait la possibilité, Ben ne s'est pas enfui. Il rend à Tom Keefer le couteau avec lequel il a fait saigner la morsure ; un acte qui se suffit à lui-même, comme preuve de loyauté.

La tension qui traverse le film est donc morale autant que dramatique. De sorte que l'histoire entière – action principale et actions secondaires – pourrait se raconter comme un débat permanent à l'intérieur des consciences entre la méfiance (source d'âpreté) et la confiance (source de dignité). Thursday Ragan met en doute l'honneur de sa femme – nullement entaché pourtant – parce qu'elle refuse de nommer l'homme qui est venu la courtiser un certain soir. Julie injurie Ben parce qu'elle croit – faussement – qu'il a révélé aux gens du village la présence de son père dans le marais. Tom Keefer se laisse difficilement persuader de revenir parmi les siens quand Ben vient lui annoncer que son innocence a été enfin reconnue, et qu'il n'a plus rien à craindre, puisque Jesse Wick, le faux témoin, a été contraint de dénoncer les frères Dorson, qui sont les véritables coupables. Lorsque les deux hommes reviennent en canoë dans la direction du village, ils essuient des coups de feu. La méfiance de Tom Keefer se réveille alors aussitôt. Il se voit trahi, une fois de plus, et il oblige Ben à fournir une preuve de sa bonne foi en se livrant à découvert au feu des tireurs. Il dit que ceux qui ont tendu l'embuscade ne le viseront pas puisqu'il est – pense-t-il – leur complice. Ben doit donc, à nouveau, risquer sa vie pour se laver de tout soupçon. Seule la balle qui siffle à ses oreilles convaincra Tom Keefer.

J'avais, pendant des années, attribué au seul Renoir la brutalité et la sécheresse peu communes de cette dernière séquence. Assuré de l'amitié de Ben, Tom Keefer ne cesse pas pour autant de se montrer intraitable. L'heure est venue de sa vengeance. Ce sont les frères Dorson qui ont eu la mauvaise idée de cette embuscade. Ils la paieront cher. L'intelligence de Tom et sa connaissance du terrain auront vite raison de leur balourdise. Entraînant et protégeant Ben dans sa fuite, il s'arrange pour que les deux poursuivants tombent dans le meilleur piège qui soit, une étendue de sables mouvants. Bud Dorson est englouti des pieds à la tête en l'espace d'une très longue minute. Le temps pour lui de hurler sa détresse. La caméra se place alors juste assez près, juste assez loin, à la hauteur du regard glacial de Tom Keefer, qui interdit à Ben le moindre geste d'humanité. Tim Dorson ne bénéficiera pas d'un sort beaucoup plus enviable. Keefer le condamne à vivre, s'il en est capable, ce qu'il a vécu lui-même pendant cinq ans à l'intérieur d'Okefenokee.

Dans sa lettre à Dudley Nichols, Renoir reconnaît que ce dénouement, qui remplace la fin initialement prévue, a été tourné par Irving Pichel – directeur de production du film – sur les indications précises de Darryl Zanuck. « Je crois qu'il a raison, écrit-il. Notre lutte et nos crocodiles, tournés en studio, dans une fausse jungle, avec un peu d'eau sale, étaient assez pauvres. » Renoir s'est donc contenté d'assister au tournage en conseillant un peu les acteurs, avec lesquels il s'est entendu merveilleusement bien. « Je vous enverrai une copie de cette fin, qui d'ailleurs en vaut une autre, dit-il à Dudley Nichols. Zanuck n'est pas un mauvais scénariste. Il est plein de logique et possède un certain sens dramatique. Il lui manque seulement la sensibilité. »

Bien des années plus tard, devant Rivette et Truffaut, Renoir rendra justice à son propre film : « Les essais dans les grands studios, leur dira-t-il, n'ont pas donné de mauvais résultats, puisque j'ai tourné par exemple *Swamp water*, et ce n'est pas un mauvais film, c'est un film très agréable en tout cas. »

Nous sommes loin du « résultat parfaitement neutre, impersonnel et convenable », dont il parlait en 1941 à Saint-Exupéry.

Contrairement à ce qu'il pensait, les personnages de son film vivent de la même vie qui l'avait tant séduit dans son voyage à la rencontre des vrais « Américains qui ne sont pas de Hollywood ».

Chapitre quinzième

« Je serai citoyen de ce pays »

*

1943/1945. « Vivre libre » « L'Hommme du Sud »

En septembre 1941, Renoir se libère – à l'amiable – de son contrat avec la Fox. Il ne réalisera donc pas le second film que Zanuck comptait lui confier. L'expérience de *Swamp water* lui aura quand même été profitable. Elle lui a permis de nouer avec Dudley Nichols les liens d'une heureuse complicité professionnelle, qui se double à présent d'une affection sincère et réciproque. Et puis, de façon inattendue, ce film sans vedettes, ni attrait spectaculaire particulier, connaîtra à partir de sa sortie à New York (le 16 novembre 1941) un beau succès commercial. Les Etats du Sud lui feront même une manière de triomphe.

Renoir a donc réussi son examen de passage. Dans ses lettres, les critiques à l'égard du cinéma américain s'atténuent, ou se nuancent. « Hollywood, reconnaît-il, est tout de même la grande école technique du cinéma mondial. » Quant à l'Amérique, il en fait, tout bonnement, sa seconde patrie. « Dans trois ans, écrit-il à son frère Claude le 28 mai

1942, je serai citoyen de ce pays. Cela n'a rien à voir avec les circonstances actuelles. C'est simplement parce que je me sens plus à l'aise dans ce large pays que dans l'étroite Europe. »

La rapidité avec laquelle tant d'exilés, venus de tous les coins du monde, se sont acclimatés ne s'explique pas autrement que par ce sentiment de l'espace ouvert. On respire ici aux dimensions d'un continent.

Sans qu'il en parle beaucoup dans sa correspondance, ou dans son livre de souvenirs, le sang-froid avec lequel les Etats-Unis sont entrés dans la guerre lui a été droit au cœur. « Ici les gens sont très bien, écrit-il à une amie le 18 décembre 1941. A part quelques affolés qui se fortifient dans leurs caves, tout le monde a pris les choses avec beaucoup de calme. Les films continuent à se tourner et les dactylographes dans les " offices " sont toujours aussi élégantes. »

Son fils Alain est âgé à présent de vingt ans. Le même âge que lui en 1914... Au prix de mille difficultés, Renoir a obtenu son visa de sortie du territoire français et son permis d'entrée aux Etats-Unis. A peine sont-ils réunis que les circonstances imposent leur rigueur. Il n'est pas question pour Alain de demeurer à l'abri alors que tant d'autres sont exposés au danger. Il veut s'engager dans les Forces françaises libres, mais son père l'en dissuade en faisant valoir l'hospitalité de leur pays d'accueil. Ne serait-ce que par gratitude et « politesse » (c'est le mot que Renoir emploie), le jeune homme choisira donc de rejoindre l'armée américaine et de combattre dans le Pacifique aux côtés de garçons dont il deviendra, lui aussi, le concitoyen.

Les lettres adressées par Renoir à son fils comptent parmi les plus savoureuses qu'il ait écrites. Il lui raconte, par exemple, les mésaventures de son nouveau film, *The Amazing Mrs Halliday*, imprudemment entrepris au mois de juillet 42 sur la demande de Bruce Manning pour la compagnie Universal. A l'inverse de Zanuck, ce dernier personnage, charmant par ailleurs, a lancé la production sans disposer réellement d'un scénario. Il compte que l'histoire se dégagera au fil du tournage, ce qui désespère Renoir, pris à son propre jeu. Pour une fois, la nécessité d'improviser ne lui convient pas du tout. Il souhaite s'appuyer au moins sur un canevas que Bruce Manning se montre incapable de lui fournir. Renoir trompe son impatience en demandant à Deanna Durbin, excellente camarade au demeurant et bonne actrice, de dédicacer des photographies à l'intention d'Alain et de ses compagnons d'armes, mais il ne voit pas où cette entreprise peut le mener, ni comment en sortir. Le 27 juillet, il écrit à Alain : « Je suis dans ce film comme dans un bain de sirop de sucre. C'est lent, c'est doux, et j'ai l'impression que ça ne finira jamais. » Le 3 août, il lui annonce qu'il a réussi à rendre son tablier. L'accumulation de sourires et « d'attendrissements sur de tendres chérubins » avait provoqué en lui une sorte d'ahurissement. « Je suis exactement, écrit-il, dans l'état de l'amant de la femme du pacha turc amateur de parfums, qui avait dû se cacher dans un placard rempli de flacons odorants et qui, en sortant, hurlait en défaillant :

— De la merde, par pitié. Faites-moi respirer de la merde ! »

La suite de la lettre mérite, elle aussi, d'être citée : « La raison pour laquelle j'ai quitté cette bergerie enrubannée, c'est que j'ai eu heureusement très mal à la jambe, mais vraiment mal à hurler, ce qui est fâcheux lorsqu'on doit passer ses journées dans les sourires et les plaisanteries du genre bébé. » Cet « heureusement » rapporté à un « mal à hurler » est du Renoir tout pur. Pur et transmissible, puisque son fils héritera d'une humeur aussi – diablement – équilibrée. Au point de raconter son enrôlement et son départ vers des combats dont on sait qu'ils furent dantesques comme une sorte de privilège : « Ça m'a permis, dira-t-il, de passer plus de quarante mois dans le Pacifique et de voir des pays que je n'aurais jamais vus autrement. »

La douleur qui assaille Renoir est celle de son ancienne blessure à la jambe, souvenir de 1915. La violence du passé se prolonge donc jusque dans la violence présente, sur laquelle il réfléchit en écrivant avec Dudley Nichols le scénario de *This land is mine* (*Vivre libre*). Une troisième société de production, la RKO, lui aura donc accordé ce qu'il attendait depuis son arrivée à Hollywood : le droit d'être employé pour ce qu'il est, à la fois « raconteur d'histoires » et « director » à l'américaine, auteur en même temps que réalisateur. A la mi-septembre 42, un premier script est achevé, dont il se déclare « enchanté ». Une lettre adressée à son fils en résume le propos, qui nous ramène – étrangement – en arrière, puisqu'il montre de façon claire, selon Renoir, que « certains chefs européens ont préféré voir les nazis pénétrer dans leur propre pays plutôt que d'accorder quelques avantages à leurs ouvriers ». Nous revenons donc à la réplique du conseiller de Louis XVI dans *La Marseillaise* (« voir les Prussiens sur la place Louis XV plutôt que d'assister à une victoire qui renforcerait l'audace des élément de désordre »).

« C'est toute l'histoire du collaborationnisme conscient ou inconscient, honnête ou malhonnête, que nous essayons d'expliquer », écrit Renoir.

N'oublions pas qu'il s'adresse, en 1942, au seul public anglo-saxon, américain en premier lieu, fort mal informé de ce qui se passe alors dans la France occupée. La difficulté pour lui est d'« expliquer », mais en n'acceptant pas de justifier, alors que sa pente naturelle le conduit à penser, comme Octave, que « tout le monde a ses raisons ».

Il imagine donc le personnage de Georges Lambert, responsable des chemins de fer dans une région de la France occupée. Personnage qu'il crédite au départ d'une certaine bonne foi. George Sanders, qui l'interprète, pourrait facilement le rendre antipathique, mais Renoir s'y refuse. Il fait même en sorte que nous comprenions, au moins pour un temps, que Louise Martin (Maureen O'Hara), belle et noble jeune femme, soit éprise de lui. Georges Lambert est seulement prudent, soucieux de son sort. Nous commençons à douter de sa force morale lorsqu'il tend, de façon plus servile que courtoise, la flamme d'une allumette à la cigarette du major von Keller, qui exerce dans la ville son pouvoir d'occupant. La scène de leur confrontation correspond clairement – un peu trop clairement, sans doute – à l'intention de démontrer comment certains Français ont été tentés par la collaboration avec un ennemi qui évite de se présenter comme tel. Pour l'officier allemand comme pour l'ingénieur français, il s'agit de mettre au pas les « éléments de désordre ». Von Keller raconte que ce fut la tâche des nazis dans l'Allemagne de 1933.

— Vos idées sont exactement les miennes, lui dit Lambert avec une conviction « sincère ». J'ai vu ce qui a conduit mon pays à sa perte, des conceptions faussement démocratiques, les femmes refusant d'avoir des enfants, des grèves dans toutes les usines pour la semaine de 40 heures, alors que chez vous on travaillait 70 heures par semaine. Je souhaite un nouvel ordre pour mon pays. Je travaille à cela. Nous l'aurons quand cette guerre sera finie...

Il a prononcé cette dernière phrase tourné vers la fenêtre, mais il revient vers l'Allemand, comme s'il était allé trop loin :

— Je vous dois la vérité, dit-il, je n'aime pas l'Occupation.

Ce à quoi le major répond en souriant :

— Moi non plus, je ne l'aime pas. Je suis content que nous nous comprenions. Nous sommes tous les deux pour que cette guerre cesse et pour que la paix règne sur une Europe unie, rendant leur dignité à des hommes comme vous.

Dans un texte inédit de 1943 (cité par Roger Viry-Babel), Dudley Nichols avoue qu'il a découvert bon nombre de vérités sur la dialectique du bien et du mal en se « battant avec les personnages » de *This land is mine*. « Je me suis rendu compte, écrit-il, combien le fascisme pouvait paraître logique ou attrayant pour certains. » Je présume que Renoir a évoqué devant lui sa rencontre, à Lisbonne, avec un personnage singulier, dont il dessine le portrait dans une lettre adressée à Erich von Stroheim (le 27 août 42) pour lui proposer le rôle de von Keller. L'homme se faisait passer pour suisse, mais il était en réalité un « agent allemand important ». Au cours du dîner qu'ils partagèrent, il fit étalage d'une impressionnante culture, il récita – presque sans accent – des poèmes français, et se déclara fervent admirateur de notre littérature. « Son idéal, écrit Renoir à Stroheim, était une Europe où les Allemands seraient les organisateurs et les Français les artistes. Probablement était-il sincère. Cet homme raffiné et cultivé m'a paru plus dangereux qu'une brute nazie. »

Deux autres films, réalisés l'années suivante, feront apparaître, eux aussi, des personnages de nazis sous des dehors séduisants ou fascinants. Willi Hilfe, dans *The ministry of fear* (*Espions sur la Tamise*) de Fritz Lang, arbore les traits et le sourire engageant du jeune premier qui l'interprète (Carl Esmond). Le capitaine de sous-marin allemand, qui partage le sort de naufragés américains dans le canot de sauvetage de *Lifeboat*, réalisé par Alfred Hitchcock, possède un savoir-faire qui lui vaudra d'exercer un ascendant progressif sur ses compagnons d'infortune. Ce n'est pas un hasard si Hitchcock et Renoir ont choisi le même acteur (Stroheim s'étant avéré indisponible dans le cas de *This land is mine*) pour incarner leurs nazis respectifs. Walter Slezak est un gros homme au double visage. Il sait jouer de sa rondeur et de ses manières affables pour retarder le moment où d'étranges lueurs, autrement redoutables, s'éveilleront dans ses prunelles. Le major von Keller est un homme cultivé (souvenir de Lisbonne), qui n'hésite pas à puiser dans les grands textes (Tacite, Shakespeare) le sel d'une ironie détestable.

Comme on le voit, l'antinazisme de *This land is mine* n'a rien d'original. En 1942, Hollywood participe à l'effort de guerre et se livre à une propagande résolue contre l'ennemi désigné. Les cinéastes venus d'Europe, Fritz Lang, Ernst Lubitsch, Alfred Hitchcock, ne sont évidemment pas les derniers à ressentir comme un devoir leur contribution à cette lutte. Au même moment, le Sicilien d'origine Frank Capra, engagé volontaire au « Service du moral » de l'armée, puise dans les ressources de son éloquence naturelle pour produire et réaliser une série documentaire qui tiendra les promesses de son titre : *Pourquoi nous combattons*.

Renoir se situe, pour sa part, entre Lang et Capra. Il sacrifie à la fiction aventureuse, mais il se donne en même temps un cahier des charges très précis. *This land is mine* se range alors dans le cas de figure de *La vie est à nous* et de *La Marseillaise*, puisque nous assistons à une démonstration en règle : Le grand dessein des nazis est d'asservir les peuples vaincus. Il n'est donc pas question de transiger. Le choix de la « collaboration » entraîne dans un engrenage dont il est impossible de se dégager. Il faut donc résister, quels qu'en soient les moyens, sabotage inclus, et quel qu'en soit le prix, l'exécution d'otages innocents, par exemple. Ce combat n'est pas seulement moral, il est utile. En immobilisant sur place des troupes allemandes, la résistance apporte une aide non négligeable à l'avancée des armées alliées sur d'autres fronts.

Tout cela est dit dans le dialogue. Explicitement. Au risque de l'alourdir. On peut donc être tenté de ne voir en *This land is mine* qu'une œuvre de circonstance et apprécier le mal que Renoir s'est donné pour rendre aussi clair et convaincant que possible le « message » adressé au peuple américain. « C'est probablement le film le plus difficile que j'aie jamais fait, écrit-il le 16 novembre 42 à Siegfried Kracauer. Aussi j'ai coupé complètement toute ma vie personnelle. » Confiant dans leur scénario, Renoir et Nichols n'ont pourtant pas cessé d'y travailler et d'y apporter des modifications, pendant et même après un montage qu'ils espéraient définitif. Selon la méthode américaine, le film a d'abord été montré en « prewiews », c'est-à-dire en projections impromptues devant des publics divers, de manière à pouvoir en « doser les effets ». Le 15 mars 43, Renoir écrit à son agent littéraire, Maximilien Becker (qui attend – déjà – un livre sur son père), que *This land is mine* l'a absorbé beaucoup plus longtemps qu'il ne l'avait imaginé : « Après tout, cette question terrible de l'ennemi " à domicile " est probablement la plus importante de celles posées par notre triste époque, et notre travail a été très délicat et très difficile même après la première copie... »

L'« ennemi à domicile » est aussi celui que doit combattre, mais cette fois à l'intérieur de lui-même, le maître d'école incarné par Charles Laughton dans *This land is mine*. Il s'agit de la peur « bleue ». Panique, incontrôlable, humiliante, désastreuse. Dans *Ma vie et mes films*, Renoir raconte sa découverte du sens de l'honneur, vers l'âge de dix ans, à travers *Les Trois Mousquetaires*. « Sans oser le formuler, écrit-il, je me promenais dans la vie en me disant à moi-même : Moi j'ai de l'honneur... » Mais, quelques lignes plus loin, après avoir évoqué les exploits imaginaires dont un enfant peut rêver, il s'empresse d'ajouter : « Ça, c'était pour l'extérieur, un extérieur d'héroïsme et de grands gestes. A l'intérieur, et pas loin de la surface, je demeurais un parfait froussard. Les détonations me terrorisaient. Au 14 Juillet, je fuyais devant les pétards des gamins et courais vers le refuge de ma chambre bien fermée. »

Une image me revient alors, que je ne suis pas parvenu à chasser de mon esprit. Elle est suggérée par une phrase de Catherine Hessling, dans son entretien avec Pierre Philippe, déjà citée au deuxième chapitre de ce livre : « Savez-vous ce qu'est un homme de un mètre quatre-vingt-deux qui tremble de panique ? » J'avais mis ce propos au compte de la médisance, dans l'impossibilité où je me trouvais de faire coïncider deux visions du même personnage : celle du lieutenant, somme toute, héroïque de 1917, et celle que la vieille dame prétendait nous révéler.

Or, c'est Renoir lui-même qui nous met en présence dans *This land is mine* d'un être pusillanime. Albert Lory est un quinquagénaire dont la silhouette alourdie, la maladresse, le ton de voix compassé, sont alliés à un visage de vieux bébé naïf. Il ne songe pas à se rebeller contre une mère qui aurait pourtant tout pour déplaire, et il subit sans broncher la protection abusive de cette petite femme sèche, anguleuse, autoritaire. Il n'ose pas non plus déclarer son amour à Louise Martin, qui est chargée de la classe des filles dans son école, et que nous savons, par ailleurs, fiancée à Georges Lambert.

Au début du film, la scène du bombardement nous fait connaître Albert Lory sous son jour le plus lamentable. Est-ce Renoir qui a demandé à Charles Laughton d'accentuer son jeu au moment où, dans l'abri, tandis que dehors sifflent les obus et résonnent les explosions, il pâlit, tremble, manque de défaillir, et se réfugie sur l'épaule étroite de sa mère, sans prendre garde aux moqueries des enfants qui ont remarqué son attitude ? Le metteur en scène n'a rien fait, en tout cas, pour atténuer le sentiment de gêne qui nous saisit alors, et qui nous interdit d'éprouver pour le personnage ne serait-ce que l'ombre d'une compassion.

Je ne sais dans quelle mesure Jean Renoir s'identifie à Albert Lory. Il ne parle que très peu dans *Ma vie et mes films* d'un travail qui lui a pourtant semblé, sur le moment, si difficile, mais une phrase lui échappe, au fil de la plume, que je trouve révélatrice : « Le héros de *This land is mine* qu'interprétait Charles Laughton est un parfait couard. Il a une peur bleue des Allemands et il a bien raison. »

Albert Lory, de son côté, ne cherche pas à se justifier. Aussitôt après l'alerte, il « comparaît » de lui-même devant le professeur Sorel qui dirige l'établissement, et il prévient sa question en avouant :

— Je sais ce que vous allez me dire. Je sais que je suis ridicule. Je suis stupide. Je suis faible. Je n'y peux rien. Je suis un lâche.

— Mais non... lui répond doucement le professeur Sorel.

Lory ne croit pas à cette dénégation :

— Si, si. Je suis un lâche. Je ne supporte pas la violence, elle me terrifie. Quelque chose se passe en moi lorsque j'entends le bruit, les explosions. Ce matin, je n'ai pu éviter que les enfants s'en aperçoivent. Vous m'avez vu, vous aussi... Et Mlle Martin, elle a vu que je suis un lâche...

On aura noté que la première phrase : « Je sais ce que vous allez me dire », est celle que Renoir aurait prononcée d'entrée de jeu devant Pierre Lazareff, si l'on veut croire au récit controversé de Henri Jeanson... Nous sommes, et nous demeurons, dans le domaine des conjectures, jusqu'au moment où Albert Lory, à la fin du film, est jugé par un vrai tribunal pour le meurtre de Georges Lambert. L'ingénieur a été retrouvé mort dans son bureau ; Lory était auprès de lui, tenant le revolver. Il est donc accusé, logiquement, de crime passionnel. Amoureux de Louise Martin, il se serait rendu chez son rival pour l'assassiner, mais nous savons, nous, qu'il est innocent. Lambert s'est suicidé, après avoir pris conscience de son déshonneur. Il a révélé au maire collaborationniste de la ville le nom d'un résistant, auteur de sabotages, qui n'était autre que Paul Martin, le propre frère de sa fiancée.

Face aux juges, Lory décide de se passer d'avocat et de prendre personnellement sa défense. Même ceux qui n'ont pas vu le film peuvent imaginer l'attitude, à la fois royale et modeste, du grand Charles Laughton présentant ses arguments. Il nous tient sous l'empire de sa voix, de chacune de ses inflexions, de chacun de ses silences :

— La vérité, dit-il, est que j'aurais voulu tuer Georges Lambert, mais je n'aurais pas pu. Je suis trop faible. Je suis un lâche. Tout le monde le sait. Le procureur le sait, qui se moque de moi... Je ne suis pas un lâche à l'intérieur de moi. (Il désigne son cœur, puis son front.) J'ai des rêves de bravoure. Je ne suis pas effrayé à l'idée de commettre un meurtre... Mais quand j'affronte la réalité, au-dehors, je suis perdu... Je suis un lâche... Comme c'est étrange, nous sommes tous deux personnes, au-dedans et au-dehors... Georges Lambert était deux hommes à la fois. C'est quand je l'ai vu mort que j'ai compris pourquoi il s'était tué : il n'a pu affronter la réalité. Mais il était différent de moi, fort à l'extérieur, faible au-dedans... Au-dedans, c'était un lâche, et quand cet honnête lâche a réalisé ce que l'autre Georges, le Georges solide, avait fait, il s'est tué. C'est étrange, mais quand je l'ai vu ainsi, je me suis senti fort pour la première fois de ma vie.

C'est Renoir, de toute évidence, qui a inspiré ce monologue. J'en veux pour preuve la stricte analogie entre les « rêves de bravoure » d'Albert Lory mis à l'épreuve de la réalité et ses propres souvenirs d'enfance (« Ça c'était pour l'extérieur, un extérieur d'héroïsme et de grands gestes. A l'intérieur, je demeurais un parfait froussard »). *This land is mine* n'est donc pas seulement un film de circonstance. Lorsque Lory décèle en lui-même, mais aussi dans le for intérieur de Georges Lambert, la présence d'un « honnête lâche », il nous révèle un trait de caractère que Renoir ne craint pas d'assumer pour son compte personnel. Il reste à savoir dans quelle mesure l'ironie calme de la formule (un « honnête » ou « parfait » froussard) atténue ou dissimule l'amertume du constat. La dignité avec laquelle Laughton confesse sa couardise devant le tribunal ne nous fait pas oublier ses tremblements convulsifs et son visage décomposé durant la scène du bombardement... On comprend alors pourquoi le film a représenté pour son auteur une épreuve de vérité, dont il ne pouvait, contrairement à son héros, sortir entièrement vainqueur.

Sa probité naturelle l'a conduit à ne pas vouloir d'une confrontation trop simple entre des collaborateurs indignes et des résistants idéalisés. Il s'est donc ingénié à intérioriser le dilemme politique et moral, dans la conscience de Lambert comme dans celle de Lory. Le premier ne pourra le résoudre et en mourra ; le second y puisera la force de transformer sa lâcheté en courage et d'accepter ainsi un sort inévitable. Les Allemands le fusilleront.

Dudley Nichols a certainement aidé Renoir à élaborer une structure et une progression dramatiques fondées sur le

« double visage » des principaux protagonistes. Après tout, Paul Martin, lui aussi, n'a pas hésité à se compromettre et à jouer de l'accordéon, par exemple, en compagnie de soldats allemands dans les cafés de la ville. C'était le bon moyen pour lui de donner le change et de camoufler ses activités de résistance.

Le second visage d'Albert Lory se dégagera de lui-même – du moins Renoir et Nichols l'espèrent-ils – lorsque les masques, autour de lui, seront tombés. Il devra nous apparaître lucide, déterminé, modeste ; oubliant tour à tour chacune de ses peurs ; désignant devant les juges les Allemands comme l'ennemi à vaincre par tous les moyens ; déclarant publiquement son amour à Louise Martin ; récitant devant ses élèves, dans une « dernière classe » inspirée d'Alphonse Daudet, la Déclaration des droits de l'homme et du citoyen.

C'est presque trop beau, et l'on comprend aisément ceux qui, dans la France de 1946, ne voulurent pas céder à une émotion aussi facile.

Touché de trop près sans doute par le personnage d'Albert Lory, et par la personnalité de Charles Laughton, avec lequel il partage tant de goûts, Renoir oublie, dans la peinture des personnages secondaires en particulier, sa prévention coutumière à l'égard des clichés. Una O'Connor, par exemple, qui incarne la mère de Lory, joue caricaturalement un personnage caricatural. Maureen O'Hara en Louise Martin, et Philip Merivale en professeur Sorel, se montrent exemplairement exemplaires... Bref, je suis bien obligé de reconnaître que *This land is mine*, réalisé à la RKO dans un climat de liberté, relève beaucoup plus de la « Bibliothèque Rose » hollywoodienne que *Swamp water*, surveillé de très près par Darryl Zanuck.

Dans une lettre adressée le 23 mai 1944 à Edmond Ardisson, qui avait été l'un des acteurs de *La Marseillaise*, Renoir reconnaîtra son échec : « Cette expérience m'a appris qu'il est très difficile de faire un pareil film ailleurs qu'en France. Je crois que c'est après la guerre, et après m'être retrempé dans l'atmosphère du pays, que je pourrai songer à une pareille entreprise. Et encore il me manquera une chose importante, c'est d'avoir moi-même été un acteur de ce drame. »

Mais pour l'heure, en mai 43, alors que se dessinent les premières perspectives de victoire des Alliés, le public américain ne demande qu'à être ému par *This land is mine*, et il lui fait un très bon accueil.

Ce succès, après celui de *Swamp water,* aurait dû permettre à Renoir d'obtenir plus facilement le financement et les moyens de ses prochaines entreprises. Il lui faut pourtant affronter une nouvelle période de chômage. Il serait triste, et au fond assez vain, de dresser la liste des projets qui ne verront jamais le jour. Notons seulement une version américaine des *Bas-Fonds*, qui se serait déroulée dans les faubourgs de Los Angeles, et une adaptation de *Precious Bane* (*Sarn*) de Mary Webb, que David O. Selznick a refusée sèchement. Il ne veut pas qu'Ingrid Bergman, sous contrat dans sa compagnie, y apparaisse défigurée par un bec-de-lièvre. L'extraordinaire actrice aurait consenti volontiers, pour sa part, à un tel sacrifice de sa beauté. Elle fait confiance à Renoir, et elle est devenue pour lui et pour Dido une amie proche.

La guerre se poursuit à présent et s'amplifie sur de multiples fronts. Alain se bat avec courage et compétence dans les jungles du Pacifique. Son père attend de ses nouvelles en tremblant d'inquiétude. Après la victoire de Stalingrad, en février 43, il ne fait plus de doute que l'Allemagne sera vaincue et l'Europe reconquise. En février 44, Renoir et Dido, qui viennent de se marier officiellement, s'installent pour un temps à l'hôtel Algonquin de New York. L'Office of War Information a sollicité la collaboration du cinéaste français en vue d'un film de propagande destiné à établir de bonnes relations entre les soldats américains et les Français qu'ils rencontreront sur les routes de la Libération. Renoir profite de l'occasion pour se lier d'amitié avec Burgess Meredith, son proche collaborateur dans l'aventure, qui est marié à l'époque avec Paulette Goddard, la « gamine » des *Temps modernes,* merveille de vivacité et d'esprit à la ville comme sur l'écran. Ils se retrouveront tous les trois, deux ans plus tard, sur le plateau de *The diary of a chambermaid* (*Le Journal d'une femme de chambre*).

Renoir a écrit et dirigé lui-même plusieurs scènes de *Salute to France*, où il a retrouvé certains accents d'autrefois pour dire son amour de la terre natale. C'est du moins ce qu'affirment Louis Marcorelles et Roger Viry-Babel, parmi les rares critiques français qui ont pu voir le film. J'avoue que ce n'est pas mon cas. Je dois donc me contenter de ses lettres de l'époque. Elles nous indiquent qu'il s'est, avant tout, évertué à « couper les barbes ». « Par cette expression, écrit-il, j'entends que j'ai pu éviter le ridicule de l'habituelle conception du Français vu par des producteurs de New York ou de Hollywood. » Il est certain par ailleurs qu'il n'a pas assisté au montage du film, dont le métrage a été considérablement réduit en son absence. Au point de faire dire à Burgess Meredith qui le visionnera bien des années plus tard, en 1978 : « La copie du film *A Salute to France* que nous avons reçue n'a rien à voir avec le film que nous avons fait. Mettons qu'à la rigueur il y ait une ou deux scènes qui restent de l'original. »

Le retour précipité de Renoir vers Hollywood, au printemps 44, est lié à la réalisation d'un projet qui lui tient à cœur et qui, cette fois, ira à son terme.

Le 11 janvier, il a écrit à Maximilien Becker pour lui dire que le livre promis sur Auguste Renoir est demeuré à l'état d'ébauche : « Je crois qu'il m'est impossible de le faire loin des lieux où son souvenir reste encore vivant. J'ai beau me bourrer le crâne et essayer de me persuader que la Californie ressemble au Midi de la France, c'est en vain. Les seules choses qui me viennent à l'esprit ici sont des idées à propos de l'Amérique. C'est ainsi que, après un an d'hésitations, j'ai fini par sortir un traitement de film d'inspiration purement américaine. »

Il est vrai que l'Amérique l'inspire, et qu'elle fait renaître en lui des désirs autrefois frustrés. Ne songeait-il pas, en 1939, à réaliser en Algérie une adaptation moderne de *Roméo et Juliette* où « les personnages évolueraient dans des paysages craquants de soleil » ? Trois ans après son arrivée dans le port de New York et sa découverte de la Californie, il s'est acclimaté à un espace, à une lumière, à des relations humaines « sans affectation ni raideur », qui ont rajeuni son regard. Ce dont témoigne *The Southerner* (*L'Homme du Sud*) avec une calme et heureuse évidence.

A l'origine de ce projet « purement américain » on retrouve curieusement Robert Hakim, Français réfugié à Hollywood lui aussi, qui avait été en 1938 le producteur de *La Bête humaine*. C'est lui qui a proposé à Renoir de lire l'adaptation par Hugo Butler du roman de George Sessions Perry intitulé *Hold autumn in your hand*.

L'histoire se déroule au Texas, dans une région où l'on cultive le coton. Sam Tucker, un jeune ouvrier agricole, lassé de travailler pour les propriétaires des grandes plantations, décide d'acheter une terre et de s'établir à son compte. A ses risques et périls, en vérité. Sam et sa femme Nona devront rebâtir une maison délabrée, défricher leur terre, et vivre très pauvrement dans l'espoir d'une première récolte, qui sera dévastée entièrement par un violent orage...

Renoir est séduit par le sujet. Après tout, le souvenir de *Toni* n'est pas si éloigné, d'autant que s'y ajoute, comme chez son ami Flaherty, le désir d'exalter l'affrontement quasi amoureux de l'homme et de la nature. Dans une lettre adressée à la responsable d'une agence d'information, il fait l'éloge de George Sessions Perry : « Un homme qui aime son pays et, mieux que cela, son village... qui habite normalement dans le petit coin du Texas, dont il décrit les types avec tant de verve et d'émotion... »

Le scénario de Hugo Butler, en revanche, ne lui convient pas... comme ne lui ont pas convenu, en leur temps, les adaptations des *Bas-Fonds* par Jacques Companeez et

Eugène Zamiatine et celle de *La Bête humaine* par Roger Martin du Gard. Il se sert de ce qu'on lui propose comme d'un « tremplin », mais l'écriture véritable du film ne peut être que la sienne, appuyée dans ce cas sur les éléments de vie quotidienne, précis et précieux, que lui fournissent les textes de George Sessions Perry. Robert Hakim et David Loew, le producteur américain pour lequel il se prend d'amitié, doivent donc lui accorder la liberté qu'il réclame. Renoir ne sait pas, ou ne sait plus, travailler autrement.

David Loew est heureusement de ceux qui peuvent le comprendre. Il soutient le réalisateur qui aspire, pour la conduite de son récit, à la plus grande simplicité, et il « monte l'affaire » sans se laisser atteindre par les objections et les déconvenues qui guettent l'entreprise.

Acteur célèbre à juste titre, suscitant d'emblée la sympathie du public par le caractère d'honnêteté ouverte et par le charme évident qu'il prête à ses personnages, Joel Mc Crea a accepté le rôle de Sam Tucker, mais en conditionnant son accord définitif à la lecture du scénario dans sa version finale. Intéressée surtout par son nom en tête d'affiche, la compagnie United Artists s'est déclarée prête à assurer la distribution, donc le financement du film. Elle menace de retirer sa garantie lorsque Joel Mc Crea annonce qu'il n'aime pas le script et qu'il ne sera donc pas de l'aventure.

David Loew donne alors la pleine mesure de son courage. Il fait savoir aux responsables de United Artists qu'il ne leur donnera pas en distribution les films où ses intérêts sont engagés (une trentaine environ) s'ils ne prennent pas celui-là avec les autres. Il les oblige ainsi à s'incliner et à se contenter, pour toute concession, d'un changement de titre. *The Southerner* succède à *Hold autumn in your hand*, jugé peu commercial.

Renoir a donc les mains libres. La perspective d'un film sans vedettes n'est pas pour lui déplaire. « A la surprise de tous, écrit-il dans *Ma vie et mes films*, je suggérai Zachary Scott, un acteur spécialisé dans les rôles de gangster élégant. Il était du Sud et avec lui j'étais sûr d'obtenir un accent authentique. David m'approuva et *L'Homme du Sud* démarra dans les meilleures conditions du monde. »

Trop souvent relégué – on ne sait pourquoi – dans les rôles de « méchant », Zachary Scott possède « l'art du masque précis », formule par laquelle Max Ophuls définissait le jeu du comédien pratiqué à l'époque dans les studios de Hollywood. « J'admire chez l'acteur américain, disait-il, la grande ligne de son expression qui traverse le film comme un travelling le décor. Il est martelé, comprenez-vous. »

Renoir dispose donc d'une distribution idéale, quoique très peu « idéalisante », avec Zachary Scott en Sam Tucker, mais aussi avec Betty Field, la belle actrice qui joue sa jeune femme, et qui trouve, dans la tendresse comme dans l'inquiétude et la détermination, des accents de droiture, et parfois d'âpreté, qui ne l'apparentent que de loin à l'héroïne traditionnelle des films américains. Je ne saurais oublier Beulah Bondi, la grand-mère si peu conventionnelle, qui accuse à plaisir le relief de son personnage. Cette vieille chipie gourmande est accrochée à la vie par tout ce qui lui reste de fibres. Il n'est que de la voir manger, dans une sorte de rire extatique, pour oublier aussitôt ses récriminations et ses enfantillages.

Renoir n'est pas seulement libre, il est heureux. La « tournaison » se déroule sous les auspices d'une convivialité qui le stimule. Il a choisi de s'installer avec son équipe au bord de la San Joaquin River, dans un village de tentes plantées à proximité immédiate du champ de coton et de la baraque branlante où vit la famille Tucker. « Ces tentes étaient très confortables, écrit-il. On travaillait bien, on mangeait bien, on oubliait la guerre... Cette histoire assez sombre fut tournée dans un climat de gaieté sereine. »

Il faut croire que l'ambiance a influencé le propos du film, puisque le souvenir qui nous reste de *The Southerner*, si on ne l'a pas vu depuis quelques années, est celui d'une harmonie, d'une paix, d'une plénitude.

Renoir se retrouve – enfin – en pleine possession de son univers. A commencer par le bras du fleuve qui s'étale au grand jour, et qui dissimule dans ses profondeurs un énorme poisson, le Moby Dick de l'endroit, que tous les pêcheurs des environs ont rêvé de tenir un jour au bout de leur ligne. Fleuve paresseux, fleuve aimable... mais il suffit d'une nuit d'orage pour le transformer en métaphore intraitable des pires débordements.

Bien heureusement, chez Renoir, les intentions symboliques sont rarement préméditées. Tout se passe comme si, spectateur – à peine privilégié – de son film, il y découvrait avec nous, au fil de son travail, un réseau de correspondances devenues manifestes. Il voit *The Southerner* « non comme une histoire, mais comme une série d'impressions fortes : l'immensité du paysage, la pureté des sentiments du héros, la chaleur, la faim. Les personnages, à force de vivre une vie limitée aux besoins matériels immédiats, atteignent un niveau qu'ils ne soupçonnent pas dans le domaine des préoccupations spirituelles. »

Nous sommes ici au royaume du « sublime familier », où l'accent mis sur ce que Renoir appelle la « vérité extérieure » prépare et ménage l'instant où la « vérité intérieure » se révélera à nous comme un chant murmuré, une émotion d'âme, aussi naturellement ressentie que la lumière sur le champ de coton, ou que le poids du soleil sur les fronts de Betty Field et Zachary Scott.

Si un détracteur de *The Southerner* me poussait dans mes derniers retranchements et me demandait de dire pourquoi, à la fin, j'aime tant ce film, ce sont les regards et les gestes de tendresse échangés par Sam et Nona Tucker qui me viendraient à l'esprit. Regards et gestes qui pourraient encourir la fameuse raillerie adressée aux « bons sentiments ». Oui, sans doute, mais à ceci près qu'ils traduisent – comme chez John Ford et Leo McCarey dans leurs meilleurs moments – la beauté même du sentiment.

The Southerner est un film de « grand jour » et de « plein air », je ne saurais dire mieux. Les objectifs de la caméra ont été choisis de manière à obtenir la profondeur de champ optimale. Nous voyons ainsi Sam Tucker pousser sa charrue au premier plan, tandis que sa femme, loin dans l'image, entretient un feu de broussailles, et que l'horizon, plus loin encore, sépare de façon aussi nette le ciel et la terre. Le spectateur peu familier de la technique ne prend pas garde à ce qui lui semble aller de soi, mais l'usage de ces objectifs le rend sensible à la présence simultanée – au même degré d'acuité visuelle, quelle que soit la distance – du sol, des arbres, de l'eau, de la maison, et des êtres humains. Renoir a besoin de nous faire éprouver, avec nos yeux, avec nos sens, que « le monde est un tout », phrase qu'il ne cessera de répéter à la fin de sa vie.

Il ne nie pas les contradictions, il les accentue au contraire, mais il attend comme d'une providence qu'elles se résolvent ou se résorbent au fil des minutes. Il faut vraiment revoir le film, et le regarder de près dans la succession des séquences, pour remarquer la subtilité des jeux entre tension et sourire, violence et apaisement, révolte et espérance.

Nona Tucker a conduit Jottie, son fils, chez le docteur, qui officie dans la rue principale de la petite ville. L'enfant souffre d'une maladie de peau, la pellagre, qui pourrait s'avérer fatale faute de lait et de légumes frais dans son alimentation quotidienne. Nous quittons la jeune femme sur cette note d'inquiétude pour changer complètement de sujet, de ton, et pour retrouver Sam en compagnie de son ami Tim. Cet homme jeune, aux joues rondes, pétri de bonté et de naturelle exubérance, a choisi de travailler en usine et de gagner 7 dollars par jour, ce qui impressionne Sam, mais sans le détourner de sa vocation de fermier.

Un incident se produit alors, qui semble déporter le film hors de son récit. Tim a payé deux bières avec un billet de 5 dollars dans le bar de la bourgade, où il a entraîné Sam. Le tenancier, au faciès de brute morne, lui rend la monnaie sur 1 dollar et ne veut pas en démordre. Colère de Tim, qui brise à coup de pierres la vitrine du bar. Sam tente de le retenir, mais Renoir se plaît tout à coup à créer un climat de comédie burlesque. Les projectiles volent, le bar est dévasté. Le tenancier fait un détour pour prendre son adversaire par surprise, mais il tient, cette fois, un revolver. Une pierre lancée par Sam l'arrête à l'instant précis où il va tirer, et où la comédie aurait pu, tout bonnement, virer au tragique.

Il s'agit là d'une digression, qui ne tire à aucune conséquence quant à la suite attendue de l'histoire. On pourrait donc supprimer la séquence et revenir à l'enjeu essentiel : comment faire pour trouver les légumes frais et le lait nécessaires à la guérison de Lottie ?

On pourrait... mais on aurait tort, car Renoir se sert de l'incident pour nous préparer, de façon latente, à une autre scène, cruciale pour le coup, où la violence nous sera montrée pour ce qu'elle est, dans son émergence de hasard, absurde, et si vite incontrôlable. Souvenons-nous de Dominique, l'imbécile instrument du destin dans *Toni*, et de Schumacher donc, dans *La Règle du jeu.*

La colère de Tim dans la scène du bar nous surprend d'autant mieux que le personnage, interprété par Charles Kemper, nous est apparu sympathique et doué de bon sens. Henry Devers, en revanche, le fermier dont la terre avoisine celle des Tucker, est un rustre rongé d'amertume. Nous l'avons vu, déjà, refuser à Sam le lait indispensable à la santé d'un enfant. Il se montre plus odieux encore en laissant ses bêtes ravager le petit potager planté par Nona avec tant de soin. Sam, dès lors, ne peut manquer de réagir. Il se rend chez Devers pour lui dire son fait. La discussion s'envenime. Devers brandit un couteau. On en vient aux mains. Mais la bagarre qui suit ne ressemble pas à celles qui émaillent d'ordinaire les films d'action américains. Car le corps à corps fait place, durant quelques secondes, à un dialogue haletant, difficile, haineux bien sûr, mais qui pourrait permettre un début de compréhension entre les deux hommes. Renoir l'a voulu ainsi, afin de donner à Devers une chance de s'expliquer. Il dit à Sam pourquoi il le déteste. Avant sa venue, il pouvait espérer s'agrandir en achetant la terre sur laquelle les Tucker sont venus s'installer. Il avait travaillé dur dans ce but, depuis des années. J. Carrol Naish, le magnifique comédien qui l'incarne, réussit alors à se montrer pathétique au moment même où nous allions le haïr.

Le combat reprend, et se termine par l'humiliation de Devers, qui a tenté à nouveau de jouer du couteau. Sam le désarme, l'abat d'un dernier coup de poing, le renverse dans l'enclos à cochons, et s'en va. Mais la scène du bar nous a prévenus : Devers ne s'en tiendra pas là. La haine qui est en lui s'obscurcit encore en la personne de son neveu Finley (Norman Lloyd), à demi demeuré, fébrile, tourmenté, et rendu agressif par une anxiété sans trêve. Je me demande dans quelle mesure William Faulkner a suggéré à Renoir la présence et le comportement d'un tel personnage. Son nom n'apparaît pas au générique de *The Southerner*. Il était en 1944 sous contrat avec la Warner Bros, et ne pouvait donc être crédité d'une collaboration, que Renoir a toujours considérée comme précieuse, sans donner malheureusement de plus amples détails. On aimerait en savoir plus sur la rencontre entre deux créateurs d'une telle envergure.

Finley a donné son fusil à Henry Devers. Ensemble, ils ont suivi Sam qui ne s'en doute pas, et qui s'arrête au bord de la rivière pour laver quelques contusions. Caché dans un fourré, comme Schumacher autrefois, Devers braque sur lui son fusil... et il aurait tiré à coup sûr, si la Providence ne s'en était mêlée.

« Providence » est un mot que Renoir prononce parfois avec un demi-sourire, qui cache peut-être une vraie conviction.

Dans une scène précédente, nous avons vu Sam Tucker s'adresser directement au ciel. Nona est effondrée en larmes sur le sol ingrat. Elle craint pour la vie de leur enfant. La prière de Sam est d'une grande simplicité. Pourquoi Dieu a-t-il créé un monde si beau, et en même temps si difficile ? Où se trouve donc le chemin ?... Le plan suivant a servi de réponse laconique, avec l'arrivée d'un camion conduit par Tim, transportant la vache dont le lait a permis la guérison de Jottie.

La Providence intervient, cette fois, sous la forme du monstrueux et mythique poisson, qui tente de se soustraire à l'hameçon et à la ligne que lui a tendue Sam en cet endroit depuis plusieurs jours. Devers, lui, attend depuis plusieurs années, des décennies peut-être. En l'espace d'un instant, il oublie qu'il s'est posté là pour tuer un homme. Son vieux rêve si souvent caressé, sa vieille passion recuite, ont eu raison de sa rancune. Il se précipite vers la rivière. Il propose à Sam de l'aider à tirer sur la ligne. Ils ne seront pas trop de deux pour venir à bout de l'enivrante capture. Les voilà soudain liés l'un à l'autre dans le même effort. Les yeux du misérable Devers brûlent d'une ardeur quasi mystique.

La réconciliation des deux ennemis n'est pas acquise pour autant. Devers considère que ce poisson-là est le sien, ou – au moins – la gloire de l'avoir pêché. Sam ne proteste pas. La vanité n'est pas ce qui l'anime. La prise du monstre lui fournit, en revanche, une excellente monnaie d'échange. Pour apparaître aux yeux de tous comme l'unique auteur de l'exploit, Devers ne fera plus aucune difficulté pour lui concéder un accès libre à son puits, ainsi qu'à son riche potager.

Renoir ne cherche pourtant pas à nous édifier. La main providentielle a rompu, à deux reprises, l'enchaînement d'une violence qui paraissait inexorable. Nous verrons qu'elle ne pourra – ni ne voudra ? – empêcher le déchaînement final des forces naturelles. Si « tout le monde a ses raisons », pourquoi Dieu n'aurait-il pas les siennes, plus mystérieuses encore ?

Sam et Nona reviennent vers leur champ et leur maison après une nuit de fête. Ils ont célébré le mariage de la mère de Sam avec Harmie, le charmant vieil homme (Percy Kilbride), qui tient le « magasin général » de la petite ville. Tout s'est passé le mieux du monde. On a bu, on a dansé, on s'est beaucoup diverti... Au cœur de la nuit, tandis que Sam dormait d'un profond sommeil, Nona s'est inquiétée d'une pluie incessante.

Au matin, la caméra découvre, avant eux, un paysage de pure désolation. La récolte promise est entièrement ruinée ; la maison a souffert de la tempête ; tout alentour est inondé ; la vache risque d'être emportée par la rivière. Il en faudrait plus, cependant, pour voir Renoir renoncer à la lumière, à la profondeur de champ, et à la beauté de ses mouvements d'appareil qui accompagnent Sam et Tim marchant dans l'eau et s'enfonçant jusqu'à perdre pied. Nous baignons dans le désastre. Tim risque de se noyer. Il a présumé de ses forces en voulant suivre Sam, parti à la nage pour porter secours à la vache. Son ami le rejoint et le tire d'affaire.

L'eau salvatrice de *Boudu*, l'eau insidieusement enchanteresse de *Partie de campagne*, l'eau immensément répandue de *Swamp water,* a donc emporté ici, en l'espace d'une nuit, les espérances de Sam Tucker. Elle n'en conserve pas moins, par la grâce d'une mise en scène inspirée, la plénitude de son pouvoir sacré.

Sam a mille fois raison de se révolter. Il pense avoir tout donné à sa terre, et n'avoir rien reçu en échange. Il dit à Tim qu'il va renoncer, qu'il le suivra en ville, qu'il travaillera comme lui en usine.

Un tel dénouement serait logique. Il était même prévu, semble-t-il, dans le script initial. Il faut donc croire que le film a imposé à Renoir sa propre loi, puisque Nona, sans argumenter le moins du monde, nous confirme dans le sentiment que nous éprouvions en regardant Sam et Tim se débattre – et, d'une certaine façon, « s'ébattre » – au sein de la terre inondée, sous un soleil revenu.

La jeune femme s'est remise au travail. Pour ramener la grand-mère, perdue en récriminations, à une juste appréciation des choses, elle s'est armée d'un bâton, clairement persuasif. Elle a constaté que la maison était encore debout, et que les conserves de légumes pour l'hiver n'avaient pas trop souffert. Elle a réussi à réparer le poêle, elle prépare du café, et elle ouvre un bocal de miel, à la grande joie des enfants, mais aussi de la très vieille dame, que Dieu – quoi qu'elle en dise – se refuse encore à rappeler à lui...

Devant une telle attitude, Sam revient sur sa déception. Il n'a pas besoin de prier pour savoir que la terre sera sèche à nouveau, et qu'elle demandera à être labourée.

« Ce qui est terrible, écrit Eugène Lourié, le décorateur du film, dans son livre de souvenirs, c'est qu'on a vu ici un " happy end ", une victoire de l'homme sur les éléments, alors que cela nous était absolument étranger. »

La seule victoire est celle du regard nouveau que Jean Renoir porte sur le monde. Victoire qui se précisera encore lorsqu'un autre fleuve, le Gange en personne, se présentera à lui, cinq ans plus tard, au cœur d'un autre paysage « craquant de soleil ».

CHAPITRE SEIZIÈME

« Je ne voudrais pas perdre le contact... »

*

1946/1948. « Le Journal d'une femme de chambre » « La Femme sur la plage »

Il serait évidemment plus simple de voir *The River* succéder sans transition à *The Southerner* dans la filmographie de Jean Renoir. Les changements opérés dans son esprit et sa sensibilité par son mariage, sa découverte d'un continent, ses amitiés nouvelles, et l'entrée – qui ne peut être anodine – dans la cinquantième année de son âge, se liraient avec plus d'évidence. J'avoue avoir eu la tentation de négliger les années 46, 47, 48, où il se cherche malaisément dans le climat, à ses yeux indéchiffrable, de l'après-guerre. Mais la grande inondation morale du *Fleuve* ne serait peut-être pas ce qu'elle est s'il n'était passé lui-même par une période de demi-sécheresse.

Ce n'est qu'un détail, mais je souhaite revenir à présent aux titres français de ses films : *L'Homme du Sud, Le Journal d'une femme de chambre*, *La Femme sur la plage*, *Le Fleuve*, qui sont après tout les traductions littérales des titres originaux. Renoir sait, depuis le mois de juin 44, qu'il ne s'adresse plus seulement au public anglo-saxon, que ses parents et ses amis, dont il attend fiévreusement des nouvelles, verront à nouveau ses films. Le tournage et le montage de *L'Homme du Sud* se déroulent entre l'été 44 et l'hiver 45. La libération de la France est en cours, la défaite de l'Allemagne assurée. Il réalise *Le Journal d'une femme de chambre* pendant l'été 45, qui marque la fin du conflit mondial et le retour de son fils Alain, heureusement indemne.

On est en droit alors de s'interroger. Pourquoi n'éprouve-t-il pas le besoin de revenir à Paris au plus tôt, d'arpenter la colline de Montmartre, d'entrer dans son appartement de l'avenue Frochot, non loin des lumières de Pigalle, de revoir la campagne autour d'Essoyes, de se rendre aux Collettes ? Et aussi de renouer avec ses compagnons de toujours, Jacques Becker, Pierre Lestringuez, son frère Pierre ?...

La lecture de sa correspondance nous indique des raisons, dont la principale, en même temps que la plus étrange, est compréhensible : un imbroglio juridique l'oppose à Catherine Hessling. Leur divorce, prononcé par une juridiction américaine, n'est pas reconnu en France. Si Renoir voulait y revenir, il serait, selon les lois en vigueur, considéré comme bigame ! Catherine Hessling accepterait bien de transformer leur séparation en divorce, mais elle exige en contrepartie des compensations financières. Une forme de chantage, en somme, auquel il refuse de se soumettre.

L'absurdité d'une telle situation devrait le révolter et susciter en lui, par le jeu normal de la frustration, un désir plus grand de revoir le pays. Rien de tel n'apparaît pourtant dans ses lettres aux uns et aux autres. Il dit bien, mais rarement, qu'il « crève d'envie de rentrer en France », mais il ne cesse de répéter les arguments qui justifient le prolongement de son séjour aux Etats-Unis.

L'avenir d'Alain, qui vit et pense désormais comme un Américain, le préoccupe en premier lieu. Il sent que son fils a encore besoin de lui.

D'un autre côté, la situation du cinéma français ne l'encourage guère à y reprendre sa place : « Il y aurait, paraît-il, cent vingt metteurs en scène qui attendent leur tour pour avoir une place dans un studio, écrit-il le 24 février 45 à Louis Guillaume. Il me semble que nous qui avons vécu confortablement en Amérique serions malvenus de nous présenter en concurrents contre les camarades moins heureux que nous pendant ces dernières années. »

Le 14 mai 45, il va même jusqu'à dire, à propos des privations dont souffrent encore les Français : « Je ne pense pas qu'il soit opportun de rentrer trop vite : moins il y aura de personnes à nourrir là-bas, mieux ça vaudra. »

Au fil des mois, puis des années, il insiste sur un point crucial : « Je ne veux pas quitter l'Amérique, écrit-il à Pierre Lestringuez le 22 novembre 45, sans avoir fait un très grand film. Peut-être pas très grand par l'argent dépensé et gagné, mais capable de montrer à Hollywood que les méthodes françaises que je refuse d'abandonner peuvent parfaitement donner de bons résultats. »

Le 14 février 46, il écrira encore à Sam Siritzky : « Le jour où j'aurai fait à Hollywood un film correspondant en valeur et en importance à *La Grande Illusion*, ce jour-là je considérerai que la tâche que je me suis imposée est terminée et que j'ai le droit de commencer autre chose. » A cette date, il vient de terminer *Le Journal d'une femme de chambre*, dont il se dit « très content »... « Mais ce n'est pas encore le grand film dont je te parle dans cette lettre... »

Nous savons déjà que l'opinion de Renoir sur ses propres films peut varier avec le temps dans des proportions parfois considérables. En 1954, il ne contredit pas Rivette et Truffaut, qui lui déclarent à propos du *Journal d'une femme de chambre* : « Pour notre part, nous l'aimons beaucoup. Peut-être même le préférons-nous à *La Règle du jeu.* » En 1961, dans une série de présentations de ses films enregistrées par la télévision, il dit que le *Journal* correspond à l'une de ses « crises antiréalistes ». Après le tournage dans les champs ensoleillés de *L'Homme du Sud*, il aurait éprouvé le désir, rigoureusement inverse, de se concentrer sur la « vie intérieure », en la privilégiant par rapport à la « vérité extérieure des maquillages, des costumes, des apparences, des meubles... ». Il énonce même, à ce propos, une théorie extravagante : prenant l'exemple des tragédies classiques et des pièces de la Commedia dell'Arte, qui se jouaient indifféremment dans les mêmes costumes, il se justifie ainsi : « J'ai tourné ce film en anglais et à Hollywood, et je l'ai situé à l'époque où il se situe dans Mirbeau, non pas tellement pour être fidèle à Mirbeau, mais parce que je crois que si un jour nous arrivons à une espèce de style Commedia dell'Arte dans le cinéma, eh bien, l'époque à choisir, l'époque unique... c'est précisément l'époque 1900. Je vois très bien tous les films se passant en 1900, tranquillement comme ça. Alors on n'aurait plus de recherches, on n'aurait plus de préoccupations de vérité extérieure, on serait tranquilles, on pourrait s'occuper uniquement de ce qui se passe à l'intérieur chez les personnages qu'on montre sur l'écran... »

Treize ans plus tard, dans *Ma vie et mes films* nous ne trouvons rien sur *Le Journal d'une femme de chambre*. Deux lignes à peine pour mentionner son existence, et un paragraphe consacré à Paulette Goddard, où elle apparaît avant tout comme une femme d'esprit, et comme l'initiatrice de Dido aux mondanités new-yorkaises.

Il me faut donc revenir en arrière, et c'est une lettre adressée à son amie Monique Lauer, le 10 avril 1946, qui me révèle son vrai sentiment : « Dans *Le Journal d'une femme de chambre*, écrit-il, nous étions trop de bons amis ensemble, et ça n'a pas du tout marché comme je l'aurais voulu. » Une seule phrase, très peu explicite, mais qui donne la mesure de son insatisfaction.

Dieu sait pourtant – ou le diable ! – qu'il tenait à ce projet. Le roman de Mirbeau a tenu dans ses lectures de jeunesse une place que je crois déterminante. Il l'a encouragé à exercer son propre regard, et il s'est « débusqué » lui-même, à coup sûr, en y découvrant les ressorts d'une vérité brutale, emportée, libérée des entraves de la bienséance, nourrie en même temps par une bonne foi à toute épreuve et par une bonne humeur souveraine. Vérité abrupte, féroce, incroyablement crue parfois, mais délivrée avec une telle ardeur qu'elle s'affranchit – et nous affranchit – des risques de la complaisance. La santé morale de Mirbeau le tient à l'abri des « sales âmes » rencontrées par Célestine, et des « scélératesses » notées par elle au long de son parcours, de maison bourgeoise en maison bourgeoise, à la fin du XIXe siècle.

Renoir était encore enfant lorsque le bouillant écrivain rendait visite à son père. Il se souviendra cependant, dans une chronique de *Ce Soir* en avril 1937, que Mirbeau se plaignait des critiques de son temps qui « lui reprochaient d'exagérer et de représenter des êtres anormaux ». Reproche qui ne tient pas aux yeux du cinéaste de *Boudu* et de *La Bête humaine* car, écrit-il : « Nous vivons au milieu d'êtres poussant leurs manies jusqu'à la demi-folie et nous ne nous en apercevons pas parce que l'habitude ôte le don de clairvoyance. »

Renoir est fasciné, en particulier, par le personnage du capitaine Mauger. Ce militaire à la retraite est installé dans la maison voisine du Prieuré, où Célestine a pris son service chez les Lanlaire, bourgeois confits en hypocrisie provinciale. Mauger, lui, vit ouvertement avec sa bonne, Rose, qui partage ses repas et son lit. C'est un être fantasque, assez proche à vrai dire, dans sa conception, d'un certain fantastique. Agité en permanence par des haines ou des lubies, il s'ingénie à dévaster, chaque fois qu'il le peut, le jardin des Lanlaire, et il tire vanité d'un don assez incroyable :

— Je vais vous avouer, dit-il à Célestine, il n'y a pas d'insectes, pas d'oiseaux, pas de vers de terre que je n'aie mangés. J'ai mangé des putois et des couleuvres, des rats et des grillons, des chenilles... J'ai mangé de tout... On connaît ça dans le pays, allez !... Quand on trouve une bête, morte ou vivante, une bête que personne ne sait ce que c'est, on se dit :

« Faut l'apporter au capitaine Mauger »... On me l'apporte et je la mange.

Renoir rêve depuis longtemps de donner vie à un ogre aussi singulier. Sa rencontre de l'hiver 44 avec l'auteur et acteur Burgess Meredith lui en a fourni l'occasion. Mieux encore, il a vu en Paulette Goddard la Célestine idéale... Pertinente-impertinente Célestine, à laquelle Mirbeau n'a pu s'empêcher de prêter le meilleur de ses propres pensées. Merveilleusement contradictoire, elle se montre – au fil du roman – impétueuse et fragile, capable de cruauté autant que de douceur, calculatrice à ses heures et pourtant désintéressée, douée d'un clairvoyance sans appel et disposée en même temps aux faiblesses que lui dicte sa sensualité.

S'il n'avait pas rencontré ses interprètes, Renoir ne se serait probablement pas décidé pour une adaptation – fatalement – infidèle du roman, confiée « entre bons amis » à Burgess Meredith. L'intérêt, pour lui, de l'entreprise tient d'abord à la personnalité de ses acteurs.

Le 3 octobre 45, il leur écrit pour donner des nouvelles du *Journal* en cours de montage :

« Paulette, chaque fois que je vois le film, je suis un peu plus fier de ma collaboration avec vous... J'ai coupé sans relâche tout ce qui pouvait ralentir l'action et maintenant Célestine traverse le film avec l'impétuosité d'une force de la nature. Ce que vous avez fait me rend totalement heureux et je ne crois pas qu'une autre ait jamais tenté de parvenir à ce mode d'expression à l'écran depuis l'invention du parlant. »

Puis il s'adresse à Burgess Meredith pour lui annoncer qu'il aura tout lieu de se féliciter de son travail de scénariste. « Mais ce qui va vous surprendre par-dessus tout, lui dit-il, c'est le capitaine Mauger. Après mes coupes, le personnage a acquis une unité plus forte sans perdre son tempo étonnant. »

Burgess Meredith a trouvé en effet la démarche sautillante et l'éclat d'un regard, à la fois égaré et déterminé, qui traduisent à merveille la perpétuelle excitation du capitaine. Il n'est pas loin de ressembler ainsi à l'écureuil qu'il a tendrement apprivoisé, et qu'il tuera, devant Célestine, dans un moment d'exaltation incontrôlée.

Octave Mirbeau avait écrit autrement la même scène. On y voyait Mauger vanter les mérites de son furet apprivoisé. Célestine se sentait alors « visitée » par une « idée infernale » :

> — Je parie, monsieur le capitaine, avait-elle dit tout à coup, que vous ne mangez pas votre furet ?...
>
> Interloqué, pris de court, Mauger lui fit répéter plusieurs fois sa question, avant de se résoudre à entrer dans son personnage, qui ne pouvait être trahi par une faiblesse quelconque :
>
> — Je ne mange pas mon furet ? Qu'est-ce que vous dites ?... Vous dites que je ne le mange pas ?... Oui, vous dites cela ?... Eh bien, vous allez voir... Moi, je mange de tout...
>
> « Il empoigna le furet. Comme on rompt un pain, d'un coup sec il cassa les reins de la petite bête, et la jeta, morte, sans une secousse, sans un spasme, sur le sable de l'allée, en criant à Rose :
>
> — Tu m'en feras une gibelotte, ce soir !...
>
> Et il courut, avec des gesticulations folles, s'enfermer dans sa maison... »

Renoir a beau se sentir fort de son entente avec Burgess Meredith, et assez libre dans sa relation avec le producteur Benedict Bogeaus, il sait que l'état du cinéma en 1945 interdit la réalisation d'une telle scène, et de bien d'autres imaginées par Octave Mirbeau. Il n'est évidemment pas question d'évoquer le viol et le meurtre d'une petite fille, dont Joseph, le valet de chambre, s'est rendu coupable selon toute vraisemblance. Jean-Claude Carrière et Luis Buñuel s'y risqueront, en 1964 seulement, dans leur nouvelle adaptation du roman. Il est moins question encore de suggérer que Célestine vit sous l'emprise, à la fois charnelle et mentale, de l'assassin.

Je me dois de citer ici, longuement, les phrases du *Journal*, où la jeune femme tient un discours que ne désavoueraient ni Georges Bataille, ni Alfred Hitchcock, et qui a certainement ébranlé le jeune Renoir au plus profond :

« Le crime a quelque chose de violent, de solennel, de justicier, de religieux, qui m'épouvante certes, mais qui me laisse aussi – je ne sais comment exprimer cela – de l'admiration. Non, pas de l'admiration puisque l'admiration est un sentiment moral, une exaltation spirituelle, et ce que je ressens n'exalte que ma chair... C'est comme une brutale secousse, dans tout mon être physique, à la fois pénible et délicieuse, un viol douloureux et pâmé de mon sexe... C'est curieux, c'est particulier, sans doute, c'est peut-être horrible, – et je ne puis expliquer la cause véritable de ces sensations étranges et fortes – mais chez moi, tout crime – le meurtre principalement – a des correspondances secrètes avec l'amour... Eh bien, oui, là ! Un beau crime m'empoigne comme un beau mâle !... »

Renoir ne peut ignorer que ces lignes contiennent le véritable sujet du *Journal d'une femme de chambre*. Sujet qu'il désavoue en partie, dans la nécessité où il se trouve d'édulcorer le roman pour le rendre acceptable. Mirbeau avait désorganisé son récit, en multipliant les digressions et les retours sur la vie passée de Célestine, pour mieux nous conduire vers un dénouement à la fois logique, révoltant, et aussi mystérieux au fond que le caractère de l'homme auquel elle liera définitivement son existence. Malgré de lourds indices, elle ne saura jamais – et nous ne saurons pas plus qu'elle – si Joseph est vraiment le violeur et le meurtrier de la petite fille. Il est à peu près certain, par ailleurs, qu'il a dérobé la somptueuse argenterie des Lanlaire, afin de réunir la somme qui lui permettra de réaliser son plus cher projet : acheter un café à Cherbourg, où Célestine, devenue sa femme, trônera derrière la caisse.

Quand elle lui demande : « Dites-moi, Joseph, que c'est vous qui avez violé la petite Claire dans les bois... Dites-moi que c'est vous qui avez volé l'argenterie de Madame... », il répond par un baiser « lourd comme un coup de massue », et il dit : « Ne parle pas de ça... puisque tu viendras là-bas avec moi, dans le petit café... et puisque nos deux âmes sont pareilles ! »

« Je me souviens avoir vu dans un petit salon, chez la comtesse Fardin, écrit alors Célestine, une sorte d'idole hindoue, d'une grande beauté horrible et meurtrière... Joseph, à ce moment, lui ressemblait... »

Or, voilà exactement le film que Renoir n'a pas fait, et que Luis Buñuel réalisera dix-neuf ans plus tard, dans une assez grande fidélité aux intentions de Mirbeau.

Il me faut donc oublier le roman, et découvrir l'histoire, très différente, que Renoir et Meredith ont inventée. Leur Célestine ne veut plus être victime de ses sentiments. Elle s'est mis en tête de séduire un homme riche, qui l'affranchira de sa condition humiliante. Un éventail de choix s'ouvre à elle. Les amateurs d'analyse thématique noteront ici, avec François Truffaut, que « le ménage à trois retient rarement l'intérêt de Jean Renoir. Dans son univers une femme aime, est aimée de trois hommes ou un homme est aimé de trois femmes. » Nana était courtisée, en effet, par trois « protecteurs ». Christine hésitait dans *La Règle du jeu* entre Jurieux, Saint-Aubin, et finalement Octave. Camilla, dans *Le Carrosse d'or,* passera des bras de Felipe dans ceux du vice-roi, avant d'accorder ses faveurs à Ramon, le toréador. Selon la même configuration, Célestine rencontre donc tour à tour Joseph, qui se fait fort de la conquérir, Monsieur Lanlaire qui se trouble en sa présence, et le capitaine Mauger qui veut partir avec elle à Paris et y dépenser, en son honneur, son trésor de 50 000 francs patiemment économisés. Nous ne pouvons nous arrêter cependant au chiffre trois, qui fascine Truffaut, car le quatrième amoureux est un beau jeune homme atteint de tuberculose, sensible et farouche à souhait, qui gagnera le cœur de la jeune femme selon la meilleure tradition romantique... et hollywoodienne.

Renoir est allé chercher ce personnage dans un épisode précédent de la vie de Célestine – selon Mirbeau – où une tendresse immense rejoignait une inexorable cruauté. La femme de chambre avait été engagée, quelques années plus tôt, par une douce vieille dame, afin d'égayer les journées de son petit-fils tuberculeux et d'obtenir ainsi une amélioration de son état ; ce qui, dans un premier temps, réussit à merveille. Georges, le garçon, trouva en Célestine une compagne de rêve, avant de se découvrir pour elle une passion funeste. Il la désira autant qu'il l'aima, et nous savons qu'elle n'était pas de celles qui peuvent se dérober à une telle ferveur. Ils firent donc l'amour et, dès lors, ne se donnèrent plus de trêve. Georges n'ignorait pas qu'il puisait dans ses dernières forces l'aliment de sa félicité, et Célestine se vit en criminelle : « Sachant que je tuais Georges, écrit-elle, je m'acharnais à me tuer, moi aussi, dans le même bonheur et dans le même mal... Avec une exaltation âpre et farouche qui décuplait l'intensité de nos spasmes, j'aspirais, je buvais la mort, toute la mort, à sa bouche... »

Nous sommes loin d'une telle violence dans le film américain de Renoir, où Georges est devenu le fils unique du couple Lanlaire. Sa mère entend seulement le retenir au Prieuré, en se servant du charme de Célestine. L'idylle qui se noue entre les jeunes gens n'a plus rien alors de la somptueuse morbidité rêvée par Mirbeau. Célestine devra seulement prouver sa sincérité en embrassant Georges sur les lèvres, ce qui dissipera entre eux, au dénouement, les derniers malentendus.

Renoir n'a pas renoncé pour autant à cette distribution du temps de la vie, qui lui paraît la seule acceptable, entre providence et fatalité, réjouissance et désolation, lyrisme incongru des situations burlesques auxquelles les personnages se trouvent confrontés et fulgurance – non moins arbitraire – de la violence tragique lorsqu'elle se dévoile.

Il a choisi pour *Le Journal d'une femme de chambre* un ton alerte, presque enjoué – le ton même de Célestine – et un tempo qui s'accorde aux sautillements du capitaine Mauger. Il s'est efforcé, d'autre part, d'intensifier les enjeux et de resserrer les nœuds dramatiques, de façon à paralyser ceux d'entre les personnages qui se sont montrés les plus avides et les plus sûrs de parvenir à leurs fins.

Joseph, interprété avec une froideur glaciale par Francis Lederer, devient alors l'instrument d'une cruauté qui fascine le spectateur beaucoup plus qu'elle n'émeut Célestine. Renoir ne pouvait ici que reprendre à Mirbeau l'idée de la pointe d'acier avec laquelle le valet de chambre tue les volailles « selon une antique méthode normande ».

> « Une fois, écrit la Célestine du roman, j'ai assisté à la mort d'un canard tué par Joseph... Il le tenait entre ses genoux. D'une main il lui serrait le col, de l'autre il lui enfonçait une épingle dans le crâne, puis tournait, tournait l'épingle dans le crâne, d'un mouvement lent et régulier... Il semblait moudre du café... et en tournant l'épingle, Joseph disait avec une joie sauvage :
>
> — Faut qu'il souffre... tant plus il souffre, tant plus que le sang est bon au goût... »

Dans son film, Renoir nous fait assister à l'amorce de l'opération, mais de façon telle que nous ne pouvons manquer d'être saisis, comme le fut Eric Rohmer à l'époque où il signait encore Maurice Schérer, et où la jeune équipe des *Cahiers du cinéma* défendait avec acharnement les films américains de Renoir contre ceux qui les dénigraient. Dans le numéro 8 des *Cahiers*, en janvier 1952, il écrivait ceci à propos du *Journal d'une femme de chambre* : « L'amateur de cruauté, assez raffiné toutefois pour ne pas se satisfaire d'une violence tout extérieure, y trouvera son compte plus que partout ailleurs. Il est vrai qu'on n'y voit point de viol, ni de lapin agonisant, mais le couteau que Francis Lederer brandit vers la gorge de l'oie brille d'un trop terrible éclat pour qu'un esprit normalement constitué se prenne à regretter que ladite gorge se soit trouvée en dessous du champ de sa vision. »

Infidèle à Mirbeau, Renoir demeure donc fidèle à lui-même, en maintenant d'abord à l'état de latence la menace inflexible de la tragédie. Comme dans *La Règle du jeu*, il attend que les personnages soient parvenus à leur degré heureux d'inconscience, et la comédie à son plus haut niveau d'incandescence, pour nous atteindre tout à coup au plus vif. Au soir du 14 Juillet, fêté au village par des jeux, des rires et des chansons, Célestine, qui se croit rejetée par Georges, accepte d'accompagner à Paris le capitaine Mauger, lequel – bien sûr – ne se tient plus de joie. Il court chez lui pour prendre les billets de banque qu'il a cachés dans sa chambre. Or c'est là que se tient Joseph, tapi dans la pénombre et armé de la même pointe d'acier qui a tué l'oie. Nous ne verrons rien du meurtre ; mais le corps sans vie du petit homme, emporté comme celui d'une volaille morte sur l'épaule de Joseph, suffit à nous procurer une émotion indéfinissable, où la dérision ne le cède pas à la compassion. Il était donc si léger ce personnage, qui ne tenait pas en place sur la scène du monde et qui se trouve ainsi réduit à son peu de consistance ! Nous sommes seulement interdits, atterrés, gagnés d'une certaine façon par le cynisme glacial du meurtrier, tandis que l'image de l'écureuil réduit à l'immobilité de la première scène nous revient à l'esprit.

Mauger n'a certes pas volé une mort qui achève son portrait moral. Quant à Joseph, il ne pouvait bénéficier de l'impunité que Mirbeau, et Célestine, lui consentent dans le roman. Il meurt à son tour, dans le film, enseveli sous la poussée d'une foule en furie ; une marée humaine qui le cache, puis se retire pour nous laisser apercevoir son corps inanimé, exactement comme celui de l'ignoble Kostylev autrefois dans *Les Bas-Fonds*. La force de ce moment est que nous ne pouvons pas prendre parti tout à fait pour ceux, meurtriers obtus à leur tour, qui se sont faits les instruments de la justice.

Vais-je finir par me convaincre, en décrivant le film, que Renoir a eu tort, en 1945, de ne pas considérer *Le Journal d'une femme de chambre* comme l'une de ses œuvres majeures ? Après tout, si l'opinion des auteurs sur leurs films est sujette à des variations compréhensibles, il me semble que – à plus forte raison – les critiques sont en droit, et même en devoir, de soumettre leurs jugements à de nouvelles questions, ou à de nouvelles évidences, qui peuvent se faire jour avec le temps.

André Bazin, par exemple, avait eu la grande honnêteté de revenir, longtemps après, sur l'appréciation négative qu'il avait formulée en 1946 sur *Le Journal d'une femme de chambre* : « Le recul, avait-il écrit, permet d'année en année de mieux mesurer la qualité et l'importance de l'avant-dernier film américain de Jean Renoir. Longtemps seul *L'Homme du Sud* bénéficia d'un préjugé favorable à cause de son " réalisme ". *The Southerner* est admirable, mais *Le Journal*, je pense, est encore plus beau et plus pur. Renoir y satisfait sans retenue et dans une éblouissante unité de style l'un des projets fondamentaux de son inspiration : la synthèse du comique et du drame. Mais *La Règle du jeu* n'était encore qu'un " drame gai ". *Le Journal* est une tragédie burlesque, aux confins de l'atrocité et de la farce. »

Il se trouve que j'avais placé moi-même autrefois *Le Journal* à la hauteur de *La Règle*. Le mea culpa de Bazin, ajouté aux arguments de Rohmer, n'avaient pu que me conforter dans une impression que le souvenir amplifia. Comment aurais-je pu oublier la fougue délicieuse de Paulette Goddard, les gambades de Burgess Meredith, le supplice de l'oie, la métamorphose d'une fête villageoise de 14 Juillet en émeute de cauchemar ? Voyant et revoyant le film – après des années à mon tour –, je comprends mieux désormais l'insatisfaction relative de Renoir. *La Règle du jeu* nous « empoignait », comme dirait Célestine, en nous délivrant un bonheur digne de celui que nous font éprouver Marivaux, d'une part, et Octave Mirbeau, d'autre part. Hors de tout sentier battu, le film nous subjuguait par la brusquerie de ses surprises, le poids de ses menaces, la profondeur de son rire, et l'ampleur, pour finir, de sa respiration. Je ne puis en dire autant du *Journal d'une femme de chambre*, dont l'inspiration me semble tout simplement inégale, avec des moments étincelants et d'autres – les scènes d'amour entre Georges et Célestine, par exemple – qui ne parviennent pas à s'écarter de la convention.

Dans sa correspondance, Renoir ne varie pas sur un point : « La seule chose que j'aie faite ici, écrit-il à son frère Pierre le 8 mai 1946, qui en valait la peine, c'est *L'Homme du Sud*. » A cette date, il vient pourtant de réaliser un nouveau film, *La Femme sur la plage*, dans des conditions de production et de tournage qui lui ont semblé d'abord satisfaisantes. Quatre mois plus tard, le 27 août, une lettre à Pierre Lestringuez nous révèle l'étendue de sa déception : « Il y avait un roman, lui dit-il, publié et vaguement lu, et c'est ce qui a décidé la RKO à me confier la réalisation d'une pauvre intrigue. J'ai accepté, je ne sais pas pourquoi, sans doute pour payer mes taxes, et ça a ajouté quelques kilomètres à la ponte annuelle de notre bonne ville. » Quelques lignes plus loin, il ajoute : « Je viens de passer quatre mois d'abrutissement absolu à monter et à redémonter mon dernier film. Finalement je viens de demander de l'aide car je suis gâteux et n'y vois plus rien du tout. »

Il est vrai que la première projection de *La Femme sur la plage* devant un public non prévenu s'est avérée catastrophique. Renoir a décidé alors, semble-t-il de son propre chef, d'effectuer des coupes et des modifications. Il a même sollicité la collaboration d'un écrivain, Frank Davis, pour lequel il s'est pris d'amitié. Ils travaillent donc ensemble à la réécriture de nombreuses scènes, et Renoir s'impose, en novembre et décembre 46, de nouvelles semaines de tournage, qui le fatiguent beaucoup, sans ranimer un quelconque enthousiasme pour un sujet qu'il juge toujours « insignifiant » dans une lettre adressée à Robert Flaherty le 21 décembre 46.

Je me demande alors s'il faut le croire lorsqu'il explique à Rivette et Truffaut, en 1954, qu'il était animé lors du premier tournage de *La Femme sur la plage* par une « envie » et des intentions précises : faire un film, dit-il, « basé sur ce qu'on appelle aujourd'hui le sexe – et qu'on appelait déjà le sexe à ce moment-là ; enfin on en parlait moins – mais envisagé du point de vue purement physique ; je voulais essayer de conter une histoire d'amour dans laquelle les motifs d'attraction entre les différentes parties étaient purement physiques, une histoire dans laquelle les sentiments n'interviendraient pas du tout ». Renoir pense en effet depuis longtemps aux conseils que lui donnait Pierre Lestringuez ; conseils dont il s'est inspiré au moment de *La Règle du jeu*, mais qu'il n'a jamais vraiment suivis à la lettre : « Si tu veux décrire la vérité, mets-toi bien dans la tête que le monde n'est qu'un foutoir. Les hommes ne pensent qu'à une chose, c'est à baiser, et ceux qui pensent à autre chose sont fichus. Ils se noient dans les eaux bourbeuses du sentiment. »

On peut imaginer en tout cas que la première version de *La Femme sur la plage* a été conçue selon ce principe, et il ne faut sans doute pas chercher ailleurs les raisons de son échec devant les spectateurs de la « preview », si peu accoutumés à ce que le désir ne soit pas habillé par les atours du sentiment. En se voulant prudent, en tournant à nouveau les scènes entre Robert Ryan et Joan Bennett (un tiers du film environ), Renoir a donc atténué ce qu'elles devaient avoir de très fortement sensuel : « Et j'ai sorti un film, dit-il, qui, je crois, n'était ni chair ni poisson, qui avait tout au moins perdu sa raison d'être. »

Nous ne verrons donc jamais *La Femme sur la plage* tel que Renoir en avait traduit les tensions latentes, et le résumé du film, dans son état actuel, ne nous apprend rien :

Parcourant une plage déserte, un lieutenant de garde-côtes (Robert Ryan) rencontre une très belle femme (Joan Bennett), dont nous ne tarderons pas à apprendre qu'elle est liée indéfectiblement à un peintre de grande réputation (Charles Bickford) frappé de cécité. On prévoit sans difficulté la suite de l'histoire : violente attirance réciproque entre le lieutenant

Scott et Peggy Butler, la femme du peintre ; mise en présence des trois personnages ; rivalité sourde entre les deux hommes ; tentative de meurtre, etc. Ce qui justifie la sévérité de Renoir à l'égard de sa « pauvre intrigue ».

Supposons pourtant, une seconde, qu'il se soit comporté comme un cinéaste américain de ces années-là, où la vogue du film noir, liée au climat de l'après-guerre, était si forte. La convention du genre n'interdisait pas de faire valoir la somptuosité « fatale » du désir. Joan Bennett aurait donc pu déployer un charme envoûtant, à la manière d'une Rita Hayworth (*Gilda* de Charles Vidor), d'une Ava Gardner (*Le facteur sonne toujours deux fois* de Tay Garnett) ou de l'apparition voluptueuse qu'elle incarnera elle-même dans *La Femme au portrait* de Fritz Lang. Nous l'aurions alors désirée, en épousant le regard de Robert Ryan, et en nous souvenant avec Charles Bickford de la plénitude de ses formes, qu'il avait amoureusement peintes avant son accident.

Renoir a peut-être envisagé cette perspective, mais nous le savons incapable de pratiquer un cinéma de genre. Malgré la caution de Simenon, *La Nuit du carrefour* n'est pas un film policier, et *Boudu* n'a rien de la comédie de boulevard qui l'a inspiré. L'auteur de *La Règle du jeu* ne recherche pas l'originalité pour elle-même, mais devant ses comédiens, et la réalité même d'une scène à tourner, il lui est impossible de souscrire à des règles préétablies. Plaçant sa caméra en face de Robert Ryan, par exemple, il découvre que cet acteur sait exprimer mieux qu'aucun autre l'intensité et la profondeur d'un tourment. Tourment auquel Charles Bickford ne craint pas de se mesurer, en lui opposant son regard fixe et sa voix sèche. Tourment que Joan Bennett, pour sa part, se refuse à éprouver. Elle assume son inconduite passée et présente avec un calme qui relève du plus beau mystère. « Femme fatale » peut-être, mais tellement sûre de son pouvoir qu'elle ne se soucie pas de l'exercer.

Le calme de l'actrice se retrouve dans le regard du cinéaste et dans le ton du film. Renoir évite, autant qu'il peut, le mode lyrique. Il épure sa langue cinématographique. Comme l'écrira Jacques Rivette, « la tragédie ne naît pas du déroulement implacable de quelque fatalité, mais au contraire de la fixation et de l'immobilité ; chacun des trois personnages s'y fige dans une fausse image de lui-même et de son désir. Cernés par un décor clos face au mouvement des vagues, le peintre aveugle s'est aliéné dans ses toiles comme Ryan et Joan Bennett dans une pure fascination sexuelle. Le feu rompra l'enchantement et les rendra au temps qui passe. »

J'admire le talent avec lequel Jacques Rivette discerne le film secret sous le film apparent ; mais Renoir, en 1946, est malheureusement confronté au second, celui dont il « n'arrive pas à sortir », comme il le dit dans ses lettres de l'époque. En voyant aujourd'hui *La Femme sur la plage*, nous percevons ce désarroi, qui nous laisse, à notre tour, un peu désemparés devant une œuvre qui n'a pas trouvé – comment dire ? – le courage de son étrangeté.

Le « film secret » n'est pourtant pas une invention de jeune critique admiratif. Dans *Ma vie et mes films,* Renoir raconte comment il s'est lancé dans l'aventure de *La Femme sur la plage*. Une histoire sans problème à première vue, mais « moins simple » qu'il ne l'avait soupçonné, puisque le sujet en était la solitude, dont « le vide, écrit-il, est peuplé de fantômes. Ces fantômes sont ceux de notre passé. Ils sont très forts, assez forts pour façonner le présent à leur image ». Il décrit alors le film comme Rivette l'a vu : action dépouillée de tout pittoresque, paysages vides filmés dans « un style parfaitement abstrait », et il ajoute que *La Femme sur la plage* se situe à l'inverse de ce qu'il avait jusqu'alors recherché : « Dans tous mes films précédents, je m'efforçais de rendre perceptibles les liens qui attachent les individus à leur milieu... Et voilà que je me lançais dans une étude de personnages dont la seule idée était de fermer la porte à ce phénomène parfaitement concret qu'on appelle la vie. C'était une erreur de ma part. Je l'explique par l'isolement relatif auquel me condamnait la connaissance limitée du langage de ma nouvelle vie. »

Il est vrai que, d'une certaine façon, le Renoir de 1946 ressemble à l'artiste de son film. N'est-il pas rivé, comme lui, au souvenir de son œuvre passée ? A *La Grande Illusion* en particulier, reprise à Paris cette année-là, et qui constitue désormais pour lui une référence à la fois stimulante et paralysante. Le cinéaste n'est pas, comme le peintre, frappé de cécité, mais il sent bien qu'il lui faudra à son tour « rompre l'enchantement ». Au dénouement de *La Femme sur la plage*, le peintre brûle ses toiles et incendie sa maison, mais nous apprenons aussitôt qu'il n'agit pas par désespoir :

— Je devais le faire, dit-il. Ces toiles représentaient tout pour moi. C'était devenu une obsession. Il fallait que je les détruise. Maintenant, je suis libre !... J'ai un nouveau travail devant moi... des choses à dire... beaucoup de choses...

Il est sorti de la maison en feu en n'emportant qu'une machine à écrire. Comme Renoir l'a envisagé pour lui-même depuis ses débuts à la Fox, il pense que l'écriture peut lui ouvrir une nouvelle brèche créatrice.

Il me faut indiquer ici que *Le Journal d'une femme de chambre*, puis – plus nettement encore – *La Femme sur la plage* mettent fin à une série de succès. Ce ne sont pas des échecs retentissants – *Le Journal* figurera même dans la liste des meilleurs films de l'année 46 classés par le National Film Board of Rewiew –, mais Renoir retient d'abord les échos défavorables parmi ceux qui lui parviennent. Il ne se sent plus à l'aise, c'est évident, dans le climat de la nouvelle après-guerre. Il prévoit, comme pour l'autre, un grand changement « dans la vie, dans les mœurs, donc changement dans les goûts ». « Je ne voudrais pas perdre le contact, écrit-il le 11 mai 46 à Pierre Lestringuez, et de temps en temps, je sens que je le perds. Je me sens dépassé par l'immense enfantillage des générations nouvelles, qu'elles soient françaises ou américaines. Les préoccupations de la plupart de mes compatriotes me sont indifférentes et il est probable que certains problèmes qui me semblent primordiaux leur semblent, à eux, futiles. » Son désarroi s'approfondit encore dans une lettre adressée à Fernand Bercher (l'un des acteurs des *Bas-Fonds*) le 9 novembre 46 : « Je crains que la période où tout ce qui touchait le cinéma m'amusait prodigieusement ne soit révolue. Si je vous disais que les seuls films que je vois sont ceux que je dois regarder professionnellement et qu'on projette pour moi au studio ! L'idée de m'asseoir sur un fauteuil dans une salle de spectacle ne me vient plus. » L'année suivante, le 14 décembre 47, il avoue à Carl Koch la vraie raison de son séjour prolongé en Amérique : « De plus en plus, je suis terrifié par l'incompréhensible Europe, ses secrets, ses divisions, son manque d'innocence. Maintenant que j'ai goûté à l'Amérique, je ne sais pas si je pourrais de nouveau jouer le jeu subtil d'une grande civilisation décadente. »

Il ne reviendra donc pas à Paris, où sa renommée ne cesse pourtant de grandir, avec la reprise de *La Grande illusion*, celle de *La Règle du jeu*, puis avec la sortie si longtemps différée de *Partie de campagne*. Le 15 octobre 45, Pierre Lestringuez lui a écrit :

> « Les oreilles ont dû te tinter... puisque à l'heure actuelle tu fais figure de divinité du cinéma, paternelle et géniale, omnipotente et truculente, et que, dans tous les milieux, celui des puissants et celui des margoulins, on vous dit avec un soupir :
> — Ah, si nous avions Jean Renoir ! »

Le principal intéressé est probablement sensible à ces hommages, mais il ne peut – ni ne veut – se réjouir tout à fait de se voir reconnu pour son œuvre passée. Entre Paris qui l'attend et Hollywood, qu'il souhaite convaincre du bien-fondé de ses aspirations, une troisième voie tarde à se faire jour. Des semaines et des mois passeront encore avant qu'il ne prenne conscience du regard neuf, et plus inclassable que jamais, qui se portera sur les rives du *Fleuve* et sur les splendeurs du *Carrosse d'or*.

Chapitre dix-septième

« Sous une masse bleue de ciel.... »

*

1949/1950. « Le Fleuve »

Tout est clair à nouveau dans le mouvement qui conduit Jean Renoir à la réalisation du *Fleuve* : la lecture, en novembre 46, du court roman de Rumer Godden intitulé *The River* ; la décision immédiate de faire acheter les droits du livre par ses agents, Phil Berg et Bert Allenberg ; une lettre à Charles Einfield, responsable de la société Enterprise Production Inc., pour lui dire son enthousiasme : « C'est exactement le genre de roman qui peut me donner la meilleure inspiration étant donné ma façon de travailler. Presque pas d'action, mais des personnages passionnants ; des relations très émouvantes entre eux ; le point de départ pour de grands numéros d'acteur ; et une histoire d'amour innocente, muette, subtile, poignante, entre une petite fille et un officier blessé, physiquement brisé, moralement malade mais qui conserve encore l'espoir. »

Renoir a certainement été frappé, dès les premières pages du livre, par l'idée d'une renaissance possible – non seulement possible, mais nécessaire, inéluctable – qui habite la pensée de Rumer Godden.

La romancière évoque un passé qui fut le sien, dans une grande maison familiale au bord d'un fleuve. Elle ne situe pas son récit à une époque déterminée : « Il y avait une guerre. Cette guerre, la dernière, peu importe quelle guerre. » Les lieux, en revanche, sont essentiels : l'entrepôt de jute que dirige le père, la maison où vit la mère dans l'attente d'une prochaine naissance, le jardin immense où les enfants jouent sous la surveillance de Nan, leur gouvernante, et le fleuve surtout qui se jette, à travers le delta, dans le golfe du Bengale : « Le fleuve d'Harriet était un grand fleuve, large d'un mille environ, dont les eaux coulaient lentement entre des berges de boue et de sable blanc. Jusqu'à l'horizon s'étendaient des champs plats, des champs de jute et de riz sous une masse bleue de ciel. »

Harriet et Bea sont, dans le livre, les filles aînées d'une famille de quatre enfants. Bogey, sept ans, qui est le seul garçon, aime jouer avec des lézards, des couleuvres et des insectes, qu'il préfère de beaucoup à ses soldats de plomb parce que, tout simplement, ces bêtes sont vivantes. Victoria, quatre ans, possède « cette perfection de l'enfance où il arrive, aux petites filles surtout, de se maintenir pendant quelques mois, avec une grâce tout inconsciente. Victoria était sans soucis, et elle n'ennuyait personne ».

Harriet, écrit Rumer Godden,

> « croisa Victoria avec sa poupée.
> — Je m'amuse tant avec mon bébé, dit Victoria. Il est encore né hier.
> — Tu le fais naître tout le temps, dit Harriet avec mépris.
> — Pourquoi pas ? demanda Victoria. On peut naître encore, et encore, n'est-ce pas ? »

Captain John, le jeune homme sorti profondément meurtri des combats de la dernière guerre, ne dira rien d'autre dans sa première conversation avec Harriet :

— Mon idée c'est que nous passons notre temps à naître et à renaître. Cela nous est nécessaire, avec chaque chose qui nous arrive, chaque nouvel épisode.

Réplique que Renoir déplacera à la fin du film, lorsque le personnage aura accédé, au bout d'un long travail intérieur, à la sagesse de... Victoria. Autrement dit, à ce dénouement de l'être que le seul mot de « grâce » suffit à désigner.

— Il nous faut naître à nouveau, ou mourir un peu, dit le captain John (inspiré par Rumer Godden), de grandes morts et des petites, de grandes et petites naissances.

Jean Renoir lui aussi, durant cette période, a grand besoin de renaître.

Le projet du *Fleuve* n'est pourtant pas celui qui domine parmi tous ceux qu'il tente de mener à bien en 1947 et 1948. Si la chance l'avait voulu, il aurait réalisé l'un ou l'autre de ces films, dont l'énumération nous indique seulement, de sa part, des inclinations très diverses : *Ce cochon de Morin* d'après Maupassant, *La Fuite de M. Monde* de Simenon, *Roméo et Jeannette* d'Anouilh, *Night music* de Clifford Odets, sans compter une nouvelle adaptation (en anglais) de *Madame Bovary*. En 1948, les espoirs qu'il a placés dans la création d'une structure de production indépendante s'écroulent définitivement. Les banquiers refusent de le suivre dans une entreprise qui lui aurait procuré la liberté, la sérénité surtout, à laquelle il aspire depuis tant d'années.

Il me faut croire alors à une providence qui a veillé – pour nous – à la cohérence de son œuvre. Croyant très fort au sujet du *Fleuve*, et cherchant à convaincre des producteurs, il s'est d'abord heurté, comme pour *La Grande Illusion* dix ans plus tôt, à des contre-propositions inacceptables : « Si vous voulez ajouter quelques maharadjas et quelques chasses au tigre, lui a-t-on dit, c'est une très belle histoire ; mais il nous semble que les gens qui iront voir un film sur l'Inde attendent autre chose ; il faut tout de même servir au public un peu de ce qu'il désire. »

Renoir aurait donc renoncé à ce film, comme il avait dû tant de fois renoncer, si un personnage singulier ne s'était présenté à lui, sans qui le tournage du *Fleuve* – tel qu'il l'entendait – n'aurait pas été possible. Ce Kenneth McEldowney est fleuriste de son état. Doué de vanité autant que d'énergie et d'entregent, il rêve de produire des films. Pendant la guerre, il a servi au bureau de l'American Air Force en Inde, ce qui lui a donné l'occasion de nouer avec un groupe financier local des relations intéressantes. Ses interlocuteurs se disent prêts à commanditer un film dont l'action se déroulerait en Inde. McEldowney recherche donc un sujet, et il écoute les conseils d'une amie proche du Pandit Nehru, qui lui dit en substance :

— Vous savez, faire un film dans les Indes n'est pas facile pour un Occidental. S'il n'est pas pénétré profondément de notre culture, il ne pourra traiter un sujet purement indien. A votre place, je commencerais par un film où un pont pourrait s'établir entre nous et des personnages venus d'Occident... Pour moi, l'auteur anglais qui connaît le mieux l'Inde aujourd'hui, c'est Rumer Godden. Elle y a grandi, elle parle certaines langues indiennes, elle connaît l'Inde comme si c'était son propre pays.

« McEldowney lut le livre, raconte Renoir dans *Ma vie et mes films*, qui lui sembla manquer de chasse à l'éléphant, mais il ne perdait pas l'espoir de caser ce brillant épisode dans la tendre et simple histoire du *Fleuve*. Il voulut acheter une option sur le livre. L'éditeur lui répondit que cette option était déjà prise par un certain Jean Renoir. Il entra en relation avec moi et me proposa de faire la mise en scène du film. »

L'avantage d'une collaboration avec Kenneth McEldowney tient au fait qu'il ne possède aucune expérience de la production dans un studio hollywoodien. Raison pour laquelle il accordera à son metteur en scène la complète maîtrise artistique du film, depuis le scénario jusqu'au montage final.

Renoir conduit donc son affaire comme il l'entend. La proposition de McEldowney lui convient parfaitement puisque, dès le 14 février 47, il avait écrit à son neveu Claude pour lui dire son désir de tourner *Le Fleuve* sur les lieux mêmes de l'action. Le 16 novembre 48, il indique à ses agents les conditions de l'accord conclu avec le producteur. Le 31 décembre, il s'inquiète de l'attitude « glaciale » de Rumer Godden à l'égard du projet, mais il se préoccupe d'abord de trouver une très jeune actrice capable d'incarner Harriet, ce qui n'est pas facile. Le 15 février 49, il est à Calcutta depuis deux semaines et il écrit à son très cher ami Clifford Odets pour lui faire part de sa débordante activité : « Nous restons à Calcutta deux semaines de plus. Plein de travail. Je crois avoir trouvé une petite fille pour mon film. C'est un affreux petit canard et ce n'est pas plus mal. »

Il s'agit de Patricia Walters, adolescente, écolière, nullement actrice, qui dévoilera sous son regard l'intensité intérieure et la candeur vraie, frémissante, encore enfantine, déjà féminine de l'héroïne qu'il imagine.

De retour à Hollywood, en avril 49, il prend la mesure des émotions qu'il vient de ressentir. Un courage neuf l'habite. Ses incertitudes sont dissipées. L'Inde a confirmé en lui des intuitions auxquelles il n'osait croire :

« J'avais toujours imaginé, écrit-il à un certain Mr Schlamm, que les contemporains de Ramsès II ou de Socrate marchaient, s'asseyaient, mangeaient, faisaient l'amour avec une grande noblesse d'attitude, mais ce n'était qu'une supposition. En Inde, je les ai vus, parce que pratiquement l'Inde n'a pas changé en quatre mille ans, et qu'elle a conservé un style aristocratique qui a à peu près disparu de notre civilisation mécanisée. »

Certaines images du film à venir se forment déjà dans son esprit : « Etre confronté chaque jour, poursuit-il, à des hommes qui rament sur le Gange et qui sortent directement d'un bas-relief égyptien, ou à une jeune fille vêtue d'un sari qui fait simplement son marché et qui a l'air d'une tanagra vivante, croyez-moi, c'était exactement le choc qu'il me fallait après huit ans de Hollywood. »

On peut comprendre alors que Rumer Godden se soit laissé séduire par une vision qui recoupe de si près la sienne. Elle accepte de se déplacer en Amérique et de rejoindre Renoir à Beverly Hills pour travailler avec lui au scénario du *Fleuve*. L'esprit du roman ne sera pas trahi ; la matière en sera seulement diversifiée et enrichie. Les « petites amoureuses » du captain John, par exemple, sont au nombre de trois dans le livre : Harriet et Bea, sa sœur, auxquelles s'ajoute Valérie, « une grande fille dure, qui habitait de l'autre côté du fleuve, qu'Harriet n'aimait pas et qu'elle redoutait », écrit Rumer Godden. Renoir conserve l'idée du trio, mais à la place de Bea le film fait apparaître Mélanie, la douce et secrète Mélanie, en qui se croisent et se conjuguent les lignes mélodiques du récit.

La jeune fille, en effet, comme le captain John mais pour des raisons différentes, est un être divisé, pour ne pas dire déchiré. Son père, Mr John, est un Américain vivant en Inde, qui adore sa fille mais s'avoue incapable de la conseiller dans le choix qu'elle devra faire un jour entre l'une ou l'autre de ses origines. Captain John ne parvient pas à assumer sa condition d'infirme. Il veut partager la vie des hommes valides, mais sa jambe articulée le rappelle au sentiment de l'irrémédiable. Mélanie, elle, ne sait à quel monde elle appartient, celui des femmes en sari dont le destin est régi par des coutumes ancestrales, ou celui d'Harriet et de Valérie, les jeunes filles européennes qui sont ses amies depuis l'enfance dans l'espace émerveillé du grand jardin.

L'unité du film et son organisation d'ordre musical – j'y reviendrai – sont liées à ce thème d'une enfance qui ne se résout pas à effacer ses bonheurs et ses jeux à l'orée d'un passage vers un temps où le sentiment amoureux s'insinue dans les esprits, en les invitant à « re-naître » sous une forme inconnue.

Ce n'est pas la moindre beauté de ce film que de nous avoir suggéré les modulations intimes d'une floraison, puis d'une efflorescence. Les trois jeunes filles – on devrait dire plutôt les trois « enfants femmes », par opposition au stéréotype de la « femme enfant » – sont attirées par le captain John chacune à sa façon. Mélanie ne prononce pas le mot, mais son regard droit et calme, son silence même, nous parlent d'un amour noblement éprouvé. Valérie, à l'inverse, n'hésite pas. Impétueuse et sûre de sa beauté, elle se prend au jeu d'un défi qui serait « provocant » si elle ne se trouvait, elle aussi, à l'orée du passage. Le baiser qu'elle offre puis reçoit du captain John la laisse interdite, tremblante. Elle frissonne de tout son être. Je n'en jurerais pas, mais il me semble que la jeune et fière interprète, Adrienne Corri, n'avait jamais embrassé un garçon avant ce moment-là, dont la vibration à la fois sensuelle et sacrée se renouvelle à chaque vision du *Fleuve.* « Les limites de l'intensité dans la pudeur y sont atteintes, écrit André Bazin, et ce n'est pas trop d'égaler ces moments à ce que les arts les plus anciens, les plus raffinés, en pourraient faire. Je ne vois pas ce qu'un peintre, un romancier ou un poète de génie pourraient ajouter au baiser de Valérie au captain John. »

Harriet est la plus « enfant » des trois. Son amour à elle se contentera d'un geste de tendresse et d'un baiser sur le front. Elle est pourtant celle qui perçoit le mieux la majesté du temps. Le roman n'est pas écrit à la première personne, mais il est évident que Rumer Godden se raconte à travers Harriet, et qu'elle se souvient d'un poème écrit probablement à l'âge de son héroïne :

« Le fleuve court sans fin, la terre tourne ronde...
L'aube et la lampe au soir et midi et minuit.
Le soleil et les jours, les astres et la nuit...
C'est le jour qui s'achève et la fin qui commence... »

Nous savons que les acteurs de Renoir s'accomplissent personnellement en interprétant leurs personnages. L'impression nous est donnée que Jean Gabin, Michel

Simon, Sylvia Bataille, Dalio, Simone Simon, Paulette Goddard livrent sous son regard le meilleur de ce qu'ils sont. Or, il me semble qu'il offre à Rumer Godden, en travaillant avec elle, une occasion de même nature. Le cinéaste et la romancière n'adaptent pas seulement le livre, ils en dégagent un bouquet de sensations, un éventail de pensées, qui s'y trouvaient incluses, et qui ne demandaient qu'à se déployer à la mesure du vaste paysage.

Rumer Godden a eu le courage de placer au sein de son histoire heureuse et tendre l'un des événements les plus insoutenables qui se puissent vivre, la mort d'un enfant. Renoir ne transige pas, lui non plus, avec la cruauté de ce contraste. Il s'ingénie même à l'accentuer. Nous voyons ainsi Bogey accroupi, soufflant dans une flûte afin d'attirer le cobra tapi dans les profondeurs d'un arbre aux multiples racines...

Et puis nous l'oublions...

Harriet oublie, elle aussi, qu'elle a surpris le petit garçon jouant de son instrument devant le mystérieux taillis, qu'elle s'en est inquiétée, qu'elle a grondé Bogey, et qu'elle s'est promis de signaler à son père la présence éventuelle d'un cobra au fond du jardin.

Mais un autre événement domine en ces instants le flot de ses pensées : captain John a fait connaître sa décision de partir, de quitter l'Inde pour une destination encore inconnue, et de rompre ainsi l'enchantement ténu qui le liait aux trois adolescentes. Elles se préparent chacune, mais séparément, bouquet à la main, à la scène des adieux. Du deuil, en vérité, de leur commune enfance. C'est ici que se place le moment du baiser entre Valérie et le captain John, baiser qui ne correspond pas seulement pour elle à la naissance de l'amour. Elle verse des larmes sur l'épaule du jeune homme, puis elle se redresse et s'explique :

— Je ne pleure pas parce que vous partez... Je pleure parce que c'est fini... Nous tous ensemble, heureux, dans le jardin... et vous avec nous... Je ne voulais pas que ça change, mais c'est changé... Tout était comme un rêve. A présent, c'est devenu réel...

L'image alors s'élargit, comme si Renoir ressentait le besoin d'une accentuation et d'un repos, pour nous préparer aux derniers mots de Valérie :

— Je ne voulais pas devenir réelle.

Pendant toute la scène, le danger du cobra est demeuré plus absent encore que latent. Au lieu d'y revenir, Renoir ne craint pas de s'attarder plus avant. Nous voyons Mélanie traverser silencieusement une pièce de sa maison. Elle ne dira rien à son père de son chagrin, contrairement à Harriet, qui écoute sa mère lui parler du travail nouveau de la vie dans son corps de jeune fille, et qui ne s'en trouve guère consolée...

Et puis vient le moment de la sieste, étrangement sacré lui aussi, peut-être simplement parce qu'il est rituel en ces heures chaudes de l'après-midi. Je pourrais décrire la beauté des mouvements d'appareil – des travellings arrière, mais pas seulement – qui s'enchaînent musicalement pour passer de l'une à l'autre des personnes ensommeillées, la mère, les enfants, le vieux serviteur enturbanné, mais je préfère m'en tenir à la formule inspirée d'André Bazin, lorsqu'il éprouve le besoin, après de longs développements d'analyse stylistique, de se résumer en une phrase : « D'où vient, écrit-il, que sa mise en scène soit si souvent une caresse. En tout cas toujours un regard. »

A la séquence du sommeil heureux succède le moment du malheur absolu. Renoir a donc fait en sorte que nous le pressentions, en se gardant bien de créer un quelconque effet de suspense. Le temps suspendu, chez lui, ne cesse pas de s'écouler. On se souvient seulement de son regard – tellement difficile à déchiffrer – lorsqu'il a filmé le visage du petit garçon occupé à charmer le cobra. Visage d'enfant – s'il en fut jamais ! – pénétré, lui aussi, d'une attention à la fois exacte et hypnotique, et de la même impénétrable gravité.

Après avoir vu *Le Fleuve*, le sentimental Dudley Nichols écrira à Renoir une lettre en forme de poème, où « l'innocent et féerique Bogey » tiendra naturellement sa place :

« Il s'agenouille devant le mystère enroulé du serpent,
Implorant le regard, implorant l'admission à la fraternité,
Et en réponse à son gentil rêve anxieux,
Est frappé à mort.
Peut-être après tout que c'était là la seule réponse possible du serpent.
La seule manière d'admettre un étranger parmi les siens. »

Dans l'esprit de Renoir, l'idée d'une imploration est encore, sans doute, une intention. Entre Bogey et le cobra, seule importe la réciprocité de l'attention.

L'approche finale et la morsure ne seront pas filmées.

Le deuil nous reste, qui interdit les épanchements. La solennité est encore moins de mise. Aussitôt après nous avoir montré le corps inanimé de l'enfant reposant dans la pénombre de l'arbre aux cent racines, Renoir passe par un fondu au noir, que dissipe aussitôt une ouverture au jour le plus cru, éclatant de couleurs, de lumière et de bruit ; de gaieté pour tout dire. Devant le portail du jardin, un montreur de singe fait tournoyer son animal en chantant une mélopée joyeuse. Par la droite de l'image entrent des hommes portant un petit cercueil de bois blanc. Le serviteur enturbanné ferme le portail après leur passage. Nous voyons alors d'autres hommes environnés de fleurs – de lourdes fleurs tropicales – qu'ils enfilent adroitement pour composer des couronnes. Ceux-là aussi murmurent un chant. Les fleurs, disposées sur le cercueil, sont les seules transitions vers les images de la procession. Le père de Bogey et Mr John, cousin du captain John et père de Mélanie, tiennent les bras du brancard sur lequel repose la boîte rectangulaire. La mère de Bogey est filmée de dos, pudiquement, au bras du captain John. Aucune parole n'est prononcée. Derrière l'imposante balustrade de pierre, dont nous avons déjà vu au cours du film qu'elle servait d'observatoire, Nan et les enfants suivent des yeux le trajet du cortège, et Renoir les cadre tour à tour, en gros plans, sans leur demander d'extérioriser leur peine. Puis il revient vers les adultes qui transportent et suivent le cercueil. A la sortie d'une passerelle, le brancard bute contre un montant de bambou. Ce n'est qu'un choc léger, une secousse, mais ce rappel de réalité suffit à nous bouleverser, car il rompt tout à coup le climat d'anesthésie morale instauré par le cérémonial.

Pas plus que nous n'avons vu Bogey mourir nous n'assisterons à sa mise en terre. Il faudrait une très longue étude pour montrer comment Renoir exerce, tout au long du film, un contrôle à peu près infaillible de l'émotion. Il entend, dans ce cas précis, que nous soyons pris de court par la scène qui suit immédiatement. Je rappelle qu'aucun mot n'a été prononcé depuis la mort de Bogey. Ce sont donc les premiers que nous entendrons.

Captain John a rejoint son cousin dans la maison simple qu'il habite non loin de là. Nous savons déjà que le père de Mélanie est un personnage singulier, un Occidental qui a rompu ses attaches avec la « civilisation mécanisée », et qui se laisse gagner, à la façon indienne, par la seule contemplation du monde.

Les deux hommes se taisent encore quelques instants, puis Mr John lève son verre et dit :

— Je bois aux enfants. Nous devrions célébrer la mort d'un enfant... Celui-là s'est échappé... Nous les enfermons dans nos écoles, nous leur enseignons nos stupides tabous. Nous les entraînons dans nos guerres. Ils ne sont pas armés pour résister. Nous massacrons des innocents... Le monde est pour les enfants, le monde réel. Ils grimpent aux arbres, ils se roulent dans l'herbe, ils sont libres comme des oiseaux. Ils savent ce qui est important : une souris est née, une feuille tombe dans l'étang... Le monde devrait appartenir aux enfants.

Ni Mr John ni Jean Renoir n'ont lu *La Poétique de l'espace* de Gaston Bachelard, qui paraîtra huit ans plus tard, en 1957. « Heureux l'enfant, écrit le philosophe, qui a possédé, vraiment possédé ses solitudes. » Bogey, à coup sûr, était de ceux-là. Quelques lignes plus haut, je relis cette phrase, dont le retentissement s'accorde en nous, de façon lumineuse, au déroulement du *Fleuve* : « L'enfance est certainement plus grande que la réalité. »

Est-ce une coïncidence ? Je ne le crois pas. Renoir tourne *Le Fleuve* pendant le premier semestre de l'année 50. Au même moment, Robert Bresson travaille à son *Journal d'un curé de campagne*. Quelques mois plus tard, durant l'automne 1951, Roberto Rossellini entreprendra le tournage d'*Europe 51*. Je ne pense pas que les trois cinéastes, qui ne se font certes pas la même idée de leur art, se soient le moins du monde concertés ; mais leurs trois films posent la même question, dont ils n'atténuent en rien la torture : Qu'en est-il du deuil ? A commencer par le plus cruel...

La comtesse de Bernanos n'a pas vraiment survécu à la perte de son fils. Son cœur s'est asséché. Elle s'est raidie dans une révolte intraitable adressée à Dieu. La scène cruciale du film de Bresson l'oppose au jeune curé d'Ambricourt, dont la voix – au bord de la défaillance – se révèle pourtant beaucoup mieux que persuasive.

Revenant chez lui, tard dans la nuit, le curé trouve une lettre de la comtesse :

« Le souvenir désespéré d'un petit enfant, lui dit-elle, me tenait éloigné de tout dans une solitude effrayante et il me semble qu'un autre enfant m'a tirée de cette solitude... Je me demande ce que vous avez fait. Ou, plutôt, je ne me le demande plus. Tout est bien. Je ne croyais pas la résignation possible et ce n'est pas la résignation qui est venue, en effet. Je ne suis pas résignée. Je suis heureuse. Je ne désire rien. »

Irène, l'héroïne d'*Europe 51*, dont le petit garçon s'est suicidé parce qu'il croyait manquer d'amour, ne veut pas, elle non plus, d'une résignation docile. Résignation que chacun autour d'elle, dans sa famille de grands bourgeois, lui conseille. Elle se rebelle au contraire et elle trouve je ne sais où – Roberto Rossellini l'ignore autant que nous – le courage d'un travail intérieur qui la conduira auprès des humbles et des déshérités. Elle ne peut plus s'accomplir, sous le regard – pense-t-elle – de son fils, que dans l'amour et la grâce mystérieuse de la compassion, jusqu'aux confins d'une sainteté que personne dans son milieu ne peut comprendre. Elle ne dit rien pourtant que de très simple :

— Je veux partager la joie de ceux qui sont heureux, la peine de ceux qui sont malheureux, le chagrin des affligés. Je veux vivre avec les autres et me sauver avec eux. J'aime mieux me perdre avec eux que me sauver seule...

Extraordinaire paradoxe, on en conviendra, que cette résolution du deuil en découverte inespérée. Je ne sais si Rossellini avait lu Bernanos, mais l'aspiration de son héroïne trouve sa traduction exacte dans la profession de foi du curé d'Ambricourt :

— Ce que je peux affirmer, a-t-il dit à la comtesse lors de leur affrontement, c'est qu'il n'y a pas un royaume des vivants et un royaume des morts. Il n'y a que le royaume de Dieu, et nous sommes dedans.

Ni *Le Journal d'un curé de campagne*, ni *Europe 51* ne sont des œuvres édifiantes. Elles ne seront pas reçues comme telles par les « bien-pensants ». Rossellini en a pris le risque. L'entourage d'Irène dans son film – médecin, psychiatre, juge, curé de service – ne demande qu'à être conforté par des interprétations claires de son « cas ». Pourquoi ne dit-elle pas qu'elle veut entrer dans un ordre religieux, ou bien militer au sein d'une organisation politique, le Parti communiste par exemple ? Mais il n'est évidemment pas question pour elle de classer, donc de réduire à une catégorie définie et qualifiable, la vocation qui l'anime.

La vraie grandeur se mesure peut-être, seulement, à une part d'irréductible, dont nous nous efforçons – par des mots – d'atténuer le scandale. Mais rien ne peut faire qu'il ne se soit produit :

— Je préfère me perdre avec les autres que me sauver seule, dit Irène.

— Je ne suis pas résignée, je suis heureuse, dit la comtesse.

— On devrait célébrer la mort d'un enfant, dit Mr John.

Bresson, Rossellini, Renoir possèdent en commun, dans leurs plus grands films, le don de nous rapprocher d'une frontière au-delà de laquelle les commentaires, quels qu'ils soient, ne sont que ratiocinations. Je souhaite donc m'en tenir, dans la mesure du possible, aux images et au relevé des dialogues lors de la scène cruciale du *Fleuve* entre Mélanie et le captain John :

La jeune fille entre dans la chambre du jeune homme et s'assied auprès de lui. Renoir entend se contenter de plans fixes, pris d'assez près. La simplicité lui tient lieu de pudeur. Il ne s'agit que d'obtenir la meilleure présence possible des visages.

Aucune entrée en matière n'est concevable. Le deuil est encore tout proche :

— Bogey... dit le captain John.

— Oui, Bogey, répond Mélanie.

— Que peut-on faire ?

— Consentir.

Elle n'a pas hésité une seconde avant de formuler sa réponse. Son regard est d'une rare profondeur. Sa voix est admirablement posée. Le captain John reste songeur. Il veut bien consentir, mais à quoi ?

— A toute chose, dit Mélanie. Vous n'aimez pas l'idée de n'avoir plus qu'une jambe, mais le fait est là : vous n'avez qu'une seule jambe... moi, je n'aime pas...

— Vous n'aimez pas ?

— Inutile d'en parler... pourquoi passer son temps à se quereller avec les choses ?

— Dans mon cas, ce n'était pas une querelle, c'était une révolte.

— Pour moi aussi, je le pensais. Maintenant je sais que c'était seulement une querelle.

Le visage de Thomas Breen, qui incarne le captain John (et qui, comme son personnage, a réellement perdu une jambe à la guerre) s'éclaire peu à peu, mais Renoir lui interdit d'exprimer autre chose qu'une calme certitude :

— Mélanie, dit-il, je ne serai plus jamais un étranger.

Lui aussi aura donc exorcisé son « effrayante solitude ».

Comme promis, je vais m'en tenir là, en prenant seulement la précaution de situer, avec Renoir, le consentement de Mélanie au sein d'une pensée dont il a pris connaissance en Inde avec un bonheur d'autant plus grand qu'il y a découvert un écho de la sienne propre. L'unité du monde dont parle les hindous lui était déjà apparue sur les chemins de vignes de *Toni,* à travers les sous-bois hantés de présences de *La Règle du jeu*, et plus nettement encore dans le champ de coton inondé de *L'Homme du Sud*. Il sait depuis son enfance que l'on « ne peut pas remonter le courant ». Les hindous lui confirment que l'on « ne revient pas contre ce qui a été fait ». « Autrement dit, par exemple, explique-t-il à Rivette et Truffaut dans leur entretien de 1954, il n'y a pas de rémission des péchés : remettre un péché, pour eux, c'est exactement comme si on vous disait qu'après vous être coupé un bras on va vous le recoller. Il est évident que c'est assez impressionnant; c'est une compréhension du sens de tout ce qui est arrivé. »

Renoir précise bien que cette compréhension n'est pas un fatalisme, ni un moyen de combattre la douleur. Nous ne nous « consolerons » jamais de la mort de Bogey. Captain John ne verra jamais repousser sa jambe. Doit-il pour autant « assumer », comme on le dit aujourd'hui, sa condition d'infirme? Il me semble que la compréhension dont parle Renoir se situe à la fois en deçà et au-delà d'une telle question : selon l'exigence d'un réel appréhendé dans le style de Mélanie, c'est-à-dire sans complaisance ni sentimentalité, de manière à ouvrir comme elle le fait, par son simple regard, tout le champ de l'esprit.

Il me semble surtout que le mot de compréhension se suffit à lui-même, en devenant synonyme de délivrance ou de salut, de dénouement à coup sûr, et – pour finir – d'acquiescement.

Or c'est bien là le sentiment qui circule en nous lorsque nous voyons *Le Fleuve*. Tout se passe comme si notre intelligence devenait fluide, comme si une sensation de souplesse nous envahissait, comme si nous étions portés par une eau venue des hauteurs de l'Himalaya, et comme si elle s'étalait sous nos yeux après quatre mille ans de voyage, riche de ses limons et forte de ses pouvoirs.

Boudu nous a appris que la tentation du suicide par noyade et le désir d'immersion salvatrice n'étaient pas si différents que nous pouvions le croire. Harriet se sent coupable de ne pas avoir prévenu son père à temps du danger que courait Bogey. Elle veut disparaître à son tour, ne serait-ce que pour dire à son petit frère tout ce qu'elle avait oublié de lui dire. Le fleuve l'attire alors comme un terme logique de son amour et de son désespoir. Renoir ne dramatise nullement ce moment. Il ne se dissimule pas que l'eau peut nous emporter à jamais. Boudu en a pris le risque ; puis Marie dans *Toni* ; Harriet à présent. Mais nous saurons très vite – comme pour Marie – que des pêcheurs l'ont vue et ramenée à la vie.

Coïncidence encore : tandis que Renoir filme la renaissance d'Harriet, son grand ami Charles Chaplin médite cette réplique de son prochain film *Limelight*. Réplique adressée à une autre jeune fille désespérée :

— Il y a quelque chose d'aussi inévitable que la mort, et c'est la vie.

Je ne cache pas que certaines critiques adressées au *Fleuve* ont pu nous ébranler en le faisant apparaître comme un film banalement « optimiste », dont la leçon se réduirait à des clichés rebattus et lénifiants : un enfant meurt tandis qu'un autre enfant vient au monde... il faut bien continuer à vivre... etc.

Ces critiques seraient justes si le sentiment de l'inévitable – de l'acquiescement à l'inévitable – ne se traduisait et ne se répandait en nous, tout au long de la projection, aussi doucement, et aussi cruellement, que le petit air de flûte qui charme le cobra en réveillant en lui l'instinct de meurtre. Ces critiques seraient justes si la composition d'ensemble du *Fleuve* ne nous immergeait dans une méditation incessante, dont la profondeur se marque à travers la richesse des allers et retours entre présent, passé, et même futur imaginaire ; à travers la beauté des rimes visuelles, des leitmotive et des points d'orgue ; à travers le jeu, enfin, des correspondances qui nous paraît aller de soi, alors qu'une dixième ou une quinzième vision du film nous révèle encore des subtilités jusque-là inaperçues.

Je prendrai pour exemple l'une des premières séquences, celle de la fête de Diwali, célébrée simultanément par le peuple de la rivière et par la famille d'Harriet réunie dans la grande maison.

Harriet a tenu à remettre elle-même son invitation au captain John. Elle le couvre d'un flot de paroles pour lui expliquer ce que sera la fête : on allumera des dizaines de lampes à huile, on tirera un feu d'artifice, on mangera des glaces, on dansera. A sa voix enfantine se substitue, sans que nous y prenions garde tant la transition est naturelle, sa voix de narratrice adulte accompagnant les images de la célébration :

— Diwali signifie « guirlande de lumières », nous dit-elle. On les allume en souvenir de la guerre éternelle du bien et du mal. Pour chaque vie perdue dans cette guerre, on allume une lumière. Une nuit d'octobre, des millions de lampes brûlent à travers l'Inde.

Renoir nous les montre, ces flammes dansantes, portées par des femmes en sari, répandues sur l'étal des marchands, rangées avec soin au pied des statues. Le fond de nuit exalte les couleurs. Dans l'eau noire du fleuve, des hommes déposent des barques en réduction chargées elles aussi de lampes allumées, et la voix nous dit alors :

— Pour les hindous tout l'univers est Dieu. Et, comme Dieu est partout, il est naturel de révérer un arbre, une pierre, un fleuve.

La magie de Diwali et le charme de la fête familiale anglaise se répondent et s'enrichissent mutuellement. L'ouïe aidant – autant, sinon plus, que la vue –, c'est à un prodigieux tissage des durées relatives que nous assistons. Rien d'étonnant à cela chez un artiste qui ne montre que pour mieux confronter, qui ne dit que pour mieux contredire, et qui se recommande de l'Un, du Dieu unique, pour céder avec d'autant plus d'aisance à l'étincellement de la myriade.

Tandis que l'on danse dans la grande maison, les fidèles se rassemblent dans le temple du village dédié à la déesse Kali. On devine Renoir subjugué par ce que dit alors la narratrice :

— Kali, déesse de la destruction et de la création, la création étant impossible sans la destruction. Dans notre village, Kali était à l'honneur. La terrifiante déesse recevait l'hommage des villageois qui imploraient sa protection contre la maladie, la famine, le feu. Car la destruction des forces du mal donne naissance au bien.

Dès l'aube qui suit la nuit de fête, la statue de Kali, confectionnée avec la glaise noire du fleuve, y sera immergée.

Renoir recherche pour chaque élément du film un supplément d'âme et de beauté, le baiser de Valérie au captain John en étant le meilleur exemple. Mais on peut penser aussi aux ailes d'ange de Victoria, aux superstitions poétiques de Nan, aux regards indéchiffrables de Kanu, l'enfant indien complice de Bogey, à la danse des cerfs-volants dans le ciel, à toutes les couleurs de l'eau sous différentes lumières, à la poudre rouge dont les gamins aspergent le malheureux facteur un jour de fête printanière. Chaque notation trouve sa juste place, chaque détail s'inscrit dans une continuité vivante, pour que chaque émotion, aussi furtive soit-elle, contribue à la vaste respiration de l'œuvre.

Une telle cohérence, à vrai dire, ne se prémédite pas. Elle s'obtient par approches successives. La distribution des rôles, par exemple, a imposé sa logique. Renoir n'a jamais vraiment pensé qu'une jeune actrice américaine pourrait incarner Harriet. Le choix de Patricia Walters, dont les essais se sont avérés tout de suite concluants, a donc déterminé les autres. Renoir aurait bien vu Mel Ferrer, ou même le jeune Marlon Brando, en captain John, mais il devenait difficile de placer un visage connu, célèbre ou sur le chemin de la célébrité, à côté d'autres visages anonymes. Thomas Breen ne possède évidemment pas le charme de Mel Ferrer, et nous savons que Rumer Godden a beaucoup discuté sur ce point avec Renoir, avant de se laisser convaincre que le personnage gagnait en vérité ce qu'il perdait en prestige.

Au moment où commencent les prises de vues, en décembre 1950, le cinéaste ne dispose d'aucun plan arrêté. Le scénario lui-même est loin d'être achevé. Aucune décision n'est prise quant au rôle d'une narratrice en voix off. Cette belle idée d'une Harriet devenue adulte commentant l'action, et colorant le présent d'une touche de souvenir, se précisera pendant la période du montage, sur les conseils d'un écrivain, Ellis St Joseph, qui fera part de cette collaboration discrète bien des années plus tard à Bertrand Tavernier.

Renoir, une fois de plus, met à profit des circonstances que d'autres auraient trouvées fâcheuses. « Pour commencer, dit-il à Rivette et Truffaut, j'ai eu une chance énorme. Nous devions commencer à une certaine date, et l'insonorisation des caméras n'était pas là... Cela a été un retard, mais ce retard m'a été extrêmement favorable, parce qu'il était évident que ce que je pouvais tourner ainsi, sans le son, était purement documentaire. Cela m'a donc forcé, avant de commencer les scènes réelles du film, à entrer en contact plus étroit avec le pays, et cela m'a fait beaucoup de bien. »

Encore fallait-il intégrer ces moments de contemplation et d'initiation à l'esprit d'un peuple dans le cours général de la fiction. Là encore, c'est le montage qui en décidera, ainsi que le public des prewiews. Depuis *This land is mine*, Renoir a pris l'habitude de le consulter, avec des réussites diverses. Cette fois, il se sent compris. Son film sans vedettes a le bonheur de plaire aux spectateurs d'un soir, qui écoutent la narratrice et se laissent charmer par les images d'une Inde familière, beaucoup plus prenante et surprenante à leurs yeux que les fameuses chasses au tigre dont on les a privés. « Ces previews m'ont servi à me confirmer dans mon opinion, dit Renoir. Elles ont été très précieuses, surtout parce qu'elles m'ont donné le courage de faire le film très intégralement et comme je l'avais conçu, comme je le voyais, comme nous l'avions imaginé avec Rumer Godden. »

Conception et imagination, je le répète, suffisamment fermes et suffisamment souples pour permettre à l'œuvre de vivre sa vie et de découvrir les lois de sa composition à la faveur des voyages, des découvertes, des auditions de musique indienne, et des décisions d'autant plus justes qu'elles ont pu être retardées.

Il est évident, à cet égard, que la rencontre de la danseuse Radha a été aussi décisive qu'imprévue. Sans elle, le film n'aurait pas atteint le point d'équilibre irradiant autour duquel s'organise la chorégraphie des sentiments. En prêtant à Mélanie son beau visage pensif, la jeune Indienne trouve un ton de gravité naturelle qui devrait contredire les jeux désinvoltes de Valérie et les rêveries romanesques d'Harriet. Or, c'est exactement le contraire qui se produit. Radha, Adienne Corri et Patricia Walters constituent, pourrait-on dire, un ensemble instrumental dont la musique sonne juste sur les doubles registres de l'insouciance et de la mélancolie, de l'adieu à l'enfance et des premiers pas chancelants sur les chemins de l'amour.

Renoir le sent bien, qui se lance tout à coup dans une histoire à l'intérieur de l'histoire. L'occasion lui en est fournie par un conte qu'Harriet vient d'écrire et qu'elle s'empresse de lire devant le captain John et Valérie. L'héroïne qu'elle invente, et qu'elle imagine tout naturellement sous les traits de Mélanie, est une fille de paysans indiens qui ont travaillé dur au long de leur existence pour lui constituer une dot indispensable.

— Un jour, raconte Harriet, elle vit un jeune homme. Il était si beau qu'elle le prit pour le dieu Krishna personnifié. Mais son père lui avait choisi un époux. C'est la tradition. Elle fut très malheureuse en pensant au jeune homme qu'elle avait rencontré...

Renoir ne résiste pas au plaisir de visualiser le récit d'Harriet : le fiancé arrive, dissimulé sous un voile de tulle. La jeune fille cache ses propres yeux avec des feuilles de mangue. Lorsqu'elle découvre enfin l'homme qui lui est destiné, elle reconnaît celui qu'elle aime depuis le premier regard de leur première rencontre. Elle ne peut alors que danser pour traduire l'intensité de sa joie. Mélanie, que nous avons vue tellement réservée lors de la fête dans la grande maison, se métamorphose en Radha, qui est son propre nom de danseuse mais aussi celui de la déesse séduite par Krishna. Elle nous dit tout à coup, avec une effronterie sacrée, ce que ses compagnes de jeu ont ressenti sans pouvoir l'exprimer. Nous accédons avec elle à une vivacité du geste, à une noblesse de l'attitude, à une coïncidence infaillible avec cette pointe avancée du temps, l'instant même, qui prend valeur d'éternité.

« La danse, dit Renoir, reste vraiment une expression indienne absolument essentielle, et je crois que si l'on comprend les danses indiennes, on comprend non seulement l'Inde, mais on comprend peut-être par contrecoup tout ce qu'était l'art en Europe, surtout l'art du spectacle, avant la Renaissance. »

La digression du conte d'Harriet n'a donc rien d'une pièce rapportée. Nous la voyons au contraire comme le moment où s'anime au plus haut degré l'esprit d'une œuvre placée sous le signe de la transfiguration et de la métamorphose. La transformation du jeune paysan en dieu Krishna trouve ainsi sa correspondance dans la course de Victoria sous la véranda criant qu'elle est un ange, et dans la remarque de Nan lorsqu'elle observe le captain John pour la première fois, et qu'elle décide, à brûle-pourpoint, que ce malheureux jeune homme est un prince.

Renoir, lui aussi, a changé ; et sa métamorphose nous apparaît comme un accomplissement.

« Quelque chose m'est arrivé », écrit-il dans un article publié par les *Cahiers du cinéma* en janvier 1952, où il nous parle d'un « monde soumis à des transformations quotidiennes et dont les exigences se renouvellent constamment ». « Avant la guerre, poursuit-il, ma manière à moi de participer à ce concert universel était d'essayer d'apporter une voix de protestation. Je ne pense pas que mes critiques furent jamais très amères. J'aime bien trop l'humanité et j'ose espérer qu'à mes sarcasmes se mêlait toujours un peu de tendresse... Aujourd'hui, l'être nouveau que je suis réalise que le temps n'est plus pour le sarcasme et que la seule chose que je puisse apporter à cet univers illogique, irresponsable et cruel, c'est mon " amour "... »

Dans un autre texte, publié dans le même numéro de la revue, il revient sur le désarroi qui fut le sien durant ses années américaines, où la boussole qu'il consultait « était folle » et où il lui était si difficile de « trouver une direction ». Il se souvient alors, par contraste, de la période où il réalisait *La Règle du jeu,* et où l'aiguille de sa boussole ne se trompait pas : « Je connaissais le mal, dit-il, qui rongeait mes contemporains. »

« J'ai retrouvé une certitude semblable avec *Le Fleuve*, écrit-il. J'ai senti monter en moi ce désir de toucher du doigt mon prochain que je crois être vaguement celui du monde aujourd'hui. Des forces mauvaises détournent peut-être le cours des événements. Mais je sens dans le cœur des hommes un désir, je ne dirai pas de fraternité, mais plus simplement d'investigation. Cette curiosité reste encore à la surface, comme dans mon film. Mais c'est mieux que rien. Nous ne sommes pas encore arrivés à la période des grands élans. Mais nous entrons dans la période de la bienveillance. »

CHAPITRE DIX-HUITIÈME

« *Où donc finit le théâtre ?...* »

*

1951/1952. « Le Carrosse d'or »

J'ai peu évoqué la couleur au long des pages que je viens de consacrer au *Fleuve*. Il est vrai que les deux Renoir interrogés sur le sujet (Jean et son neveu Claude) se gardent bien de se prévaloir de leur filiation, sinon pour mettre en avant l'éducation de l'œil, et elle seule :

« Je n'aurais pas osé demander à mon grand-père, écrit Claude dans le numéro 8 des *Cahiers du cinéma*, pourquoi il concevait sa peinture de cette façon, et même si j'avais osé (douteux, étant donné que je n'avais que quatre ans), je suis certain qu'il n'aurait pas pu me l'expliquer.

« Le problème le plus important qui se pose à des techniciens désireux de transposer la couleur sur un écran est d'être aptes eux-mêmes tout d'abord à voir et à saisir les couleurs qui les entourent. »

« Faire de la couleur, dit son oncle, consiste à ouvrir les yeux, à regarder ; et il est facile de voir si les choses correspondent à ce que vous voulez voir sur l'écran ; autrement dit, il n'y a pratiquement pas de traduction de la couleur sur l'écran, il y a de la photographie. Il s'agit de mettre devant la caméra ce que vous voulez voir sur l'écran, et c'est tout. »

Il me semble avoir déjà insisté sur ce point. Aux yeux d'un Renoir, l'enfer cinématographique est pavé d'intentions, aussi excellentes soient-elles ; car lesdites intentions tournent très vite à la prétention. Jean dit souvent qu'un homme et une femme se trompent, et risquent de graves déconvenues, lorsqu'ils annoncent : « Nous allons faire un enfant magnifique ! » Ils se conduiraient plus sagement en faisant l'amour de leur mieux, sans préjuger le résultat. Pour lui, la beauté d'une image, la transfiguration poétique d'un personnage, ou bien encore la portée philosophique d'une histoire, ne sont jamais que des surprises que l'on se fait, des récompenses que l'on reçoit, au fil – si souvent imprévu – du parcours créateur. Il vient d'en faire l'expérience avec *Le Fleuve*, où bien des éléments lui furent donnés dans l'ordre des couleurs et des formes, les corolles blanches dessinées à la farine de riz par les Indiens sur le sol de leurs maisons, les teintes du cerf-volant miroitant dans la masse bleue du ciel, la blondeur de Victoria, l'éclat de joie pure produit par les fleurs de la belle saison, la danse de Radha, et aussi cette sensation si forte de l'ocre jaune orangé d'une épice broyée par le pilon d'une paysanne.

Il en va différemment du *Carrosse d'or* (d'après *Le Carrosse du Saint-Sacrement* de Prosper Mérimée) où Renoir ne peut s'appuyer sur aucune « vérité extérieure ». Aussitôt après avoir accepté de réaliser le film (suite à un télégramme de Robert Dorfman en date du 28 mars 1951), il suggère de le tourner, au moins en partie, dans un pays d'Amérique latine où l'action est censée se dérouler. « Des rues peuplées de vrais Indiens, écrit-il au producteur le 10 avril, donneraient à la production une valeur extraordinaire. Il y a aussi le style des églises, des courses de taureaux, etc. Mais peut-être envisageriez-vous de tourner quelques plans d'atmosphère par exemple au Mexique. »

Aucune suite ne sera donnée à sa demande, et je ne pense pas qu'il ait beaucoup insisté. L'occasion est trop belle, en effet, de se retrouver dans les conditions qui furent celles de *Nana* en 1926 : un film entièrement tourné en studio, où tout sera construit, modelé, maîtrisé, éclairé, selon la seule nécessité d'une composition et d'un mouvement d'ensemble.

Renoir rejette, comme d'habitude, le scénario qui lui est soumis. Fort de sa réputation désormais établie, et confirmée par le succès international du *Fleuve*, il écrit son film en toute liberté, sans se soucier de Mérimée. Son producteur italien, le prince Francesco Alliata, accède – semble-t-il – sans difficulté à ses demandes, mais il ne peut obtenir l'engagement comme décorateur de son fidèle Eugène Lourié. Des règles syndicales passablement obscures s'y opposent.

Le 7 juin 51, il écrit de Rome à Dido, restée à Beverly Hills : « J'ai peur que les producteurs ne soient impressionnés par le travail déjà fait par le décorateur italien (Mario Chiari, qui travaille sur la scène avec Visconti et contre lequel, hélas, il n'y a rien à dire). Or, ce travail énorme, costumes, aquarelles, photos, maquettes de décor, ne me servira à rien du tout, il correspond à des scenarii que j'ai lus, mais dont je n'ai rien retenu. »

Le 28 janvier 1952, à quelques jours du tournage, il s'inquiète encore dans une lettre à Francesco Alliata : « Malgré le grand talent de Mario Chiari et de Maria de Matteis, les décors et les costumes ne correspondent que de loin à une certaine conception plastique que j'ai essayé de maintenir dans tous mes films. »

Il faut croire qu'il se trompe, ou bien qu'il a réussi à « influencer » ses collaborateurs italiens de telle sorte que le sentiment même de la beauté s'empare de nous à chaque vision du *Carrosse d'or*. Beauté qui tient seulement à la sûreté d'un goût, en dehors de toute préoccupation esthétisante. Beauté qui réside en des choix (le rouge magnifique de la tunique de Pantalone) et en des assemblages (le raffinement des teintes allié au charme des figures dans la scène du menuet). Beauté qui s'offre au regard, exactement comme

Camilla se livre au public de ses représentations, sans craindre de prodiguer ses richesses. Beauté du carrosse lui-même, dont le vice-roi fait l'éloge comme s'il parlait du film : « Non seulement un chef-d'œuvre de grâce, mais aussi un travail parfait ». L'objet, autrement dit, se doit de fonctionner autant qu'il nous séduit. Le scintillement et le crépitement des correspondances, si chers au Renoir de *La Règle du jeu* et du *Fleuve*, nous entraînent en effet de façon aussi vive que les roues du carrosse soutenues par les merveilleux « ressorts d'acier anglais ».

Il n'est pas un élément du film qui n'appelle son répondant, opposé ou complémentaire. Les malices de la Commedia dell'Arte trouvent leur écho dans les intrigues de la cour. Le faste des apparences se déploie de part et d'autre des lumières de la rampe. Le feu des passions, « surjoué » sur la scène, envahit le cœur de celui qui s'en croyait prémuni par son haut degré de civilisation.

Ce n'est pas la première fois, ni la dernière, que Renoir inscrit le cadre d'une scène de théâtre à l'intérieur du rectangle de l'écran. Les marionnettes de *La Chienne*, la représentation de *Lucie de Lammermoor* dans *Madame Bovary*, le spectacle offert par les personnages de *La Règle du jeu*, nous alertaient déjà sur la grande question qui traverse et unifie son œuvre. Question que Camilla pose enfin explicitement dans *Le Carrosse d'or*, et à laquelle elle ne trouve pas de réponse : « Où donc finit le théâtre ? Ou commence la vie ?... »

Renoir, de son côté, se garde bien de trancher ou de proposer des choix qui mettraient en péril un précieux équilibre. Que serait en effet une existence où les incomparables mécanismes de la mauvaise foi disparaîtraient comme par enchantement (et désenchantement) pour faire place à la seule misérable réalité de nos pulsions ? Et que serait, en regard, un théâtre (ou un cinéma, ou un roman) qui se refuserait à puiser l'aliment de ses jeux d'artifice dans le vivier si riche et si merveilleusement tourmenté de ces mêmes pulsions ?

Les personnages de la Commedia dell'Arte apparaissent masqués pour mieux se livrer à l'ardeur de leurs appétits ou à la ferveur de leurs sentiments. Les émotions ressenties par les aristocrates et les dames de la cour ne sont pas moins dévergondées – ou simplement humaines – en dépit des usages, des parures, des perruques, du satin et de l'or.

Le XVIIIe siècle trouvait grâce plus qu'aucun autre aux yeux d'Auguste Renoir. Nous savons par ailleurs ce que *La Règle du jeu* doit à Marivaux. Treize ans plus tard, pour son retour dans un studio européen, Jean Renoir choisit Antonio Vivaldi comme collaborateur privilégié. Sa musique jaillit d'une fosse d'orchestre imaginaire, préludant, semble-t-il, à une représentation, puisque nous voyons se lever un rideau rouge, qui découvre le plancher d'une scène où se tient un figurant costumé en officier saluant une dame. L'abri du souffleur nous indique encore que nous sommes au théâtre, mais ce plancher est aussi l'entresol d'un escalier majestueux, lequel conduit notre regard vers le haut, à l'intérieur des appartements royaux, où règne pour l'heure une grande agitation. Les valets et les gentilshommes se sont précipités aux fenêtres afin d'observer sur la place l'arrivée d'un carrosse fraîchement débarqué du navire qui a sillonné les mers depuis la lointaine Italie.

Le film a commencé, mais nous n'avons pas oublié que nous sommes des spectateurs ambigus, partagés tout au moins entre les faux-semblants du théâtre et l'illusion de la vie réelle que nous procure le cinéma. Les premiers personnages entrevus sont des marionnettes sociales fortement stylisées : un duc aux bajoues épaisses, pénétré de son importance ; un procureur dont les traits semblent figés, à l'image d'une rigueur devenue rigidité ; Martinez, le petit majordome aux aguets, en état de veille infatigable et de fébrilité permanente. Il suffit à Renoir d'ouvrir une porte pour passer de ce monde de l'affectation et de la raideur à la réalité familière... d'un bain de pieds. Affalé dans un fauteuil, le vice-roi accuse les serviteurs de verser dans la cuvette une eau trop froide et tout à coup brûlante.

Le ton est donné, que Renoir tente de définir dans son entretien avec Rivette et Truffaut par une suite de négations : « Une espèce de côté, qui n'est pas du drame, qui n'est pas du bouffon, qui n'est pas du burlesque ; une espèce d'ironie que j'ai essayé de rapprocher autant que possible de cet esprit assez léger que l'on trouve, par exemple, chez Goldoni. »

La Règle du jeu était un « drame gai », *Le Journal d'une femme de chambre* une « tragédie burlesque » selon André Bazin. Renoir ne cherche pas seulement, dans *Le Carrosse d'or*, à entremêler les genres ; il s'ingénie surtout à repérer et à faire valoir les moments du passage. Lorsque la vie se transfigure en théâtre, lorsque le théâtre ennoblit la vie qui l'a inspiré, lorsque la fantaisie se démasque, en avouant des enjeux dont personne ne soupçonnait, à commencer par les protagonistes, qu'ils pouvaient se révéler à ce point poignants.

Où donc finit le mensonge ? Où commence la vérité ? La question peut aussi se formuler autrement : Où donc finissent les complications ? Où commence la simplicité ?

Dès le début du film, la comédienne Camilla nous est présentée – et rendue présente – comme une femme qui se cherche. Elle aspire à une clarté de vie dont elle voit l'exemple autour d'elle. Découragée par le spectacle de cette misérable colonie espagnole, où rien ne correspond aux promesses qui ont été faites à don Antonio, le directeur de la compagnie de Commedia dell'Arte, elle veut rentrer en Italie. Felipe, son amant, qui l'a suivie jusque dans cet étrange pays, lui dit qu'elle va se reprendre, qu'elle est fatiguée. Elle répond en désignant Isabelle, la jeune première de la troupe, radieuse et affairée. Celle-ci ne se plaint d'aucune fatigue malgré ses cinq enfants qui l'assiègent de leur turbulente tendresse.

— Et les autres, dit-elle, est-ce qu'ils sont fatigués ? Ils croient encore...

— Quoi ? demande Felipe.

— Que le théâtre, chaque soir, représente plus que tout au monde.

Camilla est un être réfléchi autant qu'une femme passionnée. Elle est une personne autant qu'un personnage, une « première personne du singulier » autant qu'un « grand premier rôle » de la tradition. N'importe quel autre cinéaste se serait contenté d'une brillante prestation de la Magnani. Renoir ne se prive nullement de sa spontanéité, de sa véhémence, de ses éclats, mais il lui demande en même temps d'allier une certaine gravité à la légèreté de son cœur changeant, et de maintenir une noblesse d'attitude jusque dans les situations qui devraient tourner à sa propre confusion. Camilla, en somme, est à la fois l'âme et la conscience du film.

Le Carrosse d'or pourrait se raconter comme l'histoire d'un accomplissement au bout d'un itinéraire intime, coupé de hasards, ainsi que de séductions terrestres ou sensuelles. Camilla est une femme infidèle. Ni plus ni moins que Christine dans *La Règle du jeu.* Sa mauvaise foi est parfois évidente, lorsque Felipe, par exemple, lui reproche d'accepter le collier offert par le vice-roi. Le regard de possession voluptueuse qu'elle porte alors sur le bijou nous indique le degré de faiblesse auquel il lui arrive de consentir. Je ne saurais dire pourquoi sa beauté morale ne me paraît nullement entachée en la circonstance. Il est vrai que la formule trouvée par Renoir pour dépeindre la Célestine du *Journal d'une femme de chambre* convient – mieux encore – à Camilla : « Elle traverse le film avec l'impétuosité d'une force de la nature. »

On pense à Boudu en même temps, qui sait vivre, comme Camilla, chaque instant de sa vie dans sa plénitude et son intégrité.

Le Carrosse d'or pourrait n'être qu'un jeu, opposant les valets rutilants de la fiction véritable (Arlequin et Colombine) aux figures indigentes de la réalité redoutable (les aristocrates, le toréador, l'aubergiste). Renoir joue cette partie avec un bonheur sans mélange : « Il faut s'amuser en faisant un film, dit-il, c'est extrêmement important. Je me suis beaucoup amusé en faisant *Le Carrosse d'or*. Cela a été très pénible, cela a été très dur, mais je me suis énormément amusé. » Il voit clairement cependant que, de la partie même, se dégage un enjeu moral.

Tout à l'euphorie de son nouvel amour, le vice-roi a offert à Camilla son carrosse d'or, mais une conspiration de la cour, conduite par le duc et le procureur, lui interdit de céder à son élégant caprice. Sous la menace d'une déchéance, on lui enjoint de signer deux décrets, le premier réservant l'usage du carrosse aux cérémonies officielles, le second interdisant l'entrée du palais à toute personne ne justifiant pas de huit quartiers de noblesse. Or, il se trouve que Camilla pénètre dans la salle du conseil au moment où, après une courte résistance, le vice-roi consent à se soumettre pour conserver son trône.

— Et vous signez... Vous vous laissez dicter votre conduite, lui dit-elle. Je croyais que vous étiez grand, un grand homme. Mais vous êtes petit... petit... trop petit pour moi !

La partie, la partition en réalité, se joue donc entre trois dilemmes, étroitement liés les uns aux autres :

Où finit donc le théâtre ? Où commence la vie ?

Où donc finissent les complications ? Où commence la simplicité ?

Où finit donc la noblesse ? Où commence l'indignité ?

Des questions que Renoir n'a pas posées au principe de son film, mais qui découlent d'une mise en scène et d'une organisation spatiale dont on voit bien qu'elles précèdent et déterminent le mouvement même de l'histoire et les nœuds de l'intrigue.

Jamais le cinéaste du *Carrosse d'or* ne s'est approché autant de ce à quoi il aspire depuis toujours : la vérité intérieure en chacune de ses dimensions, psychologiques, morales, spirituelles. Il ne prend ses distances, et ne se livre à l'effusion du spectacle, que pour nous préparer à la sincérité de prochains aveux ou à l'éclat de révélations soudaines. En concevant des décors qui lui permettent un perpétuel va-et-vient de portes ouvertes ou fermées, ainsi qu'une envolée toujours plus subtile de rideaux levés ou baissés, il nous indique son désir de cacher pour mieux découvrir, et de dérober pour mieux approfondir. On sait, par Renoir lui-même, que ce « jeu des boîtes » a décontenancé un critique américain au moment de la sortie du film aux Etats-Unis. Il le cite avec amusement : « Une boîte que l'on ouvre. A l'intérieur, on trouve une autre boîte... » Et ainsi de suite... « Remarquez, confie Renoir à Rivette et Truffaut, que ce critique m'a fait très plaisir en disant cela. Lui considère que c'est un défaut et qu'un film ne devrait pas être fait ainsi. Moi, personnellement, je trouve cela assez intéressant, le jeu des boîtes. »

Un jeu si peu entaché de gratuité qu'il invente sa propre règle. Renoir a retenu du *Fleuve* une leçon neuve. Le sujet du film impliquait une forme de ritualisation, qui commandait le retour régulier de certains décors ; la fameuse balustrade de pierre, par exemple, derrière laquelle Nan et les enfants surplombaient les alentours. *Le Carrosse d'or* nous conduit plus nettement encore dans ce sens, en réduisant le nombre des lieux où se déroulera l'action. Ils sont trois principaux : 1/Les appartements royaux et leurs dépendances ; 2/La salle de théâtre, la scène et ses coulisses ; 3/La maison où la troupe de comédiens a trouvé asile, où elle travaille et vit comme une grande famille. Ce sont les « boîtes » dont parle le critique américain, s'ouvrant sur d'autres boîtes (par le jeu des portes et des rideaux) et communiquant entre elles (grâce au montage) par un réseau de correspondances, dont on ne finit pas de dénombrer les richesses. Si bien que ces trois décors se marient dans notre esprit et parviennent à créer un ensemble cohérent, une unité de lieu, en somme, si chère aux dramaturges de notre âge classique.

Renoir ne cherche pas à en sortir. De la ville coloniale (contrairement à ses intentions premières) nous ne verrons rien, sinon un poudroiement de lumière dorée – sublime à vrai dire – éclairant une place aperçue depuis le porche du palais. Le cinéaste n'éprouve aucun besoin de nous montrer la foule saluant le passage du carrosse, qui emporte Camilla et ses amis comédiens vers les arènes. Il lui suffit de filmer en un seul plan (rapproché) des faces réjouies, qui apparaissent tour à tour à la portière du carrosse. L'intériorisation, dès lors, n'est plus un vain mot, puisque la corrida entière et ses péripéties nous seront suggérées par le seul son d'ambiance, et par une gamme d'émotions qui se peignent sur les traits et dans les regards d'Anna Magnani, au plus haut de son génie de comédienne, alors même qu'elle se coule dans la peau et l'âme d'une spectatrice émerveillée.

Formellement et spirituellement, *Le Carrosse d'or* est donc bien un jeu qui invente sa règle morale.

Le spectacle offert par les dignitaires de la colonie espagnole inspire visiblement Renoir. Il ne pouvait manquer l'occasion de jouer avec les fils de ces pantins de cour, et de rechercher pour les peindre un trait ménageant à la fois une finesse de la stylisation et une raillerie féroce. Certains d'entre eux sont extraordinairement drôles ; le vieux marquis, en particulier, qui se réveille régulièrement en sursaut et qui lance avec ce qui lui reste de souffle : « Aux armes ! Les Indiens ! » Puis il se calme et prononce (dans la version française du film) cette phrase aussi belle que mystérieuse : « Quand je dors, je change. »

Renoir exerce sur eux une ironie dont le fond dévastateur est à peine voilé par sa bonne humeur et par le plaisir qu'il prend à les voir se raidir dans leurs petitesses, et se démasquer dans leurs enfantillages. Ramon, le toréador, est lui aussi un pantin, que deux fils seulement suffisent à « animer » : une vanité à toute épreuve et un instinct de tueur chevillé au corps. « Je sais maintenant ce que j'aime en toi, lui dira Camilla. C'est que tu n'as rien dans le crâne... enfin, rien de compliqué naturellement... » Renoir a volé cette réplique à... Marlene Dietrich, qu'il avait observée un soir à

New York se disputant avec Jean Gabin. Lui l'appelait « ma Prussienne » et elle lui répondait de sa belle voix grave, en posant un doigt sur son front : « Ce que j'aime en toi, c'est que là-dedans c'est parfaitement vide. Tu n'as rien dans le crâne, rien du tout, et j'aime ça. »

Renoir considère le vice-roi d'un tout autre regard. Il ne tombe pas dans le piège que lui tend Mérimée, qui a fait du personnage le pivot parfaitement ridicule de sa (toute) petite comédie. Ses lettres de l'époque témoignent du souci que lui a donné la distribution de ce rôle. Le 8 juillet 1951, il a écrit à Dido : « Je suis bien embêté parce que mes essais ne m'ont révélé aucun acteur qui puisse tenir avec grandeur le rôle du vice-roi. » Il faut en effet que, au moins dans un premier temps, Camilla se sente attirée par un raffinement, une largeur de vues, un humour, une grandeur (c'est le mot), qui la prendront de court. N'oublions pas qu'elle est une femme simple (italienne de surcroît) et qu'elle réagit de façon directe aux douceurs comme aux contrariétés de l'existence. Ses rires et se colères évoqueraient les emportements d'une actrice nommée Anna Magnani, si ce n'était Anna Magnani elle-même qui l'interprétait. Elle ne peut donc concevoir, par exemple, qu'un amant ne soit pas jaloux. Lorsque le vice-roi arrive chez elle, Ramon, qui n'a pas renoncé à la séduire, donne une aubade sous sa fenêtre, créant ainsi un climat de gêne difficile à surmonter. Camilla se trouble donc, puis elle s'étonne. Son visiteur a l'air de trouver la situation assez plaisante.

— Vous n'êtes pas du tout jaloux ? demande-t-elle.

Ce à quoi le vice-roi, finalement incarné avec beaucoup de charme par Duncan Lamont, répond en souriant :

— Nous que l'on dit gens civilisés n'avons pas l'énergie de ressentir des émotions aussi simples. L'homme du commun bat la femme qui le trompe, il se lamente, il joue du couteau. C'est beaucoup trop bruyant pour nous, et tellement fatigant...

Or nous savons le prix que Renoir attache à la notion de civilisation, et au « polissage » qui s'opère en certains esprits, au point de favoriser l'ironie et la tolérance, l'extrême détachement et la compréhension la plus large, comme règles d'un jeu qui se substitue dès lors aux réglementations moralisatrices et à la mécanique ordinaire des passions.

Il n'est pas loin de penser, comme le vice-roi (dans cette scène), mais aussi comme Monsieur Lestingois dans *Boudu*, que « la jalousie est un sentiment affreux ». J'en veux pour preuve le dernier conte (*Le Roi d'Yvetot*) de son dernier film (*Le Petit Théâtre de Jean Renoir*), où il témoignera une tendresse sans équivoque à l'égard du malheureux Duvallier, acculé au choix entre son amour-propre et la chaleur de son amitié pour un homme qui est en même temps son rival. Nous verrons alors comment le paradoxe d'une situation apparemment intenable pourra être soutenu avec bonheur.

Renoir sait en même temps que la civilisation est un vernis fragile. La belle désinvolture du vice-roi devra donc céder sous l'empire d'un sentiment passionné...

... Mais j'ai tort, il me semble, d'oublier la mise en scène en résumant une histoire, qui se déroule sur l'écran dans la seule et vraie réalité d'un dialogue inspiré, chatoyant, musical, entre l'artificiel et le naturel, le fallacieux et le sincère, le vaste et l'intime, le théâtral et le cinématographique. Si bien que tout devient clair dans l'aventure du vice-roi à partir du moment où on la raconte comme celle d'un homme qui vivait jusque-là en plan d'ensemble, et qui se voit tout à coup en gros plan.

Renoir nous montre de très près son visage nu, sans perruque, lorsqu'il en est réduit à faire confidence de son désarroi à Balthasar, son barbier.

Je cite leur dialogue parce qu'il est savoureux :

— Dis-moi, Balthasar, murmure le vice-roi, as-tu déjà été amoureux ?

— Oui, Votre Altesse, comme tout le monde, répond le barbier.

— Et as-tu été trahi, parfois ?

— Bien sûr, Votre Altesse, comme tout le monde.

— Humilié ?

— Oh, Votre Altesse !...

— Ridiculisé ! Publiquement !... Et, après avoir été trahi, humilié, as-tu couru pour rejoindre cette femme que tu aimais ?

— Non, Votre Altesse, j'ai peut-être été idiot, mais jamais à ce point-là.

— Et tu as eu raison !

La caméra recule pour voir le vice-roi se lever et marcher de long en large, pestant à la cantonade contre « la traîtresse, la misérable comédienne ! », se mentant à lui-même en somme, « comme tout le monde », dirait Balthasar en de semblables circonstances.

Camilla lui fait avouer, à son tour, lorsqu'elle le revoit, qu'il est devenu un homme comme les autres, amoureux et jaloux. Transformation au sein de laquelle le personnage se découvre une fierté seconde, qui marque – pour lui aussi – une sorte d'accomplissement.

On comprendra alors le principe de découpage adopté par Renoir pour *Le Carrosse d'or* : des mouvements d'appareil en nombre limité, assurant seulement le maintien des acteurs dans le cadre, et des plans généraux émaillés de raccords dans l'axe, qui préviennent notre désir d'en savoir plus, en nous offrant des gros plans où les complications, les ornements, la préciosité, ne sont plus de mise. « C'est également cela le classicisme, dit Renoir : une dentelle, mais de cette dentelle se dégage peu à peu un dessin qui, tout de même, est assez net. »

Si l'on me demandait de définir par un seul exemple l'esprit du *Carrosse d'or*, je citerais à coup sûr le plan d'ensemble de la scène éclairée, où des arlequins se dépensent en acrobaties diverses. Parmi eux, la caméra isole un petit gamin, vêtu en arlequin lui aussi, qui exécute posément sa cabriole, puis se relève, ramasse son chapeau et s'éloigne vers la coulisse. Nous sommes passés en un clin d'œil du brillant des apparences à l'intimité d'un enfant vrai, qui vit sa vie comme il faut la vivre, avec gravité et circonspection.

Un autre moment me revient à l'esprit, qui se situe à l'approche du dénouement : Tout laisse entendre alors, dans la coulisse du palais, que le vice-roi ne pourra échapper à la destitution. Au complot des aristocrates menace de se joindre celui des exécutants subalternes (militaires, valets), qui ne veulent pas manquer l'occasion de faire allégeance au duc, successeur probable, dont le carrosse se présente opportunément à l'entrée de l'édifice. Ils se portent à sa rencontre, mais un ordre de Martinez les fige au garde-à-vous. Renoir place sa caméra de telle sorte que nous voyons les conspirateurs de dos, contraints à l'immobilité, tandis que la silhouette du duc, au fond de l'image, s'engage dans l'escalier.

Plan d'ensemble, donc, et raccord dans l'axe sur Martinez en plan rapproché, qui subit leurs doléances :

— Pourquoi nous avoir empêchés de lui parler ?

Le visage du majordome s'éclaire un instant d'une ombre de tendresse :

— Parce que... Son Altesse... dit-il.

Nous ne pouvions nous douter que sa fidélité au vice-roi se doublait d'un attachement sincère, mais au point où il en est, il doit livrer sa vérité entière. Son petit visage se crispe et il ajoute :

— Parce que je hais le duc !

Ainsi donc le personnage que nous avions vu s'affairer jusque-là de façon mécanique et obtuse nourrissait-il des sentiments personnels, humblement, humainement personnels, qui le grandissent tout à coup à nos yeux.

Où finit donc le personnage ? Où commence la personne ?...

Jamais l'esprit et la sensibilité de Renoir ne se sont montrés aussi alertes que dans ce film, qui exigeait de lui la précision et la délicatesse d'un doigté activant de multiples curseurs.

Un troisième exemple nous donne la mesure de sa générosité. Nous sommes encore dans le premier tiers du film. Après la représentation qui a eu lieu dans l'enceinte du palais, Camilla est reçue par le vice-roi en ses appartements. Les dames et les gentilshommes lui font sentir alors l'étendue d'un mépris qui révèle un peu mieux, s'il en était besoin, leur propre bassesse. Camilla ne laisse rien paraître de ses sentiments. Elle demande au vice-roi la permission de se retirer. Il répond avec beaucoup d'élégance en lui reconnaissant le droit de s'ennuyer. Mais non, Camilla ne s'ennuie pas. Elle se déclare charmée au contraire par le monde qu'elle découvre. Vues par elle, les décorations de la salle de bal et les figures du menuet revêtent une splendeur que Renoir confirme et accentue en un plan d'ensemble d'une très rare beauté. En l'espace d'un instant, et par la grâce de l'éloignement, nous ne voyons plus que le raffinement imprimé aux gestes des danseurs par plusieurs siècles de haute civilisation. Il aura donc suffi d'un regard de Camilla et d'un geste sur le curseur pour restituer à ces personnages, que nous savons grotesques, un semblant de dignité.

Le titre du chapitre 47 de *Ma vie et mes films,* consacré au *Carrosse d'or*, à *French Cancan* et à *Elena et les hommes,* paraît sans équivoque : « L'artificiel triomphe de la vérité intérieure ». La fin du chapitre 48, où il parle de ses derniers films (*Le Testament du docteur Cordelier*, *Le Déjeuner sur l'herbe*, *Le Petit Théâtre*), rétablit néanmoins l'équilibre : « Je me suis servi de la vérité extérieure dans des films dits " réalistes ", comme *La Chienne* ou *La Bête humaine*. J'ai adopté des apparences tout à fait artificielles pour des films comme *La Petite Marchande d'allumettes* ou *Le Carrosse d'or.* J'ai passé mon temps à essayer des styles différents. Ces changements se réduisent à ceci : ils reflètent mes différents essais pour arriver à la vérité intérieure, la seule qui compte pour moi. »

Il est évident toutefois que, parvenu au terme de sa réflexion, Renoir se reconnaît beaucoup plus dans une tradition théâtrale centrée sur le jeu du comédien et sur l'arbitraire de la représentation que dans la vocation « documentaire » de son art. C'en est fini désormais des « crises aiguës de réalisme » qui correspondent, remarquons-le, aux moments les plus poignants de son œuvre (*La Chienne*, *Toni*, *La Bête humaine*). En se tournant lui-même vers le théâtre, en écrivant *Orvet*, en mettant en scène *Jules César* pour une représentation unique dans les arènes d'Arles en 1954, il ne fera que suivre personnellement les conseils adressés par don Antonio à Camilla dans l'épilogue du *Carrosse d'or* :

— Tu n'es pas faite pour ce qu'on appelle la vie. Ta place est parmi nous, les acteurs, les acrobates, les mimes, les clowns, les saltimbanques. Ton bonheur, tu le trouveras seulement sur une scène, chaque soir, durant deux petites heures, en faisant ton métier d'actrice : c'est-à-dire en t'oubliant toi-même. A travers les personnages que tu incarneras, tu découvriras, peut-être, la vraie Camilla.

« Qui connaît un peu Jean Renoir, note François Truffaut, ne peut qu'être frappé par le côté “ testament artistique ” de ces paroles. »

Testament dont l'écho retentira, vingt ans plus tard, dans une scène de *La Nuit américaine* où un réalisateur (joué par Truffaut en personne) demandera à son interprète (Jean-Pierre Léaud) de renoncer à ses égarements sentimentaux, et de s'oublier lui-même, en somme, à travers le personnage qu'il incarne dans le film en cours de tournage :

— Ne fais pas l'idiot, Alphonse. Tu es un très bon acteur, le travail marche bien. Je sais, il y a la vie privée. Mais la vie privée, elle est boiteuse pour tout le monde. Les films sont plus harmonieux que la vie, Alphonse. Il n'y a pas d'embouteillages dans les films. Il n'y a pas de temps morts. Les films avancent comme des trains, comme des trains dans la nuit. Les gens comme toi, comme moi, tu le sais bien, on est faits pour être heureux dans le travail, dans notre travail de cinéma.

Renoir s'est beaucoup « amusé » en réalisant *Le Carrosse d'or*, mais il a dû se battre, une fois de plus. Non contre ses producteurs, qui l'ont laissé libre de concevoir le film comme il l'entendait. Ils n'avaient, du reste, qu'une connaissance assez vague du scénario, et ils n'en soupçonnaient pas la hardiesse (heureusement pour nous !). L'accord avec eux prévoyait que le film serait tourné en langue anglaise. Les vraies difficultés commencèrent alors avec les techniciens italiens, fort peu accoutumés à la prise de vues en son direct. Renoir a donc été obligé de se gendarmer pour obtenir un enregistrement synchrone de ses scènes dialoguées. Voilà au moins chez lui une préoccupation constante, cent fois exprimée. Il déteste le doublage.

« Si je me suis entêté en ce qui concerne cette question du son, écrit-il le 3 février 1952 à Francesco Alliata, c'est parce que je ne crois pas que je pourrais faire un bon film autrement. Il y a beaucoup de metteurs en scène qui peuvent travailler avec le système du doublage. Duvivier lui-même l'a fait dans ses derniers films... Quant à moi, quand mes films sont doublés, ils deviennent ridicules. Aucun homme n'est universel... »

Dans son esprit, la seule bonne version du film est donc la version originale anglaise. Il laissera à son assistant, Marc Maurette, le soin de diriger la postsynchronisation du *Carrosse d'or* en langue française. Version « doublée » que nous avons vue, revue et tellement admirée au long des années 50 et 60, avant que la version originale ne soit enfin diffusée au cours des années 80. A l'heure où j'écris, en 2004, cette version française fait encore – si j'ose dire – autorité quand *Le Carrosse d'or* est diffusé à la télévision.

Il faut croire que les œuvres réellement vivantes disposent, comme nos propres organismes, d'une étonnante capacité de résistance. Ils furent nombreux, les jeunes gens de l'après-guerre, à recevoir la version tronquée de *La Règle du jeu* comme un événement de leur vie personnelle. Ils se retrouvèrent aussi enthousiastes en février 53 pour considérer la version – doublée – du *Carrosse d'or* comme l'un des plus beaux films du monde.

Revenu à Beverly Hills, Renoir écrit à Clifford Odets le 19 mai 1953 :

« J'ai réclamé plusieurs fois qu'on te montre ce film, non pas pour t'impressionner avec un travail qui est juste sans doute une tentative de quelque chose, mais parce que tu es mon ami et que tu as la patience de considérer mes productions d'un œil indulgent. »

CHAPITRE DIX-NEUVIÈME

« *La bénédiction des contrastes* »

*

1954/1955. « French Cancan » « Orvet »

En 1953, Renoir a déjà réalisé huit films en langue anglaise. Il écrit encore ses dialogues en français, mais il veille de très près, comme ce fut le cas pour *Le Carrosse d'or*, à leur traduction. Sa correspondance témoigne d'un attachement définitif à sa terre d'élection, à ses amis, à son fils qui enseigne la littérature anglaise à l'université, et à Gabrielle qui vit à présent dans son voisinage. Aussi étrange que cela puisse paraître, il ne se sent réellement chez lui que dans sa maison de Beverly Hills, et le public auquel il s'adresse désormais spontanément est celui des Etats-Unis. Je note à cet égard le regret exprimé dans une lettre à Clifford Odets (le 5 octobre 1952) : « J'ai peur que *The golden coach* ne soit pas exactement un film anglo-américain, mais plutôt un film français de style italien. »

Camilla, elle aussi, s'est expatriée, de son Italie natale dans une colonie espagnole du Nouveau Monde. Nous devinons que Renoir comprend son angoisse lorsqu'elle se demande au début du « *Golden coach* » : « Est-ce que je parviendrai jamais à plaire dans cette langue ? » Pour lui, en tout cas, les dés sont jetés. Le projet qui l'occupe principalement cette année-là est celui d'un *Van Gogh*, qui devrait être interprété par l'acteur américain Van Heflin. Renoir compte bien se rendre sur « les lieux mêmes où Van Gogh a vécu et peint », mais l'idée de le faire parler anglais (comme les aristocrates espagnols du *Carrosse d'or*) ne le gêne en aucune façon.

Il pressent toutefois qu'il ne tournera plus jamais pour une société de production hollywoodienne. Contrairement à bien d'autres cinéastes européens, il ne peut s'intégrer au système des studios, et il a découvert, à son retour de Rome, une situation nouvelle. Dans l'Amérique des années 50, la montée en puissance de la télévision menace directement le cinéma, dont les salles commencent à se vider. Le grand écran tente alors de réagir en s'élargissant (grâce aux lentilles du cinémascope), et en cherchant son salut dans divers procédés de cinéma en relief. Dans sa lettre à Clifford Odets (déjà citée) du 19 mai 53, Renoir se résigne : « La peur de mon nouveau producteur à l'égard des écrans en trois dimensions, grands écrans, etc. semble me mettre à l'écart du cinéma pour cette année ; peut-être pour toujours. Je me sens tellement étranger à l'industrie hollywoodienne que je ne vois pas pourquoi celle-ci ne se sentirait pas étrangère à moi. » Mais il ajoute aussitôt qu'il commence à prendre des notes pour le livre sur son père, et qu'il écrit une pièce de théâtre. Son désir de changer de métier, caressé en 1941, demeure donc très vif, puisqu'il confie à son ami : « Je reste en contact avec des gens qui pourraient vaguement me procurer la possibilité de tourner, tout en espérant qu'ils n'y arriveront pas pour ne pas interrompre mon nouveau genre de travail. »

L'année 1954 marquera donc le passage – le « fondu enchaîné », dirait-on – d'une carrière à une autre. Renoir réalise *French Cancan* durant les mêmes mois où il se prépare à mettre en scène *Orvet*, qui sera créée le 12 mars 1955 au Théâtre de la Renaissance.

La pièce et le film racontent des histoires très différentes, mais qui se rejoignent sur un point essentiel en complétant, l'une comme l'autre, le « testament artistique » formulé dans *Le Carrosse d'or*. Il faut lire *Orvet* après avoir revu *French Cancan* pour sentir à quel point Renoir est habité par une question centrale. Tout se passe en effet comme si l'entrée dans la soixantième année de son âge l'invitait à se retourner. Il ne peut plus se voir en « raté », dans la peau d'ours d'Octave, comme au temps de *La Règle du jeu*. C'est à don Antonio, le directeur de la troupe du *Carrosse*, qu'il s'identifie à présent, mais aussi à Danglard, l'entrepreneur de spectacle de *French Cancan*, et – plus ouvertement encore – à Georges, l'auteur dramatique d'*Orvet*.

Georges, incarné par Paul Meurisse lors de la création, écrit une nouvelle pièce, alors que Renoir, lui, en est à la première. Nous voici donc en présence d'un auteur en quête de personnage (Renoir) et d'un personnage (Georges) qui lui ressemble – moralement – par plus d'un trait. La maison de campagne de Georges, à cent kilomètres de Paris, évoque celles où Renoir a vécu, Essoyes dans son enfance, Marlotte dans sa jeunesse. L'histoire qu'il imagine s'inspire de *La Petite Sirène* d'Andersen, tout comme Renoir lui-même s'est inspiré de *La Petite Fille aux allumettes* en 1928. Ni l'un ni l'autre n'ont de mal à transposer le décor de féerie marine planté par Andersen. Ne suffit-il pas d'errer dans les bois d'alentour et d'observer les arbres ? « Quand j'étais petit, dit Georges, leurs troncs élancés me faisaient penser à des mâts de navires naufragés ; la lumière était bleue comme au fond de la mer. »

J'étais de ceux, en 1955, qui virent entrer Leslie Caron-Orvet sur la scène du Théâtre de la Renaissance. Petite vagabonde en loques, vêtue d'une robe déchirée sur laquelle elle avait enfilé ce qui avait dû être un veston d'homme, elle lança depuis le seuil de la maison : « Vous voulez-t-y les acheter mes champignons ? » Nous avions su dès lors qu'elle tiendrait lieu à Georges d'inspiratrice.

« Orvet, nous dit Renoir par le truchement de Georges, est le nom du gentil petit serpent de nos jardins... Il n'est pas venimeux... Si on l'attrape, il vous file entre les doigts... On l'appelle aussi " serpent de verre " parce que, si on serre un peu fort, il casse comme du verre. » La jeune fille, encore adolescente et déjà femme, que l'on nomme ainsi recèle des trésors en son cœur de sauvageonne, où l'effronterie voisine avec la candeur, et le cynisme de chapardeuse avec la fraîcheur des sentiments. Elle offre un visage neuf à la « petite sirène ». Reste à lui trouver un prince qui saura répondre à son amour.

— Quel est l'essentiel d'un prince ? se demande Georges. C'est un homme qui, de par sa naissance, ne dépend de personne... Depuis l'abolition des privilèges, les seuls gens vraiment indépendants sont les hommes riches. Mon prince sera un homme riche.

Il convoque donc sur la scène une première mouture de personnage ; mais ce garçon fortuné le déçoit très vite. Il n'a en tête que des soucis d'hygiène alimentaire, le lait écrémé qu'il recommande, les féculents qu'il préfère proscrire, etc. Georges le chasse illico de son imagination, en le renvoyant à la gare (bien réelle) par où il est venu. Une autre idée lui vient :

— Les véritables princes de notre époque bouleversée, se dit-il, sont les artistes. Mon prince sera artiste peintre.

Lorsque le nouveau personnage se présente, il lui signale donc :

— Vous trouverez des motifs magnifiques dans nos bois.

— Je me fiche des bois, lui répond le jeune homme ; je ne peins que mes propres états d'âme.

Réplique qui suffit à le condamner aux yeux de Georges, mais aussi à ceux de toute la famille Renoir. Jean a beau plaider en faveur de l'expression personnelle et de l'univers intime de l'artiste, il n'en tient pas moins de son père un respect intransigeant du « motif ».

Un troisième garçon, nonchalant, un peu dégingandé, franchit à son tour le seuil de sa maison. Il se situe dans la lignée des « fils de famille » que Renoir peindra souvent dans la dernière partie de sa vie, lorsqu'il se sera résolu à sa condition de romancier. Celui-là, Olivier, trouve d'emblée son autonomie de personnage. Il décide d'appeler Georges « mon oncle », puisque, après tout, il pourrait être le fils de son frère aîné. Il s'enquiert cependant d'une profession :

— Qu'est-ce que je fais dans la vie ?

— Que diriez-vous de la diplomatie ? lui propose Georges.

— J'aime mieux être écrivain.

Le « jeu des boîtes » (que je préfère à l'expression pédante de « mise en abyme ») est donc, de nouveau, utilisé. Renoir invente Georges, qui invente Olivier, lequel tombera amoureux d'Orvet, contraignant ainsi Georges – et Renoir, par conséquent ? – à nous faire l'aveu de ses propres sentiments à l'égard d'une créature à la fois réelle et inventée. En remontant vers l'auteur véritable, je ne puis éviter de penser à la chanson qu'il écrit pour *French Cancan* au moment même où il met la dernière main au texte d'*Orvet*. C'est la très belle « Complainte de la Butte », dont les paroles ont l'accent indéniable de la confidence :

Petite mendigote
Je sens ta menotte
Qui cherche ma main
Je sens ta poitrine
Et ta taille fine
J'oublie mon chagrin
Je sens sur ta lèvre
Une odeur de fièvre
De gosse mal nourrie
Et sous ta caresse
Je sens une ivresse
Qui m'anéantit

Avec *Orvet* et *French Cancan,* Renoir ne nous ouvre pas seulement les portes de son atelier, il nous fait part en même temps de sa rêverie anxieuse lorsque Pygmalion, en lui, s'éprend de Galatée. Dans une lettre adressée à Leslie Caron le 12 décembre 1954, il s'explique avec une grande clarté. La jeune fille des bois ne doit pas son existence à la seule imagination de Georges, qui la connaît depuis longtemps, qui l'a souvent croisée dans la campagne. Elle n'était encore qu'une enfant et elle écoutait, ravie, les histoires qu'il racontait, celle de la petite sirène, ou bien celle du vilain petit canard qu'elle préférait. L'amour de Georges s'adresse donc à une personne réelle. Renoir a d'abord pensé que la différence d'âge pouvait créer entre lui et Orvet une impossibilité nécessaire. « Il me faut un obstacle, écrit-il à Leslie Caron, sinon il n'y aurait pas d'histoire, Orvet et Georges s'aimeraient et tout serait dit. » Il n'a pas à chercher loin son « obstacle », puisqu'il a soixante ans et Leslie Caron vingt-trois. Situation que l'auteur n'envisage, bien entendu, nullement dans sa lettre à l'actrice. Toujours est-il que le désir lui vient d'adopter une autre solution : Georges n'est pas vieux, mais c'est un puritain, ou du moins un personnage qui n'ose pas « se déclarer ». Au début de la pièce, il s'estime incapable de défier la réprobation qui s'abattrait sur lui si l'on apprenait sa liaison avec, dit Renoir, « une petite clocharde méprisée de tous ».

Rétrospectivement, et cela me semble crucial, le personnage de Georges éclaire celui d'Octave dans *La Règle du jeu*, qui n'est pas un puritain – loin de là – mais refuse d'avouer, ou de s'avouer, les sentiments réels qu'il éprouve pour Christine. Lui aussi, Octave, est auteur et metteur en scène à sa façon. C'est lui qui a mis en présence les protagonistes de la comédie, en ne prévoyant pas qu'elle tournerait à la tragédie. *Orvet* nous apprend qu'Octave a joué auprès de Christine le rôle d'un Pygmalion désemparé. C'était donc à elle qu'il revenait de prendre conscience, dans leur dernière scène, des liens qui les unissaient. Les metteurs en scène ne mesurent pas toujours la séduction qu'ils exercent sur des actrices remplies de gratitude. Elles se donnent sans réserve au regard qui les a révélées à elles-mêmes. Nini (Françoise Arnoul), dans *French Cancan* s'offre ainsi à Danglard avec une détermination sans réplique. Pygmalion doit prendre alors une responsabilité qu'il appréhende...

Tout me laisse entendre à présent que Renoir-Octave a inventé Jurieux pour ne pas céder à son propre désir. Or, c'est exactement ce que fait Georges dans le premier acte d'*Orvet*. « La pièce qu'il écrit, dit Renoir à Leslie Caron, est une soupape de sûreté. Il espère en portant Orvet à la scène se débarrasser de son amour pour elle. Hélas, cet amour deviendra une passion furieuse. » Passion attisée d'autant plus cruellement que Georges a conspiré contre lui-même en – se – créant de toutes pièces un rival jeune, élégant, désinvolte, qui gagnera sans coup férir la partie ainsi engagée. Au début du deuxième acte, Renoir souffle à Georges une réflexion, nourrie par sa longue expérience, sur « le dilemme auquel ont à faire face tous les auteurs » :

— Ou bien nous restons les maîtres des personnages ; dans ce cas ils ne dépassent jamais la mentalité des marionnettes. Ou bien nous leur donnons la vie, c'est-à-dire le droit de discuter, et ils nous entraînent au-delà des limites de l'imagination... très au-delà !

Son regard, en cet instant, ne peut se détacher de la porte de la chambre où Orvet et Olivier viennent de vivre leur première nuit d'amour.

Orvet et *French Cancan* marquent bien, à cet égard, un retour en France, où la franchise sensuelle n'a plus à s'entourer des précautions qui sont encore de mise dans le cinéma hollywoodien des années 50. Les hanches dénudées de Maria Félix, la « Belle Abbesse » de *French Cancan*, se meuvent – et nous émeuvent – sans équivoque, en toute innocente splendeur. Olivier, pour sa part, ne craint pas de préciser devant Georges, anéanti, la force du lien qui l'attache à Orvet :

— C'est très mystérieux et très rare, lui dit-il, ce synchronisme qui règle les transes des amants assortis, unifie le rythme de leur respiration comme s'ils n'avaient qu'un système pulmonaire ; la vitesse de circulation de leur sang comme s'ils n'avaient qu'un cœur ; entremêle leur réseau nerveux ; fait communiquer les pores de leur peau...

Peintre de l'amour, Renoir possède le don de le comprendre et de l'exalter sous ses formes les plus diverses, des triviales aux sublimes. La Nini de *French Cancan* est aimée de trois hommes, un jeune boulanger à principes qui la veut pour femme, Danglard, son Pygmalion personnel, et le prince Alexandre – beau, jeune et riche –, venu d'une lointaine contrée balkanique, qui lui voue une passion exclusive et se déclare prêt à en payer tous les prix, celui de sa vie n'en étant que le moindre. Gianni Esposito incarne ce héros romantique avec une très rare et bouleversante délicatesse. On ne peut que croire à sa sincérité, ce dont Nini convient en se désolant. Renoir ne se montre pas insensible, lui non plus, à la ferveur du prince Alexandre, qui le condamne à perdre la partie, comme Jurieux autrefois a perdu la sienne. Mais la « règle du jeu » a évolué. Le prince attente à sa vie lorsqu'il découvre la liaison entre Nini et Danglard, mais il est trop maladroit pour réussir son suicide. Ses amis du « grand monde » sont réunis dans l'antichambre d'une clinique pour attendre le verdict des médecins sur son cas. L'un d'entre eux, un certain Coudrier, interprété par Jean Parédès avec une faconde étourdissante, tient absolument à terminer une histoire dont l'à-propos fait penser à l'anecdote réjouissante de l'accident de chasse mortel racontée par le général dans *La Règle du jeu* :

— Après l'avoir recousu, dit Coudrier en gloussant de plaisir, le chirurgien s'aperçut qu'il avait oublié son lorgnon, et vous savez où, cher ami ?... Dans l'œsophage de ma pauvre mère !

Son rire est interrompu sèchement par le baron Walter, incarné par un autre comédien, doué, lui, d'une présence impressionnante, Jean-Roger Caussimon, que Renoir avait pressenti pour le rôle du vice-roi dans *Le Carrosse d'or*.

— Taisez-vous, dit le baron. Ce n'est ni le lieu ni le moment de faire de l'esprit. Nous ne sommes pas à la Reine Blanche.

— Je fais de l'esprit où je veux et quand je peux, lui rétorque Coudrier. Moi, vous savez, en dehors du bureau, les affaires...

— Oui, je sais, rideau ! admet le baron. Vous n'en êtes pas moins un symbole de notre classe. De la tenue, mon cher, de la tenue. Il n'y a que cela qui puisse encore nous sauver...

L'action de *French Cancan* se déroule aux alentours de 1900, mais le film est tourné en 1954, au moment où les différences de classes subsistent d'autant mieux que s'effacent les symboles et les signes de la « distinction ». Le Renoir épris de tradition n'est peut-être pas aussi éloigné qu'on le pense de l'appel au maintien d'une certaine « tenue », mais rien ne peut l'empêcher, après l'intermède apollinien du *Carrosse d'or*, de céder – plus généreusement qu'il ne l'a jamais fait – à son inspiration dionysiaque. C'est à croire que la fameuse règle avoue désormais son impuissance à ordonner l'extravagante circulation du désir, panique, panthéiste, cruelle, tendre, enivrée, qui trouve son apothéose dans le ballet final de *French Cancan*.

Depuis ses premières scènes, le film nous a introduits dans une sorte de jungle, à la fois bouffonne et luxuriante, où des félins de grand style et des fauves de moindre acabit cherchent à assurer leurs prises. Renoir se sert de l'aiguillon de la jalousie, qu'elle soit justifiée ou non, pour redoubler leur énergie. Les femmes, en ce domaine, s'avèrent plus adroites et plus ardentes que les hommes. Lola, l'impérieuse « Belle Abbesse », grande dispensatrice sur la scène de voluptés imaginaires, règne sur l'esprit du baron Walter, son protecteur attitré, mais elle se réserve le droit, et elle emploie tous les moyens à cette fin, de poursuivre avec Danglard une liaison orageuse. Nini, la jeune blanchisseuse, qui deviendra la reine du french cancan, « veut » Danglard, elle aussi, avec une farouche obstination. La jalousie de Lola bousculant Nini, celle de Paulo (le petit boulanger) agressant Danglard, et celle de Nini, enfin, lorsqu'elle surprend Danglard en compagnie d'Esther, la chanteuse, entretiennent une tension désordonnée, fiévreuse, souvent insensée – follement drôle de ce fait –, qui conduit le film à son terme ; parallèlement aux scènes de répétition, où les danseuses exercent sur leurs muscles, leurs articulations, une violence qui participe, au fond, de la même nature. Renoir met ainsi en regard la souffrance vaine des disputes et la douleur surmontée, jubilatoire, d'une jeune femme qui vient de réussir son grand écart. Le film est porté, en somme, de bout en bout, par un irrépressible besoin de dépense physique et affective. On peut parler à juste titre d'un « trop-plein » qui trouve d'un côté son exutoire dans un furieux désir d'en venir aux mains, et de l'autre, son expression dans la furia endiablée d'un corps de ballet préparant l'éclosion de ses multiples corolles.

Le spectacle démontre donc, une fois de plus, qu'il vaut mieux que la vie. Danglard ne dit rien d'autre (à la suite de don Antonio) lorsque Nini le menace de ne pas entrer en scène s'il ne se réserve pas pour elle « toute seule ». Jean Gabin entre alors dans une de ses fameuses colères :

— Quoi !... bredouille-t-il, tu veux Danglard ? Danglard du spectacle ou Danglard en pantoufles ? Je n'en ai jamais mis, et ce n'est pas aujourd'hui que je commencerai ! Ecoute, ma petite Nini, je vais te donner un bon conseil : si c'est un amant que tu veux, télégraphie à Alexandre, tu ne pourras jamais mieux trouver. Et si c'est un mari, épouse Paulo. D'un côté, les bijoux, les fourrures, la grande vie, et de l'autre, la sécurité, la vieillesse heureuse au coin du feu... Mais moi, je ne peux pas te donner tout ça. Regarde-moi, est-ce que j'ai une gueule de prince charmant ? Pour moi, il n'y a qu'une chose qui compte, c'est ce que je crée, c'est ce que je fais... Ce que tu veux, et moi ce que je veux, est-ce que ça compte ? Est-ce que ça pèse dans la balance ? Notre métier c'est d'être au service du public...

Nini, bien entendu, ne peut que se laisser convaincre. Elle dansera, cette nuit, dans la salle toute neuve du Moulin Rouge.

La première partie du spectacle s'est déroulée, normalement, sur une scène, mais il revient au french cancan de conquérir et de libérer son espace au sein du public, parmi la foule des spectateurs, dont l'enthousiasme tourne vite à la pure frénésie. La question de Camilla devient alors concrète, puisque l'univers du théâtre ne s'arrête plus aux feux de la rampe, et qu'il rend à la vie ce qui lui appartient. La mise en scène de *French Cancan* contredit à cet égard celle du *Carrosse d'or*, mais c'est pour mieux surenchérir. Renoir n'a plus besoin de rideaux levés ou baissés, ni de portes en enfilade. Les danseuses surgissent de toutes parts et de nulle part ; elles franchissent des balustrades ; elles enjambent des spectateurs attablés ; elles repoussent des admirateurs empressés ; elles maîtrisent un désordre qui ne demande qu'à s'accorder à la gloire échevelée de leurs grands écarts. Nini, enfin, apparaît en haut, dans la loggia de l'orchestre, et elle saute quelques mètres plus bas dans un drap blanc tendu au niveau du parquet. Le spectacle et la vie sont placés dès lors sous le signe d'un mutuel enrichissement, d'un mariage euphorique de leurs cadences, de leurs impulsions, de leurs rites et de leurs surprises. Le corps de ballet s'organise en cercles, en rangs serrés, en courses vers l'avant, pour se désorganiser aussitôt et donner prise à l'assaut des noceurs éméchés, qui se couchent tout à coup sur le sol, offrant ainsi aux danseuses l'occasion de les survoler.

Le french cancan procède par vagues, dont le déferlement pourrait aussi bien ne jamais s'interrompre. Danglard dans la coulisse, et Renoir derrière sa caméra, goûtent la béatitude de ce temps suspendu au renouvellement perpétuel de ses ardeurs, de ses couleurs, et du miracle même de sa respiration.

Nous nous trouvons, c'est vrai, devant les motifs qui ont inspiré les peintres de la « Belle Époque », mais Renoir n'imagine pas que l'on puisse « animer » les tableaux de son père, après avoir tenté d'en reproduire la composition. « J'ose dire de ce film, écrit André Bazin, qu'il est aussi beau qu'un tableau de Renoir, mais un tableau qui aurait une durée, un devenir intérieur. » Tout est là, en effet, dans ce « devenir intérieur », en quoi la notion même de désir se résout. Revenant aux origines du cancan, Renoir entend renouer avec sa vocation érotique, qui s'est affadie avec le temps. « Le cancan a été furieux et extraordinaire à cette époque-là, explique-t-il à Rivette et Truffaut. Et puis maintenant (en 1955), ça devient une convention avec une jambe levée comme ça, parce qu'on doit lever la jambe, alors qu'au début on levait la jambe dans un mouvement qui était destiné à exciter les messieurs d'une certaine façon... »

Cinquante ans après, alors que la représentation érotique s'est donné des libertés inconcevables en 1955, les danseuses de Renoir nous entraînent mieux que jamais à l'unisson de leur vertige, dans le tournoiement des robes, la vibration des couleurs, la blancheur des jupons soulevés, l'éclat surpris des coins de peau, le feu des visages, l'affranchissement des corps. Nous sommes gagnés par les pulsions du rythme, la palpitation des secondes, l'exaltation d'un désir qui jouit de sa propre intensité, au point de retarder à n'en plus finir l'heure de son assouvissement. Aucun autre mot que celui d'« effusion » ne peut définir le sentiment qui nous envahit alors, aux confins de la noyade, de l'ivresse, et du consentement heureux à tout ce qui pourrait encore survenir. L'humeur, en somme, de Boudu, immergé de tout son être dans la royauté de l'instant.

Le dernier plan de *French Cancan* nous montre la façade extérieure illuminée du Moulin Rouge. Un flot de musique assourdi nous parvient encore. Nous apercevons une silhouette sur le trottoir, mais de trop loin pour que nous puissions l'identifier. Le gros homme, en cape et en habit, titube un peu. Nous remarquons à peine le salut qu'il nous adresse... Jean Renoir a donc choisi de nous apparaître ainsi, discrètement mais en personne, au dénouement de son film le plus heureux.

Pendant ce temps, sur la scène du Théâtre de la Renaissance, Georges écrit la pièce à laquelle nous assistons. Comme Renoir, qui a toujours eu besoin de beaucoup de monde autour de lui, il a rempli sa maison de personnages. Ce sont à peu près tous des « originaux », dont la singularité s'est encore accentuée à la faveur de l'interprétation. Marguerite Cassan (que nous reverrons amoureuse d'une cireuse électrique dans *Le Petit Théâtre*) met sa conviction et sa cocasserie naturelle au service de Clotilde, vieille fille gourmée, qui ne tardera pas à se révéler nymphomane enthousiaste. Jacques Jouanneau laisse traîner, et même dérailler, sa voix en inflexions incertaines dans le rôle de William, le valet de chambre anglais. Pierre Olaf, qui joue dans *French Cancan* un charmant pierrot siffleur, incarne ici « Philippe de la Mare aux Chaugettes, dit le Pied-Bot, baron des Narcisses, vidame de la bruyère, chevalier des baliveaux ». Renoir se repose sur lui de son trop-plein poétique, préservé de la mièvrerie par la précision avec laquelle Philippe raconte l'éclosion du muguet ou la tendresse des pissenlits. Raymond Bussières, en regard, interprète Coutant, le père prosaïque et passablement indigne d'Orvet. Ce personnage, cousin éloigné de Marceau, le braconnier de *La Règle du jeu*, est un mauvais sujet doué d'une gouaille éloquente qui ne parvient pas à le rendre tout à fait sympathique. Sa cabane au fond des bois n'évoque que de loin le « château du roi de la mer » imaginé par Andersen. Au lieu des murs de corail, des longues fenêtres gothiques, et du toit fait de coquillages qui s'ouvrent et se ferment au gré du courant, Orvet décrit une « maison » – elle tient beaucoup à ce que ce soit une maison – construite en bois rude et tapissée sur le côté par un amoncellement de boîtes de conserve vides.

A la fin du premier acte, la jeune fille a répondu tranquillement aux questions d'un Olivier surpris puis stupéfié par le récit qu'elle lui a fait de son étrange « vie de famille » : un père jouant avec art de sa fainéantise, une mère morte de la « péritonite » (ce mot prononcé avec une sorte de fierté), les sœurs aînées prostituées à Paris, la sœur Berthe livrée aux appétits des chasseurs de passage. Elle-même, Orvet, a voulu remercier Olivier, de la seule façon qu'elle connaisse, pour la broche qu'il lui a offerte :

— Vous voulez pas coucher avec moi ? a-t-elle proposé avec une grande simplicité.

Olivier, bien entendu, a refusé. C'est donc qu'il la trouvait « trop moche » ? Pas du tout, le jeune homme lui a dit qu'elle était délicieuse. Alors, elle a tenu à le rassurer en lui apprenant que ce ne serait pas la première fois. Orvet s'est déjà offerte à un garde qui voulait arrêter son père, puis à des bûcherons qui avaient apporté du vin, et auxquels Coutant voulait rendre leur politesse. Olivier n'a pu en supporter davantage. Il a cru pouvoir en finir en disant : « Fichez-moi le camp ! Vous me dégoûtez ! Je ne veux plus vous voir ! » ; mais son désir a été le plus fort. Il a rappelé Orvet, il l'a prise dans ses bras.

Le deuxième acte s'est donc ouvert sur la révélation d'un amour qui bouleverse Georges, devenu personnage malheureux de sa propre pièce. Il n'en conserve pas moins ses prérogatives d'auteur, et il s'ingénie à contrecarrer les projets des jeunes amants. Dans l'impossibilité où il se trouve de modifier leurs sentiments, il convoque sur la scène une sorte de « cour des Miracles ». Orvet a pris l'habitude de courir pieds nus à travers les bois d'alentour. Georges pense que ceux qui partagent avec elle l'âpreté d'une existence farouche et hors la loi sont les seuls capables de la retenir, au moment où elle se prépare à chausser des souliers à talons hauts et à prendre le train pour Paris en compagnie d'Olivier.

Renoir, ici, intervient par la bande. Il ne peut s'empêcher d'insinuer dans les propos de la « mère Vipère », par exemple, des bribes de sa propre philosophie. Cette sorcière locale, que l'on appelle ainsi parce qu'elle capture des vipères dont elle vend les têtes à la mairie, prévient Orvet contre les dangers d'une vie de bien-être, « matérialiste » à ses yeux, où elle ne se préoccupera plus que de son apparence physique :

— Nous, ceux de la cloche, affirme-t-elle, on s'en fout pas mal de notre corps... Est-ce que je pense à ma dent de devant qui manque ?... Est-ce que le grand Morille est gêné par la boule de graisse qui lui est sortie du crâne ? Et Muguet, qui a perdu un œil en tombant sur une racine ?... Elle s'en fiche pas mal d'être borgne... Nous sommes des spiritualistes !

Elle va plus loin encore dans sa démonstration :

— Quand ça t'arrivait, dit-elle à Orvet, de coucher avec un chasseur plus ou moins ivre, tu ne pensais pas qu'en donnant ton corps tu faisais un cadeau royal ?... Tu étais une spiritualiste !

Aussi étrange que cela puisse paraître, nous sommes ici au cœur d'une pensée. L'esprit, selon Renoir, « souffle où il veut » ; il transfigure le poids du soleil sur le front de l'homme du Sud ; il habite la maison pauvre d'un paysan indien, mais il anime tout aussi bien le désordre sordide de la cabane à Coutant.

Orvet écoute la mère Vipère, elle entend Philippe le Pied-Bot, qui lui parle d'une source qu'il a découverte en dessous de la mare aux Epaulards, dont « l'eau est si transparente qu'on ne la voit pas ».

— Seul un vieux sanglier vient la troubler, dit-il.

— Il n'y a pas de source claire sans Olivier, lui répond Orvet.

Son destin est donc tracé. Elle ira à Paris. Elle deviendra une « dame ». Elle quittera Georges qui n'a pas su à temps, comme Olivier, lui baiser les mains et lui dire qu'elle était belle.

Au début du troisième acte, le dramaturge – et Renoir avec lui – en arriverait presque à nous faire oublier la convention initiale. Il vit douloureusement l'action de sa pièce comme si elle était vraie. Plus vraie même que l'Orvet authentique, qui doit continuer à cueillir des champignons près de la mare aux Chaugettes, tandis que l'autre, celle de son imagination, est devenue une Parisienne accomplie. Clotilde nous apprend, en lisant un article de journal, qu'Olivier s'est inspiré de leur histoire pour écrire un « roman des bois », qui a obtenu un grand succès.

Georges ne se fait plus guère d'illusions. Elle ne reviendra pas. Il s'apprête à congédier William, le valet anglais, et Clotilde, la préceptrice, qu'il n'avait inventés, puis engagés, que pour parfaire son éducation. Or, c'est le moment que choisit Orvet pour réapparaître. Elle a beaucoup changé, elle s'habille avec goût, elle trouve la vie parisienne plutôt « amusante », mais elle est profondément malheureuse. Olivier ne l'aime plus. Il n'a pu, à l'en croire, chasser de son esprit l'image de la petite sauvageonne élevée dans « la cabane puante de Coutant ». La vérité est que, revenu de sa passion, il a repris ses habitudes de jeune bourgeois. Il ne se sent à l'aise que parmi les personnes de sa classe ; Fabienne, par exemple, sa nouvelle conquête :

— Fabienne est un être exquis... délicate... instruite, dit-il à Georges... très bien élevée... Son père est un général d'artillerie... Elle a un oncle évêque...

— Tu te sens dans ton milieu ! constate Georges.

— Oui... plutôt...

— Je connais quelque chose de plus ignoble que la cabane de Coutant...

— Puis-je savoir le nom de cette rareté ?

— C'est toi ! répond Georges, que la colère emporte.

Il est assez curieux de constater que le « jeu des boîtes » – des miroirs en l'occurrence – fonctionne dans le sens d'une sévérité grandissante à l'égard de soi-même. Renoir se reconnaît en Georges qui, à son tour, n'est pas loin de percevoir en Olivier une image accablante du garçon qu'il aurait pu devenir. Cette filiation au deuxième degré m'incite à poser la question : Renoir a-t-il – ou croit-il avoir été – dans sa jeunesse une sorte d'Olivier ? Le souvenir d'une Orvet lointaine lui aurait donc inspiré cette compassion et cette immense tendresse impuissante qui font le prix de la pièce, comme elles ont fait autrefois celui de *Partie de campagne*, et comme elles nous bouleverseront encore dans *Les Cahiers du capitaine Georges*.

Olivier devine le remords de son « oncle » et – au-delà – celui de Jean Renoir :

— Comme ce serait beau, dit-il, si d'un coup de plume vous pouviez remonter au moment où Orvet entra dans cette maison, le cœur chargé d'innocence, cachant seulement un faisan mort sous sa robe de mendiante...

Au lieu de répondre, Georges s'abandonne à une véritable prière. Il demande à Dieu de lui pardonner d'avoir usurpé ses pouvoirs en cherchant à créer, à « créer de la vie ».

— Je reconnais mon impuissance, dit-il. Vous seul pouvez donner au monde issu de votre souffle la bénédiction des contrastes... Mon Dieu, vous êtes l'équilibre... Votre pluie compense la chaleur du soleil... votre neige atténue les rigueurs de l'hiver... Moi, je n'ai pas su doter Orvet de la bienheureuse indifférence qui lentement la guérirait de son amour perdu... Mon Dieu, reprenez les choses en main, faites-la vivre !

Renoir ne nous a jamais conduits aussi nettement – et aussi honnêtement – au cœur de son dilemme. Il a passé le plus clair de son existence à rechercher cette « bénédiction des contrastes » sans laquelle une œuvre ne saurait vivre. L'équilibre est pour lui un gage de vérité autant que de salut. Il découvre à présent que Dieu seul en est le maître...

... Ce qui n'empêche pas Georges de poursuivre son travail, même si c'est à rebours. Il doit trouver un dénouement pour sa pièce ; cette pièce – je le répète – à laquelle nous venons d'assister, et dont il déchire les feuillets pour en faire disparaître les personnages les uns après les autres. William annonce les sorties, comme il a annoncé au deuxième acte les entrées en scène :

— Coutant, suivi de Clotilde... Philippe le Pied-Bot rêvant d'Orvet pour encore quelques secondes... Enfin Orvet et Olivier. Ils se tiennent la main et restent enlacés comme deux marmottes que l'hiver a transformées en un seul bloc de glace... Et puis moi-même. Au revoir, mon maître...

Georges reste donc seul... Jusqu'au moment où la véritable Orvet, l'Orvet de la vie, apparaît sur le pas de sa porte et lui dit :

— Monsieur Georges ! Vous voulez-t-y les acheter mes champignons ?

Dans *Le Carrosse d'or* et *French Cancan*, l'équilibre ne pouvait se rétablir qu'à la faveur d'un sacrifice. Camilla renonçait à ses amants pour n'être plus qu'une actrice. Nini renonçait à son existence de jeune fille de la Butte pour devenir la reine du cancan. Dans *Orvet*, à l'inverse, Georges doit renoncer à une pièce qui lui a donné tant de mal pour aimer la vie telle qu'elle se présente, sous les haillons d'Orvet...

Renoir se reproche probablement de ne pas avoir eu cet héroïsme.

CHAPITRE VINGTIÈME

« Je peux me tromper... »

*

1956/1960. « Carola » « Elena et les hommes »
« Le Testament du docteur Cordelier » « Le Déjeuner sur l'herbe »

Nous sommes donc en 1955. *Le Carrosse d'or*, *French Cancan*, *Orvet* constituent un ensemble et une somme, à laquelle on voit difficilement ce que Renoir pourrait ajouter. L'idée d'une autre pièce, se déroulant à nouveau dans les coulisses d'un théâtre, lui vient pourtant juste après l'écriture d'*Orvet*. Il y pense encore pendant la réalisation d'*Elena et les hommes*, puis il se met au travail avec une grande confiance. Le 22 janvier 1957, il écrit à Jean Serge (son co-scénariste régulier durant cette période) pour lui parler – entre autres – de ce projet, auquel il associe tout naturellement sa grande amie Ingrid Bergman : « J'espère écrire une pièce qui lui plaira, et peut-être acceptera-t-elle de tenter l'aventure avec moi. »

Le premier titre choisi, *Judith*, correspond à son désir si souvent évoqué d'utiliser un « tremplin ». *La Petite Sirène* lui a suggéré le sujet d'*Orvet*. L'épisode biblique de Judith et Holopherne entre, cette fois, en correspondance avec l'histoire d'amour qu'il veut raconter entre un général allemand et une grande actrice française pendant l'Occupation. Franz von Clodius et Carola Janssen se sont rencontrés douze ans avant la guerre. Elle était très jeune alors. Lui appartenait à l'aristocratie qui avait fasciné Renoir lorsqu'il imaginait le personnage de von Rauffenstein, et qui le fascine encore en 1957. Une réplique de la pièce nous apprend que la mère de von Clodius avait été dame d'honneur de l'impératrice de Russie, que ses aïeux avaient servi les empereurs de Byzance, et que sa famille remonte aux Romains... Il y a là de quoi être impressionné, en effet.

Le grand amour de Franz et Carola a pris fin « un sept juillet, un peu avant minuit, au bord du lac de Genève ». Ils s'en souviennent exactement l'un comme l'autre, alors que le temps a passé :

— Les cris et les pleurs n'auraient rien changé à l'évidence, dit Carola : Nous n'avions plus rien en commun ! Notre amour était mort... étranglé par l'orgueil allemand. L'orgueil imbécile de la race des maîtres. Carola Janssen contre Hitler ! Comment pouviez-vous hésiter ?

La pièce ne nous dit pas quel fut le degré d'adhésion de von Clodius à la doctrine nazie, avant et après la prise du pouvoir par Adolf Hitler. Elle insiste en revanche sur la prééminence de l'amour dans l'esprit d'un personnage de si haut rang, qui devrait pourtant avoir quelques idées et informations sur le comportement de ceux qu'il a servis depuis 1933, tout comme ses ancêtres, il est vrai, avaient servi les empereurs de Byzance... Nous sommes, je le précise, en 1942 ou 1943, à Paris, dans la loge de la comédienne. Von Clodius se déclare prêt à abandonner Hitler à la condition que Carola, en retour, lui abandonne Judith. Il a l'intention de déserter, ce qui n'est pas mince si l'on considère son lignage. Von Rauffenstein, à coup sûr, le condamnerait.

— Carola, dit-il, nous devons quitter au plus tôt cette Europe d'assassins tristes, cette Europe où on ne rit plus. Il faut nous dépêcher... Carola, je vous aime. Je vous ai toujours aimée. Depuis plus d'un an, j'attendais le moment de vous le dire, de vous demander de fuir avec moi.

On trouve dans cette réplique l'écho de la lettre de Renoir à Carl Koch, où il se disait « terrifié », en 1947, « par l'incompréhensible Europe, ses secrets, ses divisions, son manque d'innocence... ».

Lisant et relisant la pièce, qui s'intitule désormais *Carola*, je découvre et je regrette que l'auteur prête à ses personnages, plus souvent qu'à l'accoutumée, des idées qui sont les siennes, les réduisant ainsi parfois à la fonction de porte-parole. Lorsque Franz, par exemple, dit à Carola : « Je ne suis pas sentimental. C'est pourquoi je peux me permettre de parler de sentiments. » Phrase qui pourrait servir d'exergue à l'œuvre complète de Renoir. Mais était-ce bien sa place ?

Il est vrai que je suis mauvais juge. Ce paysage où je m'avance à présent me paraît pour le coup un peu trop familier. Le trousseau de clefs dont je dispose m'encombre au lieu de m'aider... Le fait est que je ne suis plus surpris, sinon par l'obstination de Renoir à revenir sur des thèmes devenus obsessionnels.

La peur, en premier lieu, dont il tient encore à souligner l'effet dévastateur, douze ans après *This land is mine,* et presque dans les mêmes termes.

Carola avoue devant Henri, le jeune résistant qui a cherché refuge dans le théâtre, qu'elle a des « motifs de se mépriser » :

— La peur, dit-elle, fait accepter des compromissions. On regrette après, mais c'est trop tard.

De quelles compromissions et de quels regrets parle-t-elle ? Nous n'en saurons rien exactement, mais tout deviendrait clair si l'on voulait admettre que les propres souvenirs de Jean Renoir se superposent en cet instant à ceux du personnage.

Carola n'est pas seule à avoir peur, mais Renoir, comme dans *This land is mine*, ne peut en rester là. L'équilibre dramatique lui commande de faire en sorte que les personnages nous surprennent en se reprenant. Carola et Mireille, son habilleuse, savent qu'elles courent de grands risques en persuadant Henri de se cacher dans un réduit dissimulé par une tenture, hors de portée des fouineurs de la Gestapo. Elles agissent néanmoins sans hésiter. Renoir s'intéresse plus encore à l'attitude de Campan, le directeur du théâtre, dont nous avons observé depuis le commencement de la pièce la vulgarité de sentiments, ainsi que la veulerie très largement accommodante à l'égard des occupants. Le personnage se situe à l'opposé, moralement, du Danglard de *French Cancan*. Carola, qui a été sa maîtresse, le trouve à présent parfaitement « lamentable ». Il tient cependant des propos que ne désavoueraient ni Danglard, ni don Antonio, ni Renoir, si on le poussait dans ses derniers retranchements :

— Quand je fais un retour sur moi-même, dit-il à Carola, je ne vois que quelques instants de ma vie pendant lesquels je suis certain d'avoir été parfaitement heureux : c'est quand au baisser de rideau le public a acclamé un de mes acteurs. Pardonne ma franchise, Carola : dans ces moments-là, je me suis senti plus près de toi que dans ceux de l'intimité absolue.

« C'est une pièce, dit Renoir en 1957, dans laquelle il est fortement question d'illusion et de réalité. »

Or, Campan le cynique est en même temps celui qui attache le plus grand prix à l'illusion théâtrale. L'action de *Carola* avance jusqu'au moment où il est repris par la violence d'une situation réelle, qui l'empêche de recourir à ses faux-fuyants habituels. Il apprend que Carola s'apprête à partir pour le Guatemala en compagnie de von Clodius. Ce qui le met hors de lui. Une note de mise en scène indique alors que « son air de chien battu fait place à une sorte d'exaltation ». Campan sait que le jeune Henri a trouvé un nouveau refuge dans les combles du théâtre au-dessus des cintres, et que les hommes de la Gestapo commandés par le colonel Kroll sont sur le point de découvrir cette cachette. Il décide alors, brusquement, d'intervenir, de prendre de vitesse les policiers nazis et de porter secours au résistant traqué. C'est une entreprise héroïque, pathétique, quasi désespérée... et théâtrale, dans la mesure où Campan ne saurait dévier de sa logique personnelle. Il ne voudrait pour rien au monde « rater sa sortie ».

— Mesdames et messieurs, proclame-t-il, Campan le lamentable, Campan l'acteur raté, va triompher ce soir dans un rôle magnifique, un rôle que Jouvet, Raimu, Pierre Renoir, Michel Simon, Fresnay, Gabin, lui envieront : le rôle du héros...

Il va même jusqu'à chanter :

> *« Mourir pour la patrie*
> *C'est le sort le plus beau*
> *Le plus digne d'envie... »*

La frontière du théâtre et de la vie peut donc s'ouvrir encore, en permettant l'accès d'un cabotin au sacrifice tragique.

Nous sommes très loin de Charles Laughton récitant pour ses élèves la Déclaration des droits de l'homme. Renoir semble gagné à présent par le démon de la dérision, qui l'invite à considérer, plus que jamais, que « tout le monde a ses raisons ». Et pourquoi le colonel Kroll n'aurait-il pas les siennes ? Il faut croire que le personnage rencontré à Lisbonne en novembre 40 l'a marqué pour longtemps. Ce Kroll nous est présenté dans les notes de mise en scène comme un « homme d'une quarantaine d'années, au sourire doucereux, aux cheveux trop longs pour un militaire. Si ce n'était l'uniforme, on pourrait le prendre pour un artiste ou un poète ».

La pièce est écrite au moment où un film, *Nuit et Brouillard* de Jean Cayrol et Alain Resnais, démontre de façon nette, sans éclat inutile, le caractère unique de la malédiction nazie. L'incapacité irréductible de la conscience universelle à penser l'impensable y est rendue, pour nous, manifeste. Mais Renoir ne l'entend sans doute pas de cette oreille, et il s'attache tranquillement à connaître les raisons, raisonnements et ratiocinations d'un responsable de la Gestapo.

Ainsi ce compliment adressé à Carola par le colonel Kroll. Il voit en elle le symbole des idées du Führer, et il s'explique :

— Vous êtes la négation vivante, géniale, sans réplique de cette ânerie grossière qui a failli détruire la civilisation occidentale : les hommes sont nés égaux. Quand je vous regarde, quand je me pénètre de votre personnalité de pure Aryenne, je reprends confiance. J'ai la certitude que même si les voyous et les Juifs de Russie et d'Amérique réussissent à percer nos défenses, même s'ils s'emparent de notre Führer, eh bien c'est lui, c'est Hitler qui, malgré tout, restera le grand vainqueur de cette guerre...

Ecoutant ce discours, von Clodius n'a pas dissimulé son extrême irritation. Pourtant, une scène plus tard, il se sert des arguments de Kroll pour adjurer Carola de fuir avec lui en Amérique du Sud :

— Ce policier a cent fois raison, dit-il : vainqueur ou vaincu, c'est Hitler qui gagnera.

Le plus étonnant – ou le plus extravagant – est de voir l'homme de la Gestapo se comporter à la fin de la pièce avec une réelle générosité Il a fait son travail. Henri et Campan ont été abattus. Il sait par ailleurs que Carola – activement – et von Clodius – passivement – se sont rendus complices du jeune résistant. On pourrait croire qu'il va chercher à les confondre, à les mettre en accusation ; et ce d'autant plus qu'il a dû subir leur mépris tout au long du drame. Mais non, Renoir tient beaucoup à ce que Kroll, comme Campan, se montre fidèle à sa logique personnelle. Ne s'est-il pas défini lui-même comme un « artiste amateur » ?

— Je fais aussi un peu de peinture le dimanche, dit-il à von Clodius... Cela m'aide à voir certaines choses, à lire derrière les visages et les attitudes. Je sais percevoir la classe.

On se souvient évidemment de la réflexion du général à la fin de *La Règle du jeu.* A propos de son hôte, il disait . « Ce La Cheyniest a de la classe. Et ça devient rare ! Croyez-moi, ça devient rare ! »

C'est en raison de cette classe que Kroll choisit de « fermer les yeux » et de conseiller à von Clodius de s'enfuir au plus vite. Il le considère comme « l'un des derniers gentilshommes de l'armée allemande » et il ne cesse d'admirer Carola.

— Quand je serai à la retraite, leur dit-il, tout en faisant de la peinture et en cultivant mes tulipes, je me rappellerai que mon humble avis a contribué à prolonger la vie de deux parfaits spécimens de notre race aryenne.

Kroll ne renie donc rien de ses convictions nazies. En cela aussi, il se montre conséquent. Tout comme Carola et Franz, qui n'accepteront pas de lui devoir leur salut. Ils ne fuiront pas et se tiendront là où le destin les a placés, le général à son poste, la comédienne sur la scène ; attendant l'un et l'autre l'interrogatoire auquel ils devront se soumettre tôt ou tard, lorsque le policier aura fait son rapport sur les événements de la nuit.

Mon propre compte rendu sur le déroulement d'une pièce aussi étrange suffit, je pense, à faire comprendre pourquoi *Carola* n'a jamais été représentée devant un public parisien ou new-yorkais. Je ne sais quels furent les arguments des directeurs de théâtre pour refuser l'ouvrage, mais il est certain que Renoir n'a pas mesuré l'incongruité – voire l'inconvenance – d'un propos dont nous voyons bien qu'il lui a été inspiré par le goût des contrastes et le refus des clichés en vigueur, sans parler de la séduction toujours présente chez lui du paradoxe... De là à faire admettre qu'un colonel de la Gestapo, dans l'exercice de ses monstrueuses fonctions, puisse se recommander – sincèrement ! – de l'art et de l'aristocratie morale, il y a beaucoup plus qu'un pas à franchir.

La lecture de sa correspondance nous indique que Renoir compte bien, sur le moment, que *Carola* sera montée. Le 4 avril 57, il confie à l'écrivain Lee Kressel : « Je crois que ma pièce est bonne. » Le 9 octobre, dans une lettre à sa femme, il envisage de « caser » *Carola* dans un théâtre parisien. Le 8 juillet 58, il s'adresse à Dudley Nichols pour le presser de mettre au point une adaptation anglaise de *Carola :* « Je rêve du jour, lui dit-il, où nous serons ensemble, tremblants de peur dans les coulisses d'un théâtre new-yorkais. »

Nous savons seulement que ce jour n'est jamais arrivé, et j'en suis réduit à imaginer la frustration et le découragement qui n'ont pu manquer d'affecter Renoir en profondeur. Après *Carola*, il n'écrira plus pour le théâtre. En 1960, nommé « Regent's professor of english and dramatic art » à l'université de Berkeley, il aura quand même l'occasion de monter sa pièce avec un groupe d'étudiants, et l'on ne peut voir là qu'une maigre consolation. Deux ans plus tard, en octobre 1962, François Truffaut envisagera une adaptation radiophonique de *Carola* pour Europe 1. Renoir lui donnera son accord, et il confiera par le même courrier à sa collaboratrice Ginette Doynel : « Comme je n'ai aucun espoir de voir jouer *Carola* dans un théâtre, il est possible que cette " mise en ondes " redonne une certaine jeunesse à cette pauvre oubliée dont, je l'avoue, je me désintéresse complètement. » Pour des raisons de format imposé par la station (les émissions ne devant pas dépasser 60 minutes), Truffaut ne donnera pas suite à son projet.

Entre-temps, Renoir a réalisé quatre films, qui ne lui ont pas permis de renouer avec ses succès anciens ou récents. Chaque fois, comme pour *Carola*, il s'est engagé avec confiance dans l'aventure, et chaque fois la déception suivra, plus ou moins cuisante selon les cas.

Au moment de sa présentation à la presse d'*Elena et les hommes* en novembre 55, alors que le tournage vient de commencer, il formule ses intentions avec force. « Je vais faire un film, dit-il, où il n'y aura pas de psychologie. » Son propos est net. Il se refuse à disséquer « l'âme d'un seul individu, que l'on ouvre et que l'on montre sous toutes ses couleurs ». Il veut rompre avec la hiérarchie des grands et des petits rôles : « J'espère pouvoir parler un peu de ce qui se passe dans un groupe d'individus, avec des gens qui sont menés par des ambitions différentes, et j'espère que les mouvements physiques de ces personnages, autant que les paroles, aideront à expliquer cette action. Autrement dit, j'essaie de faire un pas de plus dans une direction que je crois bonne – je peux me tromper – qui est la direction de *La Règle du jeu.* »

Un pas de plus ? Ou un pas de trop ?...

L'étude comparée des deux films, surtout si on leur ajoute *Tire au flanc* et *Le Carrosse d'or*, fait apparaître en effet une foule de rapprochements. Les maîtres (bourgeois) et leurs serviteurs vivent des amours parallèles, comme dans *La Règle du jeu* et *Tire au flanc*. Les décors sont conçus, comme dans le *Carrosse*, de manière à favoriser la soudaineté des mises en présence. *Elena et les hommes* accélère encore le mouvement. Nous y voyons des couples s'unir ou se défaire en l'espace d'un clin d'œil. Le désir se manifeste en moins de temps qu'il n'en faut pour l'éprouver, puis il circule à grande vitesse entre les salons et l'office d'un château. La jalousie aiguillonne les rivaux, qui en viennent aux mains, qui décrochent des sabres, qui se poursuivent dans l'enfilade des corridors. Les péripéties du premier plan jouent avec celles qui se déroulent dans la profondeur de champ, derrière des portes mal fermées ou brutalement ouvertes, en attendant que d'autres portes, à l'autre bout des pièces, renouvellent les figures d'une chorégraphie endiablée.

Renoir rêve tout haut devant les journalistes d'un film « gai... burlesque par certains côtés ». « Nous allons essayer, dit-il, de faire un film avec un grand rythme, extrêmement rapide ; ce film aura des qualités d'enchevêtrement... Il y aura un peu de Commedia dell'Arte dans notre histoire, je l'espère. »

Force est de reconnaître que le film terminé se conforme indéniablement au programme énoncé. Je devrais donc renouer avec le bonheur que j'ai éprouvé devant la scène du spectacle interrompu de *Tire au flanc*, face aux extravagances délectables de *La Règle du jeu*, ou bien encore lors des rencontres inopinées des amants de Camilla dans *Le Carrosse d'or*. L'aveu de mon insatisfaction devant les imbroglios d'*Elena et les hommes* en est rendu d'autant plus difficile.

Renoir corrige souvent ses affirmations en disant : « je peux me tromper ». Le moins que je puisse faire est de l'imiter en prévenant le lecteur contre l'aveuglement ou la sottise dont je vais – sans doute – faire preuve dans les pages qui vont suivre. Croyez bien que je n'aurais pas demandé mieux que d'admirer *Elena*, *Le Testament du docteur Cordelier* et *Le Déjeuner sur l'herbe*, comme Eric Rohmer – pour prendre le meilleur exemple – les a aimés.

Je me suis pourtant astreint à les voir et à les revoir, ces films !... Sans parvenir à chasser de mon esprit l'interrogation suivante : Renoir s'y montre-t-il seulement fidèle à lui-même ? Ou bien est-il entré dans une période où il ne lui est plus possible, momentanément, que de se répéter ? Son âge n'est pas en cause, puisque d'autres œuvres suivront (*Les Cahiers du capitaine Georges*, *Le Petit Théâtre*) où nous le retrouverons plus inventif que jamais.

Carola, nous l'avons vu, reprend le thème de *This land is mine*. *Elena et les hommes* adopte le ton et le rythme de *La Règle du jeu*, mais de façon tellement « voulue » que nous perdons en spontanéité ce que nous gagnons – si nous gagnons – en trépidation forcenée... Je me souviens alors d'une réserve émise par André Bazin à la fin de sa critique, par ailleurs très favorable, d'*Elena* : « S'il me faut pourtant dire par où ce film me laisse sinon une déception, du moins un certain regret, c'est dans la mesure où Renoir me paraît pour la première fois y avoir abandonné cette dialectique du comique et de l'amertume, de la gaieté et de la gravité qui peut passer pour l'une des plus pures marques de son génie. » Mais Bazin se reprend quelques lignes plus loin en estimant que le cinéaste a sans doute « bien fait de maintenir ici de bout en bout l'optimisme et la fantaisie, justement parce que le sujet lui offrait cent occasions pour une de tourner à l'aigre ».

Elena, il est vrai, n'est plus un « drame gai » comme *La Règle du jeu*, ni une « tragédie burlesque » comme *Le Journal d'une femme de chambre*. Je pourrais y déceler néanmoins la fameuse dialectique célébrée par André Bazin en définissant le film comme une « comédie violente ». Tout se passerait, dans cette hypothèse, comme si Renoir avait souhaité – consciemment ou non – « provoquer » notre rire. A la manière précisément d'une provocation, qui le porterait – ce rire qui est aussi le sien – à son plus haut degré de satiété et de saturation, le dégradant ainsi en une hilarité, plus proche de la gêne que de la bonne humeur, et de la honte que de la fantaisie.

Une question étrange, posée par Eric Rohmer, accrédite pour moi cette hypothèse : « Pourquoi, se demande-t-il, l'allure de tous les personnages masculins a-t-elle, y compris les " jeunes " premiers Jean Marais et Mel Ferrer, quelque chose de simiesque ? Qui dit singe dit animal, mais en même temps fantoche. Ce qui intéresse Renoir, c'est à la fois notre croûte superficielle et nos attaches les plus profondes avec le terrestre. L'âme n'est pas niée, mais elle loge où elle peut. L'homme n'est peut-être qu'un animal qui singe l'homme. Idée à la fois rassurante et terrifiante. »

Idée contenue dans le discours de la mère Vipère d'*Orvet*, lorsqu'elle prétend que la spiritualité « loge où elle peut », en effet, y compris dans l'infamie d'une étreinte d'Orvet avec un chasseur ivre.

Idée qui pourrait nous donner la clef véritable, et fort peu rassurante, de *Boudu sauvé des eaux*. Souvenons-nous de Lestingois passant sa main dans la tignasse du clochard, comme s'il caressait un chien.

Je note que Rohmer écrit son article en novembre 1956, alors que Renoir n'envisage pas encore de réaliser *Le Testament du docteur Cordelier*, adaptation de *L'Etrange Cas du*

Dr Jekyll et de Mr Hyde, où nous verrons le beau visage de Jean-Louis Barrault révéler soudain une hideur simiesque, soigneusement dissimulée jusque-là.

La même humeur noire, bien au-delà de l'humour le plus sombre, habiterait donc l'esprit de Jean Renoir en cette deuxième moitié des années 50. Je le soupçonne d'avoir écrit *Carola* en grande partie pour pouvoir dire que Hitler a laissé dans la conscience européenne une tache indélébile. Il présente *Elena et les hommes* comme une « fantaisie musicale », et il se laisse dépasser par le mouvement même qu'il entendait imprimer à sa comédie, au point de compromettre chacune de ses raisons d'être : légèreté, gaieté, désinvolture aristocrate opposée à la rapacité active des politiciens comploteurs et des industriels de la chaussure. C'est tellement vrai que les admirateurs les plus fervents du film en viennent à parler, comme Jean-Luc Godard, de « comique déchirant ».

Il y aurait donc un film secret sous le film apparent, dont je dois reconnaître que je ne l'ai pas vu, malgré de multiples visions... Reste à savoir pourquoi il m'a été si difficile d'en apprécier la richesse et la profondeur.

Les circonstances mêmes de la réalisation m'apportent une première réponse. Elles ont créé pour Renoir, selon ses propres termes, un climat de « cauchemar ». La distribution des rôles, tout d'abord, n'est pas celle qu'il avait prévue. Gérard Philipe a refusé d'incarner Henri de Chevincourt, le jeune aristocrate désœuvré amoureux d'Elena. Si j'en crois Jean Serge, coscénariste du film, l'acteur a été choqué par une réflexion du personnage à l'issue d'un duel imbécile : « Tu vois, ça ne sert jamais à rien de se battre pour des idées. »

« Vous aurez à enlever cette phrase, si vous voulez m'avoir, aurait dit Gérard Philipe, car pour ma part je crois le contraire. » C'est donc Mel Ferrer qui a hérité du rôle. Je me fie assez peu au livre de souvenirs de Jean Serge (*Le temps n'est plus de la bohème*), émaillé à propos de la carrière passée de Renoir de nombreuses inexactitudes, mais je puis néanmoins le croire, comme témoin direct, lorsqu'il écrit : « Il fallut faire du personnage un nobliau basque pour justifier l'accent de Mel Ferrer... Puis, en l'absence de Renoir, le faire doubler par la voix de Jacques Charon. » Une voix qui prive à l'évidence Henri de Chevincourt d'une partie de son charme.

De plus, le cahier des charges impliquait deux versions, la française et l'anglaise à l'intention du marché américain, tournées l'une et l'autre en son synchrone. Il avait donc été convenu, dans un premier temps, de réunir sur le plateau une double distribution française et anglo-saxonne. « Mais ces Anglais ou ces Américains, la production ne les a pas trouvés, explique Renoir à Rivette et Truffaut dans leur nouvel entretien de 1957. Nous avons donc tourné en faisant formuler les phrases anglaises par des acteurs magnifiques, français, qui ne les comprenaient pas... Se lancer dans deux versions sans avoir deux troupes entièrement différentes, c'est impossible. Si j'ai terminé *Elena,* c'est un miracle... »

Le 24 septembre 1956, il avait écrit à ses agents de la Ci-Mu-Ra (Blanche Montel et Lucienne Watier) : « Ce film a été tourné avec tant de difficultés, j'ai dû renoncer à tant de " prudences nécessaires ", à tant de gros plans qui ponctueraient le jeu des acteurs ; j'ai dû tellement improviser pour simplifier le texte anglais des acteurs français, le texte français d'Ingrid, qu'il m'est impossible de considérer cette production autrement que comme une épreuve... Je sors d'*Elena* comme je sortirais de la retraite de Russie. »

Le film n'est donc pas, c'est le moins qu'on puisse dire, celui dont il avait rêvé ; et l'on doit constater que, pour une fois, les difficultés à vaincre ne l'ont pas stimulé... Sans doute parce que l'échec était inscrit – mais je peux me tromper – dès les origines de l'entreprise.

L'inspiration initiale tient au désir de « faire quelque chose de gai avec Ingrid Bergman ». Je lis le texte improvisé par Renoir à propos d'*Elena* pour les besoins d'un disque commandé en 1956 par la firme Vega. Il nous parle des dieux de l'Olympe, qui descendent parfois sur la terre pour nous rappeler que « seuls comptent la beauté, la chair, les yeux d'une femme... les divins mystères du grain de peau de la femme que l'on aime ».

« Vous savez, dit-il, c'est très important le grain de la peau de la femme que l'on aime, c'est beaucoup plus important qu'une théorie. » Donc, pour lui, Elena c'est Vénus : « Vénus avec toute sa blondeur, une blondeur exquise, avec de tout petits cheveux un peu fous à la naissance du cou ». Puis il ajoute, à ma grande surprise : « Vénus ne sait pas vous dire bonjour sans qu'on ait l'impression qu'elle se donne tout entière, et elle se donne tout entière... »

Or Elena, dans son film, passe le plus clair de son temps à se refuser au nom de la mission baroque dont elle se croit investie. Il s'agit pour elle, avant toute autre considération sentimentale ou sensuelle, de porter bonheur à des hommes dont l'ambition ou le talent la séduisent, mais à la stricte condition qu'ils « épousent », de façon prioritaire, le grand destin qui leur est promis. Ainsi, le populaire général Rollan (Jean Marais) ne pourra lui plaire qu'en prenant le pouvoir de haute lutte, au risque de renverser la République et de déclarer (accessoirement) la guerre à l'Allemagne.

Renoir nous annonçait dans son discours le délicieux portrait d'une amoureuse, mais nous le voyons dérouler les harassantes péripéties de son film entier avant de consentir à nous révéler, dans la scène ultime, le beau visage d'Ingrid Bergman enfin abandonné à la plénitude d'un instant et d'un amour vrais.

Il pourrait nous rétorquer qu'il avait, comme pour *Orvet*, besoin d'un obstacle. Autrement Elena et Henri s'aimeraient, et tout serait dit. Tout est dit, en effet, dans l'une des premières scènes où Henri entraîne Elena à travers la foule d'un Paris en liesse, un soir de 14 Juillet, qui évoque à s'y méprendre les couleurs d'un impressionnisme euphorique. Nous ne pouvons que goûter la griserie et le charme de ce moment, le seul du film qui corresponde au discours de Vénus descendue sur terre.

Je renvoie pour ce qui suit le lecteur, ou le spectateur éventuel, aux éloges formulés en leur temps par Eric Rohmer et Jean-Luc Godard, mais je me dois de laisser entière la question suivante : le Renoir de cette période est-il bien celui que dépeint Rohmer dans un article de décembre 1959 :

« Il serait vain d'établir une hiérarchie entre la dernière époque de Renoir et la période américaine, ou la première période française. Disons que notre auteur a la même vieillesse heureuse qu'ont eue un Titien, un Beethoven, ou un Goethe, ou encore un Cézanne, un Matisse, un Renoir père. Ce n'est point par leurs ultimes travaux que ces artistes ont gagné le cœur des foules contemporaines ou futures ; ces " dernières manières ", non seulement font les délices des connaisseurs, mais interdisent le doute qui pourrait nous prendre parfois à l'endroit de leurs œuvres plus tapageuses. »

Faut-il, au contraire, que je me fie au portrait que trace Jean Serge d'un Renoir tendu, fébrile, diminué par de multiples maux physiques, exorcisant visiblement l'effet de l'âge sur ses facultés :

« Il ne voulait pas s'arrêter, écrit le collaborateur au scénario du *Testament du docteur Cordelier* et du *Déjeuner sur l'herbe*. Il luttait contre le temps, arrachait chaque œuvre comme une victoire sur le risque de son propre déclin. »

Renoir, il est vrai, n'en est plus à s'interroger sur son éventuel dépassement par « l'immense enfantillage des générations nouvelles ». Tous les moyens de s'exprimer lui sont bons désormais. Il entend à présent que nous écoutions ce qu'il a « à dire ».

En 1958, il écrit même un argument de ballet intitulé *Le Feu aux poudres*, qui doit être dansé sur une musique de Mikis Theodorakis, à l'intérieur d'un spectacle dont la vedette est Ludmilla Tcherina. Dans une lettre adressée le 28 novembre à Pablo Picasso pour lui demander d'en concevoir le décor, il résume ainsi son propos :

« Un pays de dictature militaire et de progrès scientifique décide de conquérir un pays où le charme de la vie est la seule loi. » La simplification inhérente au genre du ballet rend cette fois évidente la thèse qui courait à travers les trois actes de *Carola* et les péripéties haletantes d'*Elena*. Renoir place d'un côté tout ce qu'il déteste ou appréhende : « Des montagnes arides bourrées d'uranium, des derricks, des usines, une divinité qui n'est autre que l'atome et une grande prêtresse qui transmet aux fidèles les ordres de la divinité. » Ce serait donc une nouvelle version de *Metropolis*, à laquelle il oppose un monde selon ses rêves : « Le paradis terrestre, à moins que ce ne soit l'âge d'or. A l'ombre des palmiers et des buissons de roses, les couples font l'amour, dorment ou ne font rien du tout. »

Le peuple heureux réagit à l'invasion de la nation dictatoriale par des « sourires et des fleurs ». Une inversion paradoxale se produit alors entre les signes de la féminité et ceux de la virilité. Le chef du pays de l'âge d'or est un homme qui soumet à son désir, dans un style de « java classique », la grande prêtresse de l'atome, désarmée soudain de ses prétentions martiales et suivie en cela par l'ensemble de ses sujets.

Picasso n'ayant pas donné suite à sa demande, Renoir engage Jean Castanier, son vieux complice du *Crime de Monsieur Lange*, et il subit stoïquement le caractère difficile de Ludmilla Tcherina. Stoïquement, mais en vain. « Sans prévenir, nous apprend Célia Bertin, Tcherina changea la chorégraphie et fit faire un autre décor. Castanier lui intenta un procès et Renoir exigea que son nom fût supprimé du programme. »

A cette nouvelle désillusion s'ajoutent, durant la même période, des contrariétés qui tiennent au mode de production particulier du *Testament du docteur Cordelier*. La profession cinématographique n'admet pas, en effet, que l'on distribue et projette en salle un film financé en partie par l'ORTF. Syndicalement parlant, les techniciens du cinéma refusent d'être concurrencés par des collègues de moindre prestige (et de plus bas salaire), appartenant à une télévision qui menace de capter à son profit, en cette fin des années 50, le vaste public populaire.

Renoir pense, de son côté, que le cinéma devrait bénéficier de la multiplicité des caméras, qui permettent le tournage en continuité des émissions dramatiques de la télévision. En mars 1959, alors que la réalisation de *Cordelier* ne lui a pas pris plus de onze jours, il écrit à son fils Alain pour lui dire sa satisfaction. Le système implique, bien sûr, une écriture différente du scénario et des répétitions aussi précises que pour une pièce de théâtre, mais il offre l'avantage d'une considérable réduction de budget (31 millions de francs au lieu des 120 nécessaires pour un film analogue réalisé dans les conditions habituelles). Renoir a toujours vu dans cet allégement des coûts un moyen de s'évader hors des structures industrielles dont il ne supporte plus la tutelle. Il se prend au jeu, en même temps, d'une expérimentation – comme à ses débuts – qui lui ouvre de nouvelles perspectives.

« Ce qui m'a intéressé dans cette affaire, écrit-il à son fils, et que j'ai pu vérifier à la projection des “ rushes ”, c'est que cette méthode donne aux acteurs la possibilité d'une progression de jeu dépendant de leur propre inspiration. L'équilibre des scènes repose sur un contact direct entre les acteurs et non plus sur le dosage du metteur en scène. Ça permet certains moments d'intensité véritable. »

Ici je ne comprends plus du tout. Ces moments d'intensité véritable, Renoir n'a pas cessé de les provoquer et de les obtenir depuis 1928 ! J'en ai cité de nombreux, et je regrette d'en avoir omis tant d'autres...

Pour en avoir le cœur net, je m'impose une nouvelle vision de *Cordelier* et je constate que, hormis Jean-Louis Barrault dans le rôle du monstrueux Opale, les comédiens du film atteignent seulement le niveau moyen d'une dramatique télévisée de l'époque. Il est vrai qu'ils ne sont pas servis par un texte, adaptation relativement fidèle de la nouvelle de Stevenson, dont l'écriture frôle l'invraisemblance à force de formules académiques et de tournures conventionnelles. Ce serait atterrant si ce n'était – peut-être – le but recherché par Renoir, qui serait parvenu ainsi à faire ressortir d'autant mieux, sur un fond de banalité et de conformisme, l'allure, l'adresse, la gestuelle inventive, la démarche dansée, les sursauts spasmodiques et l'impulsivité péremptoire dont Jean-Louis Barrault fait la démonstration dans l'exercice d'une cruauté parfaitement gratuite.

L'humeur noire de Renoir aurait donc trouvé dans la mise en œuvre de ce film, que l'on dirait exsangue, vidé des couleurs mêmes de la vie, un exutoire à sa mesure. L'idée du double le préoccupe depuis longtemps. « Comme c'est étrange, remarquait Albert Lory dans *This land is mine*, nous sommes tous deux personnes, au-dedans et au-dehors. » Dans sa lettre à Leslie Caron, où il analysait la conduite de son protagoniste, à la fois protagoniste et auteur de la pièce *Orvet*, Renoir écrivait : « Il y a dans le cas de Georges un peu du Dr Jekyll et de Mr Hyde. Au lieu de faire ce qu'il n'ose pas faire sous l'apparence différente de Mr Hyde, Georges s'abandonne à sa passion en imagination. C'est son métier d'écrivain qui est son Mr Hyde. »

Aveu considérable, on en conviendra. Qui m'autorise à inverser du tout au tout le propos apparent du *Testament du docteur Cordelier*. Renoir, qui n'en est pas à un paradoxe près, conçoit Opale, le double du docteur, non comme le dernier venu d'un cortège de monstres propres à effrayer les enfants dans une salle de cinéma, mais comme le cousin de Boudu en personne, dont il partage – après tout – le caractère intraitable. Autrement dit, il y aurait un Cordelier, et un Renoir d'une certaine façon, engoncés l'un comme l'autre dans leurs respectabilités respectives, et qui chercheraient à s'en affranchir par l'entremise d'Opale ou de Boudu. La férocité du premier et le rire du second ne sont-ils pas parfaitement compatibles, si on les place sous les mêmes signes du scandale salvateur et de la souveraineté irréductible ?

Jean-Louis Barrault confirme en tout cas devant Célia Bertin une vision du personnage dont il m'avait parlé lors d'un entretien pour la télévision. Il a voulu douer Opale de légèreté, sans se soucier outre mesure de sa malfaisance. Renoir va plus loin encore dans le post-scriptum d'une lettre à sa femme, datée du 8 décembre 1962 (soit quelques jours après la sortie longtemps retardée du film) : « Barrault est trop féerique pour notre public à grosses godasses. »

C'est à ce compte, et à ce compte seulement, que l'on peut aimer le film, en oubliant les maladresses relevées – à juste titre – par les critiques de l'époque, et que je n'ai pas le cœur de dénombrer.

Il me reste à regretter que Renoir n'ait pas suivi son intuition initiale. Dans son texte de présentation du film pour *L'Avant-Scène du cinéma*, il dépeint de façon réellement inspirée le paysage urbain de la région parisienne, maculé par la pollution. Au lieu de le regretter, il s'émeut lyriquement :

« Lorsque cette pourriture glorieuse s'étale sur les constructions de banlieue, ma joie devient de l'enchantement... Pour moi, le commencement de *Cordelier*, ce sont des promenades le long des murs suintant sous leur pudique vêtement de mousse. Ce sont mes regards d'espion à travers les grilles rouillées. Ce sont mes envies de deviner l'identité des pâles habitants des nobles demeures avant que celles-ci ne se dissolvent sous la pluie et n'entraînent ce qui reste de support à notre rêve, dans leur décomposition... »

Je note que sa présentation d'*Elena et les hommes* était aussi alléchante. Je peux me tromper, mais, s'il s'en était tenu pour *Cordelier* à ce sentiment de mélancolie aussi poignante qu'enchanteresse, et s'il s'était contenté de suivre Elena comme une blonde ambassadrice de l'amour visitant les humains, je crois que nous aurions vu deux très beaux films.

Le Déjeuner sur l'herbe, en revanche, se conforme formellement, et de bout en bout, non plus à une intuition initiale, mais à une certitude ancrée de longue date dans l'esprit de son auteur. Certitude qui se résume en un message aussi clair qu'un slogan : « A bas la science ! »

La configuration des forces en présence est proche de celle esquissée à grands traits dans l'argument du ballet que Renoir a été contraint de renier :

D'un côté, le progrès scientifique, allié familialement (c'était plus commode pour l'écriture du scénario) à la grande industrie et à la discipline militaire symbolisée par le scoutisme. Le professeur Etienne Alexis (Paul Meurisse) est donc un biologiste en renom, qui se fait fort d'améliorer l'espèce humaine grâce à des « semences » sélectionnées et administrées par insémination artificielle. Il est fiancé à Marie-Charlotte sa cousine (Ingrid Nordine), une belle et blonde Allemande – superbement aryenne, comme dirait le colonel Kroll – qui dirige d'une main ferme un bataillon de scout-girls. Un autre de ses cousins emploie des milliers de personnes dans son usine pharmaceutique, dont le développement est naturellement lié au programme préconisé par le professeur. Programme politique autant que scientifique puisque le professeur sera élu bientôt « Président de l'Europe » (Renoir voyait loin en 1959 !).

Sur l'autre versant, nous trouvons Nénette (Catherine Rouvel), et elle seule. Une jeune fille de Provence au cœur simple et à la bonne humeur inaltérable.

Le scénario est conçu de manière à ce que le professeur aperçoive les formes de Nénette se baignant nue dans une rivière par un bel après-midi d'été. Sachant que Catherine Rouvel aurait été choisie sans nul doute comme modèle par Auguste Renoir ou par Aristide Maillol, l'histoire d'amour entre le savant et la jeune fille s'impose avec évidence comme solution au problème proposé.

Etienne Alexis s'éprend de Nénette. Elle le convertit, sans y prendre garde, à l'art de vivre à l'ombre des oliviers, et elle lui donne un enfant de la façon la plus naturelle, ce qui achève de le convaincre, lui qui s'était écrié dans un moment d'exaltation, alors que son entourage voulait le séparer de Nénette : « A bas la science ! »

On a beaucoup présenté *Le Déjeuner sur l'herbe* comme un film « écologiste » avant la lettre. Il est certain que Renoir oppose la beauté du paysage des Collettes, là où son père a peint ses dernières toiles, aux prétentions abusives des tenants du progrès : « Imaginons Hitler revenant demain, dit-il, et la fécondation artificielle permettant de fabriquer des gosses exactement comme on les veut, des gosses super-intelligents, mais superdisciplinés et qui ne s'amusent plus. C'est ça qui est grave. »

Sa vraie peur est donc celle d'une Europe qui serait dirigée, pour paraphraser von Clodius, par des « scout-girls tristes, une Europe où l'on ne rirait plus ». Cependant, à la différence des écologistes d'aujourd'hui, qui entendent confronter une vraie science – et conscience – à l'aveuglement de ceux qui pillent et défigurent la planète, Renoir est avant tout un passéiste convaincu. Il est ému par les arbres autour du marais d'Okefenokee, qui « ont été plantés là par quelque aïeul ». Il admire les rameurs sur le Gange, « qui sortent directement d'un bas-relief égyptien ». Il n'hésite pas à évoquer, dans sa lettre à Picasso, « le paradis terrestre à moins que ce ne soit l'âge d'or ».

On pourrait penser qu'il ne partage pas, du moins pas entièrement, l'obscurantisme du vieux curé provençal rencontré sur un chemin par Nénette et Etienne Alexis. Le fil de l'histoire d'amour dans laquelle nous étions plongés s'interrompt net pour faire place à la diatribe de l'homme d'Eglise :

— L'homme ne descend pas du singe, monsieur Alexis, pas plus que des lézards et des poissons. L'homme est une créature de Dieu, et en prétendant le contraire, vous blasphémez... Vous me faites rire avec votre science ! Demain vous nous enverrez dans la lune. Voulez-vous me dire ce que nous y ferons ? Vous croyez qu'on y sera plus heureux qu'à l'ombre de nos oliviers ? La dictature des savants ce sera du joli ! Nous, on construisait Notre-Dame de Paris, on construisait Chartres, on couvrait la terre d'églises et de couvents. Vous, vous couvrez la terre d'usines. Avouez que la fumée de nos encens empoisonnait moins l'atmosphère que vos radiations atomiques !...

Je retrouve cependant dans une lettre adressée par Renoir à son cousin Edmond (le 20 août 47) un propos semblable, et plus radical encore :

« Il y a une seule chose dont je suis à peu près sûr : c'est que " le progrès " a été une erreur et que plus nous possédons de commodités matérielles, plus notre situation sur cette terre s'en trouve compliquée. » Il mentionne alors *Galileo Galilei* de Bertolt Brecht, représenté cette année-là dans un théâtre de Los Angeles. « Un de mes amis, dit-il, a écrit une pièce sur Galilée et dans notre ville on a beaucoup discuté de cet ouvrage. Mon opinion est que l'Eglise a eu bien tort de ne pas brûler vif ce dangereux novateur, et que les choses marchaient bien mieux quand la terre était plate. »

Le Déjeuner sur l'herbe doit donc être vu comme une illustration, qui se veut plaisante et drôle, d'un plaidoyer en règle contre le progrès.

Le Renoir de cette période est un auteur qui a « quelque chose à dire », mais qui ne parvient pas à se faire entendre. Le 22 janvier 1960, il écrit à Ginette Doynel : « Maintenant que je ne suis plus dans le tourbillon, je réalise la dimension de mon échec commercial avec *Cordelier* et *Le Déjeuner*. »

Chapitre vingt et unième

« *Il faut que l'on voie des gens. Il faut que l'on voie des êtres* »

*

1961/1969. « Le Caporal épinglé » « Les Cahiers du capitaine Georges » « Le Petit Théâtre de Jean Renoir »

Hiver 61-62. Réalisant *Le Caporal épinglé,* d'après le roman de Jacques Perret, Jean Renoir pense pouvoir « donner à *La Grande Illusion* un successeur dont elle n'aurait pas à rougir ». Une nouvelle collaboration avec Charles Spaak lui est donc apparue naturelle. Les deux hommes ont échangé une correspondance qui laissait espérer une bonne entente sur le fond, mais l'éloignement géographique (Renoir étant resté en Amérique) a sans doute aggravé une incompréhension entre eux, jusqu'à leur rupture en août 61.

Pour Renoir, en tout cas, le sens du film s'est dégagé très tôt. Cherchant à se représenter l'existence navrante et les projets d'évasion héroïco-burlesques d'un groupe de prisonniers français en Allemagne durant la dernière guerre, il avait écrit à Spaak : « Si nous arrivons à dépeindre ce je-m'en-foutisme intégral, nous aurons fait quelque chose que les autres n'ont pas encore fait. » Dans un entretien avec Roger Viry-Babel, il précisera sa pensée : « J'ai voulu avant tout faire un film sur l'esprit du vaincu. *La Grande Illusion* est un film de vainqueur au contraire. La dernière guerre nous a appris une chose, c'est qu'il n'y avait que des vaincus (Français, Allemands, Anglais). » Curieusement, il oublie les Américains, qui sont devenus, il est vrai, ses concitoyens. En 1963, il confiera à Jean-Louis Noames : « Mon film le plus triste c'est *Le Caporal épinglé*. Malgré mon désir de faire rigoler les gens, je crois que ce film est assez sinistre, n'est-ce pas ? Dans une histoire aussi informe que – j'allais dire l'invasion de la France en 1940, mais je pourrais dire l'histoire du monde depuis 1939 –, dans cette espèce de boule de chewing-gum informe, j'ai l'impression que des valeurs purement humaines comme, disons, simplement le plaisir d'être avec un copain se dégagent énormément. »

L'une des dernières répliques du film, prononcée par un Allemand, confirme ce sentiment. Le train dans lequel les deux évadés français ont réussi à se glisser subit un bombardement très violent. Le caporal (Jean-Pierre Cassel) et son ami Pater (Claude Brasseur) profitent du désordre général pour s'esquiver et disparaître dans la nature, tandis que la caméra fixe notre attention sur un personnage d'ivrogne, vulgaire en même temps que dérisoirement prophétique, dont la voix s'élève au-dessus des détonations. Il baisse la vitre du compartiment et il apostrophe ceux des siens qui se précipitent hors du wagon pour échapper aux bombes :

— Hé là, hurle-t-il. Inutile de courir ! Prenez votre temps. Tout cela n'a aucun sens !

Le Caporal épinglé marque donc d'un point final la réflexion de Renoir sur l'immense désastre moral qui s'est prolongé, selon lui, bien au-delà de 1945. Je crois qu'il faut avoir présent à l'esprit le texte de *Carola,* sa dernière pièce, si l'on veut comprendre son avant-dernier film. Dans *Le Caporal,* en effet, le personnage central de Ballochet (Claude Rich) se trouve confronté à la même situation que celle de Campan dans la pièce. Ils doivent conjurer l'un et l'autre le souvenir d'une lâcheté commise au début de l'histoire, et dont ils ont honte ; il leur faut donc « surmonter » désormais la peur qui les habite. Ballochet s'est vu comme « un miteux » là où Campan se découvrait « lamentable ». Mais ils ne peuvent se départir, l'un comme l'autre, au moment crucial, de la même attitude lyrique, théâtrale, dont ils entendent parer leurs actes suicidaires.

La différence est que Renoir recherche, à travers Ballochet, une conciliation dont il a toujours rêvé :

— Je me trouve dans l'une des rares occasions, dit le candidat à une évasion particulièrement risquée, où le rêve peut coïncider avec la réalité, où le geste gratuit devient une action pratique, où don Quichotte rejoint Sancho Pança...

Malheureusement, la réalité des fils barbelés et des sentinelles veillant sur leurs miradors sera la plus forte. Ballochet sera abattu.

« Tout cela n'a aucun sens... »

Il faut savoir que la pensée de l'ivrogne allemand se retrouvera dans une déclaration de Renoir lui-même, à propos de *Carola,* lorsque la pièce sera enfin mise en scène par son ami Norman Lloyd, en 1973, pour le compte d'une chaîne de télévision californienne : « Les gens croient que tout dans leur vie est important, dira-t-il aux journalistes. Mon but est de montrer l'insignifiance de la vie. »

Le Caporal épinglé se conforme par ailleurs aux règles d'un genre répertorié. C'est un récit d'évasion plutôt bien mené, où de jeunes acteurs traduisent, comme Renoir l'a souhaité, un sentiment de fraternité intense, tout en exprimant la singularité propre de chacun de leurs personnages.

Une évidence s'impose néanmoins : si nous ne connaissions de Renoir que *Le Caporal épinglé*, auquel il faudrait ajouter les trois films qui l'ont précédé, qui songerait – en dehors de quelques inconditionnels – à le placer là où *Partie de campagne*, *La Règle du jeu, Le Fleuve*, *Le Carrosse d'or*, l'ont installé de façon définitive, c'est-à-dire au premier rang des cinéastes et des grands esprits du XXe siècle ?

Lui-même, cet été-là, est déjà ailleurs. Le 14 juillet 62, il écrit à sa productrice, Adry de Carbuccia : « Si je suis passé à côté de la grande réussite avec *Le Caporal* c'est parce que je bénéficie de trop d'avantages dans d'autres domaines. On ne peut pas tout avoir. C'est peut-être aussi un avertissement et une indication que je dois écrire ce que j'ai en tête. Je commence à travailler sur un livre et j'ai bien de la chance d'avoir trouvé une histoire que je brûle d'envie de raconter... »

Encouragé par la publication de *Pierre-Auguste Renoir, mon père*, il se lance dans l'écriture de son premier roman, *Les Cahiers du capitaine Georges*, où nous retrouverons intacte l'inspiration de ses meilleurs films. Tous ceux, en effet, qui ont été touchés au plus profond par les derniers regards de Sylvia Bataille dans *Partie de campagne,* ou qui ont en tête les paroles de la *Complainte de la Butte,* comprendront facilement pourquoi Georges, le narrateur, a entretenu jusqu'à son dernier souffle le souvenir d'une jeune femme qui s'appelait Agnès.

Une fois de plus Renoir nous parle de l'amour, mais il s'agit – enfin ! – d'une union aussi parfaite qu'inattendue entre deux êtres. Il nous parle donc de l'amour comme il ne l'a jamais fait, sinon par éclats ou brèches très vite refermées sur elles-mêmes. Il nous en parle comme s'il avait attendu sa soixante-dixième année pour y croire. Il en dépeint chaque moment : la communion des chairs, l'effusion des âmes, la tendresse après l'étreinte, le bonheur de cette présence-là à l'exclusion de toute autre, le malheur de l'absence ; mais il s'en tient, comme le voulait Franz von Clodius, au mot « sentiment » dans sa stricte acception de substantif, autrement dit dans sa substance, sans le moindre risque de dérive « sentimentale ».

Le tour de force du romancier débutant est de nous faire aimer Agnès comme Georges l'a aimée, perdant parfois la tête sous l'emprise du bonheur, mais sans rien aliéner de sa clairvoyance. A l'extrême opposé de ces « cristallisations » dont on se réveille un jour en découvrant une femme réelle en lieu et place de l'être sublime que nous avions inventé de toutes pièces, c'est au contraire la « vérité vraie » d'Agnès, très jeune prostituée placée en « maison » par son Emilien de mari, qui prend de court l'apprenti hussard de 1913. La beauté d'Agnès n'est pas de celles qui éblouissent au premier regard. Ses attitudes et ses réflexions sont celles d'une fille de la campagne. Elle ne s'exprime, en toute circonstance, que de façon nette, pratique, appropriée. Elle n'a pourtant lu – et relu – qu'un seul livre, *Les Misérables* de Victor Hugo. Renoir retrouve avec elle une simplicité qui décourage à l'avance les qualificatifs convenus : « enfantine », « innée », « merveilleuse ». Elle n'est même pas la « simplicité incarnée ». Je me demande si le mot de « justesse » ne conviendrait pas mieux. Agnès est une personne qui vit, qui pense, qui mange, qui respire, qui se déplace, qui fait l'amour, avec une justesse rare, pour ne pas dire unique. Georges n'a jamais pu rêver pareille exactitude dans l'abandon complet d'une femme à sa propre ferveur.

« Nous fîmes l'amour avec gravité, écrit-il. Il ne s'agissait plus pour moi de satisfaire un désir passager. Je voulais la rendre heureuse. Je voulais son bonheur comme elle voulait le mien... Je la sentis perdre la tête en même temps que je perdais la mienne. »

Renoir ne nous cache pas qu'un moment redoutable s'ouvre après l'étreinte, où « le moi revient au galop et avec lui le dégoût et les gênes ». Mais rien de tel ne se produit alors. « Il y a des veinards qui, pleinement satisfaits, écrit le capitaine Georges, continuent à abandonner le contrôle de leur circulation aux battements de cœur de leur maîtresse. Ça c'est vraiment de l'amour. Ils ne sont pas nombreux. Moi, je n'ai connu cela qu'avec Agnès. Le nombre de minutes et d'heures que dure ce calme bonheur pourrait servir à mesurer l'amour. »

Trente années dans son cas ne suffiront pas à dissiper le sentiment d'avoir connu avec Agnès la paix des certitudes, la volupté des profondeurs de l'être, la grande gaieté de l'amour vrai.

J'ai déjà évoqué, dans mon premier chapitre, l'enfance de Georges et la félicité absolue qu'il éprouvait dans les bras de Nancy, sa nurse anglaise. Séparé d'elle à l'âge de six ans, il ne pleura pas : « Les larmes me semblaient au-dessous de l'ampleur de la catastrophe. » Renoir nous indique ainsi que tout se jouera dans son livre entre l'exaltation sereine de la plénitude et l'élégie muette du déchirement.

La « bénédiction des contrastes » dont nous parlait un autre Georges, le dramaturge d'*Orvet*, inspire la rédaction des *Cahiers* de la première à la dernière ligne. Agnès était déjà présente, sous l'apparence de Nancy, comme une prescience insistante du bonheur. Le pressentiment du malheur s'inscrit dans les conversations d'Agnès et de Georges lorsqu'ils vivent ensemble avant, pendant, et quelques années encore après la guerre de 14. Mue par une logique aussi étrange qu'intransigeante, Agnès se considère à jamais comme la femme d'Emilien, bien qu'il se soit conduit envers elle comme un souteneur et qu'il ait disparu ensuite sans laisser d'adresse. Croyante autant qu'on peut l'être, elle n'envisage pas une seconde d'enfreindre un sacrement.

— Quand on épouse un homme, c'est pour la vie, dit-elle à Georges stupéfait. Mais je ne l'aime pas. Je me suis rendu compte qu'Emilien ça avait été le hasard, la vie dans la même campagne, mais je ne l'aimais pas vraiment. Tandis que toi je sais que c'est vrai. J'aurais dû ne pas te revoir. J'ai essayé. Mais la chair est faible. Je suis une pécheresse de la pire espèce. J'aime mon péché.

— Qu'est-ce que tu vas faire ? lui demande Georges.

— Penser à toi et attendre Emilien. Je ne l'aime pas, mais je suis sa femme.

En se prostituant, Agnès ne considérait pas qu'elle offensait Dieu, puisqu'elle ne donnait que son corps. En se résolvant, au contraire, à aimer Georges comme elle l'aime, elle se place dans une position intenable, qui lui interdit même de confesser son péché :

— Parce que, dit-elle, le curé me demanderait d'y renoncer. Et si je le lui promettais, ce serait un faux serment.

Elle ne se torture pas pour autant. A l'image de Camilla et de Boudu, d'Orvet et d'Auguste Renoir, de Victoria, Bogey et Harriet, les enfants du *Fleuve*, elle sait vivre la minute présente comme un cadeau du ciel :

— Ce n'est pas pour des prunes, dit-elle, que dans le Notre Père on demande au bon Dieu de nous donner le pain de chaque jour. Chaque jour, c'est pas le lendemain !

En page de garde des *Cahiers du capitaine Georges*, on lit simplement : « Souvenirs d'amour et de guerre. 1894-1945 ». Dans une lettre de septembre 64 adressée à un ami, Renoir nous révèle ce que fut le projet initial du livre : écrire une autobiographie. Mais « la crainte de faire de la peine soit à des personnages vivant encore, soit à leurs descendants » l'a arrêté. Cependant, écrit-il, « à force de remuer mes souvenirs, j'en ai extrait quelques personnages dont, en changeant les identités, j'essaie d'utiliser les aventures pour en faire un roman. Je suis à peine au début de l'ouvrage. »

La mention de « roman » ne figure pas sur la couverture. Renoir a sans doute estimé qu'elle ne correspondait pas à une histoire réellement vécue. Il a certainement rencontré une Orvet, ou une Agnès, ou bien encore la « mendigote » de sa chanson à un moment ou à un autre – 1912/1919 ? – de son « éducation sentimentale ». Dans une lettre à son éditeur anglais, il indique que ce serait là le meilleur titre pour son livre, si « un certain Flaubert ne s'en était déjà servi ».

Agnès « existe » en effet de façon telle, à la fois dans sa vérité et dans ce qu'elle a d'extraordinaire, qu'il ne peut l'avoir entièrement imaginée. Le besoin est en lui depuis longtemps de raconter une histoire où l'amour s'affranchirait de la barrière entre les classes sociales. Ce n'est pas un hasard si son tout premier film, *La Fille de l'eau*, nous montre une sauvageonne en détresse recueillie par un jeune homme distingué, et si sa première pièce, *Orvet*, reprend le sujet autrement (une fille des bois amoureuse éperdue d'un prince que l'on a inventé pour elle). Ses incursions cinématographiques dans la littérature romanesque ont mis ses protagonistes masculins en présence de Nana (1926), de Lulu (*La Chienne*, 1931), d'Henriette (*Partie de campagne*, 1936), et de Célestine (*Le Journal d'une femme de chambre*, 1946). La même jeune femme, pourrait-on dire, mais dont nous voyons le visage apparaître chaque fois un peu plus nu, un peu plus vulnérable. On peut comprendre alors pourquoi la première preuve d'amour accordée par Agnès à Georges est de renoncer pour lui à son maquillage de prostituée, qui d'une certaine façon la protégeait.

On observe chez Georges un renoncement semblable et symétrique aux conventions de son propre milieu. Contrairement à Henri qui se lassera d'Orvet au bout de quelques mois, et au rebours de l'autre Henri, celui de *Partie de campagne*, abandonnant Henriette à son destin navrant, Georges ne conçoit pas de vie sans la présence et la pensée d'Agnès. Même ses parents, qui aspirent aux élégances de la plus haute bourgeoisie, ne s'opposeraient nullement à une telle mésalliance, si elle devenait possible.

Il n'est pas facile de mettre au jour les raisons qui ont conduit Renoir à « se » voir ainsi dans les vêtements trop bien ajustés d'un fils de « grande famille », promis à la douceur de vivre de la Belle Epoque J'ai déjà remarqué que le personnage de Georges appartient à la même catégorie d'héritiers que les protagonistes du *Cœur à l'aise* et de *Geneviève*. Nous le retrouvons, aussi riche, mais un peu différent, amoureux lui aussi d'une prostituée, dans le scénario de *Julienne et son amour* (autre version des *Cahiers*), qui ne sera pas réalisé malheureusement.

Nous savons que la famille Renoir ne ressemble en rien à celle du capitaine Georges. Elle est passée en l'espace d'une génération de la tradition artisanale à l'accomplissement artistique. Le jeune Auguste des années 1870 appartient, par ses racines, à une « aristocratie populaire » dont la simplicité, sous l'apparence de Jean Gabin par exemple, séduira encore très vivement le Renoir des années 1930.

En empruntant à Georges sa nurse anglaise, sa mère minaudante, et son père qui entretient une meute de cairnterriers (« apparentés aux cairns de la famille d'Angleterre ») dans son château de Bretagne, le romancier débutant fait tout pour se distinguer d'une distinction qui n'est pas la sienne. Il prête à Georges, en retour, son propre choix de carrière. Nous savons que Renoir s'était engagé en 1913 dans un régiment de cavalerie. Georges, à la même date et au même âge (dix-neuf ans) fait ses classes chez les hussards par goût des chevaux et de l'équitation. Ce qui nous vaut un chapitre splendide où il raconte l'une des dernières manœuvres, avant la guerre, de la division entière déployée sur un front de plus d'un kilomètre. Il est l'un des mille six cents cavaliers, alignés sur deux rangs, à qui l'on a recommandé : « Soyez détendus. Pas de nervosité. » Joconde, la jument du maréchal des logis Georges, donne l'exemple d'une tenue, et d'une retenue, parfaites. Au commandement du général, mille six cents sabres jaillissent de leurs fourreaux. Un immense ruban d'hommes et de chevaux ondule sur la terre brune, au pas, au trot, puis au galop, vers la colline à conquérir, comme autrefois à Reichshoffen. « Notre masse déferlait avec un bruit de tonnerre, écrit Renoir (c'est bien de lui qu'il s'agit). Nous ne nous appartenions plus. Nous étions les gouttes d'eau d'une grande vague déferlant sur une grève. Je n'avais jamais éprouvé un tel sentiment de dépendance, jamais senti une telle ivresse me dilater les poumons. Je n'existais plus. J'étais anéanti dans un ensemble glorieux... »

Un tel moment ne lui fait pas oublier celle dont il ne sait pas encore qu'elle deviendra inoubliable. « Je me sentis soulevé de ma selle, écrit le capitaine Georges. Je ne me demandais même pas si un jour ou l'autre je retomberais sur ma jument. Je ne me demandais rien du tout. Je connaissais la volupté infinie de ne pas penser. Agnès eût compris la grandeur de ce moment dégagé de toute préoccupation de passé ou d'avenir, provisoire grandiose permettant, en un éclair, de deviner ce que peut être l'éternité. »

Il lui faudra bien pourtant retomber sur sa selle, entrer en guerre avec ses camarades, perdre Joconde tuée par un éclat d'obus, renoncer aux charges de cavalerie qui ne sont plus de mise, et s'enterrer pour de longs mois dans des tranchées, où il connaîtra « l'amitié de ceux qui grelottent ensemble, mangent ensemble, font leurs besoins ensemble et meurent ensemble... ».

« Terré dans mon trou, écrit-il dans ses notes de l'époque, j'ai tellement peur que parfois j'en oublie Agnès. Je ne pense plus qu'à ma peur. Dès que ça se calme, Agnès revient.

« Je sais qu'elle abrutit le bon Dieu et ses saints de prières pour moi. Là-haut ils doivent frémir au simple énoncé de mon nom si souvent répété. »

Jamais Renoir ne s'est autant éloigné du jeu et de ses règles, du théâtre aussi, qui n'entre pour rien dans les échanges entre Georges et Agnès. Il ne trouve plus du tout « assommants » les gens sincères. Il s'émeut autant qu'il sourit de la foi d'Agnès, « si souvent perdue en prière ». Un prêtre, un jour, finit par la remarquer et lui demande pourquoi une personne aussi pieuse ne se présente pas en confession et ne participe jamais au sacrement de la sainte communion. Elle lui fait une réponse évasive et revient à l'hôtel où Georges l'attend.

« Ce même soir, écrit-il, elle se montra particulièrement ardente. Après notre étreinte et comme je reposais sur son sein, je lui demandai s'il y avait une cause à un tel déchaînement. Elle me raconta l'incident. Je ne vis pas d'abord le rapport.

— Ce curé m'a rappelé que je suis en état de péché mortel, m'expliqua-t-elle. Que j'en fasse un peu plus ou un peu moins, je suis damnée. Alors, autant en profiter. »

Peu de personnages, chez Renoir ou ailleurs, nous auront désarmés à ce point. Agnès n'imagine pas une seconde que l'on puisse s'émerveiller de sa droiture, de sa logique, de son esprit conséquent. Elle n'en est que plus grande (comme personnage) et plus touchante (comme personne).

En regard, je ne sais de quel souvenir Renoir a pu « extraire » le dénommé Emilien. Toujours est-il que cet incroyable imbécile réapparaît soudain. Conséquent lui aussi, à sa manière, il s'est acharné à rassembler les fonds nécessaires à l'achat d'une quincaillerie, son idée fixe depuis toujours. Il s'est exilé dans ce but aux Etats-Unis, et il revient en France armé d'une décision inébranlable : ouvrir son commerce dans un chef-lieu de canton et placer Agnès derrière la caisse en lui confiant la tenue des comptes.

Cette fois encore, mais de façon définitive, « les larmes seraient bien au-dessous de la catastrophe ». Agnès, bien sûr, ne se révolte pas. Georges envisage sérieusement de tuer Emilien, mais il n'a pas l'âme d'un assassin. Les deux amants se quittent sans échanger de longues paroles...

Après des mois de séparation, où il a tenté en vain de l'oublier, Georges décide de revoir Agnès. Seulement de la revoir. Il la retrouve là où Emilien l'a installée, penchée sur le livre de comptes. Elle est très pâle, visiblement malade, atteinte par la tuberculose.

Ils se reverront encore, de loin en loin, sans se dire autre chose que des banalités. Georges assiste impuissant aux progrès de la maladie. Un jour où Emilien n'est pas là, il dit à Agnès que négliger sa santé peut être considéré comme un suicide, ce qui, aux yeux de l'Eglise, est au moins aussi grave que de vivre avec un homme en dehors des liens du mariage. « Ma réflexion, écrit-il, amena un flot de sang à ses joues. Elle m'affirma qu'elle consultait un médecin et suivait ses directives. »

Le 12 février 1931, Georges apprend, par un coup de téléphone d'Emilien, qu'Agnès est morte. Il saute dans sa voiture et se précipite vers la petite ville. Il se rappellera vaguement plus tard avoir monté un escalier en bois et être entré dans une pièce où un cercueil était placé sur un tréteau.

Georges ne pleure pas. Il regarde Agnès étendue dans le cercueil. Elle lui paraît rajeunie :

« Je remarquai qu'elle tenait un objet dans la main gauche. Je reconnus un de mes mouchoirs. Je me gardai bien d'en rien dire. Le curé me glissa dans l'oreille qu'elle semblait tenir à cet objet, et qu'il avait conseillé au mari de le lui laisser. »

Je ne sais quelle place pourrait tenir *Les Cahiers du capitaine Georges* dans une histoire du roman français. Georges et Agnès riraient sans doute – car ils riaient souvent – s'ils entendaient quelqu'un s'interroger sur une aussi grave question. J'éprouve le sentiment, en refermant le livre, que cette histoire leur appartient et qu'elle leur « survit », comme rarement histoire d'amour survécut à ceux qui surent s'en montrer dignes. L'avis de Henry Miller, après tout, devrait leur suffire. Une de ses lettres, adressée à Jean Renoir, nous apprend qu'il aurait aimé écrire ce livre.

Dans les dernières années de sa vie, Jean Renoir nous donnera encore trois romans. On peut reconnaître dans *Le Cœur à l'aise* (1978) notre personnage d'héritier nonchalant, qui se nomme à présent Clément Bourdeau. Renoir se perd avec lui dans les détours et avatars d'une existence vaine, qui aurait pu être la sienne si Georges – en lui – n'avait rencontré Orvet ou Agnès, et s'il n'était devenu, contrairement à son héros, cinéaste et écrivain. On peut lire aussi *Le Crime de l'Anglais* (1979) et se souvenir de la férocité « féerique » d'Opale dans *Le Testament du docteur Cordelier*. L'humeur dévastatrice de Renoir s'y donne un cours assez libre à travers l'histoire d'un hâbleur extravagant qui se croit doué d'infaillibilité démoniaque. Le récit de ses meurtres, inspiré d'un fait divers remontant à l'année 1883, est beaucoup trop désordonné pour nous captiver réellement. N'oublions pas que ces textes ont été dictés, et non réellement écrits, par un homme vieux et malade, qui tente d'échapper à une fatigue accablante, et qui n'y parvient – en ultime extrémité – qu'avec *Geneviève*. Peut-être, tout simplement, parce que c'est une histoire d'amour. Nous verrons que la réussite du *Petit Théâtre de Jean Renoir*, réalisé en 1970 pour la télévision, tient aussi à cela...

Mais je voudrais d'abord citer la conclusion d'un article publié par Eric Rohmer dans *Cinéma 79* (numéro d'avril) :

« S'il fallait ne conserver qu'un film, écrit-il, pour donner aux générations futures l'idée de ce qu'a été, au XXe siècle, l'art du cinématographe, je choisirais *Le Petit Théâtre* parce que tout Renoir y est contenu et que Renoir contient tout le cinéma. »

A la première image, le cinéaste apparaît en personne, debout auprès de la reproduction en petit format d'un cadre de scène à l'italienne, dont nous verrons le rideau rouge se lever à quatre reprises. En peu de mots et d'une voix affaiblie par l'âge, Renoir nous annonce chacune des parties d'un film dont il sait qu'il sera le dernier. Quatre parties, dont l'ensemble constitue un état final à peu près complet de sa pensée intime.

Avec l'aide de Hans Christian Andersen, le compagnon de son enfance et de sa vie entière, il a conçu un conte de Noël intitulé *Le Dernier Réveillon.* Dans l'ordre de l'humeur calmement dévastatrice, et cependant féerique, il nous aura rarement entraînés aussi loin. Des noceurs en habit, accompagnés de jolies crétines jacassantes, s'installent dans l'enceinte d'un restaurant de luxe. L'un d'entre eux, Gontran (Roland Bertin), est un homme jeune qui cultive le cynisme avec une ironie qui se veut « supérieure », mais dont nous sentons bien qu'elle confine à la délectation sordide. Il nous faut admirer l'honnêteté de Renoir, qui prête à ce personnage détestable certaines de ses propres réflexions :

— Le monde est fait de contrastes, dit Gontran. Du moins, il l'était avant que le progrès ne commence son œuvre de nivelage. Bientôt, il n'y aura plus chaud ni froid, ni riches ni pauvres. Tout sera moyen, c'est-à-dire insupportable...

Un clochard apparaît alors dans l'encadrement de la grande baie vitrée qui sépare les dîneurs de la place enneigée. Gontran le remarque et s'avise alors d'un jeu terrifiant, insoutenable. Il paie le clochard en lui demandant de se rapprocher, de se placer bien en vue derrière la vitre, et de donner en somme le spectacle de sa misère, de ses traits émaciés, de sa faim visible, à ceux qui pourront goûter d'autant mieux la saveur de leurs victuailles. Du moins, Gontran le suppose-t-il...

« Dans *Le Dernier Réveillon,* note Eric Rohmer, plus intéressante que la relation pauvre-riche, est celle de regardant-regardé. Le regard est une chose gênante, le regard est dévorant... »

La gêne gagnera même les compagnes et compagons de Gontran, qui ne pourront en supporter davantage et sortiront du restaurant.

Pour se débarrasser du clochard, qui indispose désormais ses clients, le gérant de l'établissement lui propose de vider les lieux en emportant de quoi souper. Etrange clochard, en vérité. Aussi peu vraisemblable que Boudu en son temps, sur un registre très différent. Celui-ci affiche, mais sans l'affecter le moins du monde, une réelle distinction d'attitude et de langage. Civilisé loqueteux en même temps que galant homme amoureux d'une pauvresse, il la rejoint sur un quai de la Seine qui, à cet endroit, fait un coude, découvrant ainsi la magie nocturne du paysage parisien. La dame de ses pensées est une femme aux cheveux blancs, réduite elle aussi à une misère qui n'entame en rien sa délicatesse de sentiments.

On sent que Renoir n'a plus rien à perdre. Féroce, autant qu'on peut l'être, lorsqu'il a filmé au début du film la clientèle du restaurant, il se laisse absorber à présent, en compagnie du clochard et de la malheureuse, par cette sensation d'infini que procure l'extrême douceur. Et pourquoi, après tout, se gênerait-il ?

Je dois avouer que j'ai goûté d'autant mieux son dialogue d'amoureux que j'avais présents à l'esprit les échanges entre Agnès et Georges.

— C'est bien simple, dit le clochard, sans vous je m'ennuie.

— Mais, c'est grave ça ! répond la dame en souriant.

— Très grave. Le froid, la faim, ça peut encore s'accepter, mais l'ennui...

Il frissonne d'horreur. Approuvé en cela par Renoir, qui tient l'ennui, nous le savons, pour la pire malédiction moderne.

La plus belle réplique de ce duo aurait pu être dite par Agnès à Georges s'ils n'avaient pas été séparés, et si elle avait vécu autant que la vieille dame du *Dernier Réveillon* :

— Je ne sais pas si je pourrais mourir sans vous...

Quelques heures plus tard, deux autres clochards – authentiques ceux-là – découvrent les amants morts de froid sur leur lit de neige.

— Ce que je ne comprends pas, dit le premier au second, c'est qu'ils aient l'air heureux.

Deux autres morts émailleront l'aventure de *La Cireuse électrique*, que Renoir nous présente comme un opéra, avec musique et chœur commentant l'action. Il y a longtemps qu'il songe à un projet semblable. Dès les années 40, il avait pensé que le sujet du *Crime de Monsieur Lange* pouvait très bien se prêter à une adaptation musicale, sur le modèle de *L'Opéra de quat'sous*.

En recoupant les dates, je découvre que Jean Renoir et Jacques Tati, celui de *Playtime*, ont été visités au même moment historique par une inspiration semblable.

Un chœur d'employés et de jeunes femmes en blouses de couleur apparaissent à la sortie d'une bouche de métro, qui s'ouvre sur le chantier d'un nouveau quartier en construction du type HLM. Renoir ne pouvait pas tomber plus juste dans une vision des années 60, qui pourrait se résumer à cela, comme chez Tati. La traduction architecturale des « trente glorieuses » suscite en eux le même rire au bout de la même consternation, sans qu'ils aient besoin d'insister.

Les employés chantent la mélopée de leurs existences fastidieuses (« Métro, bureau, comptes créditeurs, duplicateurs... », etc.). Le tout en forme de fugue, sur une cadence accélérée, qui fait place pour quelques instants à une mélodie élégiaque :

— Jeunesse passe... La vie se tasse... Ah ! Qui me rendra l'imprévu de mes premières inconduites ?... Les baisers au coin d'un couloir et les promesses illusoires... Les gifles de mon pauvre père, les hurlements de ma mère...

La tête des choristes est aussi sidérante – de banalité – que le texte extravagant de leurs chants. Notre rire intérieur éclate d'autant mieux qu'il aurait pu se glacer dans nos gorges.

Renoir nous a parlé, sérieusement, dans sa présentation de la « lutte de l'être humain contre la machine ». Il rit sous cape, bien sûr, en nous racontant l'amour fou éprouvé par Emilie Michonnet (Marguerite Cassan au plus fort de son drôle de génie) pour sa cireuse électrique. Gustave (Pierre Olaf), son premier mari, est mort au champ d'honneur des Arts ménagers. Il a glissé sur un parquet trop amoureusement ciré. Jules (Jacques Dynam), le second mari, ne supportera pas longtemps le bruit de l'engin. Il le « tuera » en le jetant par la fenêtre. Emilie, merveilleusement conséquente en cela, le suivra dans la mort, quelques étages plus bas.

« Dans les trois sketches principaux, note Eric Rohmer, il y a un spectacle (et des spectateurs) à l'intérieur du spectacle. Dans *Le Dernier Réveillon*, les riches regardent le pauvre qui regarde les riches ; dans *La Cireuse électrique*, le chœur des employés regarde le couple. »

Ils le regardent, et ils chantent en se réjouissant :

— Enfin, il se passe quelque chose dans le quartier. Remercions les voisins bénévoles qui nous régalent d'un spectacle gratuit. Rien n'est plus passionnant que les ennuis des autres ! Ils nous rendent la vie supportable, mieux que le cinéma !

Après une telle charge, Renoir nous devait bien un retour aux douceurs du passé. Il se devait à lui-même un certain abandon à la nostalgie, que l'on peut goûter, à la différence du regret, comme un bonheur de la mémoire. Il filme donc Jeanne Moreau en robe 1900 sur la scène d'un théâtre où elle chante « Quand l'amour meurt » devant un public dont rien ne trahit la présence, ni l'image, ni le son.

Elle chante de façon aérienne sous le seul regard, que l'on devine, du vieil homme bouleversé.

Le film n'est pas fini pour autant et nous ne perdrons pas, avec les habitants d'un village provençal, une nouvelle occasion de « nous régaler ». Eux aussi se passionnent pour les ennuis des autres. Trois autres en la circonstance : Edmond Duvallier (Fernand Sardou), un brave homme, plus tout jeune ; Isabelle, sa jolie femme (Françoise Arnoul) ; André Féraud (Jean Carmet), son cher ami de fraîche date, qui est devenu tout naturellement, et comme innocemment, l'amant d'Isabelle.

A la faveur de cette histoire (*Le Roi d'Yvetot*), Renoir se régale lui aussi, mais à l'inverse absolu des amateurs de grivoiserie et des moralisateurs hypocrites. Il se régale d'un paradoxe, qui a pour lui tous les avantages de la logique : André contribue, en l'aimant, au bonheur d'Isabelle. Un bonheur qui fait la joie d'Edmond, sans qu'il en connaisse la cause. Or, Isabelle et André n'aiment rien tant – sincèrement – que de voir Edmond heureux...

Un beau jour cependant, un de ces jours ensoleillés comme en connaît le merveilleux pays, Edmond découvre son infortune, ou plutôt il la devine à travers l'expression terrorisée de Paulette, la servante (Dominique Labourier), debout devant la porte de la chambre où Isabelle et André se sont isolés.

Eric Rohmer nous parle avec une rare intelligence de cette scène : « Le cinéma actuel fait de l'indiscrétion une vertu cardinale, mais c'est une indiscrétion affichée dès le départ et qui ne réserve pas de surprises, tandis que Renoir nous conduit au cœur secret de l'homme, un homme choqué par le regard qu'il jette sur lui-même, sur sa propre indiscrétion à l'égard de lui-même. *Le Roi d'Yvetot* nous réserve ce moment d'intensité prodigieuse où Duvallier apprend par la gêne de la bonne que sa femme est dans la chambre, avec son rival. Le jeu outré et comique de Dominique Labourier n'atténue pas le pathétique de la scène, mais le renforce. Nous sommes dérangés, non par l'événement, que nous connaissons, mais par la façon dont la chose arrive, d'autant plus déroutante que la situation est presque celle d'une pièce de boulevard. Tout Renoir est dans ce " presque ". »

Nous serions « presque » au bord du drame, en effet, si Renoir et Duvallier – un personnage selon son cœur de toute évidence – n'en repoussaient l'idée. Ils écartent, comme autant de clichés, les solutions conventionnelles de leur problème insoluble. Le duel, proposé ingénument par le malheureux Féraud, serait une farce tragique. Quant à la séparation, elle apparaîtrait à chacun des trois – au même degré – comme un gâchis insupportable. Le fait est que Féraud adore Duvallier, qui le lui rend bien ; et qu'Isabelle partage son amour entre les deux hommes avec une invraisemblable équité. Renoir nous dirait plus simplement qu'ils se sentent bien ensemble, et que ce bonheur est inappréciable.

Le ménage à trois serait encore une solution conventionnelle, qui supposerait de la part de Duvallier une complaisance suspecte. Raison pour laquelle Renoir a pris soin de nous montrer le visage baigné de larmes de Fernand Sardou (acteur extraordinaire en la circonstance) lorsqu'il marche vers le village après avoir fait sa terrible découverte.

En acceptant la liaison entre sa femme et son ami, Duvallier fait donc preuve avant tout de bonté, de bon sens, et de logique encore une fois. Puisque le bonheur gît dans l'étrange configuration qu'ils constituent à eux trois, il serait absurde d'y mettre fin. Les spectateurs villageois peuvent toujours s'ériger en juges, et sanctionner par le rire les héros de l'histoire, Renoir et Duvallier s'en moquent bien. Ils savent que d'autres spectateurs regardent le film dans une salle de cinéma, ou devant un récepteur de télévision. La preuve en est que les acteurs nous saluent, comme ceux du *Carrosse d'or*, avant que ne s'abaisse le rideau...

... Avant que ne s'abaisse le rideau sur une place de Provence ensoleillée, filmée pour la dernière fois par Jean Renoir.

En guise de dénouement, plus que de conclusion, je voudrais me contenter de deux citations.

Ces phrases, pour commencer, d'une lettre de François Truffaut adressée à Renoir le 13 novembre 1969 :

« Je n'ai jamais pu (ou jamais su) vous dire à quel point *La Règle du jeu*, vue et revue vingt fois quand j'avais de treize à quinze ans et que ma vie s'arrangeait si mal, m'a aidé à tenir le coup, à comprendre les mobiles des gens de mon entourage... J'aurai toujours le sentiment que ma vie est liée à votre œuvre ; tout cela est mal expliqué dans cette lettre mais le serait encore plus mal de vive voix... J'ai l'impression d'en avoir trop dit ou trop peu, mais je sais que vous comprenez tout. »

Je voudrais faire entendre, pour finir, un extrait de l'exhortation que Renoir adressait en 1957 au public de la Cinémathèque française, composé pour une part de futurs cinéastes :

« Il faut que nous allions vers le monde de plus en plus. Il faut que l'on voie des gens ; il faut que l'on voie des êtres ; il faut qu'on les touche ; il faut qu'on les sente ; il faut qu'on les aime ou qu'on les déteste, mais il faut les absorber et, par le processus qui a été celui de l'art de tous les temps, les digérer et les restituer, sous une forme modifiée par notre propre personnalité. »

REPÈRES

1885

Naissance de Pierre Renoir

1894

15 septembre : Naissance de Jean Renoir

1901

Naissance de Claude Renoir, dit Coco, troisième fils d'Auguste Renoir et d'Aline Charigot

1913

Jean Renoir passe le baccalauréat et entre au 1er régiment de dragons de Vincennes

1914

Naissance de Claude Renoir, fils de Pierre Renoir

1915

17 avril : Sous-lieutenant au 6e bataillon de chasseurs alpins, Renoir est blessé à la jambe dans les Vosges. En convalescence à Paris, il a de longs entretiens avec son père
28 juin : Mort d'Aline, mère de Jean Renoir

1916

Renoir est engagé comme observateur dans l'escadrille d'aviation C64 basée à Colombey-les-Belles

1917

Renoir blessé une fois de plus, dans un accident d'avion

1919

3 décembre : Mort d'Auguste Renoir

1920

24 janvier : Renoir épouse Andrée Heuschling, modèle d'Auguste, qui prendra au cinéma le pseudonyme de Catherine Hessling

1921

23 octobre : Naissance d'Alain Renoir, fils unique de Jean

1924

Renoir produit et écrit le scénario de *CATHERINE OU UNE VIE SANS JOIE* :
Adaptation : Jean Renoir et Pierre Lestringuez ; *réalisation* : Albert Dieudonné ; *opérateurs* : Jean Bachelet et Alphonse Gibory ; *durée* : 82 mn.
Interprétation : Catherine Hessling (Catherine Ferrand), Albert Dieudonné (M. Laisné), Eugénie Naud (Mme Laisné), Louis Gauthier (Georges Mallet), Pierre Champagne (le fils Mallet), Pierre Philippe, pseudo de Pierre Lestringuez (Adolphe le maquereau)

LA FILLE DE L'EAU :
Scénario : Pierre Lestringuez ; *réalisation* : Jean Renoir ; *opérateurs* : Jean Bachelet et Alphonse Gibory ; *production* : Jean Renoir ; *durée* : 89 mn.
Interprétation : Catherine Hessling (Virginie Rosaert), Pierre Philippe (Oncle Jef), Pierre Champagne (Justin Crépoix), Harold Lewingston (Georges Raynal), André Derain (patron du café), Henriette Moret (La Roussette), Maurice Touzé (La Fouine)

1926

NANA :
Scénario : Pierre Lestringuez d'après le roman d'Emile Zola ; *réalisation* : Jean Renoir ; *décor et costumes* : Claude Autant-Lara ; *chefs opérateurs* : Edmund Corwin et Jean Bachelet ; *cameramen* : Alphonse Gibory et Charles Raleigh ; durée : 161 mn.
Interprétation : Catherine Hessling (Nana), Werner Krauss (comte Muffat), Jean Angelo (comte de Vandeuvres), Raymond Guérin-Catelain (Georges Hugon), Valeska Gert (Zoé, la caméristе de Nana), Jacqueline Forzane (comtesse Muffat), Pierre Philippe (Bordenave), Harbacher (Francis, le coiffeur de Nana)

SUR UN AIR DE CHARLESTON :
Scénario : Pierre Lestringuez, d'après une idée d'André Cerf ; *réalisation* : Jean Renoir ; *opérateur* : Jean Bachelet ; *durée* : 25 mn.
Interprétation : Johnny Higgins (l'explorateur), Pierre Braunberger (un ange), Pierre Lestringuez (un ange), Jean Renoir (un ange), Catherine Hessling (la danseuse)

1927

MARQUITTA :
Scénario : Pierre Lestringuez ; *réalisation* : Jean Renoir ; *opérateurs* : Jean Bachelet, Raymond Agnel ; *durée* : 120 mn.
Interprétation : Jean Angelo (le prince Vlasco), Marie-Louise Iribe (Marquitta), Henri Debain (comte Dimitrieff), Pierre Philippe (le directeur du casino)

1928

LA PETITE MARCHANDE D'ALLUMETTES :
Scénario : Jean Renoir, d'après le conte de Hans Christian Andersen ; *réalisation* : Jean Renoir et Jean Tedesco ; *chef opérateur* : Jean Bachelet ; *durée* : 29 mn.
Interprétation : Catherine Hessling (Karen, la petite marchande d'allumettes), Manuel Raabi (l'agent de police et le hussard de la mort), Jean Storm (le jeune homme riche et le cavalier), Amy Wells (la poupée mécanique)

TIRE AU FLANC :
Scénario : Jean Renoir, Claude Heymann, André Cerf, d'après la pièce de Mouëzy-Eon ; *réalisation* : Jean Renoir ; *producteur* : Pierre Braunberger ; *décor* : Eric Aes ; *chef opérateur* : Jean Bachelet ; *durée* : 120 mn.
Interprétation : Georges Pomiès (Jean Dubois d'Ombelles), Jeanne Helbling (Solange Blandin), Michel Simon (Joseph), Fridette Fatton (Georgette), Jean Storm (lieutenant Daumel), Maryanne (Mme Blandin), Félix Oudart (le colonel Brochard), Zellas (Muflot)

LE TOURNOI DANS LA CITÉ :
Scénario : Henry Dupuy-Mazuel, André Jaeger-Schmidt, d'après une nouvelle de Henry Dupuy-Mazuel ; *production* : Société des films historiques ; *réalisation* : Jean Renoir ; *opérateurs* : Marcel Lucien, Maurice Desfassiaux ; *décor* : Robert Mallet-Stevens ; *durée* : 120 mn.
Interprétation : Aldo Nadi (François de Baynes), Jackie Monnier (Isabelle Ginori), Enrique Rivero (Henri de Rogier), Blanche Bernis (Catherine de Médicis), Suzanne Desprès (comtesse de Baynes), Manuel Raabi (comte Ginori)

1929

LE BLED :
(Dernier film muet de Jean Renoir)
Scénario : Henry Dupuy-Mazuel, André Jaeger-Schmidt ; *production* : Société des films historiques ; *réalisation* : Jean Renoir ; *opérateurs* : Marcel Lucien, Léon Morizet ; *montage* : Marguerite Houllé, *durée* : 102 mn.
Interprétation : Jackie Monnier (Claudie Duvernet), Diana Hart (Diane Duvernet), Enrique Rivero (Pierre Hoffer), Alexandre Arquillère (Christian Hoffer), Manuel Raabi (Manuel Duvernet)

1930

Sans divorcer, Renoir se sépare progressivement de Catherine Hessling et il noue une relation nouvelle avec Marguerite Houllé qui montera désormais ses films sous le nom de Marguerite Renoir.

1931

ON PURGE BÉBÉ :
Scénario : Jean Renoir, d'après la comédie de Georges Feydeau ; *réalisation* : Jean Renoir ; *opérateurs* : Théodore Sparkuhl, Roger Hubert ; *durée* : 62 mn.
Interprétation : Marguerite Pierry (Julie Follavoine), Louvigny (Follavoine), Michel Simon (Chouilloux), Fernandel (Truchet)

LA CHIENNE :
Scénario : Jean Renoir, André Girard, d'après le roman de Georges de la Fouchardière ; *dialogues* : Jean Renoir ; *production* : Pierre Braunberger, Roger Richebé ; *réalisation* : Jean Renoir ; *chef opérateur* : Théodore Sparkuhl ; *cameraman* : Roger Hubert ; durée : 100 mn.
Interprétation : Michel Simon (Maurice Legrand), Georges Flamant (Dédé), Janie Marèze (Lulu), Magdeleine Bérubet (Adèle Legrand), Roger Gaillard (Alexis Godart)

1932

LA NUIT DU CARREFOUR :
Scénario : Jean Renoir, Georges Simenon, d'après le roman de Georges Simenon ; *dialogues* : Jean Renoir ; *réalisation* : Jean Renoir ; *production* : Europa Films ; *opérateurs* : Marcel Lucien, Georges Asselin ; *montage* : Marguerite Renoir ; *durée* : 75 mn.
Interprétation : Pierre Renoir (commissaire Maigret), Winna Winfried (Else Andersen), Georges Koudria (Carl Andersen), Dignimont (Oscar), Jean Gehret (Emile Michonnet)

BOUDU SAUVÉ DES EAUX :
Scénario : Jean Renoir, Albert Valentin, d'après la pièce de René Fauchois ; *production* : Société Sirius ; *réalisation* : Jean Renoir ; *chef opérateur* : Marcel Lucien ; *durée* : 83 mn.
Interprétation : Michel Simon (Boudu), Charles Granval (Monsieur Lestingois), Marcelle Hainia (Madame Lestingois), Séverine Lerczinska (Anne-Marie)

1933

CHOTARD ET COMPAGNIE :
Scénario : Jean Renoir, Roger Ferdinand, d'après sa pièce ; *production* : Société des films Roger Ferdinand ; *réalisation* : Jean Renoir ; *chef opérateur* : J.-L. Mundwiller ; *cameramen* : Claude Renoir, René Ribault ; *durée* : 83 mn.
Interprétation : Georges Pomiès (Julien Collinet), Fernand Charpin (François Chotard), Jeanne Lory (Marie Chotard)

MADAME BOVARY :
Scénario et dialogues : Jean Renoir, d'après le roman de Gustave Flaubert ; *production* : La nouvelle société de films (Gallimard) ; *chef opérateur* : Jean Bachelet ; *assistant cadreur* : Claude Renoir ; *durée* : 120 mn.
Interprétation : Valentine Tessier (Emma Bovary), Pierre Renoir (Charles Bovary), Max Dearly (Homais), Robert Le Vigan (Lheureux), Alice Tissot (Madame Bovary mère)

1934

TONI :
Scénario : Jean Renoir, Carl Einstein, d'après un fait divers authentique recueilli par Jacques Levert ; *production* : Films d'aujourd'hui ; *réalisation* : Jean Renoir ; *chef opérateur* : Claude Renoir ; *stagiaire* : Luchino Visconti ; *durée* : 100 mn.

Interprétation : Charles Blavette (Toni), Celia Montalvan (Joséfa), Jenny Hélia (Marie), Max Dalban (Albert), Edouard Delmont (Fernand)

1935

LE CRIME DE MONSIEUR LANGE :
Scénario : Jacques Prévert, Jean Renoir, d'après une idée de Jean Castanyer; *dialogues* : Jacques Prévert; *producteur* : André Halley des Fontaines; *réalisation* : Jean Renoir; *chef opérateur* : Jean Bachelet; *musique* : Jean Wiener; *durée* : 84 mn.
Interprétation : René Lefèvre (Amédée Lange), Florelle (Valentine), Jules Berry (Batala), Nadia Sibirskaïa (Estelle), Sylvia Bataille (Edith), Henri Guisol (Meunier)

1936

LA VIE EST À NOUS :
Scénario : Jean-Paul Le Chanois, Pierre Unik, Jean Renoir; *production* : Parti communiste français; *réalisation* : Jean Renoir, Jean-Paul Le Chanois, André Zwoboda, Jacques Becker, Jacques Brunius, Henri-Cartier Bresson, etc.; *opérateurs* : Claude Renoir, Jean-Serge Bourgoin, Jean Isnard, Alain Douarinou, Louis Page, Nicolas Hayer; *durée* : 66 mn.
Interprétation : Jean Dasté (l'instituteur), Jacques Brunius (le PDG), Jean Renoir (le patron de bistrot), Julien Bertheau (le chômeur affamé) et Gaston Modot, Roger Blin, Charles Blavette, Max Dalban, Sylvain Itkine, etc.

PARTIE DE CAMPAGNE :
Scénario : Jean Renoir, d'après la nouvelle de Guy de Maupassant; *producteur* : Pierre Braunberger; *réalisation* : Jean Renoir; *chef opérateur* : Claude Renoir; *assistants* : Luchino Visconti et Henri Cartier-Bresson; *musique* : Joseph Kosma; *durée* : 37 mn.
Interprétation : Sylvia Bataille (Henriette Dufour), Georges Darnoux (Henri), Gabriello (Monsieur Dufour), Paul Temps (Anatole), Jane Marken (Madame Dufour), Jean Renoir (le père Poulain)

LES BAS-FONDS :
Scénario : Jean Renoir, Charles Spaak, d'après la pièce de Maxime Gorki; *producteur* : Alexandre Kamenka; *réalisation* : Jean Renoir; *opérateurs* : Jean Bachelet, Fedote Bourgassoff; *décor* : Eugène Lourié, Hugues Laurent; *durée* : 89 mn.
Interprétation : Jean Gabin (Pepel), Suzy Prim (Vassilissa), Louis Jouvet (le baron), Vladimir Sokoloff (Kostylev), Robert Le Vigan (l'acteur), Maurice Baquet (l'accordéoniste)

1937

LA GRANDE ILLUSION :
Scénario et dialogues : Jean Renoir, Charles Spaak; *producteur* : Frank Rollmer; *réalisation* : Jean Renoir; *chef opérateur* : Christian Matras; *cameraman* : Claude Renoir; *décor* : Eugène Lourié; *musique* : Joseph Kosma; *durée* : 113 mn.
Interprétation : Jean Gabin (Maréchal), Pierre Fresnay (Boïeldieu), Erich von Sroheim (von Rauffenstein), Marcel Dalio (Rosenthal), Julien Carette (l'acteur), Gaston Modot (l'ingénieur)

LA MARSEILLAISE :
Scénario : Jean Renoir avec la collaboration de Carl Koch, Nina Martel-Dreyfus et Mme Jean-Paul Dreyfus ; *dialogues* : Jean Renoir ; *production* : CGT, puis Société de production et d'exploitation du film *La Marseillaise* ; *réalisation* : Jean Renoir ; *opérateurs* : Jean-Serge Bourgoin, Alain Douarinou et Jean-Marie Maillols ; *décor* : Léon Barsacq, Georges Wakhévitch, Jean Périer ; *durée* : 135 mn.
Interprétation : Pierre Renoir (Louis XVI), Andrex (Honoré Arnaud), Edmond Ardisson (Jean-Joseph Bomier), Paul Dulac (Javel), Lise Delamare (Marie-Antoinette), Léon Larive (Picard), Louis Jouvet (Roederer), Aimé Clariond (Monsieur de Saint-Laurent), Nadia Sibirskaïa (Louison), Carette (un volontaire)

1938

LA BÊTE HUMAINE :
Scénario : Jean Renoir, d'après le roman d'Emile Zola ; *producteur* : Roland Tual ; *réalisation* : Jean Renoir ; *chef opérateur* : Curt Courant ; *cameramen* : Claude Renoir, Jacques Natteau ; *décor* : Eugène Lourié ; *durée* : 105 mn.
Interprétation : Jean Gabin (Jacques Lantier), Simone Simon (Séverine Roubaud), Fernand Ledoux (Roubaud), Julien Carette (Pecqueux), Jean Renoir (Cabuche), Blanchette Brunoy (Flore)

1939

LA RÈGLE DU JEU :
Scénario : Jean Renoir, Carl Koch, André Zwoboda ; *production* : La Nouvelle édition française ; *réalisation* : Jean Renoir ; *chef opérateur* : Jean Bachelet ; *cameraman* : Jacques Lemare ; *scripte* : Dido Freire ; *décor* : Eugène Lourié ; *costumes* : Coco Chanel ; *durée* : 112 mn.
Interprétation : Nora Gregor (Christine), Jean Renoir (Octave), Roland Toutain (André Jurieux), Marcel Dalio (Robert de la Cheyniest), Julien Carette (Marceau), Gaston Modot (Schumacher), Mila Parély (Geneviève), Paulette Dubost (Lisette)

Juillet-août : Renoir est en Italie pour y réaliser *LA TOSCA* avec Michel Simon

Septembre : Renoir revient en France en raison de la « drôle de guerre »

1940

Mi-janvier : Retour en Italie pour reprendre le projet de *LA TOSCA* qui sera réalisé par son ami et collaborateur Carl Koch

Mai : Retour précipité en France, où le rappellent les événements de l'offensive allemande et de l'exode

Novembre : Départ pour les Etats-Unis via le Portugal

1941

10 janvier : Arrivée de Jean et Dido à Hollywood

L'ÉTANG TRAGIQUE (SWAMP WATER) :
Scénario : Dudley Nichols, d'après une nouvelle de Vereen Bell ; *production* : 20th Century Fox ; *réalisation* : Jean Renoir ; *opérateurs* : Peverell Marley, Lucien Ballard ; *durée* : 86 mn.

Interprétation : Dana Andrews (Ben Ragan), Anne Baxter (Julie Keefer), Walter Brennan (Tom Keefer), Walter Huston (Thursday Ragan), Ward Bond (Jim Dorson), Guinn Williams (Bud Dorson)

1943

VIVRE LIBRE (THIS LAND IS MINE) :
Scénario : Dudley Nichols, Jean Renoir ; *production* : RKO ; *réalisation* : Jean Renoir ; *chef opérateur* : Frank Redman ; *durée* : 103 mn.
Interprétation : Charles Laughton (Albert Lory), Maureen O'Hara (Louise Martin), George Sanders (Georges Lambert), Walter Slezak (major von Keller), Philip Merivale (professeur Sorel), Una O'Connor (Madame Lory)

1944

SALUT À LA FRANCE (SALUTE TO FRANCE) :
Scénario : Philip Dunne, Jean Renoir, Burgess Meredith ; *production* : Office of War Information ; *réalisation* : Jean Renoir, Garson Kanin ; *durée* : 34 mn.
Interprétation : Claude Dauphin (Jacques, le soldat français), Garson Kanin (Joe, le soldat américain), Burgess Meredith (Tommy, le soldat britannique)

1945

L'HOMME DU SUD (THE SOUTHERNER) :
Scénario : Jean Renoir, d'après le roman « Hold autumn in your hand » de George Sessions Perry ; *dialogues* : Jean Renoir avec la collaboration non créditée au générique de William Faulkner ; *production* : David Loew, Robert Hakim ; *réalisation* : Jean Renoir ; *chef opérateur* : Lucien Andriot ; *décor* : Eugène Lourié ; *assistant de réalisation* : Robert Aldrich ; *durée* : 92 mn.
Interprétation : Zachary Scott (Sam Tucker), Betty Field (Nona Tucker), Beulah Bondi (la grand-mère), John Carrol Naish (Henry Devers), Charles Kemper (Tim)

1946

LE JOURNAL D'UNE FEMME DE CHAMBRE (THE DIARY OF A CHAMBERMAID) :
Scénario : Burgess Meredith, Jean Renoir, d'après « Le Journal d'une femme de chambre » d'Octave Mirbeau ; *production* : Benedict Bogeaus, Burgess Meredith ; *réalisation* : Jean Renoir ; *chef opérateur* : Lucien Andriot ; *décor* : Eugène Lourié ; *durée* : 91 mn.
Interprétation : Paulette Goddard (Célestine), Francis Lederer (Joseph), Burgess Meredith (capitaine Mauger), Judith Anderson (Madame Lanlaire), Hurd Hatfield (Georges Lanlaire)

LA FEMME SUR LA PLAGE (THE WOMAN ON THE BEACH) :
Scénario : Jean Renoir, Frank Davis, J.R. Michael Hogan, d'après le roman « None so blind » de Mitchell Wilson ; *production* : RKO ; *réalisation* : Jean Renoir ; *durée* : 71 mn.
Interprétation : Robert Ryan (lieutenant Scott Burnett), Joan Bennett (Peggy Butler), Charles Bickford (Tod Butler)

1950

LE FLEUVE (THE RIVER) :
Scénario : Jean Renoir, Rumer Godden, d'après son roman ; *production* : Oriental-International Film ; *réalisation* : Jean Renoir ; *chef opérateur* : Claude Renoir ; *décor* : Eugène Lourié ; *durée* : 99 mn.
Interprétation : Patricia Walters (Harriet), Radha Shri Ram (Mélanie), Adrienne Corri (Valérie), Thomas E. Breen (captain John), Richard Forster (Bogey), Arthur Shields (Monsieur John)

1952

Janvier : Publication dans le numéro 8 des *Cahiers du cinéma* de deux articles essentiels : « Renoir français » par André Bazin et « Renoir américain » par Maurice Schérer (Eric Rohmer)

LE CARROSSE D'OR :
Scénario : Jean Renoir, Renzo Avanzo, Jack Kirkland, Giulio Macchi, Ginette Doynel, d'après la pièce de Prosper Mérimée « Le Carrosse du Saint-Sacrement » ; *producteur* : Francesco Alliata ; *réalisation* : Jean Renoir ; *chef opérateur* : Claude Renoir ; *durée* : 100 mn.
Interprétation : Anna Magnani (Camilla), Duncan Lamont (le vice-roi), Paul Campbell (Felipe), Riccardo Rioli (Ramon), Nadia Fiorelli (Isabelle), Odoardo Spadaro (don Antonio), George Higgins (Martinez)

1954

10 juillet : unique représentation aux arènes d'Arles de « Jules César » de William Shakespeare mis en scène par Jean Renoir

FRENCH CANCAN :
Scénario : Jean Renoir sur un idée d'André-Paul Antoine ; *production* : Franco London Films ; *réalisation* : Jean Renoir ; *décor* : Max Douy ; *chef opérateur* : Michel Kelber ; *cameraman* : Henry Tiquet ; *musique* : Georges Van Parys ; *durée* : 97 mn.
Interprétation : Jean Gabin (Danglard), Françoise Arnoul (Nini), Maria Félix (la Belle Abbesse), Gianni Esposito (le prince Alexandre), Jean Parédès (Coudrier), Jean-Roger Caussimon (le baron Walter)

1955

ORVET :
Comédie en trois actes de Jean Renoir ; *mise en scène* : Jean Renoir ; *première représentation publique* le 12 mars 1955 au Théâtre de la Renaissance.
Distribution : Leslie Caron (Orvet), Paul Meurisse (Georges), Michel Herbault (Olivier), Raymond Bussières (Coutant), Jacques Jouanneau (William), Marguerite Cassan (Clotilde)

1956

ELENA ET LES HOMMES :
Scénario : Jean Renoir ; *adaptation* : Jean Renoir, Jean Serge ; *production* : Franco London Films ; *réalisation* : Jean Renoir ; *chef opérateur* : Claude Renoir ; *décor* : Jean André ; *durée* : 98 mn.

Interprétation : Ingrid Bergman (Elena), Jean Marais (général Rollan), Mel Ferrer (Henri de Chevincourt), Jean Richard (Hector), Magali Noël (Lolotte), Pierre Bertin (Martin-Michaud)

1959

LE TESTAMENT DU DOCTEUR CORDELIER :
Scénario : Jean Renoir, d'après le roman de Robert Louis Stevenson « Dr Jekyll et Mr Hyde » ; *production* : Compagnie Jean Renoir et Radio Télévision Française ; *chef opérateur* : Georges Leclerc ; *durée* : 95 mn.
Interprétation : Jean-Louis Barrault (Dr Cordelier et Opale), Michel Vitold (Dr Séverin), Teddy Bilis (maître Joly), Jean Topart (Désiré), Jean Renoir (le narrateur)

LE DÉJEUNER SUR L'HERBE :
Scénario et dialogues : Jean Renoir ; *production* : Compagnie Jean Renoir ; *réalisation* : Jean Renoir ; *chef opérateur* : Georges Leclerc ; *durée* : 92 mn.
Interprétation : Paul Meurisse (professeur Etienne Alexis), Catherine Rouvel (Nénette), Fernand Sardou (père de Nénette), Ingrid Nordine (Marie-Charlotte), Paulette Dubost (Mademoiselle Forestier), André Brunot (le vieux curé), Charles Blavette (Gaspard, le vieux berger)

1962

Publication de *PIERRE-AUGUSTE RENOIR, MON PÈRE* par Jean Renoir (Gallimard)

LE CAPORAL ÉPINGLÉ :
Scénario : Jean Renoir, Guy Lefranc, d'après le roman de Jacques Perret ; *production* : Films du cyclope ; *réalisation* : Jean Renoir ; *chef opérateur* : Georges Leclerc ; *durée* : 105 mn.
Interprétation : Jean-Pierre Cassel (le caporal), Claude Brasseur (Pater), Claude Rich (Adrien Ballochet), Jean Carmet (Guillaume), Jacques Jouanneau (Penche-à-gauche)

1966

Avril : Publication de *LES CAHIERS DU CAPITAINE GEORGES*, premier roman de Jean Renoir (Gallimard)
Mai-juin : Tournage de l'émission « Cinéastes de notre temps » de Janine Bazin et André S. Labarthe intitulée *JEAN RENOIR LE PATRON*, réalisation : Jacques Rivette

1969

LE PETIT THÉÂTRE DE JEAN RENOIR :
Scénario : Jean Renoir ; *production* : RAI, ORTF, Bavaria ; *réalisation* : Jean Renoir ; *chef opérateur* : Georges Leclerc ; *musique* : Jean Wiener, Joseph Kosma ; *durée* : 100 mn.
Interprétation :
1/ « Le dernier réveillon » : Nino Fornicola (le clochard), Roland Bertin (Gontran), Milly Monti (la clocharde)
2/ « La cireuse électrique » : Marguerite Cassan (Emile Michonnet), Pierre Olaf (Gustave), Jacques Dynam (Jules)

3/ « Quand l'amour meurt » : Jeanne Moreau (la chanteuse)
4/ « Le roi d'Yvetot » : Fernand Sardou (Duvallier), Françoise Arnoul (Isabelle Duvallier), Jean Carmet (Féraud), Dominique Labourier (Paulette)
(Présentation de chaque sketch par Jean Renoir)

1971

Publication posthume de *JEAN RENOIR* par André Bazin (éditions Champ Libre)

1973

28 février : Création à la Hollywood Television (chaîne 28) de *CAROLA*, pièce de Jean Renoir, mise en scène par Norman Lloyd, interprétée par Leslie Caron, Mel Ferrer et Anthony Zerbe

1974

Avril : Publication de *MA VIE ET MES FILMS* (Flammarion) et *ÉCRITS 1926-1971* par Jean Renoir (Belfond)

1975

Décembre : Jean Renoir reçoit un Oscar spécial pour l'ensemble de son œuvre

1978

Janvier : Publication de *LE CŒUR À L'AISE*, roman de Jean Renoir (Flammarion)

1979

Janvier : Publication de *LE CRIME DE L'ANGLAIS*, roman de Jean Renoir (Flammarion)

12 février : Jean Renoir meurt dans sa maison de Beverly Hills

Décembre : Publication de *GENEVIÈVE*, dernier roman de Jean Renoir

1981

Décembre : Publication de *ŒUVRES DE CINÉMA INÉDITES* de Jean Renoir (Cahiers du Cinéma, Gallimard)

1984

Février : Publication de *LETTRES D'AMÉRIQUE* de Jean Renoir (Presses de la Renaissance)

1998

Mars : Publication de *JEAN RENOIR, CORRESPONDANCE 1913-1978* (Plon)

TABLE

Cet ouvrage a été imprimé par

FIRMIN DIDOT
GROUPE CPI

Mesnil-sur-l'Estrée

pour le compte des Éditions Grasset
en août 2005

Imprimé en France
Dépôt légal : septembre 2005
N° d'édition : 13918 – N° d'impression : 74014
ISBN : 2-246-65851-9